U0115449

大學叢書

新亞論叢

第十九期

香港新亞文商書院
主編

稿　約

(1)本刊宗旨專重研究中國學術，以登載有關文學、歷史、哲學等研究論文為限，亦歡迎有關中、西學術比較的論文。

(2)來稿均由本刊編輯委員會送呈專家審查，以決定刊登與否，來稿者不得異議。

(3)本刊歡迎海內外學者賜稿，每篇論文以一萬五千字內為原則；如字數過多，本刊會分兩期刊登。

(4)本刊每年出版一期，每年九月三十日截稿。

(5)本刊有文稿行文用字的刪改權，惟以不影響內容為原則。

(6)文責自負，有關版權亦由作者負責。

(7)若一稿二投，需先通知編輯委員會，刊登與否，由委員會決定。

(8)來稿請附約二百字中文提要，刊登時可能會刪去。

(9)來稿請用 word 檔案，電郵至：socses@yahoo.com.hk

目次

編輯弁言

　　今期本刊收到的論文多達數十篇之多，論文水平甚高。除中、港、台的論文外，亦收到來自他國的論文。本刊自當保持《論叢》的學術水平，使之成為學界著名期刊。明年是本刊出版二十週年紀念，將加刊紀念版，凡曾在新亞研究所、書院、文商書院任教、兼任、論文導師、演講、參與研討會等等學者名宿的生平、軼事、交誼等文章，均刊登於紀念版中，以記新亞精神對中國文化的貢獻。

　　本刊顧問聶石樵教授（1927-2018）於今年三月十三日逝世。先生是山東蓬萊人。一九五七年畢業於北京師範大學中文系，歷任北京師大中文系中國古代文學助教、講師、副教授、教授、博士生導師；曾任中國詩經學會顧問，中國屈原學會副會長等，對戲曲、小說、文學史等貢獻尤深，是中國文學史大家，能出其右者，寥寥可數。本刊幾位顧問、編輯亦曾跟隨聶先生學習。

　　先生溫文爾雅，謙厚待人，本刊主篇楊永漢最初拜訪聶先生，已甚感親切，先生平易近人，對後輩諄諄教誨，多番勉勵，彷似相識已久。臨離開前，更親贈著作、論文以作參考。聶先生對論文要求甚高，在撰寫論文方面，他提醒楊君，當時風氣甚喜抄襲，千叮萬囑研究學術是要作出貢獻，不是攀附的橋樑。楊君每念此語，均謹慎下筆，從不掠美。其次，對於年青學者，隨意批評前輩學者，聶先生亦不敢苟同，認為往往是嘩眾取寵多於研究成果。

　　本刊評審委員張偉保教授亦曾受教，指點論文。張君曾說聶先生可謂「言為世則，行為世範」，一代宗師，誠至言也。聶先生教誨張君，要在學術上有成就，必須專心致志，有足夠參考書籍；還有，是生活要安定，否則日夜擔憂炊爨，何暇寫文章。追思前賢，哲人其萎，本刊同仁表示深切哀悼。

　　最後，適值明年是二十週年紀念，本刊期望，學術界能對《新亞論叢》作出指導，使之成為學術交流的主要刊物，為中國文化學術作出貢獻。本刊堅持了出版二十年，期間曾得到不少出版社或教育機構協助，資助出版，衷心感謝。

《新亞論叢》編輯委員會

喪葬中的儒家思想

鄧紫瑩　　梁家欣

香港樹仁大學

一　緒論

　　喪葬文化是中國獨特文化之一，其喪葬制度自殷商已有發展，及至周代，周公制禮作樂，完善各種禮樂制度，其中包括喪葬制度，使天子以至於公卿士人及其後代子孫，於先人亡逝後能有所依從。喪者，亡也。[1]葬者，藏也，從死在茻中。[2]一旦失去生命跡象，其喪葬儀式即開始運行，自為亡者梳洗、著衣、停靈、下葬……其中的哭喪制度、五等喪服制度、陪葬所用的明器制度、下葬之時的棺槨制度等不同制度皆有所規定。喪葬制度並不只是一套儀式，背後蘊含著儒家「仁」、「節」與「正名」三大思想。

　　本文能順利完成，多謝梁文君同學協助搜集資料。

二　先秦儒家評喪葬

　　《儀禮》中的〈喪服〉、〈士喪禮〉、〈既夕禮〉、〈士虞禮〉等章節詳細地記載了周代的喪葬儀式。而《禮記》作為注釋周禮的一部經典，其〈曲禮〉、〈檀弓〉、〈王制〉、〈曾子問〉、〈禮運〉、〈禮器〉、〈喪服小記〉、〈雜記〉、〈喪大記〉、〈奔喪〉、〈問喪〉、〈服問〉、〈間傳〉、〈三年問〉等眾多章節對喪葬的儀式及思想皆有所解釋。孔子言：「吾從周。」其繼承周禮之心毋庸置疑。

　　晚清康有為曾對孔子是否完全繼承周禮提出質疑，他認為孔子托古改制，對周禮提出改革，其言：「無徵不信，不信民不從，故一切制度托之三代先王以行之。」[3]又謂：「孔子以布衣而改亂制，加王心，達王事，不得不托諸行事以明其義。」[4]並且提出確實論據，以三年之喪為例，康有為認為這是孔子增改之制，其言：

　　　　三年之喪，為孔子增改之制，托於三代聖王以行之。孟子為孔子後學，故曰以
　　　　推行孔道為事。若本是三代舊制，則魯自周公、伯禽至平公，滕自叔繡至定公，

1　段玉裁：《說文解字注》上海：上海古籍出版社，2006年，頁63。

2　段玉裁：《說文解字注》上海：上海古籍出版社，2006年，頁48。

3　康有為：《孔子改制考》北京：中華書局，1988年3月，頁267。

4　康有為：《孔子改制考》北京：中華書局，1988年3月，頁268。

中間非無賢君，豈敢悖當王定制，何至絕無一人行之？魯為秉禮，亦無人行之，何也？且自親臣、重臣、言官盈廷會議具奏，無一人以為可者。若《大周會典》、《大周通禮》顯有此條，且上溯夏、殷《會要》皆有之，百官議奏能引《志》曰，觀瞻具在，有不知而公然違悖者乎？與宰我問短喪、齊宣王欲短喪，三說參考之，自悟其為孔子新改之制，托古以為三代矣，而尤莫若此條之明晰。[5]

魯國循周禮，然自魯國自周公、伯禽至平公歷代君主未見有行三年之喪；孔子之先未有文獻載三年之喪；孔子學生宰我對短喪有疑問，而齊國國君欲行短喪，足見三年之喪未見於典籍且未有普及。以上種種情況足以推測三年之喪實為孔子增改之制。孔子處於禮崩樂壞的春秋時期，眼見諸侯僭越、大夫棄禮，特意提出三年之喪，甚至對周禮進行改革，這些舉措都是具有可能性的，目的是為了提升人們對禮的認知，使他們的行為合乎規範。不論孔子是否切實地對周禮進行改革，現時所傳之《禮記》蘊含孔子之思想這一點是毋庸置疑的，孔子按他的理念解釋周禮，《禮記》中明確記載孔子及其弟子對喪禮的看法，包括喪葬之儀式以及背後的意義。故此，《禮記》必定與先秦儒家的喪葬思想相契合。縱觀《禮記》中與喪葬有關之內容，可見其主要蘊含著「仁」、「節」與「正名」三大思想，同時也是儒家的理念。

仁，是儒家的核心思想，在喪葬文化中可理解為對死者的敬愛之心和對生者的悲憫之心。節，則是節制之義。禮在喪葬中的作用有二，其一，使生者節制情感，免得過分傷心而傷乎其身。其二，使情緒不足之人提高情緒以合乎禮。正名，確立不同階級的名分，維持宗法等級秩序。

（一）真情發乎內心

孔子重視禮，在言行舉止中皆對禮有所追求和反映。孔子的禮並非流於表面形式，更重要的是其真情發自內心而促使人合於禮，而孔子本人在現實生活中也透過自己的言行把這一理念表現出來。有戴孝的人在旁時，孔子未曾吃飽過[6]。這是由於孔子發自內心地對戴孝之人有所同情和傷感，使孔子食不下嚥，同時，透過「未嘗飽」這一行為表達對死者的哀悼。

對孔子而言，他更重視儀式背後所蘊含的真情，可以說，真情勝於儀式，以他對兩個學生除喪後的表現為例，《禮記・檀弓上》載：

5　康有為：《孔子改制考》北京：中華書局，1988年3月，頁272。
6　《論語・述而》：「子食於有喪者之側，未嘗飽也。」

> 子夏既除喪而見，予之琴，和之不和，彈之而不成聲。作而曰：「哀未忘也。先
> 王制禮，而弗敢過也。」子張既除喪而見，予之琴，和之而和，彈之而成聲，作
> 而曰：「先王制禮不敢不至焉。」[7]

子夏與子張除喪後奏琴的表現極為不同，子夏所奏之曲不成音調，蓋因未能完全忘記內心的傷痛。而子張則音律和諧，是因不敢不努力做到先王制定的禮規。兩人表現雖不同，但能看出子夏的哀情以及二人努力達到先王之禮的心意，故此，二人皆合於禮。

　　此外，孔子在厚葬與否的問題上也發揮著重視真情的思想。子游曾問喪具於孔子，孔子曰：

> 毋過禮；苟亡矣，斂首足形，還葬，縣棺而封，人豈有非之者哉！[8]

在操辦喪事與財力關係的問題上，孔子明確指出即使財富豐厚亦需依禮行事，不能越禮而奢侈浪費；貧窮沒有財力則盡情盡力即可。可見孔子並不過分重視喪葬儀式的規格，所重視的是內在的真情，即使貧窮欠缺財力，只需操辦儀式的時候發乎內心表露真情即可。

　　除孔子言行外，《禮記・檀弓下》所記載樂正子服喪表現同樣反映出儒家重視真情的思想。周禮規定母死則三日不食，而樂正子在母親去世後則五日不食。然而，事後樂正子為此感到後悔，曰：

> 吾悔之，自吾母而不得吾情，吾惡乎用吾情！[9]

可見樂正子深刻認識到自己的虛偽，並為此後悔不已。儒家弟子把樂正子的這一事例載於《禮記》，反映他們都同意真情勝於儀式。「孝悌」要以發自內心的尊敬為基礎，若是喪葬儀式流於表面，成為表現自己的方式，而非發自內心所流露出的對親人逝世的悲傷哀痛，這是虛偽且為儒家所唾棄的。

　　孔子及其門徒皆重視人發自內心的真情，而這真情的重要性遠大於儀式，只要哀情發自內心，即使貧窮的人達不到喪葬儀式所需的規格亦不違禮，因為此人已達到禮的意涵。

（二）生者死者同重視

　　儒家重視「慎終追遠」，透過喪葬之禮教導子孫後代行孝。但儒家並非只重視逝世

7　孫希旦：《禮記集解》北京：中華書局，1989年2月，頁205。

8　孫希旦：《禮記集解》北京：中華書局，1989年2月，頁224。

9　孫希旦：《禮記集解》北京：中華書局，1989年2月，頁306。

的先人祖先，對於仍在世的活人，儒家以「仁」的角度加以重視。《禮記》明確記載：

> 八十齊喪之事弗及也。[10]

年過八十的老人不用服喪，這是體諒年紀老邁之人的表現，以仁慈之心考量到老人身體不能負擔繁重的喪葬儀式，又且心理上未能忍受親人逝世之傷痛。又，《禮記·檀弓上》記載子柳處理母親喪禮一事，同樣表現出他重視活人的思想：

> 子柳之母死，子碩請具。子柳曰：「何以哉？」子碩曰：「請粥庶弟之母。」子柳曰：「如之何其粥人之母以葬其母也？不可。」[11]

子柳不願賣掉庶弟的母親來葬自己的母親，是因他重視在世之人的生命，不忍因自己的故去的母親而使庶弟的母親被賣，使母子分離受苦。

不但如此，作為生命即將走到盡頭的人，韓國貴族成子高同樣表達出重視活人的思想，《禮記·檀弓上》載：

> 成子高寢疾，慶遺入，請曰：「子之病帮矣，如至乎大病，則如之何？」子高曰：「吾聞之也：生有益於人，死不害於人。吾縱生無益於人，吾可以死害於人乎哉？我死，則擇不食之地而葬我焉。」[12]

成子高認為死人應愛護活人，他不願害人，故而選擇不能耕種的土地來埋葬自己。這正是儒家所提倡的「仁」，對活人抱有慈悲之心，不願因自己的埋葬而使活人減少耕作的土地，變相減少糧食而害於人。

（三）情感表達合乎禮

禮喪葬的作用之一是節制生者過多的情感，免得生者因過分傷心而傷害自身。《禮記·喪大記》記載：

> 始卒，主人啼，兄弟哭，婦人哭踊。[13]

> 婦人迎客送客不下堂，下堂不哭；男子出寢門見人不哭。[14]

---

10 孫希旦：《禮記集解》北京：中華書局，1989年2月，頁384。

11 孫希旦：《禮記集解》北京：中華書局，1989年2月，頁208。

12 孫希旦：《禮記集解》北京：中華書局，1989年2月，頁226。

13 孫希旦：《禮記集解》北京：中華書局，1989年2月，頁1135。

14 孫希旦：《禮記集解》北京：中華書局，1989年2月，頁1145。

> 斂者既斂必哭。[15]

哭喪儀式中各人按與死者之親疏遠近，以不同之方式表達哀痛。哭而無聲為啼，喪家之主事者最為哀痛，哀痛至極而無聲，故而「啼」，又且主喪者需操持後事，不能放聲大哭而失去理智，故而不得不「啼」。[16]兄弟哭而有聲，以表達兄弟間之情誼。婦人則需頓足拍胸地哭，以表示極大之哀痛。主人、兄弟、婦人等不同身份之人各司其職、各安其分，有助維繫家族之秩序。

哭喪有著明確規定，喪葬儀式上，不論何時哭、何人哭、如何哭、於何地哭等皆有所規定，言行舉止需合乎戴孝之人的身份。節制自己的感情和行為，使自己免於過分悲傷，同時使表現合乎禮。哭喪嚴謹之規定使生者澎湃之悲傷得到節制，免得身體因過分悲傷而受到傷害，這是對生者行「仁」之表現。

（四）尊卑等級分明

天子、諸侯、大夫等不同階級之人的喪葬儀式及規格自有所不同。《禮記》記載：

> 天子死曰崩，諸侯曰薨，大夫曰卒，士曰不祿，庶人曰死。在床曰尸，在棺曰柩。羽鳥曰降，四足曰漬。死寇曰兵。[17]

> 天子七日而殯，七月而葬。諸侯五日而殯，五月而葬。大夫、士、庶人，三日而殯，三月而葬。三年之喪，自天子達，庶人縣封，葬不為雨止，不封不樹，喪不貳事，自天子達於庶人。喪從死者，祭從生者。支子不祭。[18]

> 君松槨，大夫柏槨，士雜木槨。棺槨之間，君容柷，大夫容壺，士容甒。君里槨虞筐，大夫不里槨，士不虞筐。[19]

根據亡者的身份階級，對亡者的稱呼、殯葬時間、棺槨選材等皆有所規定，如此明確上下尊卑，節制個人慾望，即使死後都能合乎身份而不逾禮。同時警戒後人依禮行事，不可逾禮，如此則進退有度，上下皆和。

孔子所言之「君君，臣臣，父父，子子。」[20]國君要像個國君，臣子要像個臣子。此不僅指明國君、臣子分別應盡之責任，更點出君臣之間具有階級上的巨大差異。要表

---

15 孫希旦：《禮記集解》北京：中華書局，1989年2月，頁1165。

16 高明士：《中國文化史》臺北：五南圖書出版公司，2007年2月，頁314。

17 孫希旦：《禮記集解·曲禮上》北京：中華書局，1989年2月，頁155。

18 孫希旦：《禮記集解·王制》北京：中華書局，1989年2月，頁340。

19 孫希旦：《禮記集解·喪大記》北京：中華書局，1989年2月，頁1190。

20 楊伯峻：《論語譯註·顏淵》北京：中華書局，2014年7月，頁126。

現其階級、身份之差異，則需藉著外物展示其不同，喪葬之儀式、規格正是其階級差異之表現方式。是故孔子注重正名，尊卑分明而各安其分，則社會得以穩定。

（五）血緣親疏

根據血緣親疏的遠近，對亡者的感情也需有所節制：

> 姑姊妹之薄也，蓋有受我而厚之者也。[21]

儒家認為人們需有意識地限制情感，由於出嫁的姐妹、姑姑已成為別家的人，夫家對她的恩情更深厚，因此在喪禮上，不能表露出比夫家更濃重的悲傷。這是儒家兼顧了夫家的感受的緣故，且反映出人們應按血緣五倫行事的思想。

（六）小結

「仁」、「節」與「正名」是儒家喪葬思想的核心內容，透過孔子及先秦儒家弟子的言行以及孔子主張非厚葬的觀念，可知其「仁」，且明確可見儒家認為喪葬中真情應發自內心，其重要性大於表面的儀式。而明器制度所反映出的生人與死人皆應重視的觀念同時蘊含仁愛的思想。而透過哭喪制度、棺槨制度、五等喪服制度等制度，反映儒家認為需節制個人情感和行為，可知其「節」。喪葬制度同時蘊含「正名」之思想，尊卑等級分明，而後個人按等級行事。「仁」、「節」與「正名」的共同目的是讓人們不論在世或已逝皆能有所依從，不至於損害倫理關係和感情，目的維繫家庭、社會之安定。

三　哭喪與儒家思想

（一）哭喪的重要性

在現代的二十一世紀，哭喪似乎與都市人的距離愈來愈遠。香港生活步伐急速，追求簡單快捷。除了從殯儀館舉辦喪禮之外，甚或有人選擇在殮房後直接出殯。在喪禮中，現代人之哭泣，更多是出於對離世親人的不捨，甚少是源自哭喪的傳統。然哭喪在儒家思想中占高度地位以及重要性。

根據《禮記·曲禮下》記載：「君子行禮，不求變俗。祭祀之禮、居喪之服、哭泣

---

21 孫希旦：《禮記集解·檀弓上》北京：中華書局，1989年2月，頁213。

之位,皆如其國之故,謹脩其法而審行之。」[22] 在《禮記》中,君子應該行的禮,在外也不應該改變,與祭祀、居喪一樣,哭喪亦應該如在國內的禮一樣執行。如此指出關於哭喪的兩大重點。第一,這是君子應該遵守的禮,儘管在外地不能夠拋棄,這點與《論語・子路》有異曲同工之意:「樊遲問仁,子曰:『居處恭,執事敬,與人忠,雖之夷狄,不可棄也。』[23]」在《論語》中,君子不粗野、不虛偽,是孔子希望世人能達到的標準。《禮記》將哭喪放在君子需要守的禮中,可見到哭喪之重要。第二,這句同樣印證了哭喪與祭祀、居喪平起平坐,從祭祀之禮去反映出哭喪在當時的地位。

《禮記・曲禮上》載:

> 適墓不登壟,助葬必執紼。臨喪不笑。揖人必違其位。望柩不歌。入臨不翔。當食不嘆。鄰有喪,舂不相。里有殯,不巷歌。適墓不歌。哭日不歌。送喪不由徑,送葬不辟涂潦。臨喪則必有哀色,執紼不笑,臨樂不嘆;介冑,則有不可犯之色。故君子戒慎,不失色於人。[24]

「哭日不歌」,與《論語・述而》中的「子於是日哭,則不歌。」不同。孔子指的是當日哭過則不唱歌。而《禮記》中的哭日,代指弔喪之日,在當日需要哭喪。這段文字指的是若鄰家進行哭喪,自己則不能唱歌,唱歌是對喪禮的不敬,從而顯示出哭喪在古人制度上的重要性以及莊嚴度。其背後中心思想卻能回歸《論語・述而》中的「子於是日哭,則不歌。」兩者在哭、歌不能同日而進行的理念上,都有一個理念,為「哀未忘也」。為了表示出自己的哀傷,不能在同一日就唱起歌來。故二者雖內容不同,但其理念不約而同也。「哀未忘也」都是儒家思想「仁」的表現。

(二)哭泣受禮制約

哭泣是人類的宣洩反應,情緒低落的時候便會流淚,當這種哭泣被「禮」所約制,就並非單純的生理反應。關於哭喪的制約,先看《禮記・檀弓上》之記載:

> 季武子成寢,杜氏之葬在西階之下,請合葬焉,許之。入宮而不敢哭。武子曰:「合葬非古也,自周公以來,未之有改也。吾許其大而不許其細,何居?命之哭。」[25]

---

22 (漢)鄭玄注,(唐)孔穎達正義:《十三經註疏》臺北:新文豐出版公司,2001年,頁179。

23 潘重規:《論語今注》臺北:里仁書局,2000年3月,頁283。

24 (漢)鄭玄注,(唐)孔穎達正義:《十三經註疏》臺北:新文豐出版公司,2001年,頁132。

25 (漢)鄭玄注,(唐)孔穎達正義:《十三經註疏》臺北:新文豐出版公司,2001年,頁274。

杜氏因害怕冒犯季武子，不敢依禮而哭。[26] 後來因為得到了季武子的允許下，可以哭喪。可見在古代進行哭喪需要看場地、場合是否適合進行。

哭喪本應是自然流露的情感，主張做人應恭敬、不虛偽、情感發自內心的孔子，卻要用禮規範哭泣這種生理反應。大概從《孝經》可知一二。

> 子曰：「孝子之喪親也，哭不偯，禮無容，言不文，服美不安，聞樂不樂，食旨不甘，此哀戚之情也。三日而食，教民無以死傷生，毀不滅性，此聖人之政也。喪不過三年，示民有終也。」[27]

這段文字，原是解釋在進行喪禮之時，孝子應該盡的禮法。觀乎「教民無以死傷生」一句，意指不要讓哀傷傷害到仍在生之人，因此哀傷、哭喪都應該受到制約。正如「喪不過三年」，就是哀傷不能超過三年，讓哀傷也有終點。聖人不能因為自身的哀傷而超越一切，哭泣、悲傷受到禮的約束之下，聖人才不會影響到國家、社會，不能讓自身的情緒氾濫。故此，《禮記·檀弓上》亦記載：「孔子惡野哭者。」[28]清惠士奇闡釋道：「哭有禮亦有節。哀矣而難繼，情在而無文，皆野也。」所以由此可以知道哭喪被禮所規範的理由，是讓君子不在人前失態、不影響身邊的事物，且控制自身的情緒。

（三）小結

根據上述文獻記載，可見哭泣發乎情，出於仁：對死者、生者的仁愛。對於死者，我們未知死後死者還有沒有靈魂，若有，親戚為死者而感到哀傷哭泣是對死者的尊重。對在生者，眼淚有助於人類紓解憂愁哀傷、釋放情緒，能夠讓他們從哀傷中走出來。在節方面，哭喪亦符合孔子對節的看法，哭喪受具體的禮法限制，在生者會根據自己的身份不過分流露哀傷，有禮的節約，才會讓社會因為哭喪有了人情味。

四　五等喪服與儒家思想

喪服，是為悼念死者而穿的。家族中親屬關係大致可分五類，傳統喪禮中會有五等喪服，當中的意義是一種親疏關係的確定。根據生者與死者血統的親疏和尊卑之別，喪服的形制和喪期的長短也各不相同，以此表示生者哀痛之深淺。

---

26 王夢鷗：《禮記今註今譯》（修訂本）臺北：臺灣商務印書館，1992年10月，頁81。

27 皮錫瑞：《孝經鄭注疏》上海：上海古籍出版社，1993年，頁33。

28 （漢）鄭玄注，（唐）孔穎達正義：《十三經註疏》臺北：新文豐出版公司，2001年，頁401。

（一）五等喪服

以親疏為差等的五種喪服為五等喪服，其名稱分別為斬衰、齊衰、大功、小功和緦麻。斬衰為五等中最高，「傳曰：斬者何？不緝也。」[29] 讓衣服邊側的斷口露著而不縫齊，表示內心悲痛以致無心修飾邊幅。子為父、父為長子、諸侯為天子、臣為君、妻妾為夫、未嫁女子為父皆屬斬衰，其為三年喪。

齊衰，次於斬衰一等之喪服，粗麻布製成但邊側已縫齊。齊衰按居喪期的長短和用杖與否又分為四等，有服喪三年、一年和三月之分別。

大功，為喪服制第三等，次於齊衰。相較斬衰、齊衰重喪之服的布料粗惡，不加入人功，自大功布起加入人功。其「大」意指人工粗大不精，只經人工粗略鍛冶。其服以熟麻布製成，質料比齊衰稍細。喪期為九月。

小功，為喪服制第四等，其喪服以較細的熟麻布製作而成，喪期為五月。

緦麻，五服中最輕的一種，以緦布製作，喪期為三月。

根據喪服的質料、形制之差異和服喪時間之長短，可體現血緣關係之親疏與地位之尊卑。喪服因血緣親疏而變換，合符服喪者對死者沉重哀痛之感情。著不同喪服之人亦應「各如其服」[30]，分別表達對死者不同程度之哀思。又，儒家重視「復生有節」之需要，長短不等之喪期，使服喪者能逐漸恢復正常的生活，這是對服喪者給予「仁」之關懷，節制其悲傷。

（二）五等喪服與宗法制度

宗法制度所訂定的親屬組織乃是以自己為中心，將上下左右之親屬作親疏遠近的分別，藉以明確家族間繼承之統系。在家族的繼統法中，首重嫡庶之別，以維持「正統」與「繼體」的尊貴純正地位，而保有其在家族中的特殊領導地位。[31] 觀乎用杖之限制：

> 傳曰：杖者何？爵也。無爵而杖者何？擔主也。非主而杖者何？輔病也。[32]

杖即是爵，有爵者才有杖。擔任喪主之嫡子地位超然，故而有杖。年老之人過於悲痛而致病，需杖扶持，故而也能有杖。持杖之限制雖蘊含關懷老人之仁愛思想，但更明顯的是揭示嫡子身份之尊貴。

遇嫡長子早逝，父親需服斬衰之服，為嫡長子服喪三年：

29　（漢）鄭玄注，（唐）賈公彥疏：《儀禮註疏》上海：上海古籍出版社，2008年12月，頁864。
30　楊婕妤：《周代喪葬禮制思想研究——以士為中心》新北：花木蘭文化事業公司，2015年9月，頁88。
31　林素英：《喪服制度的文化意義》臺北：文津出版社，2000年10月，頁292。
32　（漢）鄭玄注，（唐）賈公彥疏：《儀禮註疏》上海：上海古籍出版社，2008年12月，頁865。

傳曰：何以三年也？正體於上，又乃將所傳重也。[33]

嫡長子作為父親的正體而列宗廟之中，又是要主持禰廟之祭的人，其身份之重要足以讓父親服喪。又：

從父昆弟；為人後者為其昆弟。傳曰：何以大功也？為人後者降其昆弟也。[34]

作為宗子後繼者的支子為其兄弟應該服齊衰一年之喪，而只服大功之喪，是由於宗子的後繼人尊貴，所以對自己兄弟的喪服應降低一等。宗法之嫡庶有別於喪服制度中表露無遺，嫡子於家族中保有特殊領導地位。

儒家特別強調喪服的重要，著意予以推廣宣傳親疏遠近，內外輕重以及家族血緣的凝聚力。然及至現代，喪葬習俗受到西方的影響，喪服出現重大改變。於告別死者之時作象徵式致哀，儀式被大大簡化，不用陳規舊俗，只要求衣著整潔樸素。現代喪服缺乏儒家「正名」之思想，儒家重「正名」，故注重喪服。「名不正，則言不順；言不順，則事不成。」[35]確立嫡子作為繼承宗廟之正統地位，尊卑既定，嫡子名分得以確立，則能繼承宗族，於宗族內發號施令。

五　明器與儒家思想

「明器」，又稱「冥器」，也作「盟器」，是專為隨葬而製作的器物，一般用陶土、竹木和石頭製成，也有一些是用玉和金屬等製成的。明器雖為陪葬之用，但與現實中的器物有所不同，孔子曰：

之死而致死之，不仁而不可為也；之死而致生之，不知而不可為也。是故，竹不成用，瓦不成味，木不成斫，琴瑟張而不平，竽笙備而不和，有鐘磬而無簨虡，其曰明器，神明之也。[36]

竹器、瓦器、木器、琴瑟、竽笙、鐘磬等送給死者的器物徒具外形而不能使用，一來避免猜度逝世的親人是否還有知覺，二來減少資源的損耗。

明器青銅簋為簋蓋一體，看上去有蓋，但實際上無蓋，且省去了許多紋飾，只有一些明器青銅簋上裝飾著一些簡單的紋飾，如，竊曲紋、重環紋、瓦壟紋等。觀今存三門

33　（漢）鄭玄注，（唐）賈公彥疏：《儀禮註疏》上海：上海古籍出版社，2008年12月，頁885。

34　（漢）鄭玄注，（唐）賈公彥疏：《儀禮註疏》上海：上海古籍出版社，2008年12月，頁955。

35　潘重規：《論語今注》臺北：里仁書局，2000年3月，頁268。

36　（漢）鄭玄注，（唐）孔穎達正義：《十三經註疏》臺北：新文豐出版公司，2001年，頁306。

峽虢國墓中的西周晚期明器簋重環紋簋[37]（圖一），該明器青銅簋的造型相較實用器青銅簋的造型要小，只有一個大體的輪廓，可省略的部分皆已省略，只餘不能省略的部分，如耳部僅得形狀而去除許多裝飾。

圖一　重環紋簋

這些明器不具備實用價值，是敬死者之餘避免剝削生者，使較多資源能為在世之人所用。

明器狀似實物，反映出儒家事死如生，不忍亡者的陰間生活過於潦倒，希望能讓亡者的生活能過得如同在世時。而明器不具備實用價值又反映出儒家重視在世之人的生活，不忍生者因過分操辦亡者的喪葬器具而導致影響在世之人的生活。由此可見，明器的出現反映出儒家仁愛的精神，不但重視逝去之人，同時仁及在世之人。

六　棺槨與儒家思想

禮是用來判定社會成員的言行是否適宜的統一尺度，貫通於生活的各部分，具有社會政治以及道德這兩種規範。按漢儒所言「六禮」即「冠、婚、喪、祭、鄉、相見」[38]，故此「葬、祭」二項應具備強烈的階級性與等級色彩，使社會各階層有受規範的共識。

在等級分明的社會制度下，凡棺槨的數量、大小、尺寸和用材，和其他喪葬器具及環節都按不同階級、身份和性別而有不同的限制。社會成員必須按其貴賤身份來遵守制約，若違反社會規條，則視之僭越，非禮也。

儒家經典所記，其喪葬禮儀嚴格的規定了死者棺槨的使用。《禮記・檀弓上》和《禮記・喪大禮》皆有明確記錄棺槨數量的規定：「天子棺槨四重，諸侯三重，大夫二重，士一重。」[39] 而《荀子》[40]和《莊子》[41]亦有類似的記載：天子棺槨七重，諸侯五

37　重環紋簋：http://beijingww.qianlong.com/2/2007/10/10/61@40072.htm

38　《小戴禮記・王制》：「六禮：冠、昏、喪、祭、鄉、相見。」

39　（漢）鄭玄注，（唐）孔穎達正義：《十三經註疏》臺北：新文豐出版公司，2001年，頁255。

40　《荀子・禮論》：「故天子棺槨七重，諸侯五重，大夫三重，士再重。」

重，大夫三重，士再重。雖然二者於數量的說法上略有出入，但其於等級上的差別仍然存在。故此，雖棺椁真確的數目未能確定，但強烈的階級性展現了禮對於社會成員的限制。

此外，儒家對棺椁的大小、顏色和材質都有嚴厲規定。《禮記‧喪大記》記載：

> 君松椁，大夫柏椁，士雜木椁。棺椁之間，君容杅，大夫容壺，士容甒。君里椁虞筐，大夫不里椁，士不虞筐。[42]

> 君大棺八寸，屬六寸，椑四寸；上大夫大棺八寸，屬六寸；下大夫大棺六寸，屬四寸，士棺六寸。君里棺用朱綠，用雜金鐕；大夫里棺用玄綠，用牛骨鐕；士不綠。君蓋用漆，三衽三束；大夫蓋用漆，二衽二束；士蓋不用漆，二衽二束。[43]

儒家喪禮透過以上的規條來區分死者的貧富貴賤，以物質的多寡優劣來規範死者所屬的等級，死者必須受制於其階級條件。而歷代以來，中國各朝對於棺椁亦有類似規定，可見儒家的喪葬禮儀為中國主流模式。當中的禮制規定依據於社會成員的貴賤尊卑，以倫理為主導來為不同人進行社會定位。

現以春秋戰國的長沙楚墓和曾侯乙墓來評估先秦時期的儒家思想於喪葬禮儀的體現。

（一）長沙楚墓

先舉長沙楚墓，其分為四期九段，歷春秋晚期至戰國晚期晚段，乃大型的國墓。《左傳》昭公七年：

> 天有十日，人有十等，下所以事上，上所以共神也，故王臣公，公臣大夫，大夫臣士，士臣皂，皂臣輿，輿臣隸，隸臣僚，僚臣僕，僕臣臺，馬有圉，牛有牧，以待百事。

從士以上均屬貴族等級，從皂至牧均屬平民等級。因楚的職官分設與中原各國大致相似，故長沙楚墓的各類墓可借用中原爵秩分：卿、大夫、士三等，及平民共四等。現舉大夫、士，平民三等分述各階禮的體現。

---

41 《莊子‧雜篇‧天下》：「古之喪禮，貴賤有儀，上下有等，天子棺椁七重，諸侯五重，大夫三重，士再重。」

42 （漢）鄭玄注，（唐）孔穎達正義：《十三經註疏》臺北：新文豐出版公司，2001年，頁1985-1986。

43 （漢）鄭玄注，（唐）孔穎達正義：《十三經註疏》臺北：新文豐出版公司，2001年，頁1969。

（1）大夫等級

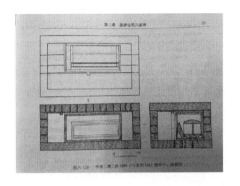

以 M89 瀏城橋一號墓（戰國時期）為例，其外棺為長方形平底盒狀棺，內棺為孤形懸底棺。

對應了東漢鄭玄注《禮記》：「大夫一重」[44]即大夫用兩層棺。此墓合大夫之禮。

（2）士等級

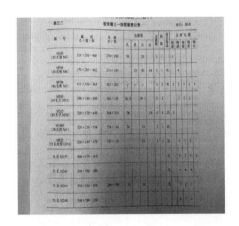

從左表可見十一座墓中有八座墓存有棺椁，除去 M396，M1569 為兩棺椁，其餘六座只有單一層棺。《禮記・檀弓上》「天子之棺四重」[45]，鄭玄注「士不重」即士為單棺，故以上六座合士禮。

然 M1569 的墓室和木椁規模與其他士一級的墓葬大小相同，但多一層棺，不排除是僭越。

（3）平民等級

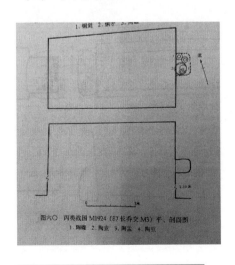

圖六〇 丙類戰國 M1924（87 長喬交 M3）平、剖面圖
1. 陶罐 2. 陶壺 3. 陶盂 4. 陶豆

楚墓中平民的墓最多，都是小型的土坑豎穴墓。上圖的 M1924 是典型的春秋晚期至戰國早中期的平民墓，無椁單棺，明器多為日用的鬲、盂、豆、壺、罐，而有銅兵器、銅鏡、鐵工具的是地位較高的平民。

但戰國中期開始，出土日用陶具的墓都被出土仿銅陶禮器的墓所代替。

44　（漢）鄭玄注，（唐）孔穎達正義：《十三經註疏》臺北：新文豐出版公司，2001年，頁255。

45　（漢）鄭玄注，（唐）孔穎達正義：《十三經註疏》臺北：新文豐出版公司，2001年，頁255。

　　根據長沙楚墓的情況，可見即便在先秦時期「禮崩樂壞」的社會環境，楚國的隨葬物品和棺槨層數能仍反映出當時的等級制度。大夫一般是一槨兩棺，士一般是一槨一棺，平民則多數單棺。與文獻所記的相合，即諸侯再重，大夫一重，士不重。

　　雖然會出現僭越的情況，原來的禮制不斷地被衝破，譬如庶人普遍使用仿銅陶禮器為明器，但仍可得知當時的等級制度對於大夫、士這兩個階層還是非常嚴格。而按俞偉超、高明《周代用鼎制度研究》所提及庶人於春秋晚期普遍使用士禮是確然無疑的。《禮記・曲禮上》「禮不下庶人」[46]，庶人為生產勞動階層，無貴族所具備的物質條件，故無行禮的能力，所以禮不為庶人設立，庶人不被禮約束。是故，於社會動盪的環境下，社會的流動性提升，基層的規條限制減輕，庶人與士之間的分界微微淡化，可視作當時喪葬禮制變化的一個重要內容。

（二）曾侯乙墓

　　曾侯乙墓為戰國時期，墓主為曾侯乙，諸侯國國君，其下葬年約於西元前四三三年。

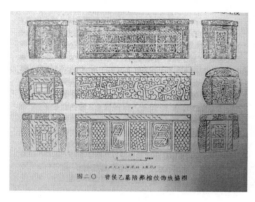

圖二○　曾侯乙墓陪葬棺紋飾線描圖

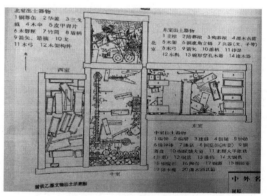

曾侯乙墓文物出土示意圖

先以為諸侯的宋文公墓比對曾侯乙墓於棺槨的規模，評定曾侯乙墓有否按諸侯之制。

　　《春秋左傳正義》成公二年：

> 八月，宋文公卒。始厚葬，用蜃炭，益車馬，始用殉。重器備，槨有四阿，棺有翰檜。
>
> 杜預注：「四阿，四注槨也。翰，旁飾；檜，上飾。皆王禮。」

雖曾侯乙墓比宋文公晚一百五十多年，但葬禮樣式相約：厚葬，槨外填炭，人殉，埋有大量兵器，車馬器，棺上面與旁邊均有彩飾等。而槨有四室，中室置鐘磬鼎簋等禮樂重器，東室置主棺，西室有殉葬棺，如古代宮室中為大殿，左右有廂房，合諸侯之制。

46　（漢）鄭玄注，（唐）孔穎達正義：《十三經註疏》臺北：新文豐出版公司，2001年，頁102。

但隨葬物方面，按東漢何休注《春秋公羊傳》桓公二年：「禮祭，天子九鼎，諸侯七，卿大夫五，元士三也。」及東漢鄭玄注《禮記・祭統》[47]：「天子之祭八簋。」說明天子才能九鼎八簋，然而曾侯乙是侯，按禮只能用七鼎，卻用九件升鼎，為天子之禮。但東周時期，諸侯也多用九鼎八簋，各地諸侯有以天子之禮辦理喪葬。

雖今人常以僭越作為解釋墓葬中不合禮的各種情況，如以曾侯乙於用鼎一事為例，按《禮記》規定顯然是非禮的，但如上文所記《禮記》與《荀子》這類儒家典籍所載的規條有所出入，當時的實際葬禮器具數量仍未明確。而至今周天子墓仍未出土，故先秦時代的準確喪葬禮儀還是存在不確定的條件，所以今人的「僭越」只是以一個沒有具指標性出土文物證明的前提下所界定的。關於諸侯級別於葬禮中「僭越」這個課題，現今只能以史書記載的歷史環境作推算，存在未知之數，唯有待周天子墓出土之日，便能確定應為四重或九重，還是有其他的意思，以作考究諸侯墓有否合禮。但禮規定棺槨、墓穴規格使等級涇渭分明，警戒人們節制以合乎等級所份這一點所毋庸置疑的。

七　厚葬與儒家思想

儒家孝道源於周朝，周人受遠古祖先崇拜的影響。《詩經・周頌・閔予小子》：

> 於乎皇考、永世克孝。
> 念茲皇祖、陟降庭止。
> 維予小子、夙夜敬止。
> 於乎皇王、繼序思不忘。[48]

在宗教觀上表現為尊祖，在倫理觀上表現為孝祖，在喪葬觀上表現為厚葬，以追孝來表示子孫後代決心繼承祖業。

現按儒家的三位代表人物：孔子、荀子和孟子，來分述他們對於喪葬上的物質要求。

在喪禮上，孔子不主張過分厚葬，以務實為主。孔子曾言：「生事之以禮；死葬之以禮，祭之以禮。」[49]又言：「禮，與其奢也，寧儉。喪，與其易也，寧戚。」[50]孔子主張精神上的悼念，物質並非著眼點，但需乎合禮制，以禮盡意，心意大於形式。

孟子積極提倡盡能力所及的情況下進行厚葬，身體力行，厚葬其母。

47 （漢）鄭玄注，（唐）孔穎達正義：《十三經註疏》臺北：新文豐出版公司，2001年，頁2081。
48 程俊英：《詩經譯注》上海：上海古籍出版社，2009年9月，頁479。
49 潘重規：《論語今注》臺北：里仁書局，2000年3月，頁20。
50 潘重規：《論語今注》臺北：里仁書局，2000年3月，頁39。

其言：

> 古者棺槨無度，中古棺七寸，槨稱之。自天子達於庶人。非直為觀美也，然後盡
> 於人心。不得，不可以為悅；無財，不可以為悅。得之為有財，古之人皆用之，
> 吾何為獨不然？且比化者，無使土親膚，於人心獨無恔乎？吾聞之君子：不以天
> 下儉其親。[51]

又曰：

> 親喪固所自盡也。曾子曰：「生事之以禮；死葬之以禮，祭之以禮，可謂孝
> 矣。」[52]

他特別指出厚葬非直為觀美，而是為了講禮盡孝，表明了物質是心意的體現，物質的多
寡是在乎生人心中對死者的情意，故此厚葬時所投放的資源代表了生人對死者的敬重。
孟子的厚葬理念是生人在能力所及的情況下，竭盡己力去盡孝。

　　荀子則以孝為前提，無厚葬或薄葬這兩個觀念之分，以盡孝為喪葬的中心，而禮是
盡孝的途徑，兩者不可失其一，講求事死如生，生人要給予死者如一的敬重。其言：

> 喪禮者，以生者飾死者也，大象其生以送其死也。故事死如生，事亡如存，終始
> 一也。[53]

又言：

> 禮者，謹於治生死者也。生、人之始也，死、人之終也，終始俱善，人道畢矣。
> 故君子敬始而慎終，終始如一，是君子之道，禮義之文也。夫厚其生而薄其死，
> 是敬其有知，而慢其無知也，是姦人之道而倍叛之心也。[54]

可見荀子強調禮與孝在喪葬的重要性。

　　綜合三者，喪葬的中心思想是以物質為體現生人的心意，精神層面才是孝的本身，
不能本末倒置。但孔子與孟子對薄葬的定義不同，前者的理念是與其浪費鋪張於喪葬的
規模，不如直接盡情的抒發心中情意，過分奢華反使真情不能流露，這是心意重但物質
輕的薄葬；後者則是不要求必須厚葬，但反對在自己能力所及下不盡其力為雙親辦喪
事，這是在心意以及物質上的薄葬。

　　但時代改變，後人解讀厚葬為盡孝的必要途徑，厚葬被冠以禮孝的美名，至今亦

51　楊伯峻：《孟子譯注》香港：中華書局，1988年，頁98。
52　楊伯峻：《孟子譯注》香港：中華書局，1988年，頁113。
53　梁啟雄：《荀子簡釋》北京：中華書局，2012年11月，頁267。
54　梁啟雄：《荀子簡釋》北京：中華書局，2012年11月，頁262。

然。西漢《鹽鐵論·散不足》載：

> 今生不能致其愛敬，死以奢侈相高；雖無哀戚之心，而厚葬重幣者，則稱以為
> 孝，顯名立於世，光榮著於俗。故黎民相慕效，至於發屋賣業。[55]

厚葬的根本由心中的情義轉化成形式，故此形式上的孝道變得比心意重要。人們以厚葬雙親來換取美名，在這情況下，儘管是多奢侈的喪禮亦失去其本義，形式上的孝是偽也。反之亦然，若有孝心，任何形式的喪葬都是符合孝的。孝的根本是誠心而非一切形而下的物質。

八　結論

　　西周確立禮制，而孔子及其門人運用儒家理念以解釋喪葬制度之操作及背後之理念，其仁愛他人、節制行為、重視正名以合於人倫關係的一套思想，在哭喪制度、五等喪服制度、明器制度、棺槨制度等不同制度中表露無遺。雖至現代，部分制度已不再實行，但其背後理念，的確有助於在世之人的倫理關係與人際交往。以仁愛之心對待他人及後人，節制自己的慾望和行為，明確自己的身份不作逾禮之事，如此則相處和樂，國家有序。儒家以「仁」作出發點，以「正名」分階級和尊卑，以成為禮的社會，由此維持社會之穩定。

55　（漢）桓寬撰，王利器校注：《鹽鐵論校注》天津：天津古籍出版社，1983年，頁356。

莊子「吾喪我」的內在意蘊
——一條自我存在實現的路徑

馬曉慧

北京師範大學哲學學院

　　「吾喪我」是《莊子‧齊物論》的核心問題之一，它不僅與莊子的齊物思想密切相關，而且是理解莊子「自我」觀念的樞紐[1]。從〈齊物論〉篇首的「吾喪我」到篇尾的「夢蝶」、「物化」，所突出強調的都是一種消解了物我之分、脫離了對待關係的無我、無己之境。這種境界是人的本然存在狀態，無須借助外物來界定我的存在，這可以稱為「自我」。但人在其現實存在裡卻陷泥於身心兩離、物我對峙的狀態，喪失了本自於天的自然之性，失去了「自我」。「吾喪我」即是要超越對待關係中的「我」，回歸人的自然本真之性，在人的自我存在實現裡達到齊物。因此，「吾喪我」是一個比齊物更為根本的問題，它是一條自我存在實現的路徑，同時也是通往齊物的路徑。

一　「喪我」之義：超越對待關係中的「我」

　　〈齊物論〉開篇通過顏成子游與南郭子綦的問答，向我們呈現了一位「形如槁木，心如死灰」的覺悟者形象，並由此提出了「吾喪我」問題：

> 南郭子綦隱几而坐，仰天而噓，荅焉似喪其耦。顏成子游立侍乎前，曰：「何居乎？形固可使如槁木，而心固可使如死灰乎？今之隱几者，非昔之隱几者也。」子綦曰：「偃，不亦善乎，而問之也！今者吾喪我，汝知之乎？」

　　在子游眼中，今日之子綦與以往不同（非昔之隱几者也），看起來「似喪其耦」；而子綦將自己此種狀態表述為「吾喪我」。「俞樾曰：喪其耦，即下文所謂吾喪我也。」[2]因此，「喪其耦」與「吾喪我」意義具有一致性。

　　關於「吾喪我」，歷代注家中，南宋林希逸較早注意到了其中「吾」、「我」之差

1　「自我」是一種現代學術語言，陳少明指出：「自我是借助於非我來定位的『我』。『自』字是指主體不受外力干預，不需要刻意造作的狀態。」因此《莊子》中脫離了對待關係的『我』可以稱之為『自我』。參閱陳少明：〈吾喪我——一種古典的自我觀念〉，《哲學研究》2014年第8期，頁45。

2　郭慶藩：《莊子集釋》北京：中華書局，2006年，頁44。

異，他說「吾即我也，不曰我喪我，而曰吾喪我，言人身中才有一毫私心未化，則吾我之間亦有分別矣。吾喪我三字下得極好！」[3]然而「一毫私心」之差究竟所指為何，文中尚未表明。其後學者受此影響，亦多圍繞「吾」與「我」之差異來解釋此命題之涵義，如以吾為「真我」，以「我」為血肉之軀、偏執之我、我見等。[4]「吾」為真我，此種說法不僅缺乏文獻支撐，且在邏輯上是前後矛盾的，因為真我只有在「喪我」之後才能呈現，若「吾」為真我，又何須再言「喪」？可知，「吾」非真我。而所謂「血肉之軀」、「偏執之我」更是含混不清，不知其具體內容為何。諸如此類之註解，皆未進一步推進該問題之解決。朱桂曜在《莊子補正》中引元人趙德《四書箋義》，對此二者之差異有較好的說明：「吾、我二字，學者多以為一義，殊不知就己而言則曰吾，因人而言則曰我。『吾有知乎哉』，就己而言也；『有鄙夫問于我』，因人之問而言也。」[5]此觀點從用法上辨析「吾」、「我」之區別，二者之差異清晰立見。陳少明也表示，「『我』的用法確是因人而言，即相對於非我（你或他）的存在而說的，……對比之下，『吾』只是就己而言，即單純的自我表達，並不必然牽涉與他者的關聯。」[6]由此可見，「吾」是具有主體性的存在整體，「我」則是處於對待關係中的相對性存在，而「吾喪我」所喪之「我」當為處於對待關係中的「我」。「似喪其耦」一句亦可說明這一點。

「似喪其耦」，耦，為匹配，兩相對待之義。[7]郭象注：「同天人，均彼我，故外無與為歡而嗒焉解體，若失其配匹。」[8]成玄英云：「耦，匹也，身與神為匹，物與我為耦。……離形去智，嗒焉墮體，身心俱遣，物我兼忘，故若喪其匹耦也。」[9]郭注僅以外解釋「耦」，卻並沒有將「耦」的內容解說明白；成疏明顯將此話之意解析為二：身與神（心），物與我。成疏所謂「身心俱遣」是從身心對待關係角度而言，而「物我兼忘」是從物我對待關係角度而言。成氏認為，莊子「似喪其耦」，乃是針對身心、物我的對待關係而言，此可謂深得莊子之意。

由此，莊子所言「吾喪我」與「喪其耦」內涵一致。「喪其耦」闡發出了「吾喪

3　林希逸：《南宋真經口義》北京：中華書局，1997年，頁13。

4　釋德清《莊子內篇注》曰：「吾，自指真我。喪我，謂喪忘其血肉之軀也。」陳鼓應《莊子今注今譯（上）》云：「吾喪我：摒棄我見。『喪我』的『我』指偏執的我。『吾』，指『真我』。」

5　朱桂曜：《莊子內篇補正》北京：商務印書館，1934年，頁37。

6　陳少明：〈吾喪我——一種古典的自我觀念〉，《哲學研究》，2014年第8期，頁44。文章贊同這種從用法上解釋「吾」、「我」二者語義之差別，並援引《齊物論》其他使用「吾」、「我」之段落以證明此區分的合理性。

7　參閱李景林：〈莊子論自我與自由〉，《當代中國價值觀研究》，2016年第2期，頁59。文章指出「耦（偶）即配匹、兩相對偶之義。此兩相對偶者，一般解作『物』與『我』之對偶。這並不錯。但進一步看，這物我對偶之因，實根源於身心之兩離。」此意後文詳述。

8　郭象注，成玄英疏：《莊子註疏》北京：中華書局，2011年1月，頁23。

9　郭象注，成玄英疏：《莊子註疏》北京：中華書局，2011年1月，頁23。

我」的具體內容，而「吾喪我」則將關注點聚焦在「我」——對待關係中的「我」上。細言之，身與心為我之存在的具體內容，有身心之對待則有「我」，有「我」則有物我之對待。由此，成玄英所言身與心、物與我的對待關係並非互不相干的兩條平行線，而是有輕重之分的，即身心之對待是物我之對待產生的原因，前者問題更為根本，所以莊子著重突出「喪我」——摒棄身心對待之「我」。郭象對此點認識較為明確。郭注曰「吾喪我，我自忘矣。我自忘矣，天下有何物足識哉！故都忘外內，然後超然自得。」可以看出，郭象「我自忘矣，天下有何物足識哉」包含有一層隱性邏輯，即所「忘」者有二，一為「忘我」，一為「忘物」，而二者之中「我自忘」具有優先性，因而也更為關鍵。也就是說，物我的對待關係問題產生於對我的執著，隨著「我自忘」的達成，這一問題自會消失和得到解決。王夫之曰：「有偶生于有我：我之知見立于此，而此以外皆彼也，彼可與我為偶矣。……故我喪而偶喪，偶喪而我喪，無則俱無。」[10]林希逸曰：「有我則有物；喪我，無我也，無我則無物矣。」[11]物與我是相對而生的，有我則對待生，喪我則對待滅，這也是莊子將此問題最終歸結為「吾喪我」的原因。「吾喪我」所言亦是要摒棄對待關係之中的「我」，達到「無我」、「無己」。

二　身體性與情態性——「我」的現實存在方式

「吾喪我」所喪者乃是一種對待關係中的「我」，所追求者乃是一種無對待「通」。究其根本，這種對待關係中的「我」，其具體內容即是「我」之身心兩離的對待狀態。身與心本為人之存在本原一體的兩個方面，莊子言身亦必及心，如覺悟者之子綦「形如槁木，心如死灰」（〈齊物論〉）、藐姑射之山的神人「肌膚若冰雪，綽約如處子……其神凝，使物不疵癘而年穀熟」（〈逍遙游〉），古之真人「其心志，其容寂」（〈大宗師〉）等，在莊子看來，這種身心一體性為人之原初存在狀態。而現實存在中的「我」卻處於身心兩離的狀態，它一方面作為主體，將作為對象的外在物放在與「我」有別的地位來加以區分，這是人的身體性或存在性一面；另一方面，主體以「我」的立場和角度賦予外物額外的價值判斷，同時又在與物交接之中產生種種複雜多變的情緒、情感，而表現為一系列毫無定性甚至矛盾的情態，這是人的心靈、情態性一面。身固著於形體而有別於物，心卻為物所役、逐物而馳，莊子對此有詳細的描述：

1. 其寐也魂交，其覺也形開。與接為構，日以心鬥……喜怒哀樂，慮嘆變慹，姚佚啟態，樂出虛，蒸成菌，日夜相代乎前而莫知其所萌。已乎！已乎！旦暮得此，其所由以生乎？非彼無我，非我無所取。是亦近矣，而不知其所為使。若

---

10 王夫之：《老子衍・莊子通・莊子解》北京：中華書局，2009年6月，頁83。

11 郭慶藩：《莊子集釋》，頁15。

有真宰，而特不得其朕。可行已信，而不見其形，有情而無形。

2. 百骸、九竅、六藏，賅而存焉，吾誰與為親？汝皆悅之乎？其有私焉？如是皆有為臣妾乎？其臣妾不足以相治乎？其遞相為君臣乎？其有真君存焉，如求得其情與不得，無益損乎其真。（〈齊物論〉）

上文首段所論，是人心靈、情態之一面。「喜怒哀樂，慮嘆變慹，姚佚啟態」，所描述的是種種性情之變轉無窮。這些不同的情慾在時間的歷程裡日夜不間歇地變更著，卻不知道它們是從哪裡萌生出來的。此類情態性之表現與「我」的存在有一種互相依存的關係，他說「非彼無我，非我無所取」，[12]但是莊子在這裡產生疑問：「旦暮得此，其所由以生乎？」這些情態性的表現所表徵的就是「我」的存在嗎？當然不是。情態性是人之存在的現實一面，但人之情態性一端往往受制於外物與外界環境，這種心逐物而馳、失去內在主宰的輕浮、愚痴之情慾也勢必造成人的自我的迷失，所謂「一受其成形，不亡以待盡，與物相刃相靡，其行盡如馳，而莫之能止，不亦悲乎！終身役役，而不見其成功。苶然疲役，而不知其所歸。」因而人與物相接而產生的此類心靈馳躁的情態性表現不是「我」存在的主宰。莊子認為，這種情態表現之背後是有「所使」的，即「有真宰」。莊子在這裡指出一個「真宰」，雖因不能捕捉到它的徵兆而在語言上以「若」引導，但莊子是確信「真宰」之存在的。所謂「可行已信，而不見其形，有情而無形」，即是要說明「真宰」存在的真實性。

次段所論，是自我的身體性方面。「百骸、九竅、六藏」所描述的是人之體骨、臟腑，這些內容構成了「我」的身體，是實實在在存在的，這表明莊子對肉體實存之真實性的肯定。接著莊子反問，對於「我」的身體各部位與不同官能，「吾誰與為親？汝皆悅之乎？其有私焉？如是皆有為臣妾乎？其臣妾不足以相治乎？其遞相為君臣乎？」「我」的存在與哪位的關係更親切呢？是否有親疏偏私之不同呢？莊子的答案顯然是否定的。對於肉身實存之態度，應為「不悅而自存，不為而自生」，[13]而能直接決定「我」的存在的是「真君」，亦即前文所言「真宰」。「其有真君存焉」，這表明身體性一面不能成為「我」存在之主宰，而是另有一卓然不受影響的「真君」決定了我的真實存在。「如求得其情與不得，無益損乎其真」，無論「我」能否對之有真實的把握，都不會增加或減損「真君」的真實性，所謂「真」在莊子看來是永恆的。

由此可以看出，莊子承認身體性與情態性為人的現實存在方式，所謂「非彼無我，

---

12 陳鼓應《莊子今注今譯》注曰：「彼」，即上之「此」（宣穎注），指上述各種情態。眾解多從郭注（彼，自然也），誤。李景林〈莊子論自我與自由〉也認為，從上下文來看，「此」（旦暮得此）、「彼」皆指「喜怒哀樂」等情態的表現而言。在這裡，莊子所提出的問題是，如無「喜怒哀樂」等情態的表現，就沒有「我」；而如無「我」，那這些情態的表現又何由從出？

13 郭象注，成玄英疏：《莊子註疏》，頁30。

非我無所取」，離開此身體與此種種情態表現，就沒有辦法找到「我」；但在人的現實存在裡，不論是「百骸、九竅、六藏」的身體性一面，還是「喜怒哀樂，慮嘆變愁，姚佚啟態」的情態性一面，又都不能直接地等於「我」。因此莊子斷定必有一種作為主導的「真宰」或「真君」貫通其中作為自我存在之根本，以此統合身心二者，使「我」成為自作主宰的存在。「吾喪我」之意亦是要把「我」從現實存在裡解放出來，超越這種身心的對待與兩離，還原到具有主宰義的自我，達到身心的本原一體，獲得存在之真實。

三　天籟──自我的本真存在形態

　　人之身體性一面為有限性的客觀實在，情態性一面也隨著外在境遇與遭際而百轉千回、變動無窮。從人的存在歷程來看，這種有限的身體性與變轉無窮的情態性似乎帶有某種惘然蒙昧的性質以及個體生命意義的喪失，所謂「人之生也，固若是芒乎？其我獨芒，而人亦有不芒者乎？」（〈齊物論〉）這裡可以看到，莊子意識到人的現實存在的荒謬之處，同時亦對生命的內在意義、真正價值有所自覺。那麼這種生命的真正意義、價值在哪裡呢？莊子曰「喪己于物，失性于俗者，謂之倒置之民」（〈繕性〉），將「己」（自我）消解在物之中，將「性」（內在規定）喪失在世俗追求裡，便是本末是非顛倒之人。也就是說，莊子認為存在一個「己」是脫離了物我之對待的，也存在一種「性」是超越了世俗的，這是個體存在意義與價值的關鍵所在。實際上，關於人的本真存在形態和人之「性」的內涵，莊子在「吾喪我」之下的「三籟」之義中對此作了揭示：

> 「汝聞人籟而未聞地籟，汝聞地籟而未聞天籟夫？」子游曰：「敢問其方？」子綦曰：「夫大塊噫氣，其名為風。是唯無作，作則萬竅怒號。而獨不聞之翏翏乎？……前者唱于，而隨者唱喁，泠風則小和，飄風則大和。厲風濟，則眾竅為虛。而獨不見之調調之刁刁乎？」子游曰：「地籟則眾竅是已，人籟則比竹是已，敢問天籟？」子綦曰：「夫吹萬不同，而使其自已也，咸其自取，怒者其誰邪？」（〈齊物論〉）

　　上文所言，核心為「天籟」。其以「比竹」言「人籟」，以「長風眾竅」之喻言「地籟」，卻沒有明白指出「天籟」為何，而是以遮詮的方式曰「吹萬不同，而使其自已也，咸其自取，怒者其誰邪！」成玄英云「夫天者，萬物之總名，自然之別稱，豈蒼蒼之謂哉！故夫天籟者，豈別有一物邪？即比竹眾竅接乎有生之類是爾。」[14]宣穎說「待風而鳴者，地籟也。而風之使竅自鳴者，即天籟也。」[15]由此我們可知，「天籟」並不

14　郭象注，成玄英疏：《莊子註疏》，頁26。
15　陳鼓應：《莊子今注今譯》北京：中華書局，2012年9月，頁42。

是某種具體的所指，亦不是「人籟」、「地籟」之外的另外一種東西，而是在一定意義上解釋、概括「人籟」、「地籟」：一切由自己決定的、沒有任何增益的、自然形成的聲音皆謂之「天籟」。它止於萬物的自然之性，這是「天籟」的內在限定與主宰。如其所言，萬物竅穴有大有小，各不相同，從而在風的吹動之下形成了它自己的聲音，郭象云「各稱所受，曾無勝劣，以況萬物，稟氣自然。」[16]有甚麼樣的竅穴，就有甚麼樣的聲音，而且不得不發出這樣的聲音，這就是「天籟」，是自然通過存在物在說話。

郭注中對「天籟」的描述可謂準確，「各稱所受」表達其形成之內因，「曾無勝劣」表明無虛妄的價值對比，「以況萬物，稟氣自然」以說明其為自然之功。但值得注意的是，郭象注與《莊子》原文是有一定距離的。從全文來看而言，莊子確然肯定萬物背後有一主宰，如上文所言「其有真君存焉」、「若有真宰」，亦有所謂「物物者非物」、「物物者與物無際」等表述；而郭象卻為了自己的理論體系，直接以「物之自造」釋之，著重突出「萬物獨化」的主旨，而將「真君」、「真宰」這樣的角色抹平了，認為「萬物塊然而自生耳」。這一點，需要我們做出糾正。物既有所「受」，則必有所「授」。「天籟」之形成，因循存在物的自然之性，此為其所「受」，那麼其所「授」者為何？即自然之性從何而來？這需要對莊子的「自然」之義作出解釋。郭象云「自己而然則謂之天然。天然耳，非為也，故以天言之。以天言之，所以明其自然也。」[17]又「天者，自然之謂也」，[18]「天也者，自然者也」。[19]成玄英亦以「天」為「自然之別稱」。即莊子所言「自然」是從「天」的角度而言的。徐復觀先生指出「在自然一詞的本身意義上，郭象與老莊有出入；但在以天為自然的這一點上，大體上是對的。」[20]莊子談及「自然」並未直接將其等同於「天」，但確實是以「自然」為「天」的價值內容，因此所謂自然之性實則來源於「天」。

質言之，自然是莊子思想的根本價值原則，而天則是自然價值原則的本源。莊子所言之「天」具有雙重向度。〈秋水〉篇論「天」曰「牛馬四足，是謂天；落馬首，穿牛鼻，是謂人。故曰：無以人滅天。」這是從存在的內在規定性角度言「天」，是普遍意義之「天」，具體指包括人與物在內的萬物本然、本真之性。又〈天地〉篇曰：「無為為之之謂天」，〈大宗師〉篇曰「其一與天為徒，其不一與人為徒。」這是天的另一重內涵，即從與人相聯繫的角度而言，「天」為人的行為與存在的最終價值旨歸。綜合而言，在莊子這裡，「天」不僅為人的內在規定性，與人的本真之性相聯繫，而且也是人之存在的最終價值指向。事實上，莊子所言「天」多用以指代「道」。莊子曰「道兼于

---

16 郭象注，成玄英疏：《莊子註疏》，頁25。

17 郭象注，成玄英疏：《莊子註疏》，頁26。

18 郭象注，成玄英疏：《莊子註疏》，頁124。

19 郭象注，成玄英疏：《莊子註疏》，頁126。

20 徐復觀：《中國人性論史・先秦卷》北京：九州出版社，2014年，頁335。

天」（〈天地〉），[21] 意思是說作為自然法則的天，與道是彼此相通的。徐復觀先生在《中國人性史論》中總結說「莊子所說的天就是道……莊子用『天』字代替『道』字，可能是因為用『天』表示自然的觀念，較之以『道』表示自然的觀念，更易於為一般人把握。」[22] 張恆壽先生亦指出：「莊書中有關本體的論述，有三種形態。第一種是萬物之中有一個根本的東西，稱為『天』、『真宰』等……第三種與第一種實質一樣，但用了『道』這一名稱。」[23] 因此，莊子所言之「天」與「道」是屬於同一層次的概念，用以表徵最高本體和終極存在。如此一來，前述問題就很明白了：存在物的自然之性實來源於本體之「道」，而「天籟」的形成可以說就是「道」的作用，是存在物本身自然之性的彰顯；前文莊子所呼喚的「真宰」、「真君」和表徵自我存在的主宰亦是「道」。

　　莊子在「吾喪我」之後細述「天籟」，看似不拘一格、即興而談，實則是要用隱喻的方式將所要表達的內容呈現出來。此種言說方式正是要表明「天籟」即是「喪我」之後的終極存在形態與境界。在「天籟」之喻中，莊子借用自然現象作比喻，言世間萬物雖異竅而殊聲，卻都是依據本身的自然之性而發出的與之相對應的聲音，這一切都是由存在物稟自於「天」或「道」的內在規定性而決定的，非由外物使然。同樣，人的真實存在狀態亦應以「天」或「道」為其內在主宰和內在規定性，所謂「其有真君存焉」；從而超越現實存在中的對待關係，回歸自然本性，所謂「喪我」；最終能夠發揮和發展自我稟自於「天」的自然之性，達到自我存在之實現，所謂「天籟」。這樣一種「天籟」的境界，是個體內在性的充分展開與實現，也是物我無礙的內外貫通，因此，它超越了自我身心之對待以及物我之對待，而應當成為生命的本原與本真存在形態。這是「天籟」之喻的主旨所在。

四　「喪」與「忘」——自我存在實現之路

　　「天籟」是莊子在〈齊物論〉篇首給出的「吾喪我」之後的超越境界，這種超越境界亦可以稱為「真人」境界。「天籟」以融合於天為人的存在實現之擔保，即自我的本真存在形態本乎「天」，以「道」為其內在規定性，因而是邏輯在先的，所謂「有真人而後有真知」即是此意。那麼，「吾喪我」之後，所實現的這種超越的「天籟」境界可以說是一種回歸：真人的回歸。「真人」是人的本真存在形態，但對成就「真人」而

21　有學者認為此句話表明「天」是比「道」更為高級的一個層次。對此，孫以楷先生在《莊子通論》中分析認為，所謂「道兼于天」的「天」是與人對舉的天然之「天」，也就是「道法自然」的意思。在莊子哲學中，「道」已為終極存在，其上不可能再有一自然之天。參閱孫以楷、甄長松：《莊子通輪》北京：東方出版社，1995年，頁166。

22　徐復觀：《中國人性論史・先秦卷》，頁335。

23　張恆壽：《莊子新探》武漢：湖北人民出版社，1983年，頁329。

言，卻需要走曲折的路線，即在修養工夫中達成自我存在之實現。

　　莊子以「天」為人的本真之性與內在規定，本真之人在內容上與「天」有著內在的一致性。那麼於人而言，發展天性實為自我存在之實現的根本內容，所謂「盡其所受乎天」（〈應帝王〉），則本然之性自然能充分展開，無須再做任何外在的增益。因此，莊子的工夫進路即不斷地消除或消解與人的自然天性相對應的世俗內容，以「返其性情而復其初（〈繕性〉）。莊子曾多次言及工夫，此處所言「喪我」是其中之一，〈大宗師〉所謂「坐忘」，更進一步將「喪」的工夫內容具體展開為「墮肢體，黜聰明，離形去知，同于大通」。其中「離形去知」是對「墮肢體，黜聰明」的概括。[24]「坐忘」的內容包含「形」與「知」兩個方面，「形」與身相關，主要從外在層面表徵人的存在，「知」與心相關，涉及人的理性與情感，「形」與「知」所代表的是個體的現實存在，亦即前文所述「吾喪我」中「我」之身體性與情態性。因此「離形去知」與「喪我」所表達的也是同一層意思。郭象注：「夫坐忘者，奚所不忘哉！既忘其跡，又忘其所以跡者，內不覺其一身，外不識有天地，然後曠然與變化為體而無不通也。」[25]按照郭注的說法，「離形」可謂之「忘其跡」，「去知」可謂之「忘其所以跡」，之後不覺有身，不識天地，而能夠與大道融通為一。在這段寓言裡我們注意到，「坐忘」之前還存在兩個不究竟的境界，即「忘仁義」和「忘禮義」。「仁義」與「禮樂」為社會人文理念與規範，在莊子看來這些是出乎人之自然本性的，因此需要「忘仁義」、「忘禮義」以回歸自然形態。但這樣也只是「可矣，猶未也」，只有「坐忘」才能達成最後的階段。由「忘仁義」、「忘禮義」到「坐忘」，所表達的是由消除外在因素進一步回到個體自身，即問題的關鍵還在於一己之身。這與「吾喪我」的關注點和進路是一致的。所謂「坐忘」，其本質亦是「忘（喪）我」以達到「無我」，如此才能與物無際，「同于大通」。

　　老子曰「為學日益，為道日損」，此話突出了道家「為道」工夫的特殊性。很明顯，莊子此處所言「喪」、「忘」其實就是「為道日損」的具體內容。正如前文所說，人的本真之性是以「天」或「道」為其內在規定性的，發展自然本性為自我存在之實現的根本內容，但人在其現實存在中自然本性往往被遮蔽而失去自我，這就需要「為道」的工夫以回歸自然本真之性。經由「喪我」、「坐忘」的「為道」工夫歷程，自我的本真之性被重新彰顯出來，回歸身心的本原合一，達到自我的存在實現的「天籟」境界。因此「喪我」、「坐忘」即是自我人格轉化與提升的重要路徑，是一條自我存在實現之路。

---

24 成玄英曰：「雖聰屬于耳，明關于目，而聰明之用，本乎心靈。」「知」與心靈相關，因此「墮肢體，黜聰明」可以概括為「離形去知」。參閱郭象注，成玄英疏：《莊子註疏》，頁156。

25 郭象注，成玄英疏：《莊子註疏》，頁156。

五　結語

在莊子這裡，「天籟」是個體自然本性得到最大發揮的境界，是由個體本真存在達到的物我之貫通。《中庸》講「成己成人」、「成己成物」，《莊子》亦講「古之至人，先存諸己而後存諸人」（〈人間世〉），當自我的本真存在形態得到了實現，他人的價值、物的價值也才能得到真正實現，這是中國傳統哲學物我一體觀念的典型體現。由此，所謂「天籟」本質上包含著自我實現的身心合一與宇宙整體的物我合一兩個層面內涵。這種宇宙全息的一體性，莊子又稱之為「獨」。徐復觀說：「《莊子》一書，最重視獨的觀念。老子對道的形容是『獨立而不改』，『獨立』即是在一般因果系列之上，不與他物對待，不受其他因素的影響的意思。不過老子所說的是客觀的道，而莊子則指的是人見道以後的精神境界。」[26]徐先生指出了「獨」一個層面內涵，即「喪我」之後自我脫離對待關係的絕對的內在性，所謂「獨來獨往是謂獨有」。同時，「獨」又是一種超越個體而貫通天地的充分敞開性，即「獨與天地精神往來而不傲倪于萬物」。〈大宗師〉所言「見獨」，就是由自我存在之實現所達物我貫通、天人一體之境界。在〈齊物論〉結尾的「夢蝶」寓言中，莊子現身說法，親證「吾喪我」之後物我貫通、天人一體之境界：

> 昔者莊周夢為胡蝶，栩栩然胡蝶也，自喻適志與！不知周也。俄然覺，則蘧蘧然周也。不知周之夢為胡蝶與，胡蝶之夢為周與？周與胡蝶，則必有分矣。此之謂「物化」。（〈齊物論〉）

釋德清曰：「萬物混化而為一，則了無人我、是非之辯。」[27]「喪我」即超越了物我的對待關係，自我的本真存在形態得到彰顯，從而物我無礙。此時無論是莊周抑或是蝴蝶，真我固然還是真我，都能「自喻適志」。所謂「物化」，亦是用一種寓言的方式直觀地再現「喪我」之後物我為一的「天籟」之境。

綜上，從〈齊物論〉篇首「吾喪我」到篇末「夢蝶」，可以說是一條自我回歸之路。如前所述，自然為人的本真之性，它稟自於「天」或「道」。「天籟」之喻亦是為了表明生命的本原與本真存在形態。但在人的現實存在裡，這種自然本性卻被身心兩離的存在形態所遮蔽。經由「吾喪我」的工夫歷程，回歸身心本原一體的本真狀態，達到「無我」之境。與此同時，物我之對待關係亦隨著消失，真實的世界向「我」敞開，從而「磅礴萬物以為一」，最終實現物我貫通，實現齊物的理想。這是莊子的自我存在實現之路。

---

26 徐復觀：《中國人性論史・先秦卷》，頁390。

27 釋德清：《莊子內篇注》上海：華東師範大學出版社，2009年8月，頁17。

古代都城文化視域下先秦至初唐
行旅詩圖景的遷轉

余丹

北京師範大學文學院

　　行旅詩是中國古典詩歌中較為獨立的類別，是記錄從此地到彼地的過程中見聞感想的詩歌。「行」的本義正如甲骨文「𪠥」的形體所示，是道路的意思，如「行有死人」（《詩經・小雅・小弁》）[1]，引申為行走義，《說文・行部》「人之步趨也」[2]，如「三人行，必有我師焉」（《論語・述而》）[3]。「旅」，《說文・㫃部》「軍之五百人為旅」[4]，本義是軍隊編制單位。其引申義是客，《易・復》：「先王以至日閉關，商旅不行。」[5]《釋文》：「鄭曰：資貨而行曰商。旅，客也。」又引申為寄旅、客居，如「羈旅之臣，幸若獲宥」（《左傳・莊公二十二年》）[6]。「行」和「旅」結合為雙音詞「行旅」後，整合了兩字的意義，一用以指旅客，如「商賈皆欲藏於王之市，行旅皆欲出於王之途」（《孟子・梁惠王上》）[7]；又用以指出行、旅行，如「遺我行旅詩，軒軒有風神」（韓愈《酬裴十六功曹巡府西驛途中見寄》）[8]。

　　行旅的核心是詩人與地理空間的互動，詩人走向何處，何處就是行旅詩的中心，這正是行旅詩的精髓所在。換言之，行旅詩是時空遷轉過程中客觀的地理景觀與詩人主觀的思想感情的碰撞與互動，揭示了詩人在行旅過程中生存環境、地理環境與思想感情的細微變化。朝代的更迭、都城格局的變遷與都城文化的演進，影響了古代士人思想觀念的變遷，催生了士人行旅緣由、路線圖景、詩歌創作等行旅活動的發展，特別是大一統都城及其文化深刻影響士人地域觀念的心理向度，對於研究行旅詩圖景、景觀風物與情感旨歸的內在關聯與變遷方式，都頗有意味。

　　綜合行旅詩的空間分佈與時間演變來看，從先秦至唐初，以詩人為主體與靈魂的行

1　阮元校刻：《十三經注疏・毛詩注疏》臺北：藝文印書館，2014年，頁420。

2　許慎：《說文解字》北京：中華書局，2013年，頁38。

3　阮元校刻：《十三經注疏・論語注疏》臺北：藝文印書館，2014年，頁68。

4　許慎：《說文解字》頁137。

5　阮元校刻：《十三經注疏・周易正義》臺北：藝文印書館，2014年，頁65。

6　阮元校刻：《十三經注疏・左傳正義》臺北：藝文印書館，2014年，頁162。

7　阮元校刻：《十三經注疏・孟子注疏》臺北：藝文印書館，2014年，頁23。

8　韓愈著，錢仲聯集釋：《韓昌黎詩繫年集釋》上海：上海古籍出版社，1984年，頁672。

旅詩圖景始終處於不斷遷轉中，總體遵循著從西到東、從北到南的趨勢，先後歷經四次地域遷轉運動，劃開了古代行旅詩圖景的四個階段。

一　先秦「多都並存」格局與「多中心式」行旅詩圖景

春秋時期，分封制下的王權解紐，「禮崩樂壞」的時代到來，王都的地位下移，諸侯國都的權力得以上升，產生了「多都並存」的格局。「《春秋》之中，弒君三十六，亡國五十二，諸侯奔走不得保其社稷者不可勝數」（《史記‧太史公自序》）[9]，以實情視之，春秋戰國真是「亡國破家相隨屬」（《史記‧屈原賈生列傳》）[10]。這一時期，王都與諸侯國都的並存，致使行旅詩的創作呈現出「多中心式」的圖景，主要分佈在三秦、中原、齊魯、荊楚這四大地域。

《詩經》中的行旅之作，集中在懷古、征戰、出使、奔亡等行旅緣由與類型，對行旅路線、途中景觀的描寫都極具客觀寫實性。〈王風‧黍離〉云「彼黍離離，彼稷之苗」，「彼稷之穗」，「彼稷之實」[11]，詩人目睹故宮黍離，時間由夏及秋，心生悲感；〈豳風‧東山〉云「蜎蜎者蠋，烝在桑野。敦彼獨宿，亦在車下」[12]，是對東征歸途見聞的記錄；〈邶風‧泉水〉云「出宿于泲，飲餞于禰」，「出宿于干，飲餞于言」[13]，記錄衛女遠嫁他國，途徑泲、禰、干、言等地的路線；〈周南‧卷耳〉云「陟彼崔嵬，我馬虺隤」，「陟彼高岡，我馬玄黃」[14]，為女子設想行役在外的丈夫騎馬歸來的情景；〈邶風‧谷風〉云「行道遲遲，中心有違」[15]記錄了棄婦行旅在野的情景；〈齊風‧載驅〉云「載驅薄薄，簟茀朱鞹」，「汶水湯湯，行人彭彭」[16]，敘述齊襄公與文姜私會的途中情景。

〈小雅〉中也不乏行旅之作，〈四牡〉云「四牡騑騑，周道倭遲」，「翩翩者鵻，載飛載下，集于苞栩」[17]，以馬起興寫行旅勞頓，引出王事在身、不得將養父母的衝突，曲盡人情；〈皇皇者華〉云「皇皇者華，于彼原隰」，「我馬維駒，六轡如濡」[18]，是對

9　司馬遷撰，裴駰集解，司馬貞索隱，張守節正義：《史記》北京：中華書局，2014年，頁3297。

10　司馬遷撰，裴駰集解，司馬貞索隱，張守節正義：《史記》，頁2485。

11　阮元校刻：《十三經注疏‧毛詩注疏》臺北：藝文印書館，2014年，頁146-147。

12　朱熹著，趙長征點校：《詩集傳》北京：中華書局，2017年1月，頁94。

13　阮元校刻：《十三經注疏‧毛詩注疏》，頁101。

14　阮元校刻：《十三經注疏‧毛詩注疏》，頁33。

15　阮元校刻：《十三經注疏‧毛詩注疏》，頁89。

16　阮元校刻：《十三經注疏‧毛詩注疏》，頁199。

17　阮元校刻：《十三經注疏‧毛詩注疏》，頁317。

18　阮元校刻：《十三經注疏‧毛詩注疏》，頁318。

使臣在途的描寫；〈鴻雁〉云「鴻雁于飛，肅肅其羽」，「之子于征，劬勞于野」[19]，以鴻雁喻使臣，為使臣奔走於野、救濟難民的情況；〈我行其野〉云「我行其野，蔽芾其樗」，「言采其蓫」[20]，描寫棄婦在郊外獨行；〈還車〉云「今我來思，雨雪載途」，「喓喓草蟲，趯趯阜螽」，「春日遲遲，卉木萋萋」[21]，記載了南仲奉命為將、北抗玁狁沿途所見。

《詩經》在行旅母題、情感基調上，對後世行旅詩有重要影響，特別是對行旅路線、途中景觀的記錄較為客觀寫實，並未沾染過多的主觀情緒。《楚辭》則充分融合主體情感，敘述兼具抒情，亦景亦情，情景相生，在敘述方式、抒情方式上對後世行旅詩有重要影響。

《楚辭》中〈涉江〉、〈哀郢〉作於屈原被逐江南時，可謂貶謫行旅之淵藪。朱熹云：「屈原既放，思君念國，隨事感觸，輒形於聲。後人輯之，得其九章，合為一卷，非必出於一時之言也。」[22]他的說法符合實際。頃襄王元年（西元前 298 年），秦「發兵出武關，攻楚，大敗楚軍，斬首五萬，取析十五城而去」（《史記·楚世家》）[23]，此次戰爭對漢水上游之襄、鄧等漢北地區破壞很大，百姓紛紛沿漢水南逃。[24]屈原於頃襄王二年被放逐江南，在江夏遇到這些難民，十一年在陵陽作〈哀郢〉，次年作〈涉江〉。

〈哀郢〉首四句「皇天之不純命兮，何百姓之震愆？民離散而相失兮，方仲春而東遷」，簡述東遷原因；篇末亂辭「信非吾罪而棄逐兮，何日夜而忘之？」以被逐作結，照應篇首。中間部分則是對遷謫路線、見聞感想的記述，前二十四句追述九年前的遷謫過程，情景相生，後三十二句重在發身世之感，慷慨激烈。「出國門而軫懷兮，甲之朝吾以行。發郢都而去閭兮，怊荒忽其焉極？」他沉痛地與政治中心郢都告別，「過夏首而西浮兮，顧龍門而不見」，「上洞庭而下江」，「背夏浦而西思兮」，「當陵陽之焉至兮，淼南渡之焉如？」由夏首東下，過洞庭，沿江東到夏浦，最終到達陵陽，「至近九年而不復」[25]。整篇表現出屈原對楚國垂危的悼念、對流民的同情以及遷謫的感傷與悲痛。

再看〈涉江〉篇，開篇十二句驪括生平，闡明涉江原因，「世溷濁而莫余知兮，吾方高馳而不顧」；後十四句敘述路線與途中實景，明人汪瑗以為是「實紀道路之曲折」[26]。「且余濟乎江湘。乘鄂渚而反顧兮」，「邸余車兮方林。乘舲船余上沅兮」，「朝發枉渚兮，夕宿辰陽」，屈原從陵陽啟程，由鄂渚至方林，入洞庭，溯沅水，經枉渚，入激

19 阮元校刻：《十三經注疏·毛詩注疏》，頁373。

20 阮元校刻：《十三經注疏·毛詩注疏》，頁383。

21 阮元校刻：《十三經注疏·毛詩注疏》，頁338。

22 朱熹：《楚辭集注》上海：上海古籍出版社，1979年10月，頁73。

23 司馬遷撰，裴駰集解，司馬貞索隱，張守節正義：《史記》，頁1729。

24 聶石樵：《屈原論稿》北京：中華書局，2015年9月，頁181。

25 屈原著，金開誠等校注：《屈原集校注》北京：中華書局，1996年8月，頁466-482。

26 汪瑗撰，汪仲弘輯，熊良智等點校：《楚辭集解》上海：上海古籍出版社，2018年1月，頁82。

浦，亦景亦情，極盡描摹逐臣的行旅之苦與去國之思。後十二句描寫遷逐地，「入溆浦余僭個兮，迷不知吾所如」，「哀吾生之無樂兮，幽獨處乎山中」[27]，深山密林是屈原心境的表現。王夫之云：「沅西之地，與黔粵相接，山高林深，四時多雨，雲嵐垂地，簷宇若出其上。江北之人，習居曠敞之野，初至於此，風景幽慘，不能無感。」[28]可謂曲盡人情。蔣驥云：「與〈哀郢〉之嗚咽徘徊，欲行又止，亦絕不相侔。蓋彼迫於嚴譴而有去國之悲，此激於憤懷而有絕人之志，所由來者異也。」[29]的確，兩篇感情基調完全不同，〈涉江〉傾瀉自如，抒發無餘，於平和從容中見其精神。

　　總的來說，先秦時期為行旅詩圖景形成之始，集中在三秦、中原、齊魯、荊楚四大地域。這一時期，行旅詩可劃分為兩個層面，主要由身份階層和群體特性所致。其一，是國家層面、圍繞國都的行旅詩。春秋戰國，諸侯紛爭，國都傾滅，士大夫群體的黍離之悲、故都之思是行旅的一大主題。士人懷有深厚堅定的家國觀念，他們共同的旨歸是回溯的，內在反映對過去的悲懷，與先秦故都的歷史陳跡一起成為後世行旅詩母題。其二，是個體層面、圍繞家庭的行旅詩。社會動亂，聚散離合，寒素群體的性命之慮、親人之思也是行旅的重要主題。一個從國都出發，一個從家出發，兩個群體共同匯聚成為歷代行旅詩母題的文化淵源——家國。

二　漢魏帝都「分裂」格局與「散點式」行旅詩圖景

　　東漢末年，「主荒政繆，國命委於閹寺，士子羞與為伍」（《後漢書·黨錮列傳序》）[30]，「上無明天子，下無賢諸侯，君不識是非，臣不辨黑白」（徐幹《中論·譴交》）[31]。王權弱化，帝都作為政治與文化表徵的功能逐漸喪失。建安元年（西元 196年），曹操更是挾漢獻帝遷都許昌，取得挾天子以令諸侯之優勢，剝離了帝王與帝都洛陽的關係；又在袁尚敗後積極營建鄴城（今河北臨漳西南），企圖透過政治、文化權力的集中使鄴城成為實質意義的都城。士人從思想到生活都處在這樣一個動盪不居的時代，也正是在群雄爭奪、軍閥割據、都城分裂的政治格局之下，他們心中儒家思想的正統觀念也隨之淡化，或隱居避世，或各事其主，大一統政權的向心力對士人徹底失去了約束力。這一時期，行旅詩圖景遷轉到了中原和吳越地域，整體呈現出「散點式」的特點。

　　漢代因總體存詩較少，現僅存數首行旅詩，但仍對後世行旅詩的發展有重要的啟發意義。《後漢書·梁鴻傳》記載：「肅宗聞而非之，求鴻不得。乃易姓運期，名耀，字侯

27 屈原著，金開誠等校注：《屈原集校注》，頁487-503。
28 王夫之：《楚辭通釋》北京：中華書局，1975年6月，頁72。
29 蔣驥：《山帶閣注楚辭》上海：上海古籍出版社，1958年，頁110。
30 范曄著，李賢等注：《後漢書》北京：中華書局，2014年，頁2185。
31 徐幹：《中論解詁》北京：中華書局，2014年5月，頁220。

光，與妻子居齊魯之間。有頃，又去適吳。將行，作詩。」[32]梁鴻的〈適吳詩〉沒有對行旅景觀的記錄，重在以騷體抒情明志。「逝舊邦兮適征，將遙集兮東南。心惙怛兮傷悴，忘菲菲兮升降」，交代適吳背景與悲傷心情；「欲乘策兮縱邁，疾吾俗兮作讒。競舉枉兮措直，咸先佞兮唌唌」，說明適吳原因是受讒被迫；「固靡慚兮獨建，冀異州兮尚賢」，「口囂囂兮余訕，嗟恓恓兮誰留」[33]，表達尚賢之心，流露對政權和誹謗的恐懼。

　　馬援的〈武溪深〉作於建武二十四年（西元 48 年）南征交趾途中，「門生爰寄生善吹笛，援作歌以和之」（《古今注・音樂》）[34]。全詩短小精悍，以七言「滔滔武溪一何深」的興歎開篇，後兩句「鳥飛不度，獸不敢臨」，襯托武溪地理環境、生存環境的惡劣兇險，末以「嗟哉武溪多毒淫！」[35]的感歎收束，一氣呵成！《後漢書・馬援列傳》記載：「會暑甚，士卒多疫死，援亦中病，遂困，乃穿岸為室，以避炎氣。賊每升險鼓噪，援輒曳足以觀之，左右哀其壯意，莫不為之流涕。」[36]詩人即景生情，險惡地理環境的詠歎是慘烈戰事局面的反映，對後世特別是曹魏征戰行旅詩作提供了借鑒。

　　《古詩十九首》對行旅實景的描寫更抽象，抒情說理的篇幅較大，景成為觸發情、理的中介，低沉悵惘的情緒深刻影響了曹魏行旅詩。〈回車駕言邁〉首六句「驅車遠行役，悠悠涉長道。四顧何茫茫，東風搖百草。所遇無故物，焉得不速老」，寫驅車行役，見百草凋零，感人生短促；末六句「盛衰各有時，立身苦不早。人生非金石，豈能長壽考？奄忽隨物化，榮名以為寶」[37]，轉為抒情，自警當早日建立功業。〈步出城東門〉首四句「步出城東門，遙望江南路。前日風雪中，故人從此去」，寫詩人在塞北送客歸江南的場景和天氣；末四句「我欲渡河水，河水深無梁。願為雙黃鵠，高飛還故鄉」[38]，則是抒發思歸不得的悲哀與絕望。這首詩是行旅途中送別詩作中較早的一首，渡河無梁、黃鵠等意象在後世行旅贈別中較常見。

　　曹魏時期戰亂不斷，征戰、奔亡成為最主要的行旅題材。詩人往往通過空間移動的線性描繪展現行旅景觀，行旅過程成為展示內心苦難、訴說個體命運之悲的過程。王粲身歷戰亂，目睹時艱，〈七哀詩〉記錄了初離長安、前往荊州的行旅過程。《後漢書・董卓傳》記載，初平元年（西元 190 年），「長安遭赤眉之亂，宮室營寺，焚滅無餘。……盡徙洛陽人數百萬口于長安。步騎驅蹙，更相蹈藉，饑餓寇掠，積屍盈路。卓自屯留畢圭苑中，悉燒宮廟官府居家，二百里內，無復孑遺。」[39]王粲「年十七，司徒辟詔，除

---

32 范曄著，李賢等注：《後漢書》，頁2767。

33 逯欽立輯校：《先秦漢魏晉南北朝詩》北京：中華書局，2017年9月，頁166。

34 崔豹：《古今注》北京：中華書局，1985年，頁9。

35 逯欽立輯校：《先秦漢魏晉南北朝詩》，頁163。

36 范曄著，李賢等注：《後漢書》，頁843-844。

37 逯欽立輯校：《先秦漢魏晉南北朝詩》，頁331-332。

38 逯欽立輯校：《先秦漢魏晉南北朝詩》，頁336。

39 范曄著，李賢等注：《後漢書》，頁2327。

黃門侍郎，以西京擾亂，皆不就，乃之荊州依劉表。」（《三國志・魏書・王粲傳》）[40]
全詩感慨身世，憫時傷亂，「西京亂無象，豺虎方遘患。復棄中國去，委身適荊蠻」，
「路有饑婦人，抱子棄草間」[41]，是漢末戰亂景象和人民苦難的展現。

　　此外，曹操自領冀州牧，四方征伐，行旅詩集中在南征劉表、西征高幹、北征烏
桓、西征張魯、東征孫權等數次征戰途中。〈苦寒行〉作於建安十一年正月西征高幹途
中，從鄴城出發，進軍壺關（今山西長治東南）。與馬援〈武溪深〉相似，開篇慨歎太
行山之「艱」，後寫行旅景觀，道路似羊腸阪，樹木蕭瑟，北風呼嘯，熊羆虎豹，溪谷
人少，落雪霏霏。行旅之艱正是征戰之艱、心理之艱，中八句轉入抒情，「我心何怫
鬱，思欲一東歸」，「迷惑失故路，薄暮無宿棲」，言途中所思，東歸無路，內心怫鬱。
末六句如「悲彼東山詩，悠悠使我哀」[42]，寫行旅饑苦，深感悲哀。

　　與先秦不同，這一時期的行旅景觀被蒙上了一層殘酷、恐懼、悲涼的情感色彩，集
中使用虎豹、鶗鴂、歸燕、寒蟬、秋風、秋草、飛蓬、霜露、朝雲等意象，引發時光流
逝、人生短促的蕭索之感。詩中意象使用與景觀書寫之所以具有趨同性，本質原因是詩
人心態的趨同性，由此產生了詩歌情感的趨同性。寫景摹神的目的在於寫心抒情，對行
旅景觀往往不作真切細緻的描寫，而是一種在主觀情思浸染下的景物神態。應瑒〈別
詩〉云「朝雲浮四海，日暮歸故山」，「晨夜赴滄海，海流亦何抽」[43]；曹丕〈燕歌行〉
云「秋風蕭瑟天氣涼，草木搖落露為霜。群燕辭歸鵠南翔，念君客遊思斷腸」[44]；曹植
〈泰山梁甫行〉云「柴門何蕭條，狐兔翔我宇」[45]；王粲〈從軍詩〉云「白日半西山，
桑梓有餘暉。蟋蟀夾岸鳴，孤鳥翩翩飛」[46]。這些詩句無不籠罩著一層悽愴、悲涼、恐
懼的情思，這是曹魏行旅詩的情感主軸之一，失去了大一統政權的向心力和約束力，似
乎並不存在共同的思想旨歸。

　　戰亂環境，一方面使士人感到歲月不居，朝不慮夕，生命無常，人命危淺；另一方
面，也為建功立業提供可能，具有經世意識。這是曹魏行旅詩的另一條思想情感軸線。
以曹丕為例，「生有七尺之形，死惟一棺之土。惟立德揚名，可以不朽。其次莫如著篇
籍。」（〈與王朗書〉）[47] 曹丕將文章著述與經國大業並重。重個性、重欲望、重感情和
強烈的生命意識是漢魏之際士人的思想個性，經歷現實苦難的同時仍懷抱建功立業的理
想。建安八年八月，時任五官中郎將的曹丕在隨父南征劉表途中作〈黎陽作詩〉。詩中

40 陳壽：《三國志》北京：中華書局，2012年，頁597。

41 逯欽立輯校：《先秦漢魏晉南北朝詩》，頁365。

42 曹操：《曹操集》北京：中華書局，2018年3月，頁6。

43 逯欽立輯校：《先秦漢魏晉南北朝詩》，頁383。

44 逯欽立輯校：《先秦漢魏晉南北朝詩》，頁394。

45 逯欽立輯校：《先秦漢魏晉南北朝詩》，頁426。

46 逯欽立輯校：《先秦漢魏晉南北朝詩》，頁362。

47 嚴可均輯校：《全上古三代秦漢三國六朝文》第2冊，北京：中華書局，2017年，頁379。

四言句式與行旅景觀仍未脫離《詩經》的影響，但征戰路線與行旅景觀更具寫實性；同樣具有經世意識，但情感抒發也更強烈、更直接。首六句記錄行旅景觀，「朝發鄴城，夕宿韓陵。霖雨載塗，輿人困窮。載馳載驅，沐雨櫛風」，表現從征的艱難之境。「載主而征，救民塗炭」，「我獨何人，能不靖亂」[48]，著力表現時代苦難、民生憂患，也抒發削平戰亂、恢復統一的非凡抱負，感情濃郁，具有慷慨之志。

　　總的來說，曹魏時期的行旅詩有別於先秦。先秦行旅詩的黍離之悲、故國之思擁有共同的思想原點與情感原點——國都，而曹魏的戰亂之悲、故人之思沒有思想情感的原點，個體生命的漂泊悲涼之氣成為重要主題。也正是出於對新的思想情感原點的尋找，才有了剛健慷慨之志，這是行旅詩的另一主題，成為後來盛唐氣象重要的精神來源。至此，先秦黍離之悲、故國之思，與曹魏漂泊悲涼之氣、剛健慷慨之志，共同熔鑄成行旅詩的主題線索與發展脈絡。

　　有晉一代，沿襲依靠世家大臣的政治模式，致使王權無法制衡坐擁強兵的世家大族，都城與權力再度形成游移割裂的狀態。譬如，東晉軍事要塞荊州的都邑形制，遠比帝都建康更早改建且完善富麗，可見朝中闡外的強弱關係。處在這樣的國家局勢之下，士人更加注重內心的感受，由於行旅活動的減少，兩晉成為唐前行旅詩創作的最低谷。西晉陸機〈赴洛道中作〉、劉琨〈扶風歌〉等詩在詩歌意象、結構上有所推進，更加注重詩歌結構的內部變化和情感融入；東晉湛方生、陶淵明等人的行旅詩，更加注重行旅過程中心靈感受的變化。

三　南北朝都城「對峙」格局與「多線式」行旅詩圖景

　　六朝之際，宇內分裂，正朔未定，政治與文化權力再度收歸都城建康，回歸皇權政治，士族勢力逐漸走向衰微。受國家局勢、政治格局和南北關係等因素的影響，這一時期士人雖尚未形成以都城為中心的區域概念，但行旅詩圖景逐漸一改前代「散點式」分佈的地域特徵，初步出現以建康—揚州為中心，主要往復於荊楚、江南、北朝長安的「多線式」行旅詩圖景。

　　遭逢離亂的士人徘徊在都城與行旅之間，行旅景觀也與前代大有不同，特別是謝靈運注重對旅途過程的連續記錄，每到一處具有地理標誌意義的地域便作詩，較為完整、連貫地展現旅途面貌。如永初三年赴永嘉太守任，途經方山、始寧（今浙江上虞）、富春渚（今富陽）、石關亭（今桐廬東北）等地，途中作〈鄰里相送至方山〉、〈過始寧墅〉、〈富春渚〉、〈夜發石關亭〉等詩；元嘉三年（西元426年）應詔赴建康任秘書監，途經丹徒（今江蘇鎮江）、謁廬陵王劉義真墓，作〈廬陵王墓下作〉、〈初至都〉等詩；

48　逯欽立輯校：《先秦漢魏晉南北朝詩》，頁403。

元嘉八年冬改任臨川（今江西撫州）內史，途徑石首城、彭蠡湖、廬山等地，作〈初發石首城〉、〈入彭蠡湖口〉等詩。謝靈運的行旅詩已經初具行旅「組詩」的規模，前人詩中很少出現，從這個意義上講，他的行旅詩是山水詩走向大宗過程中的一個雛形。

值得關注的是，謝靈運的行旅詩注重對山水遊蹤的寫實，卻很難在山水中看到情感痕跡。這是因為他的行旅詩兼具紀遊、抒情的雙重功能，寫作目的偏重紀遊而非過程中情感變化，故抒情具有相似的、集中的情感指向，其中既有真實的情感興寄，也有母題帶來的寫作模式。抒情言理多於寫景，景觀書寫穿插於抒情，從景觀中尋找排解貶途苦悶的心靈出口。這種在山水中體悟哲理的方式對後世特別是初唐行旅詩影響很大。

〈永初三年七月十六日之郡初發都〉作於赴任永嘉（今浙江溫州）太守途中。是年五月，宋武帝劉裕駕崩，少帝劉義符即位，謝靈運則因「構扇異同，非毀執政」（《宋書·謝靈運傳》）[49]被迫外任。首四句「述職期蘭暑，理棹變金素。秋岸沉夕陰，火昊團朝露」，言述職行期本是夏末暑氣盡時，行船啟程已是秋天。「辛苦誰為情，遊子值頹暮」，心中仕進與退守的矛盾顯而易見，難免心懷憤懣與憂傷，又說「始得傍歸路。將窮山海跡，永絕賞心悟」[50]。這種現實束縛與精神超脫的輾轉對抗，反而產生複雜的張力。初達永嘉又作〈辨宗論〉，闡述頓悟求「宗」的思維方式及「真知」、「入照」等思想，是對行旅詩體悟人生哲理的延續和深入思考，無不表露出超脫的情感態度。

南朝士人的地域觀念較為靈活，不同身份的人對中央與地方關係的認識不同，尤其是對外地任職利弊的判斷因人而異，故行旅景觀的著力點與力度、情感興寄的痕跡與濃度也不同。這大大拓展了行旅詩的表現範圍，為開闢行旅詩景觀的新視野提供了可能。與出身世家大族的謝靈運相比，寒素出身的士人在貶謫外遷時，很難在山水中消解外任的憂傷，很難相對自由獨立地思考超然的哲學問題，這是文化群體與社會階層的特性所致。創作傾向也一改以玄思妙想為主旨的方式，透過行旅見聞與古今人事的結合，從客觀的描寫轉變為主觀的抒情，直接影響行旅詩的寫作內容。宋元徽二年（西元474年）五月，江淹因觸怒建平王劉景素，被黜為建安吳興（今福建浦城）令。南朝政權均定都建康，「江左以來，樹根本于揚越，任推轂于荊楚」（《宋書·何尚之傳》）[51]，吳興地處閩中偏遠之地，距離政治中心建康約三千里。江淹途經無錫、赤亭渚等地赴任，閩中陌生景觀更是加劇了不適應的情緒，「泣故關之已盡，傷故國之無際」（〈去故鄉賦〉）[52]。

泉嶠（今浙江衢州境）是建康至吳興的必經之地，〈渡泉嶠出諸山之頂〉著力表現山水景觀的新奇與險峻。「萬壑共馳鶩，百谷爭往來。鷹隼既厲翼，蛟魚亦曝鰓」，塑造山高蔽日、水深難渡的景觀；「伏波未能鑿，樓船不敢開。百年積流水，千歲生青苔」，

---

49 沈約：《宋書》北京：中華書局，2018年，頁1753。

50 逯欽立輯校：《先秦漢魏晉南北朝詩》，頁1159。

51 沈約：《宋書》，頁1739。

52 江淹著，胡之驥注，李長路、趙威點校：《江文通集匯注》北京：中華書局，2017年，頁10。

引馬援南征典故，襯托人跡罕至、積水生苔的環境；「南方天炎火，魂兮可歸來」[53]，申說行路之艱險和對前路的憂懼，使閩地陌生新奇的環境呈現異於揚越的山水景觀。又如「曾風漂別蓋，北雲竦征人」（〈無錫舅相送銜涕別〉）[54]，「路長寒光盡，鳥鳴秋草窮」（〈赤亭渚〉）[55]等詩，始終流露憂懼貶途、不樂外任的消極情緒。有趣的是，作於宋順帝昇明元年（西元 477 年）春北上還都途中的〈還故園〉則是一片明麗景象，「邅發桃花渚，適宿春風場。紅草涵電色，綠樹鑠煙光」[56]，吐露苦盡甘來的心緒，恰好印證渴望仕進、不樂外任的思想。

十六國時期，政權並立，都城分散，士人行旅基本沒有固定的活動區域。由於國家局勢、文壇生態的影響和文獻缺失的現狀，存世行旅詩更是極少，主要由庾信、王褒等由南入北的士人所作。梁武帝大同十一年（西元 545 年）夏，東魏派使者聘梁，梁派通值散騎常侍庾信、散騎常侍徐君房報聘東魏。庾信從建康啟程，由瓜步山渡江北上，途中作〈將命使北始渡瓜步江〉、〈入彭城館〉、〈舟中望月〉等詩。梁元帝承聖三年（西元 554 年），西魏攻破梁都江陵，「褒與王克、劉玨、宗懍、殷不害等數十人俱至長安」（《北史・王褒傳》）[57]，途中作〈入關故人別〉、〈入塞〉、〈始發宿亭〉、〈渡河北〉等詩，依稀可見北朝行旅詩的風貌。

總的來說，南北朝受國家局勢、政治格局和南北關係等因素的影響，尚未形成以都城為中心向四周輻射的區域概念，但是行旅詩圖景初步出現以建康—揚州為中心，主要往復於荊楚、江南、北朝的行旅路線地域特徵。這一時期與先秦漢魏不同的，以謝靈運為代表的士族文人，以精細連貫、紀行詳盡的行旅組詩，將紀行過程當作一個慰藉不平、療救內心的過程，這是無為之怨；以江淹為代表的寒族文人，借助陌生新奇的行旅景觀，將山水書寫視為一條申說行路艱險、憂懼情緒的出路，這是無根之懼。無為之怨與無根之懼，這是南北關係與都城格局的更迭、社會階層與文化群體的變遷帶來的新風貌。

四　隋唐都城「大一統」格局與「一點多線式」行旅詩圖景

隋朝結束了漢末以來長達四百年的分裂，大一統王朝的建立使都城這一政治、文化與軍事中心成為地理區位上的核心之地。以長安為根本，被山帶河，控關東、治西域、禦南詔，海納百川，擁關自雄；以洛陽為鉗制，依託京杭大運河，北通涿郡，南下餘

53 江淹著，胡之驥注，李長路、趙威點校：《江文通集匯注》，頁115。
54 江淹著，胡之驥注，李長路、趙威點校：《江文通集匯注》，頁113。
55 江淹著，胡之驥注，李長路、趙威點校：《江文通集匯注》，頁115。
56 江淹著，胡之驥注，李長路、趙威點校：《江文通集匯注》，頁118。
57 李延壽：《北史》北京：中華書局，2013年，頁2792。

杭，西進長安，具有強大的經濟地理優勢，兩京格局構成了維繫唐帝國的軸心。初唐士人的行旅詩創作也多以都城為中心，往復奔波於長安與中原、嶺南、吳越等地之間，形成一個自京畿道向嶺南道、劍南道、河北—隴右道、淮南—江南東道四條線路正向輻射與逆向聚攏的「一點多線式」行旅詩圖景。這四條行旅詩道，一方面呈現蜀地、嶺南、隴右、吳越四種具有類型化特徵的行旅景觀與地域文化，另一方面也折射出多樣化的文人群體和文學風尚。

　　劍南道是唐初行旅內涵最為豐富的線路，粗略統計凡六十四首，涵蓋貶謫、羈旅、應試、出使等主題，主要由王勃、盧照鄰、陳子昂等人創作。從長安至劍南諸道，通常走南北向的蜀道山路，而出蜀赴京則多選擇東西向的江道，經江陵再北上長安。如盧照鄰於高宗總章二年（西元 669 年）春赴任新都尉，途經葭川（今四川廣元東南）、望喜驛（今廣元西南）、梓州（今四川三台）、玄武縣（今四川中江）等地入蜀，途中作〈葭川獨泛〉、〈至望喜矚目言懷貽劍外知己〉等詩；陳子昂於調露元年（西元 679 年）出蜀赴京應試，途中作〈白帝城懷古〉、〈度荊門望楚〉等詩，又於長壽二年（西元 693年），在鄉省親服闋後回京，途徑萬州（今屬重慶），作〈萬州曉發放舟乘漲還寄蜀中親朋〉。行旅詩在他們筆下含山川之縹緲，生發奇幻之靈氣。

　　唐初士人普遍有干世之願、功名之心，遠離長安這一政治權力中心，難免產生「長安不見使人愁」之感。總章二年五月，王勃因戲作檄雞文被唐高宗逐出沛王府，遂「觀景物於蜀」，「出褒斜之隘道，抵岷峨之絕徑。超玄溪，歷翠阜，迨彌月而臻焉」，「采江山之俊勢，觀天地之奇作，丹壑爭流，青峰雜起。陵濤鼓怒以伏注，天壁嵯峨而橫立，亦宇宙之絕觀者也」，「山川之感召多矣」，「爰成文律，用宣行唱。編為三十首」（《入蜀紀行・詩序》）[58]。諸詩對劍南道「險」、「峻」的展現更細緻，如「晨征犯煙磴，夕憩在雲關」（〈長柳〉）[59]；「江漢深無極，梁岷不可攀」（〈普安建陰題壁〉）[60]；「高低尋戍道，遠近聽泉聲」（〈麻平晚行〉）[61]；「江濤出岸險，峰磴入雲危。溜急船文亂，岩斜騎影移」（〈泥谿〉）[62]；「雲間迷樹影，霧裡失峰形」（〈易陽早發〉）[63]等。他途經始平（今陝西興平）、扶風（今屬陝西）、長柳（今陝西勉縣境）、普安（今四川劍閣）、麻平（今四川樂山東）等地，景觀始終透露出羈旅愁緒，如「客行朝復夕，無處是鄉家」（〈始平晚息〉）[64]；「客心懸隴路，遊子倦江幹」（〈羈遊餞別〉）[65]；「悲涼千里道，淒斷百年身」

58 王勃著，蔣清翊注：《王子安集注》上海：上海古籍出版社，1995年11月，頁227。

59 王勃著，蔣清翊注：《王子安集注》，頁89。

60 王勃著，蔣清翊注：《王子安集注》，頁103。

61 王勃著，蔣清翊注：《王子安集注》，頁82。

62 王勃著，蔣清翊注：《王子安集注》，頁93。

63 王勃著，蔣清翊注：《王子安集注》，頁91。

64 王勃著，蔣清翊注：《王子安集注》，頁102。

65 王勃著，蔣清翊注：《王子安集注》，頁91。

（〈別薛華〉）[66]；「百年懷土望，千里倦遊情」（〈麻平晚行〉）等。

　　貶謫流徙也是劍南道上的主要行旅題材之一。貶謫流徙在唐初趨於常態化，貶謫緣由和程度更為複雜。據尚永亮統計，唐初貶官人次較多的，在北方主要是河南道（36）、河東道（35），南方則是嶺南道（163）、劍南道（58），四個地區貶官人次總計二九二人，超過唐初貶官人數的一半。[67]結合行旅詩的創作來看，唐初士人貶謫主要向南，尤以嶺南、劍南為主。劍南道的貶謫嚴重程度不及嶺南，因此貶謫愁緒不是很強烈。曾任隱太子李建成東宮學士的陳子良在玄武門之變後，出為相如（今四川蓬安）縣令，〈入蜀秋夜宿江渚〉描繪「水霧一邊起，風林兩岸秋。山陰黑斷磧，月影素寒流」的江行景觀，抒發了「故鄉千里外，何以慰羈愁」[68]的感情。又如，楊炯於垂拱元年（西元 685 年）坐從弟神讓犯逆，貶梓州司法參軍。〈早行〉詩云：「敞朗東方徹，闌干北斗斜。地氣俄成霧，天雲漸作霞。河流才辨馬，岩路不容車。」[69]寫景多於抒情，景觀與現實環境的契合度較高，較為寫實地反映出蜀道與江行的山水景觀。

　　嶺南道是唐初行旅詩創作數量最多的線路，粗略統計凡一〇三首，更是唐初最典型的貶謫流徙詩道，貶謫流徙之詩多達九十七首。被剝奪政治權利的士人在遠距離、長時段的貶謫流徙中，往往會創作大量的行旅詩來抒發內心的憂慮和不平，集中表現為被貶的悲哀情緒和長途跋涉的艱險。這些相似的經歷與情緒又催生出類型化的行旅景觀，一方面，新奇的嶺南景觀則引起詩人描繪的意願，另一方面，陌生的山水也是詩人流貶在外的物證和複雜感情的反映。值得注意的是，不同於劍南道貶謫行旅詩中蜀道與江道較為寫實的山水景觀，嶺南道的景觀通常被描繪成山高灘險、瘴癘瀰漫的南荒，呈現出主觀塑造、與現實錯位的特點。同時，抒情的筆力與寫景並重，甚至重於寫景，特別是貶謫流徙的愁緒遠遠比劍南道詩抒發得猛烈。究其原因則是兩地貶謫嚴重程度不同，以及在唐初的地理區位和地域觀念中也有所不同。

　　進一步說，唐初士人普遍懷有「重京官，輕外任」的觀念。地方與都城的距離與受重視程度成正比，從都城向四周各地的距離越遠，士人前往的意願就越低。一方面，行旅詩的山水景觀與現實環境產生了一定程度的錯位，尤其是正向的貶謫流徙和逆向的應詔還都，構成長安與流貶之地「離心─向心」的互動關係，行旅景觀和情感興寄也相應構成強烈對照，充分體現詩人對地理景觀、生存環境的主觀塑造，與詩人心態、地域觀念有直接關聯。另一方面，較多地出現了之前主要出現在詠懷、言志類詩歌中的自我表達，對長安的渴望、呼喚與回憶在行旅詩中俯拾皆是，長安成為唐初士人崇尚、懷戀、反思的關鍵意象。在表現行旅景觀、抒發複雜情感的同時，插入人生經歷、思想傾向等

66 王勃著，蔣清翊注：《王子安集注》，頁80。

67 尚永亮：《唐五代逐臣與貶謫文學研究》武漢：武漢大學出版社，2007年9月，頁51。

68 彭定求等：《全唐詩》北京：中華書局，2018年，頁230。

69 楊炯著，祝尚書箋注：《楊炯集箋注》北京：中華書局，2016年，頁242。

方面的敘述性語言，使行旅的表現範圍進一步擴展。可見外部因素對一種題材的複雜影響和一種題材曲折的變化過程。

　　這集中表現在唐初規模最大的貶謫流徙事件——唐中宗神龍元年張易之兄弟事件中。「宰臣崔玄暐、張柬之等起羽林兵迎太子，至玄武門，斬關而入，誅易之、昌宗於迎仙院，……朝官房融、崔神慶、崔融、李嶠、宋之問、杜審言、沈佺期、閻朝隱皆坐二張竄逐，凡數十人。」（《舊唐書》）[70] 沈佺期詩云「流子一十八，命予偏不偶」（〈初達驩州〉）[71]，其中崔融左授袁州（今江西宜春）刺史，鄭愔黜為宣州司戶，多數則流貶嶺南，如韋承慶流嶺表，宋之問貶瀧州（今廣東羅定）參軍，房融流欽州（今屬廣西），杜審言流峰州（今越南河西），沈佺期流驩州（今越南南榮）。

　　詩作將旅途的艱危、異俗殊方的風物、內心的痛苦憂懼與憤懣，都寫得很真切。如「零落嗟殘命，蕭條托勝因」（房融〈謫南海過始興廣勝寺果上人房〉）[72]；「魂魄遊鬼門，骸骨遺鯨口。夜則忍饑臥，朝則抱病走」（〈初達驩州〉）；「仲春辭國門，畏途橫萬裡」（宋之問〈自洪府舟行直書其事〉）[73]；「魂隨南翥鳥，淚盡北枝花」（〈度大庾嶺〉）[74]。雖有「澹澹長江水，悠悠遠客情」（韋承慶〈南行別弟〉）[75] 的清麗之句，但通常是山高灘險、瘴癘瀰漫的環境。如「道束懸崖半，橋敧絕澗中」（杜審言〈度石門山〉）[76]；「洛浦風光何所似，崇山瘴癘不堪聞」（沈佺期〈遙同杜員外審言過嶺〉）[77]；「昔傳瘴江路，今到鬼門關」（〈入鬼門關〉）[78]；「江靜潮初落，林昏瘴不開」（宋之問〈題大庾嶺北驛〉）[79]；「春暖陰梅花，瘴回陽鳥翼」（〈早發大庾嶺〉）[80]；「夜雜蛟螭寢，晨披瘴癘行」（〈入瀧州江〉）[81] 等。

　　河北一隴右道是唐初行旅詩的征伐與出使之道。主要由王績、駱賓王、盧照鄰、陳子昂等人創作，凡二十二首。唐朝建立之初，特別是高宗、武后朝，邊事未休，因此河北道、隴右道一帶的行旅詩也不少。如盧照鄰於顯慶三年（西元 658 年）前後，自襄州出使伊州、西州一帶，〈西使兼送孟學士南遊〉、〈隴頭水〉等詩將羈旅之愁與別友之悲

70　劉昫等注：《舊唐書》北京：中華書局，1975年，頁2708。

71　沈佺期、宋之問撰，陶敏、易淑瓊校注：《沈佺期宋之問集校注》北京：中華書局，2017年，頁95。

72　彭定求等：《全唐詩》，頁294。

73　沈佺期、宋之問撰，陶敏、易淑瓊校注：《沈佺期宋之問集校注》，頁423。

74　沈佺期、宋之問撰，陶敏、易淑瓊校注：《沈佺期宋之問集校注》，頁428。

75　彭定求等：《全唐詩》，頁258。

76　彭定求等：《全唐詩》，頁337。

77　沈佺期、宋之問撰，陶敏、易淑瓊校注：《沈佺期宋之問集校注》，頁85。

78　沈佺期、宋之問撰，陶敏、易淑瓊校注：《沈佺期宋之問集校注》，頁87。

79　沈佺期、宋之問撰，陶敏、易淑瓊校注：《沈佺期宋之問集校注》，頁427。

80　沈佺期、宋之問撰，陶敏、易淑瓊校注：《沈佺期宋之問集校注》，頁429。

81　沈佺期、宋之問撰，陶敏、易淑瓊校注：《沈佺期宋之問集校注》，頁434。

交融，展現青年時期銳意進取的精神風貌；駱賓王於咸亨元年（西元 670 年）初秋出塞，途經蒲類津，作〈西行別東臺詳正學士〉、〈夕次蒲類津〉等詩；陳子昂於垂拱二年從軍北征，作〈居延海樹聞鶯同作〉等詩。這些詩作都同時體現出隋唐之際士人漂泊不定的悲憂之感和積極入世、建功立業的精神風貌。

淮南—江南東道則是唐初行旅詩數量最少、意涵單一的線路，僅落第還鄉、貶謫兩類。應試與落第、流貶與還都這兩組互動的詩歌，對目的地的聯想與描繪時強調時空對比，在一定程度上擴展了行旅詩的層次與表現範圍。唐高宗永徽六年（西元 655 年）前後，駱賓王在長安應試落第，途經洛陽、分水戍（今河南魯陽）、春陵（今湖北棗縣）、張衡墓（今河南南陽）、諸暨（今屬浙江）等地回到義烏，途中作〈至分水戍〉、〈北眺春陵〉、〈早發諸暨〉等詩；又於調露二年（西元 680 年）夏出為臨海（今屬浙江台州）縣丞，途經河曲（今山西運城永濟）、分陝（今河南陝縣）、商丘（今屬河南）、盱眙（今屬江蘇）、瓜步（今南京六合）、潤州（今江蘇鎮江）等地，途中作〈晚泊河曲〉、〈至分陝〉、〈夕次舊吳〉等詩。與謝靈運相似，駱賓王借助山川景觀，在順逆之間尋求內在心理平衡與慰藉，安定清幽的南方成為他心靈滋養與修復的空間。

唐初士人的行旅背景、目的雖各有不同，奔波於京畿道自各地的路途中，或赴京應試，或落第歸鄉，或貶謫流徙，或征戰出使，或漫遊羈旅，但是都城長安及其文化始終是統一王朝的主流文化，其文化向心力與輻射效應空前強大，形成巨大的文化心理空間，成為初唐士人政治想像的重要系著。

五　結語

朝代的更迭、都城格局的變遷與都城文化的演進，影響了古代士人思想觀念的變遷，催生了士人行旅緣由、路線圖景、詩歌創作等行旅活動的發展，特別是大一統都城及其文化深刻影響士人地域觀念的心理向度。從先秦至唐初，行旅詩圖景在地域上遵循中國古代文學運動圖景從西到東、從北到南的總趨勢，具體而言，先後歷經四次循環往復運動，劃開了古代行旅詩地域邅轉的四個階段。第一階段是先秦時期，諸侯紛爭，「多都並存」，落在三秦、中原、齊魯、荊楚四大地域，呈現出「多中心式」行旅詩圖景；第二階段始於兩漢，終於魏晉，軍閥割據，四方征伐，帝都從大一統走向「分裂」，呈現出「散點式」的行旅詩圖景；第三階段是南北朝時期，宇內分裂，正朔未定，南北都城「對峙」，邅轉至中原、吳越地域，初步形成往返於建康—揚州至荊楚、吳越、北朝長安的「多線式」行旅詩圖景；第四階段始於隋，下迄唐初，「大一統」都城格局構成了維繫唐帝國的軸心，又邅轉至三秦、中原、吳越地域，形成以都城為中心，自京畿道向嶺南道、劍南道、河北—隴右道、淮南—江南東道四條線路正向輻射與逆向聚攏的「一點多線式」行旅詩圖景。正是從唐初開始，行旅詩逐步走向全盛的新階

段。

　　古代士人在行旅途中既受江山之助，又在詩歌中重塑山川，使之具有永恆的文學、思想與美學價值。中國古代都城格局及其文化的演進，對於研究行旅詩圖景、景觀風物與情感旨歸的內在關聯與變遷方式，都是相當重要的理論問題和實踐問題，值得深入思考。

管子、子思、鄒衍對《尚書·洪範》「五行」疇的拓展與運用

王聰

中華女子學院文化傳播學院

　　《尚書·洪範》為現存最早記錄「五行」的資料[1]，在〈洪範〉中，箕子向周武王傳授了九條治國大法，即〈洪範〉「九疇」，其中，居於首位的是「五行」疇，原文內容如下：

> 一、五行：一曰水，二曰火，三曰木，四曰金，五曰土。水曰潤下，火曰炎上，木曰曲直，金曰從革，土爰稼穡。潤下作鹹，炎上作苦，曲直作酸，從革作辛，稼穡作甘。[2]

　　《尚書正義》對這一段的解釋是：「此章所演文有三重。第一言其名次，第二言其體性，第三言其氣味。言五者性異而味別，各為人之用。《書傳》云，水火者，百姓之所飲食也。金木者，百姓之所興作也。土者，萬物之所資生也。是為人用，五行即五材也。襄二十七年《左傳》云，天生五材，民並用之，言五者各有材幹也。謂之行者，若在天則五氣流行，在地世所行用也。」[3]《尚書正義》主要從名次、體性、氣味三個層面來闡釋〈洪範〉「五行」疇的，突出五行「世所行用」的特性。春秋時期，關於〈洪範〉「五行」的核心思想可以說繼多變少，對「五行」的發展著重體現在應用的範疇愈來愈廣，對於「五行」的內部聯繫也只是初露端倪。但是，發展到戰國時期，一部分崛起的「士」階層或是出於宣傳本學派的主張，或是為了提升自身的政治地位，或是為了增進對農耕時令的認知，開始對〈洪範〉「五行」進行各種引申和改造，進而以猛烈的

---

1. 在〈洪範〉之前，《尚書·甘誓》也提及了五行，但其只言道「有扈氏威侮五行，怠棄三正」，對於「五行」的含義沒有作進一步的說明。所以，〈甘誓〉中「五行」是否與〈洪範〉中的「五行」同義，多有爭議，尚待商榷。而且，〈甘誓〉隸屬〈夏書〉部分，《尚書》中〈夏書〉經今人考證，多為後代史官追述，確切的年代也無法確定。因此，對於《尚書·甘誓》這則關於「五行」的材料，本文尚且存疑。
2. （清）阮元校刻：《十三經注疏·尚書正義》北京：中華書局，1980年，頁188。
3. （清）阮元校刻：《十三經注疏·尚書正義》北京：中華書局，1980年，頁188。

「頭腦風暴」促使「五行」連成更加宏大的體系，發展成為應用性更廣、包容力更強的「五行說」。

一　《管子》──時令與「五行」的結合

管仲是春秋時齊國的賢相，後人依照他的言行編錄了《管子》一書，對管仲治理下的官職、政令、風俗等都有記載。其中，〈幼官〉、〈幼官圖〉、〈四時〉、〈五行〉四篇文章與「五行」的關聯比較密切，對於探討「五行」在春秋戰國的流傳和發展，尤其是在民俗上的作用頗為重要。

《管子》的第八、第九兩篇為〈幼官〉和〈幼官圖〉，聞一多認為「幼官」兩字乃是「玄宮」的誤寫，「幼，古窈字，與玄同義。官疑當為宮字之誤，幼官即玄宮。」[4] 同時，指出它與〈月令〉之間或存在一定的聯繫，而如果從「五行」的角度進行考量的話，尤能見出這一聯繫的緊密之處。

在《逸周書》中，已將「五行」分別與「五方」和「五色」相結合，但五行、五色、五方三者尚未聯成體系。且卷三小開武（第二十八）段[5]將「五行」與「五色」聯繫起來時，「五行」的順序依照的仍然是〈洪範〉中的次序。但卷五作雒（第四十八）[6] 中則變成了按照方位上的東南西北中的順序行文了，對應「五行」則為木火金水土。由此猜測，在〈洪範〉之後，對「五行」順序的調換，很有可能與方位的結合有關。

〈幼官〉和〈幼官圖〉，已初步勾勒出「五行」、「五方」、「五色」三者之間愈加緊湊的對應關係。同時，兩篇文章在論及四方時，強調春夏秋冬不同季節施行不同的政令，儼然已將方位和時令結合到一起考慮。因此，《管子》的〈幼官〉和〈幼官圖〉在某種程度上記錄下了「五行」思想在農業時令中的應用。故此時的「五行」已不僅僅是〈洪範〉中僅從名次、體性、氣味來看待的水、火、土、金、土五種物質了，而是漸漸融合了時令、方位等農業要素的一個愈見龐大的體系。

再看《管子》的〈四時〉篇，則是更加顯著地將春夏秋冬四時與東南西北四方相對應，與此同時，出現與天干的相配，〈四時〉將甲乙和春相配，丙丁和夏相配，戊己和

4　郭沫若：《管子集校》北京：科學出版社，1956年，頁105。

5　《逸周書》小開武解二十八：「三極：一、維天九星。二、維地九州。三、維人四佐。五行：一、黑，位水。二、赤，位火。三、蒼，位木。四、白，位金。五、黃，位土。九紀：一、辰以紀日。二、宿以紀月。三、日以紀德。四、月以紀行。五、春以紀生。六、夏以紀長。七、秋以紀殺。八、冬以紀藏。九、歲以紀終。」見黃懷信、張懋鎔、田旭東：《逸周書匯校集注》卷3，上海：上海古籍出版社，2007年，頁274-277。

6　《逸周書》作雒解第四十八：「諸（侯）受命于周，乃建大社于周中。其壝東青土，南赤土，西白土，北驪土，中央疊以黃土。將建諸侯，鑿取其方一面之土，苞以黃土，苴以白茅，以為土封，故曰受則土于周室。」見黃懷信、張懋鎔、田旭東：《逸周書匯校集注》卷5，頁534-535。

土相配，庚辛和秋相配，壬癸和冬相配，這是繼《左傳》中出現天干和人名中的「五行」相配[7]之後，天干與「五行」更廣泛的聯繫，這一聯繫也促使「五行」的應用更為普遍。《管子》嚴格主張按照時節推行政令，體現出其「順天敬時」的特點。同時，在夏秋之間配上中央土，為的是「土德實輔四時入出，以風雨節土益力」。這樣，《管子》將四時與五方、五行，巧妙地聯合成了一個彼此呼應的系統，將五行從時間、空間多個角度擴展開來。從最初的國家治理原則和規律落實到具體的不同時節下的政令細則。從一定意義上說，將「五行」引進了具體的政令和風俗，即是將「五行」思想融入到了春秋時代普通百姓的生活。

　　《管子》的〈幼官〉、〈幼官圖〉與〈四時〉篇，在論及四時和四方的時候，都加入了「土」，但是比較二者，有一個最大的不同，即「土」放在了甚麼位置。在〈幼官〉、〈幼官圖〉中，先言中，再言東、南、西、北。先言「右中方本圖」、「右中方副圖」，是為了強調君主和文武大臣的根本治理方針，然後再按照東、南、西、北的順序，即春、夏、秋、冬四季的順序，針對不同時令採用不同的治理舉措，強調順時而治。按照對應關係，那麼〈幼官〉、〈幼官圖〉中的「五行」順序則是土、木、火、金、水。到了〈四時〉篇中，將「土」的位置調到了春和夏的中間，且言道，「中央曰土，土德實輔四時入出，以風雨節土益力。土生皮肌膚。其德和平用均，中正無私，實輔四時：春贏育，夏養長，秋聚收，冬閉藏。大寒乃極，國家乃昌，四方乃服，此謂歲德。」[8]談到「土」的這段話比談春夏秋冬的政令都要簡短。〈四時〉篇意在強調「令有時」，「土」在這裡起到的是「實輔四時」的一個作用。但有趣的是，輔佐作用的「土」被插入到四時之間，形成了春、夏、土、秋、冬的順序，對應五行則是木、火、土、金、水。而在自然界中，木生火、火生土、土生金、金生水、水又生木，這一順序正是「五行」相生的順序。《管子》到了〈五行〉篇中，將一年對等地分為五個七十二天，且分別對應著木、火、土、金、水，不同的時令分別按照不同物質的德性施行政事。在《管子‧五行》篇中，政令需和時令相順應的施政標準，較〈幼官〉、〈幼官圖〉、〈四時〉，要更加精細和嚴格。依照《管子》中的順序分析〈幼官〉、〈幼官圖〉、〈四時〉、〈五行〉中「五行」元素的位置和排序，可以看出「五行」對時令、風俗的滲透愈發深入的過程。

　　馮友蘭在評價〈月令〉時曾言道，「依據陰陽五行的理論對四時氣節的變化作了說明，同時，通過對四時氣節的變化和農業生產知識的總結，又豐富和發展了陰陽五行的學說。」[9]用這句話評價《管子》在這方面的貢獻，似愈加貼切。早在〈月令〉前，《管

7　如，《左傳》僖公三十二年：「秦，白丙，字乙。丙，火也，剛日也；乙，木也，柔日也。名丙字乙者，取火生於木，剛柔相濟也。」具體闡釋參見丁山：《中國古代宗教與神話考》上海：上海文藝出版社，1988年，頁120-121。

8　（春秋）管仲著，（清）戴望校：《管子校正》，見《諸子集成》（五），上海：上海書店，1986年，頁239。

9　馮友蘭：《中國哲學史新編》北京：人民出版社，1998年12月，頁619。

子》已展現出了五行理論和氣節變化的錯綜關係和發展脈絡。從《管子》的〈幼官〉、〈幼官圖〉到〈四時〉，再到〈五行〉，「土」的位置的調換或許暗示出五行相生的理論很有可能脫胎於時令，時間序列的流轉與五種物質的循環彼此間構成了一種奇妙的相生關係。

二　子思《五行》篇──對儒家內在修養的提倡

荀子〈非十二子〉批判思孟學派時，曾言道：

> 略法先王而不知其統，猶然而材劇志大，聞見雜博。案往舊造說，謂之五行，甚僻違而無類，幽隱而無說，閉約而無解。案飾其辭而祇敬之曰：此真先君子之言也。子思唱之，孟軻和之，世俗之溝猶瞀儒，嚾嚾然不知其所非也，遂受而傳之，以為仲尼、子游為茲厚於後世，是則子思、孟軻之罪也。[10]

荀子批判子思、孟子「案往舊造說，謂之五行」，因為材料的缺失，後人讀到此段不免產生如墮雲裡霧裡之感。由古至今，許多研究者對思孟學派的「五行說」到底是甚麼，進行過猜測。龐樸在其《帛書《五行》篇研究》中對前人的這些探討作了簡要歸納，勾勒出了不同時代的學者為解開這個千年的謎題所作的努力。[11]直到二十世紀七十年代和九十年代，隨著馬王堆漢墓和郭店楚簡的《五行》篇相繼出土，這一問題的答案方有浮出水面之勢。研究者們將兩處墓葬新出土的材料與傳世文獻結合起來，推斷出這一新出土的《五行》篇很有可能就是荀子批判的子思「案往舊造說」的產物。

郭店楚簡中的《五行》篇與馬王堆帛書中的《五行》篇，在篇幅上不太一樣。馬王堆帛書的《五行》篇包含兩個部分，以其他先秦典籍的體例為參照，似乎前一部分可以稱之為「經」，後一部分可以稱之為「傳」、或「說」，或「解」等，是對前一部分的解釋。而郭店楚簡中的《五行》篇，只有馬王堆帛書《五行》篇「經」的部分。據考古專家推斷，郭店楚墓的時間大概是西元前三百年，與孟子去世的時間比較相近。墓中的竹簡流傳時間當為更早，又考慮到有「經」無「說」，很有可能是距此一百年前（大約西元前 400 年）子思的著作，其時，尚未有後人加入解說的成分。當然，這只是一種可能性比較高的猜測，這一問題還有待進一步的商榷。[12]將《五行》篇與思孟學派相聯繫，除了《荀子》文中的指斥，時間上的吻合外，更主要的是《五行》篇論述的思想與子思、孟子這一支儒家學派有莫大的關聯。子思《五行》篇開篇即有一段綱領性的文字，

10 （戰國）荀況著，（清）王先謙集解：《荀子集解》卷3，見《諸子集成》（二），上海：上海書店，1986年，頁59。

11 龐樸：《帛書《五行》篇研究》濟南：齊魯書社，1980年，頁1-7。

12 陳來：《竹簡《五行》篇講稿》北京：生活‧讀書‧新知三聯書店，2012年8月，頁6-7。

說明了「五行」包含哪些內容，後面的篇幅則主要是圍繞這段話來論述的。其文如下：

> 五行。仁形於內謂之德之行，不形於內謂之行。義形於內謂之德之行，不形於內
> 謂之行。禮形於內謂之德之行，不形於內謂之行。智形於內謂之德之行，不形於
> 內謂之行。聖形於內謂之德之行，不形於內謂之德之行。[13]

由這段話可見，子思《五行》篇中的「五行」已經與〈洪範〉「五行」疇的含義明顯不
同。這裡，「五行」不再是水、火、木、金、土五種基本物質，而被替換成了仁、義、
禮、智、聖五種德行。不但「五行」的元素改變了，「行」的含義也發生了變化，表示
的不再是「世所行用」，而是個人的「德」與「行」。子思通過區別五種德行是否「形於
內」，強調人內在修養的重要性，主張發自內心的，方為德行。簡要比較〈洪範〉「五
行」疇與子思《五行》篇的不同，似乎也就理解了為何荀子在〈非十二子〉中批判子
思、孟軻「案往舊造說，謂之五行，甚僻違而無類，幽隱而無說，閉約而無解」了。或
許，子思撰寫《五行》篇，正是為了借助〈洪範〉「五行」的地位與張力，宣揚儒家修
身養德的主張。

那麼，子思為何會選擇〈洪範〉的「五行」疇「往舊造說」呢？子思的《五行》篇
除借助「五行」的名稱外，與〈洪範〉「五行」是否還有其他關聯？李學勤以〈洪範〉
中的「五事」和據說為子思所作的《中庸》為橋樑，列表將土、金、火、水、木與聖、
仁、義、禮、智對應起來，探討子思「五行」和〈洪範〉「五行」的內部關聯，認為
「〈洪範〉有五行、五事，然而並未明言二者的聯繫。子思的五行說則將作為元素的五
行與道德範疇的五行結合為一，荀子指責之為無類、無說、無解，是有道理的。〈洪
範〉與古代數術傳統有密切關係，其論卜筮等項，很可能是繼承了商代的統治思想，有
濃厚的神秘色彩。子思加以推衍，遂將神秘理論導入儒家學說，為數術與儒學的融合開
了先河，這是章太炎所已經揭示的。」[14]而子思選擇「五行」推廣儒家的主張，也正是
從側面說明了「五行」在當時影響之深，加之「五行」與修身的「五德」有一定的關
聯，是故子思借題發揮，推崇仁、義、禮、智、聖五種德行，名言「五行」，實為「五
德」。

三　鄒衍「五德終始說」──王朝更迭的一種思想依託

鄒衍的書今不存，但是其提出的「五德終始說」，從其他一些史料的轉引和發揮中
可見一斑。如，《淮南子・齊俗訓》高誘注引《鄒子》有言：「五德之次，從所不勝，故

---

13 子思：《五行》，見荊門市博物館：《郭店楚墓竹簡》北京：文物出版社，1998年5月，頁1-4。
14 李學勤：〈帛書《五行》與《尚書・洪範》〉，《學術月刊》，1986年11期，頁37-40。

虞土、夏木。」[15]而由《史記・封禪書》「鄒子之徒論著終始五德之運，及秦帝而齊人奏之，故始皇採用之」[16]可知，秦朝是第一個按照五行相克的原理建立的王朝，故《呂氏春秋》大力提倡鄒衍的「五德終始說」，其〈應同〉篇言：

> 凡帝王之將興也，天必先見祥乎下民。黃帝之時，天先見大螾大螻。黃帝曰：「土氣勝！」土氣勝，故其色尚黃，其事則土。及禹之時，天先見草木秋冬不殺。禹曰：「木氣勝！」木氣勝，故其色尚青，其事則木。及湯之時，天先見金刃生於水。湯曰：「金氣勝！」金氣勝，故其色尚白，其事則金。及文王之時，天先見火，赤鳥銜丹書集于周社。文王曰：「火氣勝！」火氣勝，故其色尚赤，其事則火。代火者必將水，天且先見水氣勝。水氣勝，故其色尚黑，其事則水。[17]

由以上材料可知，鄒衍的「五德終始說」是將〈洪範〉中天人關係下物質層面的「五行」應用到探索朝代更迭的規律中去，認為構成「五行」的五種物質分別是有自身的德行屬性的，之前的每個朝代擁有「五德」中一種，並且將自然界存在的土克水、木克土、金克木、火克金、水克火的規律比附到朝代的更迭中去，建立了一種能夠循環的「五德終始說」。

那麼，鄒衍的這個學說是怎麼發展起來的，由〈洪範〉「五行」疇到「五德終始說」，無論是從提出的時間上看，還是從思想的內在推衍來看，似乎都要經歷一個複雜的發展歷程。就其思想淵源而論，受其他學說的影響或頗為駁雜，其源流或與史墨的史官思想、《周易》的循環論、《子思》尚「德」的主張存在一定的關聯。

胡克森根據三段《左傳》中史墨談論「五行」的記載，分析「史墨的思想對鄒衍五德終始說的形成具有三點啟發因素。一是五行相勝概念……二是開放的王權更迭觀念……三是天道、天命觀念」。[18]春秋時已經存在組成「五行」的物質相互作用的觀念，這在《左傳》中多有呈現。史墨作為春秋末年晉國的史官，在昭公三十一年（西元前511年）、昭公三十二年（西元前510年）和哀公九年（西元前486年），數次利用「五行」規律預測戰事，分析諸侯國之間的關係。春秋時，以史墨為代表的史官將〈洪範〉「五行」暗示出的宏闊的天人關係細化到具體的日常政事中，又將自然界五種物質因特性的不同產生的相克關係，帶入到國家的治理、國事的決策中。這樣，在春秋史官的手中，〈洪範〉「五行」實現了從宏觀到實踐，從自然向社會的轉化。而鄒衍的「五德

15　（西漢）劉安等著，（東漢）高誘注：《淮南子注》卷11，上海：上海書店，1986年，頁176。

16　（西漢）司馬遷撰、（宋）裴駰集解、（唐）司馬貞索引、（唐）張守節正義：《史記》卷28，北京：中華書局，1959年9月，頁1368。

17　（秦）呂不韋等著，陸玖譯注：《呂氏春秋》北京：中華書局，2011年，頁375-376。

18　胡克森：〈從「五行」學說到鄒衍「五德終始」理論的中間環節〉，《北京行政學院學報》，2010年第1期，頁99-104。

終始說」雖源於〈洪範〉「五行」，實則卻是在春秋史官「五行」觀念的基礎上進一步衍生的　　　　　　　　　　　　　　　　　　　　　　　　　　　　　　　　　　　　。

這裡，還有一點值得關注的是，胡克森從史墨「社稷無常奉，君臣無常位」的話中，提煉出春秋史官擁有「開放的王權更迭」的觀念，而這一觀念也正是鄒衍提出「五德終始說」的思想源流。而「天道、天命觀念」是與「開放的王權更迭」觀念息息相關的，無論是自然界的「高岸為谷、深谷為陵」，還是「三后之姓於今為庶」的社會歷史現象，似乎都是融合了《周易》變化的思想在裡面的。而據傳，伏羲依「河圖」演成八卦，大禹依「洛書」演成〈洪範〉，而「河圖」、「洛書」的圖案頗有相似之處，都是把「五」放在了中央的位置。《周易》和〈洪範〉本就是周代思想文化的代表，對此二者最為熟知的自當是當時的史官。因此，二者在春秋史官那裡融合，至戰國時，形成循環變換的「五行」思想，並直接影響到鄒衍。

在史墨那裡，「五行」和《周易》，無論是作為思考問題的方式，還是占卜方法，往往是分而用之，二者尚未結合到一起。鄒衍則是將「將春秋史官占卜的五行推演方法發展為五德學說，從而將一種占卜方法昇華到了一種王權更迭的正統觀理論。」[19]其中的一個核心環節，當是鄒衍將《周易》中最核心的變化循環的觀念加入了「五行」之中。對此，試看《周易》乾卦第一：

> 乾：元，亨，利，貞。
> 初九：潛龍，勿用。
> 九二：見龍在田，利見大人。
> 九三：君子終日乾乾，夕惕若厲，無咎。
> 九四：或躍在淵，無咎。
> 九五：飛龍在天，利見大人。
> 上九：亢龍，有悔。
> 用九：見群龍無首，吉。[20]

作為《周易》的第一卦，「乾卦」在很大程度上反映了其核心思想。從初九的「潛龍，勿用」，到上九的「亢龍，有悔」，六爻的發展順序清晰地勾勒出了從沉潛，到發展，到鼎盛，再到衰亡的過程。同時，「用九」言「群龍無首」，如果將每一爻所處的時間狀態定格為一條龍的話，那麼想像一下，「群龍無首」是這些龍圍成了一個大的圓圈，看不出哪條起始、哪條終結，構成了一幅循環不息的圖景。而在這個循環不息的過程中，若

19　胡克森：〈從「五行」學說到鄒衍「五德終始」理論的中間環節〉，見《北京行政學院學報》，2010年第1期，頁99-104。

20　（清）阮元校刻：《十三經注疏・周易正義》北京：中華書局，1980年，頁13-14。

求安順，不僅要求應時而動，更須時時謹慎自守，對於個人如此，對於國家亦是如此。史墨在談及「五行」時，只是用自然界五種物質相克的原理來占卜、解釋諸侯間戰事的勝負，並沒有任何循環的思想在裡面。但鄒衍的「五德終始說」除了突出五行相克之外，很重要的一點，在於強調王朝更迭是一個循環不息的現象，任何的朝代都處於這種循環之中，如果不修己自守，將會被克己的朝代所取代。而這種朝代更迭的循環論很有可能是受到了《周易》「乾卦」思想的啟發。

另外，對於鄒衍學說的因由，司馬遷的《史記‧孟子荀卿列傳》有言：

> 鄒衍睹有國者益淫侈，不能尚德，……乃深觀陰陽消息而作怪迂之變，〈終始〉、〈大聖〉之篇十餘萬言。……然要其歸，必止乎仁義節儉，君臣上下六親，始也濫耳。王公大人初見其術，懼然顧化，其後不斷行之。……鄒衍其言雖不軌，儻亦有牛鼎之意乎？[21]

《鹽鐵論‧論儒第十一》言：

> 鄒衍以儒術干世主，不用，即以變化始終之論，卒以顯名。……鄒子之作變化之術，亦歸於仁義。[22]

從這兩段話可知，當時大的時代背景是諸侯紛爭，「有國者益淫侈，不能尚德」；而就鄒衍個人的經歷來看，初「以儒術干世主，不用」，方創立陰陽五行之說，但其旨歸仍為「仁義節儉，君臣上下六親」。可見，鄒衍是尚「德」，尚「仁義」的，雖創立了「五德終始說」，但是出發點和旨歸都在於儒家的修身治國。只不過，當時更多的諸侯醉心於「霸道」，致使儒家的修身愛民之論無用武之地。於是，鄒衍改而投其所「好」，「深觀陰陽消息而作怪迂之變」，頗得戰國後期諸侯的推重。鄒衍提出的「五德終始說」的原始理論基礎當為〈洪範〉「五行」疇，而根據上文可知，在鄒衍提出「五德終始說」的大概一百多年前，子思曾寫過《五行》篇，大力宣揚儒家的修身養德之說。二者相比較可見，子思將「五行」定義為仁、義、禮、智、聖，名言「五行」，實言「五德」；鄒衍卻仍言水、火、木、金、土，名言「五德」，所依託的卻是〈洪範〉「五行」。上面材料提到「王公大人初見其術，懼然顧化，其後不能行之。」顧化，即引起重視，想要依照實行之意。司馬貞《史記索引》言道：「謂衍之術皆動人心，見者莫不懼然駐想，又內心留顧而已化之，謂欲從其術也。」[23]或許，正是因為鄒衍如此明顯的依託於〈洪範〉

21　（西漢）司馬遷撰、（宋）裴駰集解、（唐）司馬貞索引、（唐）張守節正義：《史記》卷74，北京：中華書局，1959年，頁2344-2345。

22　（西漢）桓寬：《鹽鐵論》上海：上海人民出版社，1974年，頁25。

23　（西漢）司馬遷撰、（宋）裴駰集解、（唐）司馬貞索引、（唐）張守節正義：《史記》卷74，北京：中華書局，1959年，頁2344-2345。

「五行」，致使當時講究天命的諸侯，很難不對鄒衍的「五德終始說」另眼相看。另一方面，儘管鄒衍提出了「五德終始」之說，但是，根據司馬遷、桓寬等這些時代相去未遠的評論可見，其學說的出發點似乎仍與儒家的提倡德行有一定的關聯，仍是為了勸誘君主修德行，行德政，認為天下有德者主之。從這個意義上看，與思孟學派的做法似有異曲同工之妙。[24]

　　綜上，「五行」疇在《尚書・洪範》中本為重要的治國大法，是原始先民生存智慧的結晶，因其樸素的自然社會觀念和濃郁的敬天安人思想被置於「洪範九疇」中的首位。在經過了春秋戰國的發展後，「五行」漸漸形成一種包羅萬象的學說體系，並在管子、子思、鄒衍等人的援引、開拓下，與時令、道德、王朝更迭等建立起緊密的聯繫，在百姓農業生產、君子修身養德、甚至國家治理中得到廣泛的應用與實踐，進而在各派的學說體系中沿襲開來，成為影響後世的重要思想淵源。

---

24 對於思孟學派對鄒衍五德終始說形成的影響，胡克森曾在其論文〈從「五行」學說到鄒衍「五德終始」理論的中間環節〉總結過支持這一論斷的有代表性觀點，他認為「顧頡剛先生首先引證《荀子・非十二子》中批評思孟學派的言論，並與《史記・孟子荀卿列傳》中所記鄒衍的事實進行比對，從而推測荀子將鄒衍誤為孟子，並認為鄒衍屬於儒家，是從儒家學派中派生出來的，從而將「五德終始」理論與儒學尤其是思孟學派掛起鉤來。陳江風則認為，儒家發展到子思和孟軻時代，大力提倡神秘哲學，利用「五行」的名稱解釋歷史的發展，鼓吹「五百年必有王者興」的政治循環理論，這為後來鄒衍的「五德終始說」的誕生，奠定了循環論的理論基石。王珏、胡新生〈論鄒衍五德終始說的思想淵源〉一文又進一步提到，至春秋時期，五行循環相勝、相生的觀念已基本確立，但從五行生克原理的形成到把這一原理運用於說明社會歷史的變遷，其間還有一段距離，也就是說，還有一個中間環節。而在這個中間環節中起了重大作用的就是思孟學派，是思孟學派的五行觀開啟了鄒衍五德終始說的先河。」本文根據《史記》、《鹽鐵論》的記載，認為思孟學派和鄒衍採取了不同的方式發展了〈洪範〉「五行」，並且，鄒衍在重「德」這一點上似乎深受儒家影響，故很難說鄒衍對早於他一百多年前的子思《五行》篇不存在借鑒的可能。

論戰國時期《太公》文本的形成及源頭[*]

劉全志

北京師範大學文學院

　　在當代社會，提到有關太公的文本，兵書《六韜》最為世人所熟知。自山東銀雀山、河北定州八角廊出土有與傳世文本《六韜》相同的內容以來，學界普遍認為《六韜》應成書於西漢之前。學界已有許多論者結合先秦兵制及他類似的文本記載，認為《六韜》是基本成型於戰國中後期的兵家著作[1]。其實，兵書《六韜》只是眾多太公文獻中的一種。《六韜》，又名《太公六韜》，始見於《隋書·經籍志》，同時著錄的「太公書籍」還有《太公金匱》、《太公兵法》、《太公陰謀》、《太公枕中記》等，[2]而這些書名多不見於《漢書·藝文志》。

　　班固在《漢書·藝文志》道家類著錄「《太公》二百三十七篇：《謀》八十一篇，《言》七十一篇，《兵》八十五篇」，並注云：「呂望為周師尚父，本有道者。或有近世又以為太公術者所增加也。」[3]對於其中的「謀」、「言」、「兵」，沈欽韓認為：「《謀》者即《太公陰謀》也，《言》者即《太公金匱》，……《兵》者即《太公兵法》。」[4]其實，這種一一對應的指證過於坐實，並不一定符合「太公書籍」的實際情況，因為從《漢書·藝文志》到《隋書·經籍志》的著錄變化情況來看，「太公書籍」在東漢及魏晉南北朝時期應該產生了很大的分化或衍生，進而造成某些太公言辭的分屬並非那麼涇渭分明，如同樣是「武王問尚父」的內容，《群書治要》標明引用自《太公陰謀》，而在馬總的《意林》中卻標明源自於《太公金匱》。[5]所以，在《漢書·藝文志》之後，數量眾多的《太公》文本一定存在較為複雜地分分合合、交錯互融的過程。

　　也正因為如此，一般認為《六韜》就是《漢書·藝文志》所載《太公》文獻的一部

* 基金項目：國家社科基金重大項目「中國上古知識、觀念與文獻體系的生成與發展研究」（11&ZD103）；國家社科一般項目「先秦兩漢五帝形象的衍生及文獻形成研究」（17BZW082）。

1 孔德騏：《六韜淺說》北京：解放軍出版社，1987年，頁11；徐勇、邵鴻：〈《六韜》綜論〉，《濟南大學學報》，2001年第1期。徐勇：〈《六韜》成書時代之我見〉，《中國社會科學報》，2011年3月24日，第10版。解志超：《先秦兵書研究》上海：上海古籍出版社，2007年7月，頁104-107。

2 《隋書》卷34〈經籍三〉北京：中華書局，1974年，頁1013。

3 《漢書》卷30〈藝文志〉北京：中華書局，1962年，頁1729。

4 沈欽韓撰，尹承整理：《漢書藝文志疏證》卷2，王承略、劉心明主編：《二十五史藝文經籍志考補萃編》卷2，北京：清華大學出版社，2011年5月，頁82-83。

5 馬總輯：《意林》卷1，《叢書集成初編》第271冊，北京：中華書局，1991年，頁3。

分，如蔣伯潛《諸子通考》說《六韜》「似為《太公》二百三十七篇中《兵》八十五篇之一部分」[6]，余嘉錫也認為「太公之《六韜》、《陰謀》、《金匱》等，皆《兵》八十五篇中之子目」[7]。以此來看，我們將銀雀山漢簡、定州漢簡的相關內容命名為「六韜」是有問題的，因為「六韜」畢竟只是《太公》文本的一部分，而我們之所以這樣命名也是基於出土漢簡與傳世《六韜》的部分內容相同，而就漢簡原本所載內容來看，無疑也存在著一部分超出今本《六韜》的內容。以此，把漢簡《六韜》命名為《太公》更為妥當。

一　《太公》與「周書」之名

從班固對《太公》的注語可知，漢世流傳的《太公》文本，其中不乏「近世又以為太公術者所增加」。除了山東臨沂銀雀山、河北定州八角廊，湖北江陵張家山漢簡中也有《太公》的相關內容。這種情況一方面反映出《太公》在西漢時期是極受歡迎的，流傳地域很廣；另一方面則說明至少《太公》中的部分文本形成時間較早，因為它在西漢初年就已廣泛流傳了。如前所言，許多論者已指出《六韜》成書於戰國中後期。其實，這一時間判定，也符合《太公》中其他文本所透露出的信息。

我們首先來看編寫於唐初的《群書治要》所引《太公陰謀》的內容：

> 武王問尚父曰：「五帝之戒可聞乎？」尚父曰：「黃帝之時，戒曰：吾之居民上也，搖搖恐夕不至朝。堯之居民上也，振振如臨深川。舜之居民上，兢兢如履薄冰。禹之居民上，栗栗恐不滿日。湯之居民上，戰戰恐不見旦。」王曰：「寡人今新並殷居民上，翼翼懼不敢怠。」[8]

這段文字是周武王與尚父之間的問對，單從問對結構來看，顯然與《六韜》所記極為一致，其中的「王」無論是文王還是武王，均可統稱為「王」，而王與太公問對的形式，是《太公》文本的典型特徵：問對中的「王」扮演著請教、諮詢的角色，而「尚父」承擔著解答、指導的功能。具體到這段文字，武王與尚父討論的話題是「五帝之戒」，對於周武王的提問，尚父依次回答黃帝、堯、舜、禹、湯的行為，重在說明這些帝王位居民上的戒懼心理，以此告誡周武王應該有戒懼之心，不可荒疏懈怠。在這裡，五帝的言辭主題是「吾之居民上也，搖搖恐夕不至朝」，黃帝、堯、舜、禹、湯的言辭大致相同，並沒有強烈的個性色彩，所表達的戒懼之義也是為人帝王所應該具有的心態。其中《太公陰謀》在馬總的《意林》中作《太公金匱》，無論如何，這一段文字屬於《太

6　蔣伯潛：《諸子通考》卷4，上海：正中書局，1948年，頁21。

7　余嘉錫：《四庫提要辨證》卷11，北京：中華書局，1980年，頁589-590。

8　魏徵、虞世南、褚遂良合編：《群書治要》卷31，臺北：世界書局，2011年12月，頁403。

公》是毋庸置疑的。從周武王直接問「五帝之戒」可知，其中出現了「五帝」的稱謂，但開出的「五帝」名單卻不同於戰國後期的普遍說法，繼而也沒有被司馬遷寫作《史記・五帝本紀》時所採納。[9]這種現象說明，「武王問尚父」的敘述者，雖然具有排列古代帝王順序的意識和提出「五帝」名單的心理訴求，但當時的社會還沒有形成較為統一的認識。如此，這一文字的形成時間也應是戰國後期，與前述判定《六韜》的形成時間較為一致。

　　值得注意的是，「太公」作為書名在先秦文獻中不多見，以目前可知的文獻而論，僅見於《戰國策・秦一》蘇秦「乃夜發書，陳篋數十，得《太公陰符》之謀，伏而誦之，簡練以為揣摩」。其中的「《太公陰符》之謀」，《史記・蘇秦列傳》作「周書陰符」。據此，朱淵清認為《戰國策・魏一》蘇秦引「《周書》曰：『綿綿不絕，縵縵奈何？毫毛不拔，將成斧柯。前慮不定，後有大患，將奈之何』」之《周書》，「很可能就是《太公金匱》或《太公陰謀》」。[10]另外，《莊子・徐無鬼》女商對徐無鬼說「吾所以說吾君者，橫說之，則以《詩》、《書》、《禮》、《樂》；從說之，則以《金板》、《六弢》」，[11]《經典釋文》引司馬彪、崔撰曰：「《金版》、《六弢》皆《周書》篇名。」[12]成玄英疏：「本有作韜字者，隨字讀之，云是太公兵法，謂文武虎豹龍犬六弢也。橫，遠也；縱，近也。武侯好武而惡文，故以兵法為縱，六經為橫也。」[13]

　　「金板」對於《太公》文獻並不陌生，傳世文獻多有將太公言辭「著之金版」的說法，如《群書治要》所引《六韜》「文王曰：善，請著之金板」，[14]《文選注》「太公金匱曰：訕一人之下，申萬人之上。武王曰：請著金版」。[15]《淮南子・精神訓》說「故通許由之意，《金縢》、《豹韜》廢矣」，高誘指出：「《金縢》、《豹韜》，周太公圖王之書，許由輕天下不受，焉用此書，故曰廢矣。」至於「六弢」，《漢書・藝文志》「諸子

9　「五帝」所指雖然有爭論，但「五帝」的使用是出現於戰國後期，如《莊子・天運》「三皇五帝」、《荀子・非相》「五帝」、《呂氏春秋・明理》「五帝三王」等。關於五帝的名單，王夢鷗認為鄒衍的五德終始學說是以黃帝、顓頊、帝嚳、堯、舜為五帝。王夢鷗：《鄒衍遺說考》臺北：臺灣商務印書館，1966年，頁122-141。這一名單也同於《大戴禮記・五帝德》，而隨著五行相勝學說的風行，這一「五帝」名單得到了普及，以至被司馬遷寫進《五帝本紀》。

10　朱淵清：〈《金人銘》研究〉，《知識的考古：朱淵清自選集》上海：上海人民出版社，2012年8月，頁298-302。

11　郭慶藩撰，王孝魚點校：《莊子集釋》卷8中〈徐無鬼・第二十四〉北京：中華書局，2004年，頁821。

12　陸德明撰，張一弓點校：《經典釋文》上海：上海古籍出版社，2012年12月，頁594上欄。

13　郭慶藩撰，王孝魚點校：《莊子集釋》卷8中〈徐無鬼・第二十四〉北京：中華書局，2004年，頁821。

14　魏徵、虞世南、褚遂良合編：《群書治要》卷31，頁397。

15　蕭統編，李善、呂延濟、劉良、張銑、呂向、李周翰注：《六臣注文選》卷55〈廣絕交論〉北京：中華書局，1987年，頁1012下欄。

略」儒家類確有「《周史六弢》六篇」，[16] 顏師古注「即今之《六韜》也」[17]。如此，《莊子·徐無鬼》所提到的《金板》、《六弢》便是《太公》的代稱，而且屬於「周書」的一部分，即後世歸屬於《太公》的文本在先秦時期曾經以「周書」的篇名流傳於世。這一點，《銀雀山漢墓竹簡》的整理者也有較為明確的辨析：「太公之書，古亦稱周書」，「敦煌寫本《六韜》殘卷中有〈周志廿八國〉一篇，文字與《周書·史記》略同。古書所引《周書》之文，亦頗有與太公之《六韜》、《陰謀》、《金匱》諸書相出入者（參看嚴可均《全上古三代文》卷七）。《呂氏春秋》所謂『周書』可能即指太公之書。」[18] 此外，王連龍結合汲塚竹書之《周書》、晉《齊太公呂望表》之《周志》、《五行大義》引《周書》等，認為《六韜》即為晉人在汲塚竹書中發現的《周書》、《周志》。[19]

值得關注的是，《大戴禮記·文王官人》似乎是「王」與「太師」的問對，但就內容而言卻是「王」自己的獨白，「太師」只是一位安靜的聽眾。「王」獨白的內容也見於《逸周書·官人解》，但對話的雙方變成了「王」與周公，儘管在對話的開始「王」呼「太師」之名。針對這種令人費解的現象，陳逢衡云「按其辭義與《六韜》相似」，劉師培說「《治要》所引《六韜》，內言八徵、六守，並與此篇多近，疑均上有所本」。[20] 如此來看，《逸周書·官人解》、《大戴禮記·文王官人》與《太公》文獻關係密切。

總的來說，在戰國時期《太公》文本往往以「周書」的名稱為大家所熟知。通過這一現象，雖然我們不能遽然判定在戰國時期「周書」就是《太公》的別名，但我們至少需要思考《太公》與「周書」存在千絲萬縷聯繫的原因是甚麼。因為，這一問題不但關係到戰國社會對《太公》的認識，更關係到《太公》文本的形成過程。

二　《武王踐阼》與太公的訓誡身份

關於《太公》文本在戰國中後期出現的原因，一般認為，與太公生活於西周初年的歷史事實相比，戰國中後期的《太公》顯然出自於依託，但是這些文本的敘述者為甚麼依託於「太公」，本身就是需要回答的問題。這一點也許我們可以結合田齊政權或稷下

16　《漢書》卷30〈藝文志〉北京：中華書局，1962年，頁1725。

17　《漢書》卷30〈藝文志〉北京：中華書局，1962年，頁1728。清人沈濤《銅熨斗齋隨筆》認為此書與《六韜》不同，並說「六弢」當是「大弢」，《莊子·則陽》仲尼問於太史大弢就是此人。轉引姚振宗撰，項永琴整理：《漢書藝文志條理》卷三《諸子略上》，王承略、劉心明主編：《二十五史藝文經籍志考補萃編》第3卷，北京：清華大學出版社，2011年5月，頁166。

18　銀雀山漢墓竹簡整理小組編：《銀雀山漢墓竹簡（壹）》之〈釋文注釋〉之《六韜》之〈一三〉第1條注釋，頁124。

19　王連龍：《〈逸周書〉研究》北京：社會科學文獻出版社，2010年10月，頁34-44。

20　黃懷信：《逸周書匯校集注》上海：上海古籍出版社，2007年，頁757。

學宮在戰國時期的作為，也可以用太公尚書與齊國的歷史關係加以解答，[21]但如此我們不但需要回答《太公》文本為甚麼在戰國時期以「周書」的面目出現，而且還要回答為甚麼《太公》文本內容的傳播遠超出齊國的地域。所以，我們在追溯《太公》文本形成的原因時，僅僅將之歸結為田齊政權的作為或齊國歷史的關聯，是遠遠不夠的。

　　以現存的《太公》文本內容來看，《太公》是以太公與文王、武王的問對貫穿全篇的，即太公與文武二王的問對是《太公》文本的框架結構。在《太公》文本之外，文王與太公的問對目前我們很難找到[22]，但卻存在武王與太公的問對內容，即《大戴禮記·武王踐阼》。換言之，周武王與尚父的問對並不僅僅見於《太公》，類似的對話也出現於《大戴禮記·武王踐阼》和上博簡《武王踐阼》。《大戴禮記·武王踐阼》記載：

> 武王踐阼三日，召士大夫而問焉，曰：「惡有藏之約、行之行，萬世可以為子孫恆者乎？」諸大夫對曰：「未得聞也！」然後召師尚父而問焉，曰：「昔黃帝顓頊之道存乎？[23]意亦忽不可得見與？」師尚父曰：「在丹書，王欲聞之，則齊矣！」[24]

這一段文字是周武王與師尚父問對的開端，即周武王想聽一聽簡約扼要而又能傳之後世子孫的言辭，在向士大夫詢問而得不到答案之後，又請教於師尚父。與向士大夫詢問不同的是，周武王這一次明確地說自己想聽的是「黃帝、顓頊之道」，同時他也表示懷疑世上是否有這樣的言辭。對於周武王的疑問，太公尚父做出了肯定的回答，但同時也告訴周武王：聆聽這些言辭不可隨意，要舉行齋戒之禮。在這一段文字中，周武王有兩次

---

21 孔德騏：《六韜淺說》北京：解放軍出版社，1987年，頁11；徐勇、邵鴻：〈《六韜》綜論〉，《濟南大學學報》，2001年第1期。徐勇：〈《六韜》成書時代之我見〉，《中國社會科學報》，2011年3月24日，第10版。解志超：《先秦兵書研究》上海：上海古籍出版社，2007年7月，頁104-107。

22 《逸周書·官人解》、《大戴禮記·文王官人》其中雖有「太師」，但一是「王」與周公的問對，另一是「王」的獨白，並未見「王」與尚父的真正問對。

23 這裡的「黃帝、顓頊之道」，孔廣森《大戴禮記補注》說此句「唐本有昔字無黃字」，即作「帝顓頊之道」。（孔廣森撰：《大戴禮記補注》，《清經解》卷703，上海：上海古籍出版社，1982年，頁800）他的依據應是孔穎達《禮記正義·學記》謂「今檢《大戴禮》唯云『帝顓頊之道』，無『黃』字。」（鄭玄注，孔穎達疏：《禮記正義》卷36〈祭法·第十八〉，阮元校刻本：《十三經注疏》北京：中華書局，1980年，頁1524。陳佩芬在整理上博簡《武王踐阼》時所附竹書本與今本的對照表，採用唐本所載，顯然認同了孔廣森、孔穎達的說法。（馬承源主編：《上海博物館藏戰國竹書（七）》上海：上海古籍出版社，2008年12月，頁166。但是，鄭玄在《禮記注》中引《武王踐阼》語句卻有「黃」字，這一點孔穎達已指出，但他表示懷疑，說「或鄭見古本不與今同，或後人足『黃』字耳」。（鄭玄注，孔穎達疏：《禮記正義》卷36〈祭法第十八〉，阮元校刻本：《十三經注疏》北京：中華書局，1980年，頁1524）上博簡《武王踐阼》甲本第1簡即有「黃帝」，可知鄭玄所見古本原有「黃」字，非後人添加。

24 王聘珍撰，王文錦點校：《大戴禮記解詁》北京：中華書局，1983年1月，頁103。

提問，一次是向士大夫，一次是向師尚父。兩次提問意思大致相同，但所指卻有具體和寬泛之別：第一次提問是要求聽到簡潔短小而又能傳至久遠的言辭，但沒有指出具體的人名；第二次提問是要求聽到「黃帝、顓頊之道」，指出了具體的人名和時代。周武王的這兩次提問在上博簡《武王踐阼》中都存在，但卻分佈於甲、乙本兩處[25]，而且提問的對象均是「師尚父」，並沒有出現《大戴禮記》中的「士大夫」。其中上博簡《武王踐阼》第一簡記載周武王的提問是：

　　（武）王問於師尚父曰：「不知黃帝、顓頊、堯、舜之道存乎？意微茫不可得而睹乎？」[26]

與《大戴禮記》相比，這一問句多出了兩個人名，即周武王要求聽一聽「黃帝、顓頊、堯、舜之道」，而非傳世本中的「黃帝、顓頊之道」。不過，無論是《大戴禮記》還是上博簡，它們的記載都與《太公》不同：《太公》不但直接提問為「五帝之戒」，而且還列出「五帝」的名字，即黃帝、堯、舜、禹、湯；而《武王踐阼》的三種文本都沒有使用「五帝」之名，名單中有顓頊，卻沒有禹、湯。也就是說，《武王踐阼》雖然指出了具體的人名，但並沒有使用「五帝」的稱謂，人數也不足五人。這種現象說明，《大戴禮記・武王踐阼》、上博簡《武王踐阼》的作者還沒有使用「五帝」之名的意識，更沒有排列古代帝王整齊為「五」的觀念，因此它們的形成時間要早於《太公》中的「武王問尚父」。在這裡，太公與武王一同出現，而且也在討論黃帝、顓頊、堯、舜之道。另外，《太公》中「五帝」戒懼之道借助尚父之口說出，進而由此形成對武王行為的約束與限制，本身就能說明尚父在問對行為中的特殊地位。但「武王問尚父」一事又記載於《太公》，這未免讓人懷疑它的可證價值，因為畢竟《太公》本身就依託於尚父之名，如此假託突出尚父的特殊地位也再合適不過了。然而，三種《武王踐阼》的文本顯然已擺脫了這種嫌疑，太公與武王承擔的角色無疑更能說明其中的問題。所以，它對於我們探討《太公》文本形成的依據，具有重要的價值。

　　在《武王踐阼》的三種文本中[27]，與周武王問對的人都是太公尚父，或稱之為「師尚父」，或稱之為「太公望」。在兩人的問對中，師尚父無疑是主角，他不僅知道「黃帝之言」，而且還能借此對周武王提出較為嚴格的行為要求，甚至以此可以君臣易位，比如齋戒、「東面」、「北面」等。我們很難說《武王踐阼》是在實錄其事，但這說明在敘

25　學界一般認為，竹書本《武王踐阼》的第1-10簡為甲本，11-15簡為乙本。參見楊華：《上博簡《武王踐阼》集釋（上）》，《井岡山大學學報》，2010年第1期。

26　楊華：《上博簡《武王踐阼》集釋（上）》，《井岡山大學學報》，2010年第1期。

27　關於《武王踐阼》的成書時間，參見〈先秦話語中黃帝身份的衍生及相關文獻形成〉，《中國社會科學》2015年第11期）；〈論「丹書」在春秋戰國時期的功能與衍變〉（《哲學與文化》，2016年第9期）一文中的討論。

述者心目中，師尚父就是「黃帝、顓頊之道」的傳承者，而其他人如「士大夫」卻沒有這樣的資格。也就是說，與普通的士大夫相比，太公尚父不但掌握了「萬世可以為子孫恆者」、「黃帝、顓頊之道」，而且可以對周武王進行嚴肅而莊重的訓誡。與上博簡《武王踐阼》相比，《大戴禮記·武王踐阼》多出了武王詢問士大夫的環節。這些多出的文字似乎是戲筆，但對於周武王的疑問，士大夫無法回答而太公尚父極為熟稔的情形，無疑又在突顯、強調太公尚父在敘述者心中的特殊地位，即《大戴禮記·武王踐阼》的作者是在強調只有太公尚父才能回答周武王的疑問，並對周武王進行訓誡。

三 「世胙大師」的職事與「夏官司馬」

在《太公》與《武王踐阼》中，太公都是運用古代帝王的言行來約束、訓誡周武王的。顯然，與《太公》突出「太公為武王師」的形象相比，《武王踐阼》中的太公尚父更具有強烈的訓誡色彩：他通過宣讀古代帝王的言辭而獲得至高無上的地位，儘管只是暫時的。

如果說《太公》之書本身因為託名於太公尚父，所以它要假託了太公對周武王的訓誡，並讓太公傳承了黃帝等古代帝王的言辭。那麼，《武王踐阼》卻是儒家傳承的文獻，代表著儒家的思想觀念，儒家推崇周公，但在《武王踐阼》三種文本中出現的都是太公尚父對周武王的訓誡，而不是周公。也就是說，《太公》與《武王踐阼》屬於不同的傳承系統，但卻共同指向了太公尚父。這些不同文獻反映出的共同現象，已不能夠用單純的「依託」或「假託」來解釋了，其中應該存在更為深層的原因。退一步說，即使這些出自不同傳承系統的文獻都是出自「依託」，但是這「依託「的背後也應有著深層的依據，它支撐著「依託」得以成立。結合西周春秋社會的政治形態，筆者認為，其中的深層依據應與太公家族的職守以及周王朝的檔案制度密切相關。

各種文獻表明，太公是周王室伐商之戰的軍事統帥，《詩經·大雅·大明》用「維師尚父，時維鷹揚，涼彼武王，肆伐大商」這樣鏗鏘有力的詩句[28]，來描述太公尚父在伐商大戰中的角色與地位，語氣之中充滿了頌揚與讚歎。西周王朝的重要樂章《大武》，其中也有太公之功的重要場面，如《樂記》云「發揚蹈厲，大公之志也」。太公在代表西周王朝意識形態的詩樂舞中反覆出現，從中可見，周人對太公尚父的推崇與歌唱。也許正是由於太公在伐商之中的功績，所以在戰後論功行賞時，他不僅得到了封地，還位列三公，與周公、召公並稱，擔任「太師」一職。傳世文獻與出土文獻都已表明，按照西周的世襲規則，周公、召公的長子遷居封地，而次子則在周王室繼承爵位，

---

28 鄭玄箋，孔穎達疏：《毛詩正義》卷16〈大明〉，阮元校刻本：《十三經注疏》北京：中華書局，1980年，頁508。

這條規則理應也同樣適用於太公。但傳世文獻對此缺載，即使存在點滴的反映，也多是語焉不詳[29]。李學勤結合西周青銅器師𧊒鐘、師𮥉鼎、即簋、師㝬鐘等銘文，認為太公確有兩個兒子郭公、郭季家族留在周王室「世為太師」，並說郭季一系的「師望鼎銘中望自稱『大師小子』，說明他和其父師𮥉一樣，是大師的屬官」。[30]如此看來，在郭公、郭季兩兄弟之間，郭公一系直接繼承了「太師」的爵位，而郭季一系成為「太師的屬官」。無論如何，李學勤的考證足以證明太公尚父的後人像周公、召公一樣，世代任職於周王室，且擔任「師」職。《左傳》襄公十四年記載周靈王派劉定公「賜齊侯命」：

> 昔伯舅大公，右我先王，股肱周室，師保萬民，世胙大師，以表東海。

對於「世胙大師，以表東海」，杜預注：「胙，報也。表，顯也。謂顯封東海以報大師之功。」[31]杜預這樣解釋的前提顯然認為太師僅指太公一身。其實，這裡的「胙」同「祚」，如同《左傳》隱公八年所說的「天子建德，因生以賜姓，胙之土而命之氏」、《國語》「天地所祚」等[32]，應是賜福、賜予之義。當然這是劉定公傳達天子的話，採用天子的語氣，對於臣子來說，「胙」也就是世襲繼承之義，即太公的後人世代繼承「太師」的爵位。周靈王的「賜齊侯命」無疑再次驗證了太公後人繼承「太師」一職的事實[33]。

對於太師的職守，許多學者已經有所討論，如李學勤說青銅銘文中「師」的職司相當於《周禮》之「師氏」；[34]楊寬指出，《周禮·地官》中的「師氏」和「保氏」官職性質相同，只是保氏守於內，師氏守於外，「西周初太保和太師的官職，具有對太子和年少國君教養監護的責任，具有輔佐國君掌握政權的責任」；[35]辛怡華認為：「據《周禮·地官》，師氏有職掌，一為文職，是王之諫官兼貴族子弟之教師，如師𮥉鼎中的師𮥉；

29 《尚書·顧命》記載周康王登基時，由齊侯呂伋帥人迎接；《禮記·檀弓》云「大公封于營丘，比及五世，皆反葬于周」；《左傳·昭公十二年》記載「昔我先王熊繹與呂伋、王孫牟、燮父、禽父並事康王」；《晏子春秋》云「丁公伐曲沃」等，這些片段的記載也許正折射出雖然太公、丁公被封於齊，但他們本人以及後人仍活動於周王都。

30 李學勤：〈論西周王朝中的齊太公後裔〉，《煙臺大學學報》，2010年第4期。

31 杜預注，孔穎達疏：《春秋左傳正義》卷32〈襄公十四年〉，阮元校刻本：《十三經注疏》北京：中華書局，1980年，頁1958。

32 杜預注，孔穎達疏：《春秋左傳正義》卷4〈隱公八年〉，阮元校刻本：《十三經注疏》北京：中華書局，1980年，頁1733；徐元誥撰，王樹民、沈長雲點校：《國語集解》北京：中華書局，2002年6月，頁88。

33 《左傳》僖公二十六年記載魯國的展喜對齊孝公說：「昔周公、大公股肱周室，夾輔成王。成王勞之而賜之盟，曰：『世世子孫，無相害也。』載在盟府，大師職之。桓公是以糾合諸侯而謀其不協，彌縫其闕而匡救其災，昭舊職也。」其中「大師職之」，杜預、顧炎武等人各有不同的解釋，但與其後的齊桓公爭霸是「昭舊職也」，其中的「大師」應指太公尚父所任太師一職。

34 李學勤：〈西周中期青銅器的重要尺規〉，《中國歷史博物館館刊》，1979年第1期。

35 楊寬：《西周史》上海：上海人民出版社，2003年4月，頁316。

二為武職，是守衛宮門以及君王的警衛隊長，同時又是教導子弟的教官。」[36]結合《周禮》來探討「師氏」的職守，是必須的，但我們也須注意，《周禮》成書於戰國儒家之手，不僅對於周朝的官職多有構想，而且更注重強調官司職務的德義教化功能，所以《周禮》的作者說「師氏」以「三德」、「三行」教國子，[37]是帶有理想色彩的描述。更為重要的是，在《周禮》中，「師氏」的官階只是中大夫，屬於中下級官員，這不但與《詩經》、《左傳》、《國語》等文獻對大師「維周之氐」、「四方是維」、「大師維垣」等地位顯赫的描述相悖，而且與青銅銘文所反映的「師氏」經常直接受命、受賞於周天子的記載不符。李春豔、景紅豔、陸璐等結合西周青銅銘文，認為因「師氏」特別是「太師」首先是武職，他的職能都與軍事活動有關，「以及軍事活動的需要而衍生出的教育任務、行政事務」。[38]於此來看，西周「師氏」的職責雖然有教育的一面，但主要掌管軍事，所謂教育也是由軍事活動衍生出來的職責。所以，「師氏」按照職能分屬來說不應該屬於「地官司徒」，而應該屬於「夏官司馬」，而「太師」的職責就如同《周禮》中的「大司馬」一職，至少與「大司馬」的職守密切相關。

　　「太師」、「師氏」與「司馬」之屬存在交叉，還可以從《詩經》、《左傳》、《尚書》、《國語》等文獻的記載加以說明。《詩經·大雅·常武》「大師皇父，整我六師，以修我戎。既敬既戒，惠此南國。王謂尹氏，命程伯休父，左右陳行。」馬瑞辰認為：「據《竹書紀年》『幽王元年，王錫大師尹氏皇父命』，則皇父實為尹氏，即二章所云『王謂尹氏』也。」[39]如此，程伯休父為司馬，太師皇父便是統領司馬上司[40]。《左傳》文公元年記載「穆王立，以其為大子之室與潘崇，使為大師，且掌環列之尹」[41]，太師潘崇所掌「環列」，即是「環人」。《逸周書·克殷解》記載「武王使尚父與伯夫致師」，其中「伯父」即「百夫」，[42]也就是勇猛的「環人」。而「環人」在《周禮》中屬於「夏官司馬」之屬，[43]於此可見「環人」之上司「太師」就如同「夏官司馬」。《尚書·顧

36 辛怡華：〈扶風海家西周爬龍窖藏與太公望家族〉，《寶雞社會科學》，2013年第4期。

37 鄭玄注，賈公彥疏：《周禮注疏》卷14〈師氏〉，阮元校刻本：《十三經注疏》北京：中華書局，1980年，頁73-731。

38 李春豔、景紅豔：〈從西周青銅器銘文看「師」官的社會職能〉，《寶雞文理學院學報》，2012年第3期；陸璐：〈周代「大師」職官解〉，《江南大學學報》，2008年第4期。

39 馬瑞辰：《毛詩傳箋通釋》北京：中華書局，1989年，頁1024。

40 至於「太師皇父」是否是太公的後裔，現在還沒有充足的證據，但青銅器銘文中有「函皇父」、「孟皇父」，其中「函皇父」不與周王室同姓，這一點也需能折射出一些信息。

41 杜預注，孔穎達疏：《春秋左傳正義》卷18〈文西元年〉，阮元校刻本：《十三經注疏》北京：中華書局，1980年，頁1837。

42 參見黃懷信、張懋鎔、田旭東撰，黃懷信修訂，李學勤審定：《逸周書匯校集注》上海：上海古籍出版社，2007年，頁341。

43 鄭玄注，賈公彥疏：《周禮注疏》卷30〈環人〉，阮元校刻本：《十三經注疏》北京：中華書局，1980年，頁844。

命》記載「太保命仲桓、南宮毛俾爰齊侯呂伋，以二干戈、虎賁百人逆子釗於南門之外」，孔傳云：「伋為天子虎賁氏。」孫星衍《尚書古今文注疏》云：「虎賁百人，蓋呂伋從八百人中選用百人也。《周禮・虎賁氏》之職『大喪守王門』，虎賁氏秩僅下大夫，而齊侯伋為之者，蓋以列侯兼領此職，備非常也。」[44]齊侯呂伋統領虎賁，而「虎賁氏」在《周禮》中屬於「夏官司馬」。另外，金文《太師虘盨銘》記載「王呼宰習賜太師虘虎裘」，《師酉簋銘》記載周王令師酉「司乃且嫡官邑人、虎臣……」，《詢簋銘》記載周王令師詢「嫡官邑人、先虎臣後庸……」。其中，「虎裘」應類似於虎臣的制服，「虎臣」即文獻中的虎賁。據朱鳳瀚分析，師酉、師詢是父子關係，且「師酉之家族非姬姓」[45]。雖然目前我們還沒有充足的證據判定太師虘、師酉、師詢是太公家族的後人，但係屬於「夏官司馬」的「虎賁」在金文中卻受到「師」的統領，這無疑說明太師、師氏與「夏官司馬」的密切關係。其他如《周禮・夏官》說大司馬「喪祭，奉詔馬牲」，[46]而這一職責正與《逸周書・克殷解》記載周武王舉行祭祀上天大禮中「師尚父牽牲」相一致。[47]綜合而言，「太師」的職責在《周禮》中已被分解，分佈於「夏官司馬」、「師氏」乃至「保氏」，即他在掌管軍事職能的同時，也承擔著一定的教育職責。而正是這種承擔教育功能「師」的身份，使太公尚父在先秦諸子文獻中具有了文武之師的角色，進而衍生出手捧「丹書」或口誦「五帝之戒」對周武王進行訓誡的文本，如《武王踐阼》、《太公》等。

四　太公的訓誡角色與「太師小子」

更為重要的是，太公尚父的訓誡角色在西周金文中也有表現。如太公家族的《師𩛥鼎銘》：

> 唯王八祀正月，辰在丁卯。王曰：「師𩛥！汝克蓋乃身，臣朕皇考穆王，用乃孔德，遜純乃用心，引正乃辟安德。唯余小子肇淑先王德，賜汝玄衰、黹純、赤市、朱衡、䜌旂、太師金膺、篘勒。用型乃聖祖考，隣明令辟前王，事余一人。」𩛥拜稽首，休伯太師𦥑嗣𩛥臣皇辟，天子亦弗忘公上父胡德，𩛥蔑曆伯太師，丕自作小子，夙夕專故先祖烈德，用臣皇辟。伯亦克款故先祖，蠱孫子一嗣皇辟懿德，用保王身。𩛥敢𦥑王，俾天子萬年，褘禪伯太師武，臣保天子，用厥

44 孫星衍：《尚書古今文注疏》北京：中華書局，1986年，頁486-487。

45 朱鳳瀚：〈師酉鼎與師酉簋〉，《中國歷史文物》，2004年第1期。

46 鄭玄注，賈公彥疏：《周禮注疏》卷29〈大司馬〉，阮元校刻本：《十三經注疏》北京：中華書局，1980年，頁840。

47 黃懷信、張懋鎔、田旭東撰，黃懷信修訂，李學勤審定：《逸周書匯校集注》上海：上海古籍出版社，2007年，頁353。

　　　烈祖介德。□敢對王休，用綏。作公上父尊於朕考郭季易父報宗。[48]

其中的「公上父」如同清華簡《耆夜》中的「呂上父」，即太公尚父，師□是太公尚父
的孫子，郭季易父是師□的父親，伯太師是師□的伯父。從周恭王對師□的命辭中可以
看出，他在周穆王朝起到了「引正乃辟安德」的作用。所謂「引正乃辟安德」即引導、
匡正周穆王躬行善道，[49]而師□之所以擁有這樣的權力，在周恭王看來是「用型乃聖祖
考」的結果，所以他又授命師□在今朝繼續「隣明令辟前王，事余一人」。對於這一
點，師□也非常明白，所以他不但說「天子亦弗忘公上父胡德」，而且還反覆陳述自己
及伯太師都「夙夕專故先祖烈德」、「克款故先祖」，即表示對祖宗德行的繼承和發揚。
可見，無論是周王，還是太后家族的後代，都十分認可太公尚父具有引導、匡正周王的
權力，而且這種引導、匡正的權力還因為德行的繼承而遺傳給太公的後代。於此看來，
《武王踐阼》、《太公》等文獻記載太公對周武王訓誡的情形確實存在著綿遠流長的歷史
依據。

　　　這一點我們還可以結合金文及《周禮》的制度加以說明。前述《師□鼎銘》有「蔑
曆」一詞，師□的兒子師望所作《師望鼎銘》中也有「蔑曆」，唐蘭指出「蔑曆」即「伐
曆」，「蔑曆一語的曆是家庭出身和本身經歷，當然包括功績在內的。就是伐是美的意
思，上面以下面的歷來稱美，本人則以此來誇美。曆有些像現在的履歷。」[50]於此來
看，師□說「□蔑曆伯太師，丕自作小子，夙夕專故先祖烈德，用臣皇辟」，即師□通
過敘述伯太師的經歷來誇讚伯太師，而伯太師正是自從「小子」的時候，就「夙夕專故
先祖烈德」，「專故」即宣揚、效法之義，[51]「先祖」無疑是指太公尚父。師望說「王用
弗忘聖人之後，多蔑曆賜休」（師望鼎銘），其中「聖人」即指太公尚父，「多蔑曆」即周
王通過敘述太公的經歷來誇讚太公家族的貢獻，並給予賞賜。看來，無論是周王還是太
公家族，都在不斷言說著太公的經歷和德行，並以此來勉勵太公的後人、規範自己的言
行。如此以來，太公的言行被世代言說，進而流行開來也是必然的趨勢。另外，無論是
師□還是師望，他們都提到「小子」一名，師□說伯太師「丕自作小子，夙夕專故先祖
烈德」，而師望卻自稱「大師小子」。針對西周銘文中出現的「小子」，許多學者已指出
「小子」應為官名，斯維至、王慎行進一步論證銘文中的「小子」即《周禮》之「諸
子」。[52]《周禮》「諸子」屬於「夏官司馬」，太公家族的後人擔任「諸子」一職，可能

48　釋文參見中國社會科學院考古研究所編：《殷周金文集成釋文》（第二卷）香港：香港中文大學出版
　　社，2001年，頁398；王慎行：〈師□鼎銘文通釋譯論〉，《求是學刊》，1982年第4期。
49　詳見王慎行：〈師□鼎銘文通釋譯論〉，《求是學刊》，1982年第4期。
50　唐蘭：《「蔑曆」新詁》，《文物》，1979年第5期。
51　王慎行：〈師□鼎銘文通釋譯論〉，《求是學刊》，1982年第4期。
52　斯維至：〈兩周金文所見職官考〉，《中國文化研究彙刊》卷7，1947年，頁12；王慎行：〈師□鼎銘
　　文通釋譯論〉，《求是學刊》，1982年第4期。

是進入仕途或逐步升職的必然階段。同時，太公家族的人多擔任「諸子」，也能說明「太師」的職司與《周禮》中的「大司馬」更為接近。更為關鍵的是，太公家族擔任「諸子」一職，更有利於總結、傳播有關太公的言行事蹟。按照《周禮・諸子》的職事要求，「諸子」主要掌管對國子的教治與戒令，而且還定期考核，即通過「以考其藝」而「辨其等，正其位」。[53] 通過擔任「諸子」一職，師望、師𣄧以及伯太師等太公家族的後人必然會總結有關教治、戒令方面的經驗，以便應用於教育國子的實踐活動。而這些經驗和太公的言行事蹟一旦被書寫，將進入周王室的檔案，形成「周書」的一部分。於此，也就形成了戰國時期太公與周武王問對文本的最初源頭，而戰國時期的《太公》文本也就多以「周書」的面目流傳於世了。

　　值得一提的是，《太公》文本的形成存在著周王朝制度的依據，還可以從「金版」之名加以證明。如前所言，在戰國乃至後世《太公》文本多有「金版」的名稱，如傳世文獻多有將太公言辭「著之金版」的說法，而「金版」又曾經作為「周書」的篇名流傳於世。與之對應的，便是《逸周書》、《周禮》、《尚書》等文獻所透露的信息。《逸周書・大聚解》記載周武王「乃召昆吾冶而銘之金版，藏府而朔之」。陳逢衡云：「冶人之事即以昆吾氏掌之，在《周官》則謂『職金』，《周禮・秋官》『職金供金版』是也。國有大訓則書於版，重其事也。」[54] 所謂「供金版」，即《周禮》「職金」的職事是「旅於上帝，則共其金版，饗諸侯亦如之」，[55] 也就是在舉行盛大祭祀和宴饗諸侯時，「職金」要展出金版，用於祭告上帝或昭告諸侯。另外，《尚書・金縢》記載周公為武王禱告先王，將言辭「乃納冊于金縢之匱中」，後來「王與大夫盡弁，以啟金縢之書」，[56] 可見「金縢」具有呈現神靈、昭告世人的神聖意味。如此來看，《周禮》所載「職金」職司是可信的。「金版」屬於貴重的書寫載體，當然要記錄重要的言辭或事情，之所以採用金屬，一是表示神聖，另一是期望長久銘記，永不磨滅。太公的言辭雖然不能說真的「著于金版」，但作為重要的文獻收藏於周王室，卻是確定無疑的。而這些檔案到了戰國時期便衍生出如《武王踐阼》、《太公》所記周武王與太公尚父的問對文本。

53　鄭玄注，賈公彥疏：《周禮注疏》卷31〈諸子〉，阮元校刻本：《十三經注疏》北京：中華書局，1980年，頁850。

54　轉引黃懷信、張懋鎔、田旭東撰，黃懷信修訂，李學勤審定：《逸周書匯校集注》上海：上海古籍出版社，2007年，頁409。

55　鄭玄注，賈公彥疏：《周禮注疏》卷36〈職金〉，阮元校刻本：《十三經注疏》北京：中華書局，1980年，頁882。

56　孔安國傳，孔穎達疏：《尚書正義》卷13〈金縢第九〉，阮元校刻本：《十三經注疏》北京：中華書局，1980年，頁196-197。

五　結語

　　行文至此，我們則能梳理出《太公》文獻形成的基本過程：師尚父在「武王伐紂」過程中建立功業，這一歷史本事不但通過諸如《詩經》、《大武》樂章等詩樂舞的形式加以表現與歌唱，更通過分封和世卿世祿的形式保障了太公及其家族在封地齊國、西周王畿的世代綿延。活動於周王室的太公後人多擔任師職，其中有諸如世襲周公、召公封號的「世祚太師」者，也有如師望、師𩑺擔任「太師小子」者。而無論是「太師」還是「太師小子」，都時時受到周王室的器重與賞賜。歷代周王「弗忘公上父胡德」（師𩑺鼎銘）、「弗忘聖人之後」（師望鼎銘），進而要求太公的後人「用型乃聖祖考」（師𩑺鼎銘）、「隣明令辟前王，事余一人」（師𩑺鼎銘）；太公的後人則時時表示對祖宗德行的繼承和發揚，即通過「夙夕專故先祖烈德」（師𩑺鼎銘）、「克歠故先祖」（師𩑺鼎銘）、「穆穆克盟厥心」（師望鼎銘）、「虔夙夜出內王命」（師望鼎銘）來幫助周王「引正乃辟安德」（師𩑺鼎銘）。同時，太公後人和周王通過「蔑曆」（師𩑺鼎銘）、「多蔑曆」（師望鼎銘）的方式複述著太公的言行事蹟與功德。於此，太公尚父的訓誡身份也在多次複述中逐漸增強，以至在《武王踐阼》中形成至高無上的訓誡身份。此外，太公後人擔任「太師小子」、「師氏」等職官，要求他們定期對國子或軍隊實施教治、發佈戒令、考核技藝。而這些內容與太公言辭，一旦被書寫成文字、「著于金版」進入周王室檔案，便形成了諸如《武王踐阼》等早期的「太公」文本[57]，進而衍生出繁複多樣的《太公》文獻。也由於這些文本源於周室檔案，所以在戰國之世往往以「周書」、「周志」、「金版」等名稱流傳。

---

57 在三種《武王踐阼》中，上博簡乙本與《太公》的文本形態已十分相近，如直接稱謂「太公望」而不稱「師尚父」、開篇即云「武王問于太公望」等。

《說文解字》「先」篆之形義同源闡釋

馬顯慈

香港公開大學教育及語言學院

一　引言

　　漢字由線性構成字形，獨立組成之形體可稱之為文字構件。由兩個或以上形體組成的文字，一般都具有一個重要構件，此亦可稱作基要構件。通過對此類構件分析，可以追蹤到該字的本義。[1]例如「汾」、「芬」、「貧」、「頒」、「掰」等一組文字，其字義都與本義構件「分」之音形義密切相關，皆具有拆開、分離、散發、缺少等引申意義。「分」字之「八」形正是本字之基要形義構件。「八」本義為「別也」[2]，解作掰開、分別，用作數字則是借義。一般而言，具有關鍵之形義構件也就是該字的初始義，亦即其本義。隨著人之使用及生活發展，文字之本義構件與其他構件，組合而成若干反映新詞義概念的文字，當中之本義構件負載著與引申義相關的傳遞訊息功能。這些有著緊密關聯的一系列文字，都共有一個相同構件，即其與詞義發展所具有關鍵性之本義字形。我們不難發現這些文字之間，均有一種出於同一語源的形義關係。許慎（西元 58-147 年）《說文解字》（以下簡稱《說文》）所收篆字，不少具有本義之構件都保留著這種能呈示出形義同源，甚至形音義三者互為關聯的形體特質。下文從《說文》「先」（「簪」）、「兓」、「晉」、「譖」、「噆」、「潛」、「僭」、「鐕」諸篆之形義特質辨析其同源關係。

二　「先」之本義與「晉」之聲符闡釋

　　「先」，見於《說文・儿部》，許君釋曰：「首笄也。」[3]本義是人頭上的髮簪。《說文・儿部》本字構件「儿」是「人」形，許君釋「先」之構形為：「从人，匸象簪形」。[4]於此解說下收「簪」字，云：「俗先，从竹，从晉。」[5]可見「簪」為「先」之俗

1　關於構形理論及分析，參考王寧著：《漢字構形學講座》臺北：三民書局，2013年4月，頁35-44、59-63。

2　許慎（西元58-147年）釋曰：「八，別也。象分別相背之形。」見許慎撰、徐鉉（西元916-991年）校定《說文解字》北京：中華書局，1977年5月，頁28上。

3　見丁福保（1874-1952）編《說文解字詁林》臺北：鼎文書局，1983年4月），第7冊，頁715b。

4　見《說文解字詁林》，第7冊，頁715b。案：「先」之直筆穿出「匸」形，以示髮簪插於人首之髮中，同體「兓」字亦是，但「晉」及以「晉」為聲旁之楷體，一律直筆不穿出，寫法與「先」字之本義構意不同，篆體則保持穿出。

字，從竹，從簪以會意，亦可視作累增字[6]。（案：《說文》竹部下不收「簪」篆。）《說文·儿部》「先」下有「兟」篆，此為「先」之重形，許君以「兟兟」兩個疊字為說，釋作「銳意也」，其構形解釋為「從二先」。[7]此為同文會意字，即尖銳之意。上引《說文》許語所謂「匸象簪形」，此「簪」字則從竹、從朁。案：「朁」見於《說文》曰部，許君釋之為「曾也」，其構形為「從曰，兟聲」，並引《詩》「朁不畏明」，[8]為本篆字之使用例證。

「先」之本義為髮簪，「簪」是後出文字，以「竹」、「朁」形符結合，屬形聲結構。「兟」則為同體重形構件，以兩「先」形會意，徐鍇（西元920-974年）《說文解字繫傳》釋曰：「先，銳利也。故二先為銳意」。[9]「朁」篆「從曰，兟聲」，許君釋作「曾也」則是引申義，本篆從曰正反映出其義與人之言詞語氣有關，由實詞之義轉變為虛化使用。段玉裁（1735-1815）《說文解字注》（以下簡稱《段注》）釋為「曾之言乃也」[10]，指出其用法與「乃」相近。「朁不畏明」見於《詩·大雅·民勞》[11]，此「朁」字可作竟然、怎樣等譯解，可譯為「竟然不敬畏神明」、「豈敢不敬畏神明」[12]。《詩·大雅·民勞》本句有作「憯不畏明」[13]，「朁」篆左旁增「忄」形而為「憯」。「憯」篆見於《說文》心部，許君釋作「痛也。從心，朁聲」，[14]此亦引申之義。由「銳意」而引申發展為「痛」，描述人心痛之感受。

三　《說文》以「朁」為聲符之引申義

除「朁」、「憯」之引申義，《說文》又收以「朁」為聲符之「譖」、「噆」、「潛」、「僭」、「鐕」等篆字。以下逐一解說分析：

5　見《說文解字詁林》，第7冊，頁715b。

6　累增字之說本於王筠（1784-1854）《說文釋例》，指增加偏旁後表示古字本義的後起字。王說詳見《說文釋例》北京：中華書局，1997年12月，卷8，頁173。

7　見《說文解字詁林》，第7冊，頁715b。

8　見《說文解字詁林》，第4冊，頁1228b。

9　見《說文解字詁林》，第7冊，頁718b。

10　見《說文解字詁林》，第4冊，頁1229b。

11　見阮元（1764-1849）校刻《十三經注疏》，附《校勘記》（《詩經注疏》）影印清嘉慶刊本，北京：中華書局，2011年3月，頁1180b。

12　另有譯作「膽大妄為違法紀」，見夏劍欽主編《十三經今註今譯》長沙：岳麓書社，1994年，頁337。

13　見《詩經注疏》，頁1180b。

14　見《說文解字詁林》，第8冊，頁1305a。

「譖」，《說文》曰：「愬也。从言，朁聲。」[15]《說文》不收「愬」篆，顧野王（西元518-581年）《玉篇·心部》：「愬，讒也。」[16]「愬」通「訴」，丁度（西元990-1053年）《集韻·莫韻》：「訴，或作愬。」[17]張揖（西元227-232年）《廣雅·釋詁》：「譖、訴，毀也。」[18]《玉篇·言部》：「譖，讒也。」[19]「譖」篆从言，指用譖言詆毀他人。

「嘈」，《說文》曰：「嗛也。从口，朁聲。」[20]《說文·口部》有「嗛」篆，釋作「口有所銜也。从口，兼聲」[21]，亦形聲字。《段注》於「嘈」篆下云：「玄應引作『銜也』。嗛銜音義同。」[22]「嘈」釋作「銜」，即含物於口中，此亦由「先」形具有簪插於頭髮之本義引申而來，「曰」與「銜」、「口」字義亦相關。

「潛」，《說文》曰：「涉水也。一曰：藏也。一曰：漢水為潛。从水，朁聲。」[23]《段注》本篆下闡釋許語「涉水也」之「涉」字曰：「《邶風》傳云：『由厀以上為涉。』然則言潛者，自其厀下沒於水言之。」[24]至於許語「漢水為潛」，張舜徽（1911-1992）《說文解字約注》（以下簡稱《約注》）：「《爾雅·釋水》云：『漢為潛』，乃承『水自河出為灉』而言，謂漢水溢流為潛也。」[25]綜合而言，《說文》所謂「涉水」、「藏也」、「漢水為潛」皆有進入、在內、滲溢等義。此等詞義亦與其聲符「朁」及其初形「先」本義之引申發展相關。

「僭」，《說文》曰：「假也。从人，朁聲。」[26]《約注》：「古者謂下行上制曰僭。」[27]《穀梁傳·隱公五年》：「初獻六羽，始僭樂矣。」范甯（西元339-401年）注：「下犯上謂之僭。」[28]近代學者湯可敬《說文解字今釋》釋作「假冒」，謂「下級假

15 見《說文解字詁林》，第3冊，頁690b。
16 見顧野王（西元518-581年）撰《玉篇》北京：中華書局，1987年7月，頁40下。
17 見丁度（西元990-1053年）等撰《集韻》北京：中國書店，1983年，頁499。
18 見王念孫（1744-1832）撰《廣雅疏證》北京：中華書局，1983年5月，頁66b。
19 見《玉篇》，頁42下。
20 見《說文解字詁林》，第2冊，頁1266a。
21 見《說文解字詁林》，第2冊，頁1123b。
22 見《說文解字詁林》，第2冊，頁1266b。
23 見《說文解字詁林》，第9冊，頁448a。
24 見《說文解字詁林》，第9冊，頁448a。
25 見張舜徽著《說文解字約注》武漢：華中師範大學出版社，2009年12月），第3冊，卷21，頁2747。
26 《說文解字詁林》，第7冊，頁222a。
27 見《說文解字約注》，第3冊，卷15，頁1965。
28 見阮元校刻《十三經注疏》，附《校勘記》（《春秋穀梁傳注疏》）影印清嘉慶刊本，北京：中華書局，2011年3月，頁5141b。

冒上級的職權」。[29] 此外，又可解作不信，《漢書・翟方進傳》:「予不敢僭上帝命。」顏師古（西元 581-645 年）注:「僭，不信也。」[30]「僭」之本義則與「旡」之關聯並不直接，應是借義，然而借義中亦與引申義微妙相關。如上文許語提及「匸象簪形」，「匸」之使用特點正是將此器物插入髮內，具有進入、藏入之義，也正因「匸」置於髮內，亦有遮蓋、掩藏之語義，由此可引申為不光明、不真實、不恰當之解釋。如現代漢語有「僭建」一詞，乃指違法之建築，又如「僭越」一詞，指超越本分，[31] 亦是由此引申而來。

「鐕」，《說文》曰:「可以綴著物者。从金，朁聲。」[32]《段注》釋曰:「按:今謂釘者皆是。」[33]《玉篇・金部》:「鐕，無蓋釘。」[34] 陸德明（西元 556-627 年）《經典釋文・禮記，喪大記》:「金鐕，釘也。」[35]《集韻・感韻》:「鐕，綴物也。」《集韻・覃韻》:「鐕，綴衣。」[36] 蓋由許語「匸象簪形」引申而成綴物之器物名及作綴物之義解。《集韻・覃韻》「鐕」字下又云:「一曰釘也，一曰綴衣。通作揝。」[37] 可見「鐕」又作「揝」，以「扌」之形旁標示其具掇、插之字義特質。

除上述諸篆，另有籀文「糣」，此字見《說文・米部》「糂」篆下，許君云:「糂，以米和羹也。一曰粒也。从米，甚聲。」此下收有「糣」字，許云:「糣，籀文糂从朁。糝，古文糂从參。」[38] 於此可知糂、糝、糣同是一字。「糣」之本義為「以米和羹」，即將米粒和成湯羹，此亦與「糣」字之聲符「朁」引申有關，將米粒混和而成羹，亦出於其具有進入、藏入之本義。

四　見於《說文》後以「朁」為聲符之引申義

東漢之後，另有以「朁」為聲符之形聲字出現，據本文所查考有「媥」、「膰」、「熸」、「癏」、「糣」、「揝」幾字[39]，以下逐一解說:

---

29 見湯可敬撰《說文解字今釋》長沙:岳麓書社，1998年3月，頁1097。

30 見班固（西元32-92年）撰、顏師古注《漢書》北京:中華書局，1983年6月，頁3431。

31 見中國社會科學院語言研究所詞典編輯室編《現代漢語詞典》（修訂本）北京:商務印書館，1997年，頁624。

32 見《說文解字詁林》，第11冊，頁99a。

33 見《說文解字詁林》，第11冊，頁99b。

34 見《玉篇》，頁83上。

35 見陸德明撰《經典釋文》（四庫善本叢書經部）臺北:藝文印書館影印，1964年，第6冊〈禮記音義〉，頁15。

36 見《集韻》，頁447、頁282。

37 見《集韻》，頁282。

38 見《說文解字詁林》，第6冊，頁535b。

39 按本文查考《玉篇》、《廣韻》、《集韻》等書還有若干具有「朁」字形旁之文字，現在是摘取其重要

「嬶」收於《集韻・感韻》見「婬」字下：「婬，《說文》：『媬也。』或作嬶。」[40]
此為字之「婬」或體，解作貪媬。貪媬乃是人之內心意慾，此亦從「匸」之本義
與在內、藏有相關而引申。

「膪」，《玉篇・肉部》釋作「腤膪」[41]，《集韻・覃韻》：「膪，腤膪，烹也。」又
《侵韻》：「膪，烹也。」[42]此為烹煮之義。然而，《玉篇・肉部》另有「脣病」[43]之義。
《集韻・沁韻》：「脣闕謂之膪。」[44]又《鹽韻》：「膪，堛肉也。」[45]此所謂「堛肉」又
見於「羭」字之說解。（詳見於下）

「羭」，《玉篇・羊部》：「羭，羊鮑也。」[46]《廣韻・覃韻》：「羭，羊腌。」[47]《集
韻・鹽韻》：「羭，羊腊。」又《覃韻》：「羭，堛藏肉。」[48]指貯藏於土中之肉。於此可
見，「膪」、「羭」兩字本義同指烹肉，是近義之詞。基於其烹煮之肉先貯藏於土中，又
與「匸」之本義具有在內、藏有相關。兩字皆有「酓」形，正是聲義同源關係。「膪」
有「脣病」一義，乃基於脣有上下兩部分，脣生病亦多見於兩脣之間，此由內裡之義引
申而得之。

「熸」，《玉篇・火部》：「熸，火滅也。」[49]《左傳・襄公二十六年》：「王夷師
熸。」杜預（西元 222-285 年）注：「吳、楚之間謂火滅為熸。」[50]「熸」又解作潰
敗，《左傳・昭公二十三年》：「子瑕卒，楚師熸。」杜預注：「軍之重主喪亡，故其軍人
無復氣勢。」[51]前者為火燒，應是本義；後者解作兵敗，此譬喻義。

「癑」，《廣韻・仙韻》：「癑，痛也。」[52]《漢書・谷永傳》：「又以掖庭獄大為亂
阱，榜箠癑於炮烙，絕滅人命。」顏師古注：「癑，痛也。」[53]此痛由刑罰施行而來。

及可論之字例立說。

40 見《集韻》，頁446。

41 見《玉篇》，頁37上。

42 見《集韻》，頁282。

43 見《玉篇》，頁37上。

44 見《集韻》，頁621。

45 見《集韻》，頁289。

46 見《玉篇》，頁109下。

47 見陳彭年（961-1017）等重修，周祖謨（1914-1995）校《校正宋本廣韻》臺北：藝文印書館，
　　1976年4月，頁224。

48 見《集韻》，頁289、282。

49 見《玉篇》，頁100上。

50 見阮元校刻《十三經注疏》，附《校勘記》（《左傳注疏》）影印清嘉慶刊本，北京：中華書局，2011
　　年3月，頁4325a。

51 見《左傳注疏》，頁4566a。

52 見《校正宋本廣韻》，頁139。

53 見《漢書》，頁4361。

《隋書・王孝籍傳》：「竊以毒螫瘩膚，則申旦不寐。」[54]《集韻・寢韻》：「瘩，痛疾。」[55]此痛則與螫傷有關。《集韻・感韻》：「憯，《說文》：『痛也。』一曰憎也。或從广。」[56]可知「瘩」為「憯」之或體，其字義之痛乃指由外來之物侵入體內而造成傷痛。

　　案：上述「熸」之字義解作火滅、潰敗，與傷痛亦轉折相關。「瘩」、「憯」字義釋作痛，或受刑，或被螫，此與肉體苦痛義直接引申而來。然而，諸字與「朁」形之本義亦略有關聯，同樣具有字義之引申發展特質。

　　「撍」，《廣韻・勘韻》：「撍，手撼。」[57]（明）梅膺祚《字彙・手部》：「撍，執持。」[58]《晉書・張昌傳》：「旬月之間，眾至三萬，皆以絳科頭，撍之以毛。」[59]《集韻・鹽韻》：「撍，摘也。」[60]可見「撍」之本義與手之動作有關，所謂撼、摘、執持，皆為用力操作之手部活動，與上之「熸」、「瘩」、「憯」等同具破毀、苦痛等相關意思，均有較負面之詞義訊息。

五　「先」及以「朁」為聲符之引申義圖表分析

　　以下以圖示方式，總結上述諸字之形義引申發展關係：

54　見魏徵（西元580-643年）等撰《隋書》北京：中華書局，1973年，頁1725。

55　見《集韻》，頁441。

56　見《集韻》，頁446。

57　見《校正宋本廣韻》，頁444。

58　見漢語大字典編輯委員會編《漢語大字典》（三卷本）成都：四川辭書出版社，中冊，頁1956，轉引。

59　見房玄齡（西元579-648年）等撰《晉書》北京：中華書局，1974年11月，頁1613。

60　見《集韻》，頁289。

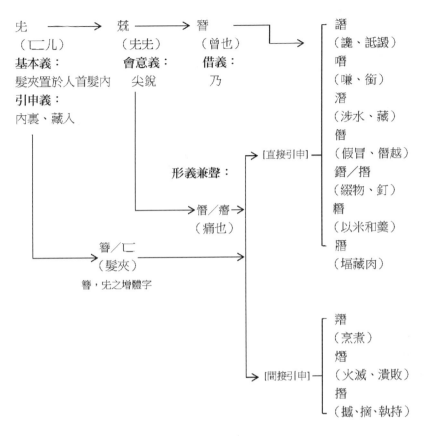

至於諸字之字音關係[61]，詳見下表：

	切語	聲紐	韻部	擬音		切語	聲紐	韻部	擬音
先	側吟	精	侵	ts'iəm	潛	昨鹽	從	侵	dz'iəm
兓	子心	精	侵	ts'iəm	僭	子念	精	侵	ts'iəm
朁	七感	從	侵	dz'iəm	鐕	作含	精	侵	ts'iəm
簪	作含	精	侵	ts'iəm	摲	子感	精	侵	ts'iəm
憯	七感	從	侵	dz'iəm	糣	桑感	心	侵	siəm
瘄	七然	從	仙	dz'iɛn	臘	作含	精	侵	ts'iəm
譖	丑禁	透	侵	t'iəm	熸	作含	精	侵	ts'iəm
噆	七感	從	侵	dz'iəm	熸	子廉	精	侵	ts'iəm

---

61 表中之切音、聲紐、韻部類別及擬測音值，主要參考：一、陳復華、何九盈著《古韻通曉》北京：中國社會科學出版社，1987年版）。二、何文華著《廣韻聲類韻部與音值之研究》香港：珠海書院中國文學歷史研究所，1982年版）。三、王力（1900-1986）著《同源字典》北京：商務印書館，1987年版。

六　總結

　　綜上所論，簪、憯、瘆、譖、噆、潛、僭、鐕、摺、糌、膪、潛、熸諸字，皆具有共同之聲符「朁」。朁之形義構件由「兓」、「曰」組成，朁字从兓从曰，字義為「曾」，有作虛詞使用。「兓」本義則由兩「先」會意而成，呈尖銳之意，此基於「先」字从人从匸，匸為髮簪，其使用時有刺插之活動特質，此器物需存放於人頭髮之中，所以有在內、藏入、置於其中之詞義，又可再引申為不光明、不真實、不恰當、心痛、內傷等負面訊息詞義。至於「朁」旁具口、言部首之字義，於其發音及語用內容而論，亦有描述人輕蔑、不屑之神態及以言辭中傷之含義。綜合而觀之，諸字之基本發展乃由「匸」、「先」、「兓」、「朁」之本義而引申成上述各種相關之解釋義項。從語音上分析，如上表所示，表中諸字之發音部位相當密切，其中不少聲紐、韻母皆有相同或相近、相通之處，連同其共有之「匸」(「先」) 形，作為各字之共同聲首，其同一語源之關係亦大概可知。[62]

62　所謂同一語源，亦可視作同源字／同源詞理解，即其字以某一概念為中心，而以語音、語義之相關特質，以表示相近或相關的幾個概念。詳見《中國語言學大辭典》編委會編《中國語言學大辭典》南昌：江西教育出版社，1991年2月，頁33-34，「同源字」條。

司馬遷對戰國時期策士文獻的具體使用情況
——以〈魏世家〉、〈韓世家〉為例*

李芳瑜
北京師範大學文學院

一　〈魏世家〉

〈魏世家〉進入戰國時期後對魏文侯、魏惠王和魏安釐王三個君主的敘述比較詳細。因為魏之興在魏文侯之世，魏之衰從魏惠王開始，而魏安釐王的失策加速了魏的滅亡，司馬遷緊抓魏國歷史轉折的關鍵來進行〈魏世家〉的創作，全文篇幅很長。

魏文侯是戰國初期頗有聲望的君王。他禮敬賢人，以子夏、段干木、田子方為師；重用賢士，文臣有李克、西門豹，武將有軍事家吳起。魏文侯支持李克實行政治改革，使魏國成為戰國初期最強的國家。在〈魏世家〉的紀年中，魏文侯在位的三十八年有十三次編年記事，但是沒有對文侯的政績做具體描述。司馬遷引述了秦國人對魏文侯的看法：「魏君賢人是禮，國人稱仁，上下和合，未可圖也。」[1]對魏文侯的評論在《戰國策》中雖然沒有，但在《呂氏春秋・開春論・期賢》、《淮南子・修務》、《新序・雜事五》中都有類似的內容[2]，〈魏世家〉的表述可說是這些典籍的概括。

魏武侯在位十六年，有八次編年記事，但是沒有附加戰國故事。

魏惠王（又稱梁惠王）期間，在位三十六年中有二十二次編年記事，三則戰國故事，其中一則出自於戰國策士文獻，一則出自《春秋後語》殘卷，另一則資料出處不明。

〈魏世家〉將與《戰國策・宋策》「魏太子自將過宋」相似的一則故事繫於魏惠王三十年：

> 三十年……魏遂大興師，使龐涓將，而令太子申為上將軍。過外黃，外黃徐子謂太子曰：「臣有百戰百勝之術。」太子曰：「可得聞乎？」客曰：「固願效之。」曰：「太子自將攻齊，大勝并莒，則富不過有魏，貴不益為王。若戰不勝齊，則

---

* 中央高校基本科研業務費專項資金資助項目「兩漢文獻整理與士人思想研究」（SKZZY2013033）成果。

1　（漢）司馬遷：《史記》北京：中華書局，2006年，頁1839。

2　（日）藤田勝久：《《史記》戰國史料研究》上海：上海古籍出版社，2008年1月，頁341。

萬世無魏矣。此臣之百戰百勝之術也。」太子曰：「諾，請必從公之言而還矣。」客曰：「太子雖欲還，不得矣。彼勸太子戰攻，欲嚽汁者眾。太子雖欲還，恐不得矣。」

太子因欲還，其御曰：「將出而還，與北同。」太子果與齊人戰，敗于馬陵。齊虜魏太子申，殺將軍涓，軍遂大破。[3]

六國魏表記：「惠王三十年，齊虜我太子申，殺將軍龐涓。」[4]本段〈魏世家〉與《戰國策・宋策》「魏太子自將過宋」中徐子與太子的對話大抵相同，但在事件細節上有些許不同。《戰國策・宋策》「魏太子自將過宋」中不載龐涓事，最後言太子與「齊人戰而死」[5]，高誘云：「齊人敗之馬陵，虜龐涓而殺太子申，故云『卒不得魏』也。」[6]然而在〈魏世家〉中記載：「齊人敗之馬陵，虜龐涓而殺太子申，故云『卒不得魏』也」[7]，與六國魏表相同，而〈孫子吳起列傳〉中記載龐涓是自刎而死，與齊國殺龐涓有些出入，但《史記》中的記載始終是太子活、龐涓死，與《戰國策》的說法又不太一樣。

　　司馬遷通過故事表現魏惠王其人，魏惠王在位三十六年，前十八年靠文侯打下的基礎，與諸侯交戰互有勝負；後十八年則連連敗績。一次是伐趙，被齊國派田忌、孫臏用計大敗於桂陵；再一次是伐韓，又被田忌、孫臏大敗於馬陵；另一次是被商鞅率秦軍打敗，盡失河西之地。這幾次大敗使魏國兵力耗盡，國力空虛。魏惠王到晚年似乎有所覺悟，想廣招賢士以挽回敗局，但為時已晚。司馬遷引用孟子的一席話為惠王作了總結：「為人君，仁義而已矣，何以利為！」[8]尖銳地指出魏惠王的失敗是只顧爭利，不施仁義的結果。

　　〈魏世家〉在魏惠王至魏安釐王之間，於魏哀王時期有一則故事與《戰國策・魏策二》「田需死」相似，〈魏世家〉記載道：

魏相田需死，楚害張儀、犀首、薛公。

楚相昭魚謂蘇代曰：「田需死，吾恐張儀、犀首、薛公有一人相魏者也。」代曰：「然相者欲誰而君便之？」昭魚曰：「吾欲太子之自相也。」代曰：「請為君北，必相之。」昭魚曰：「奈何？」對曰：「君其為梁王，代請說君。」昭魚曰：「奈何？」對曰：「代也從楚來，昭魚甚憂，曰：『田需死，吾恐張儀、犀首、薛

3　（漢）司馬遷：《史記》北京：中華書局，2006年，頁1845-1846。

4　（漢）司馬遷：《史記》北京：中華書局，2006年，頁725。

5　（漢）劉向集錄，范祥雍箋證：《戰國策箋證》上海：上海古籍出版社，2006年12月，頁1827。

6　（漢）劉向集錄，范祥雍箋證：《戰國策箋證》上海：上海古籍出版社，2006年12月，頁1828。

7　（漢）司馬遷：《史記》北京：中華書局，2006年，頁1846。

8　（漢）司馬遷：《史記》北京：中華書局，2006年，頁1847。

公有一人相魏者也。』代曰：『梁王，長主也，必不相張儀。張儀相，必右秦而左魏。犀首相，必右韓而左魏。薛公相，必右齊而左魏。梁王，長主也，必不便也。』王曰：『然則寡人孰相？』代曰：『莫若太子之自相。太子之自相，是三人者皆以太子為非常相也，皆將務以其國事魏，欲得丞相璽也。以魏之強，而三萬乘之國輔之，魏必安矣。故曰莫若太子之自相也。』」

遂北見梁王，以此告之。太子果相魏。[9]

本段〈魏世家〉與《戰國策・魏策二》「田需死」的內容基本一樣，繫於魏哀王九年。字面意思是蘇代為楚國勸說魏王讓太子為相，但實是分析了張儀、犀首、薛公（孟嘗君）三者政治傾向的不同，亦可看出當時各國的政治形勢。

魏安釐王是魏哀王的孫子。〈魏世家〉對魏安釐王的敘述篇幅最長，將近全文的三分之一。魏安釐王在位三十二年，有十二次編年記事，五則故事，除了「趙使人謂魏王曰：『為我殺范痤，吾請獻七十里之地。』……」[10]一段文字，風格類似戰國策士說辭，但不知出處。其他四則故事皆出自於戰國策士文獻，分別繫於魏安釐王四年、十一年、十四年。

司馬遷不惜筆墨，通過大段引用戰國策士文獻從不同方向、不同角度揭示了魏安釐王的嚴重失策。〈魏世家〉首先通過蘇代對魏安釐王的批評指出了「以地事秦，譬猶抱薪救火」的道理：

四年，秦破我及韓、趙，殺十五萬人，走我將芒卯。魏將段干子請予秦南陽以和。

蘇代謂魏王曰：「欲璽者段干子也，欲地者秦也。今王使欲地者制璽，使欲璽者制地，魏氏地不盡則不知已。且夫以地事秦，譬猶抱薪救火，薪不盡，火不滅。」

王曰：「是則然也。雖然，事始已行，不可更矣。」對曰：「王獨不見夫博之所以貴梟者，便則食，不便則止矣。今王曰『事始已行，不可更』，是何王之用智不如用梟也？」[11]

《戰國策・魏策三》「華軍之戰」有類似的敘述：

華軍之戰，魏不勝秦。明年，將使段干崇割地而講。

9　（漢）司馬遷：《史記》北京：中華書局，2006年，頁1851-1852。

10　（漢）司馬遷：《史記》北京：中華書局，2006年，頁1856。

11　（漢）司馬遷：《史記》北京：中華書局，2006年，頁1854。

孫臣謂魏王曰：「魏不以敗之上割，可謂善用不勝矣；而秦不以勝之上割，可謂不能用勝矣。今處期年乃欲割，是群臣之私而王不知也。且夫欲璽者，段干子也，王因使之割地；欲地者，秦也，而王因使之受璽。夫欲璽者制地，而欲地者制璽，其勢必無魏矣！且夫奸臣固皆欲以地事秦。以地事秦，譬猶抱薪而救火也，薪不盡，則火不止。今王之地有盡，而秦之求無窮，是薪火之說也。」

魏王曰：「善。雖然，吾已許秦矣，不可以革也。」對曰：「王獨不見夫博者之用梟邪？欲食則食，欲握則握。今君劫於群臣而許秦，因曰不可革，何用智之不若梟也！」[12]

〈魏世家〉記魏國為秦所敗，欲獻南陽之地予秦國求和，蘇代向魏王說明割地之舉猶如抱薪救火。《戰國策・魏策三》「華軍之戰」中為孫臣向魏王進諫，言明不應在戰敗一年之後才向秦國割地。進言內容雖然近似，但是時間與進言者均不同，《戰國策》文末多出「魏王曰：『善。』乃案其行」句，〈魏世家〉則無。

另，〈魏世家〉及《史記》其他篇章中均不見「華軍之戰」字眼。根據〈魏世家〉記載：「安釐王元年，秦拔我兩城。二年，又拔我二城，軍大梁下，韓來救，予秦溫以和。三年，秦拔我四城，斬首四萬。」[13]與六國魏表文字大抵相同，魏表安釐王四年，記「與秦南陽以和」[14]，同年為六國秦表昭襄王三十四年，記「白起擊魏華陽軍，芒卯走，得三晉將，斬首十五萬。」[15]由此推測《戰國策・魏策三》中所謂華軍之戰，應該是「華陽軍」或是「華陽之戰」的訛誤。

魏安釐王十一年有兩則戰國故事。其一見於《戰國策・秦策四》「秦昭王謂左右」，〈魏世家〉中記載：

秦昭王謂左右曰：「今時韓、魏與始孰強？」對曰：「不如始強。」王曰：「今時如耳、魏齊與孟嘗、芒卯孰賢？」對曰：「不如。」王曰：「以孟嘗、芒卯之賢，率強韓、魏以攻秦，猶無奈寡人何也。今以無能之如耳、魏齊而率弱韓、魏以伐秦，其無奈寡人何，亦明矣。」左右皆曰：「甚然。」

中旗馮琴而對曰：「王之料天下過矣。當晉六卿之時，知氏最強，滅范、中行，又率韓、魏之兵以圍趙襄子于晉陽，決晉水以灌晉陽之城，不湛者三版。知伯行水，魏桓子御，韓康子為參乘。知伯曰：『吾始不知水之可以亡人之國也，乃今

12　（漢）劉向集錄，范祥雍箋證：《戰國策箋證》上海：上海古籍出版社，2006年12月，頁1379-1380。

13　（漢）司馬遷：《史記》北京：中華書局，2006年，頁1854。

14　（漢）司馬遷：《史記》北京：中華書局，2006年，頁743。

15　（漢）司馬遷：《史記》北京：中華書局，2006年，頁743-744。

　　知之。』汾水可以灌安邑，絳水可以灌平陽。魏桓子肘韓康子，韓康子履魏桓
子，肘足接于車上，而知氏地分，身死國亡，為天下笑。今秦兵雖強，不能過知
氏；韓、魏雖弱，尚賢其在晉陽之下也。此方其用肘足之時也，願王之勿易
也！」[16]

司馬遷將此事繫於〈魏世家〉華陽之戰後的魏安釐王十一年，通過秦國大臣中旗對形勢
的分析指出：魏如能與韓聯合起來，其力量依舊是不可輕視的。〈魏世家〉作「中旗馮
琴」處，《戰國策》作「中期推琴」，《春秋後語》作「伏琴」，而《韓非子》作「推
瑟」，《說苑》作「伏瑟」，文各不同。但基本上就是琴師中期（中旗）針對秦王輕視
韓、魏的態度予以勸諫，使秦王不再小看兩國。〈魏世家〉在故事末多出「於是秦王
恐」一句，更加惟妙惟肖地表現了秦王戒慎恐懼的回應。

　　另一則繫於魏安釐王十一年的故事是齊、楚攻魏之事。〈魏世家〉記載道：

　　齊、楚相約而攻魏，魏使人求救于秦，冠蓋相望也，而秦救不至。

　　魏人有唐雎者，年九十餘矣，謂魏王曰：「老臣請西說秦王，令兵先臣出。」魏
王再拜，遂約車而遣之。唐雎到，入見秦王。秦王曰：「丈人芒然乃遠至此，甚
苦矣！夫魏之來求救數矣，寡人知魏之急已。」唐雎對曰：「大王已知魏之急而
救不發者，臣竊以為用策之臣無任矣。夫魏，一萬乘之國也，然所以西面而事
秦，稱東藩，受冠帶，祠春秋者，以秦之強足以為與也。今齊、楚之兵已合于魏
郊矣，而秦救不發，亦將賴其未急也。使之大急，彼且割地而約從，王尚何救
焉？必待其急而救之，是失一東藩之魏而強二敵之齊、楚，則王何利焉？」於是
秦昭王遽為發兵救魏。魏氏復定。[17]

本段故事敘述秦、魏兩國聯盟，但齊、楚攻魏，秦卻不救。當時唐雎已經九十多歲，向
魏安釐王自薦西說秦王。〈魏世家〉與《戰國策·魏策四》「秦魏為與國」的內容上基本
一致：唐雎向秦昭王陳明利害關係，最後一句〈魏世家〉將《戰國策·魏策四》「秦魏
為與國」中「竊以為大王籌筴之臣無任矣」[18]改作「則王何利焉」，點明了戰國時期國
與國的關係是利益至上，比《戰國策》所言更加突顯重點。而司馬遷也按照慣例刪去了
《戰國策·魏策四》「秦魏為與國」對此事的評論：「魏氏復全，唐且之說也。」[19]

　　魏安釐王最後一則故事是信陵君反對魏王伐韓的進言說辭：

16　（漢）司馬遷：《史記》北京：中華書局，2006年，頁1854-1855。

17　（漢）司馬遷：《史記》北京：中華書局，2006年，頁1855-1856。

18　（漢）劉向集錄，范祥雍箋證：《戰國策箋證》上海：上海古籍出版社，2006年12月，頁1451。

19　（漢）劉向集錄，范祥雍箋證：《戰國策箋證》上海：上海古籍出版社，2006年12月，頁1451。

魏王以秦救之故，欲親秦而伐韓，以求故地。無忌謂魏王曰：「秦與戎翟同俗，有虎狼之心，貪戾好利無信，……今王與秦共伐韓而益近秦患，臣甚惑之。而王不識則不明，群臣莫以聞則不忠。……異日者，從之不成也，楚、魏疑而韓不可得也。今韓受兵三年，秦橈之以講，識亡不聽，投質于趙，請為天下雁行頓刃，楚、趙必集兵，皆識秦之欲無窮也，非盡亡天下之國而臣海內，必不休矣。是故臣願以從事王，王速受楚趙之約，而挾韓之質以存韓，而求故地，韓必效之。此士民不勞而故地得，其功多于與秦共伐韓，而又與強秦鄰之禍也。夫存韓安魏而利天下，此亦王之天時已。……今不存韓，二周、安陵必危，楚、趙大破，衛、齊甚畏，天下西鄉而馳秦入朝而為臣不久矣。」[20]

這段談話長約千言，對親秦之害、存韓之利的分析極為精闢。在內容部分，除了進言者《戰國策·魏策三》「魏將與秦攻韓」作朱己，〈魏世家〉作無忌，說辭內容基本相同。《戰國縱橫家書》十六章亦有類似「朱己謂魏王」的故事，篇末標注八百五十八（字），〈魏世家〉中本段約為一千字，《戰國策·魏策三》「魏將與秦攻韓」約為一千一百字，仍然是《史記》與《戰國策》的版本較為接近。《戰國縱橫家書》十六章首句作「謂魏王曰」[21]，未記人名，所以這位進言者的身份不明確，于鬯云：「（朱己）不特非信陵君，而並非魏臣。……且如下文『群臣知之，而莫以此諫，則不忠矣』，必是外臣之言，不合魏臣而作此語，猶秦策言謀臣皆不盡忠，必非秦臣之言也。」[22]筆者認為于鬯的推斷不無道理。但司馬遷將其人作為無忌的心意也昭然若揭，茅坤說：「信陵君是太史公胸中得意人」[23]，本段說辭之後〈魏世家〉即接「二十年，秦圍邯鄲，信陵君無忌矯奪將軍晉鄙兵以救趙，趙得全。」[24]信陵君的果斷與安釐王的懦弱，高下立見。本段的進言者雖然身份不明確，然〈魏世家〉與《戰國策·魏策三》「魏將與秦攻韓」都標明了此事是在「韓受兵三年」、秦太后「以憂死」之後，按推斷應該是在周赧王五十二年，也就是魏安釐王十四年。

以上三段戰國策士說辭的使用，雖然出自不同人之口，但連繫起來恰似一篇完整的談話，層層深入地揭示了魏安釐王時期魏國所面臨的問題的要害，可見司馬遷在面對為數眾多的《戰國策》資料時，在選擇與編排上是頗具匠心的。

20　（漢）司馬遷：《史記》北京：中華書局，2006年，頁1857-1862。

21　馬王堆漢墓帛書整理小組編：《戰國縱橫家書》北京：文物出版社，1976年，頁152。

22　（清）于鬯：《香草校書》北京：中華書局，1984年，頁166。

23　（明）茅坤：《青霞先生文集》臺北：水牛出版社，1996年，頁72。

24　（漢）司馬遷：《史記》北京：中華書局，2006年，頁1862。

二　韓世家

　　韓國與趙國、魏國相同，在周威烈王二十三年受封為諸侯王。然而韓國是戰國時期力量最弱的國家。它東鄰魏國，西鄰秦國，兩個鄰國都比它強大得多，韓國兩面受敵，常被侵伐，自西元前四〇三年立國到西元前二三〇年為秦所滅，是六國中最早滅亡的國家，六國韓表亦是以此時間作為韓國的始終。

　　司馬遷在〈韓世家〉論贊裡提到對韓國的看法：「韓厥之感晉景公，紹趙孤之子武，以成程嬰、公孫杵臼之義，此天下之陰德也。韓氏之功，于晉未睹其大者也。然與趙、魏終為諸侯十餘世，宜乎哉！」[25]綜觀韓國歷史，二百多年的期間未曾出現過一位較有作為的國君，司馬遷甚至認為韓國能與趙國、魏國共同為諸侯國，是因為春秋時期的韓國先祖韓厥使趙氏香火不滅，積下了陰德。韓國君王乏善可陳，亦缺乏賢臣良將，韓國的國勢一直比較孱弱，所以〈韓世家〉是《史記》戰國世家中篇幅最短的一篇。

　　然而〈韓世家〉的編纂方式是很特別的，〈韓世家〉中很多以「我」作為主詞敘史句式，如鄭敗我負黍、鄭圍我陽翟、秦伐我宜陽、魏敗我馬陵、魏敗我澮、秦敗我西山、宋取我黃池、秦來拔我宜陽、魏敗我將韓舉、秦伐敗我鄢、秦敗我修魚、大破我岸門、秦使甘茂攻我宜陽、秦拔我宜陽、秦復與我武遂、秦復取我武遂、秦伐我，取穰、秦與我河外及武遂、秦敗我二十四萬、秦拔我宛、秦敗我師於夏山、趙、魏攻我華陽、秦拔我陘、秦擊我於太行、我上黨郡守以上黨郡降趙、秦拔我陽城、秦拔我城皋、秦悉拔我上黨、秦拔我十三城等句。此種以「我」為主詞的敘史句式，是《六國年表》的表述方式，也就是說，〈韓世家〉中的編年記事基本取自於六國韓表。藤田勝久先生認為這本來是秦國的記事，司馬遷將其從秦紀中分出來，再放入韓表中。[26]根據司馬遷在《六國年表》序裡的說法，年表是依據「秦記」編成的，而韓國與秦國接壤，增加了其史料的正確性，所以筆者認為藤田勝久先生的說法有一定道理。〈韓世家〉戰國時期的部分即是以這些編年記事加上出自於戰國策士文獻的五則戰國故事結合而成。

　　這五則故事分別為〈韓世家〉中韓宣惠王時期一則，韓襄王時期三則，韓釐王時期一則。可見在〈韓世家〉中，司馬遷將戰國故事多數集中在韓襄王身上。

　　韓宣惠王為韓昭侯之子，繼位期間較重要的事情有：十年（西元前 323 年），宣惠王始稱王；十六年秦敗韓修魚以及二十一年秦韓共同擊敗楚國。其中十六年與二十一年事有因果關係。〈韓世家〉在韓宣惠王十六年對韓、楚、秦的關係作了比較詳細的敘述：

> 十六年，秦敗我修魚，虜得韓將……於濁澤。韓氏急，公仲謂韓王曰：「與國非可恃也。今秦之欲伐楚久矣，王不如因張儀為和于秦，賂以一名都，具甲，與之

25　（漢）司馬遷：《史記》北京：中華書局，2006年，頁1878。

26　（日）藤田勝久：《《史記》戰國史料研究》上海：上海古籍出版社，2008年1月，頁313。

南伐楚，此以一易二之計也。」韓王曰：「善。」乃警公仲之行，將西購于秦。

楚王聞之大恐，召陳軫告之。陳軫曰：「秦之欲伐楚久矣，……是因秦、韓之兵而免楚國之患也。」楚王曰：「善。」乃警四境之內，興師言救韓。……

韓王聞之大說，乃止公仲之行。……韓王不聽，遂絕于秦。秦因大怒，益甲伐韓，大戰，楚救不至韓。十九年，大破我岸門。

太子倉質于秦以和。[27]

韓國在修魚、濁澤之戰失敗後，宣惠王想利用與南方楚國結盟以對付秦國。此時縱橫家們紛紛獻策，公仲獻計說：楚國不可依靠。秦國蓄謀伐楚已久，韓國最好用張儀為使與秦議和，讓秦國向南攻楚，則韓國可以一舉兩得。楚國知道了十分恐慌，楚懷王採用陳軫的計謀，派使臣對韓宣惠王說：楚國雖小，但已出兵救韓，希望韓國也共同與秦決一死戰。最後韓宣惠王採取了楚國「合縱」的建議，與秦絕交。秦兵繼續攻韓，而楚國坐視不救，正應了公仲之語：「以實伐我者秦也，以虛名救我者楚也。」[28]

　　本段故事與《戰國策・韓策一》「秦韓戰於濁澤」、《戰國縱橫家書》二十四章的記載相似，比較顯著的改動是司馬遷刪去了戰國策士文獻中對此事件的評論部分：

《戰國策・韓策一》「秦韓戰於濁澤」：

韓氏之兵，非削弱也，民非蒙愚也。兵為秦禽，智為楚笑，過聽于陳軫，失計于韓明也。[29]

《戰國縱橫家書》二十四章：

故韓是之兵非弱也，其民非愚蒙也，兵為秦禽，知為楚笑者，過聽于陳軫，失計韓倗，故曰：「計聽知順逆，唯王可。」[30]

《韓非子・十過》也有這段故事記載：

奚謂內不量力？昔者秦之攻宜陽，韓氏急。公仲朋謂韓君曰：「與國不可恃也，豈如因張儀為和于秦哉！因賂以名都而南與伐楚，是患解于秦而害交于楚也。」公曰：「善。」乃警公仲之行，將西和秦。楚王聞之，懼，召陳軫而告之曰：「韓朋將西和秦，今將奈何？」陳軫曰：「秦得韓之都一，驅其練甲，秦、韓為一以

27　（漢）司馬遷：《史記》北京：中華書局，2006年，頁1870-1871。

28　（漢）司馬遷：《史記》北京：中華書局，2006年，頁1870。

29　（漢）劉向集錄，范祥雍箋證：《戰國策箋證》上海：上海古籍出版社，2006年12月，頁1514。

30　馬王堆漢墓帛書整理小組編：《戰國縱橫家書》北京：新華書局，1976年，頁573。

南鄉楚，此秦王之所以廟祠而求也，其為楚害必矣。王其趣發信臣，多其車，重其幣，以奉韓曰：『不穀之國雖小，卒已悉起，願大國之信意于秦也。因願大國令使者入境視楚之起卒也。』」韓使人之楚，楚王因發車騎，陳之下路，謂韓使者曰：「報韓君，言弊邑之兵今將入境矣。」使者還報韓君，韓君大大悅，止公仲。公仲曰：「不可。夫以實害我者，秦也；以名救我者，楚也。聽楚之虛言而輕強秦之實禍，則危國之本也。」韓君弗聽。公仲怒而歸，十日不朝。宜陽益急，韓君令使者趣卒于楚，冠蓋相望而卒無至者。宜陽果拔，為諸侯笑。故曰：內不量力，外恃諸侯者，則國削之患也。[31]

將〈韓世家〉、《戰國策》、《戰國縱橫家書》以及《韓非子》的文字加以比較，可見〈韓世家〉、《戰國策》、《戰國縱橫家書》使用的戰國策士文獻版本，司馬遷在引用時省略其評語的部分，直接接上編年，使整體看來更像是編年記事的形式。而《韓非子》中是對這個故事提出不同的結論：「內不量力，外恃諸侯者，則國削之患也。」作為法家對君王之過的提醒。

　　因為楚國的失信，韓宣惠王二十一年遂有「與秦共攻楚，敗楚將屈丏，斬首八萬於丹陽」之事，而韓宣惠王也於此年去世，韓襄王繼位。

　　韓襄王時期用了三則戰國故事，全部繫於韓襄王十二年。韓襄王時期的編年記事，與六國韓表對比襄王四年、五年、六年、九年、十年、十一年、十四年、十六年至襄王卒的記錄，六國韓表與〈韓世家〉的基本一致，如〈韓世家〉記載：「（韓襄王）九年，秦復取我武遂。十年，太子嬰朝秦而歸。十一年，秦伐我，取穰。與秦伐楚，敗楚將唐眛」[32]，六國韓表中記為：「九年，秦取武遂。十年，太子嬰與秦王會臨晉，因至咸陽而歸。十一年，秦取我穰。與秦擊楚。」[33]但是六國韓表在韓襄王十二年沒有記錄，六國韓表十三年記載：「齊、魏王來。立咎為太子」[34]，但〈韓世家〉中「韓立咎為太子。齊、魏王來」[35]卻繫於十二年。依〈韓世家〉的文字來看，韓襄王十二年有兩件大事，其一是襄王太子死，公子咎、公子蟣虱爭為太子；其二是「楚圍雍氏」。這場王位爭奪戰與「楚圍雍氏」有著千絲萬縷的關係，是司馬遷在〈韓世家〉中著墨比較多的一段。

　　韓襄王十二年，太子嬰病死。為了空出來的太子之位，公子蟣虱（《戰國策》作幾瑟）、公子咎兩兄弟展開了一場激烈的爭奪。在這場王位爭奪中，蘇代（《戰國策·韓策二》「冷向謂韓咎曰」中進言者為冷向）獻計給公子咎，曰：

---

31 張覺點校：《商君書·韓非子》長沙：岳麓書社，2006年，頁157。

32 （漢）司馬遷：《史記》北京：中華書局，2006年，頁1872。

33 （漢）司馬遷：《史記》北京：中華書局，2006年，頁735-736。

34 （漢）司馬遷：《史記》北京：中華書局，2006年，頁737。

35 （漢）司馬遷：《史記》北京：中華書局，2006年，頁1875。

　　蟣虱亡在楚，楚王欲內之甚。今楚兵十餘萬在方城之外，公何不令楚王築萬室之
　　都雍氏之旁，韓必起兵以救之，公必將矣。公因以韓楚之兵奉蟣虱而內之，其聽
　　公必矣，必以楚韓封公也。」韓咎從其計。[36]

此事按推斷發生在「楚圍雍氏」之前，《戰國策・韓策二》「冷向謂韓咎曰」與〈韓世
家〉在內容、時間及背景都相同。當時公子蟣虱正在楚國當人質，人身不得自由，加上
距離又遠，很難左右朝中局勢。原本在太子繼承次序上排在公子蟣虱之後的公子咎，當
時則留在韓國國內，占盡了天時地利人和，配合蘇代的計謀，最終在這場政治鬥爭中獲
得了勝利，被立為太子，〈韓世家〉記載道：

　　蘇代又謂秦太后弟芈戎曰：「公叔伯嬰恐秦楚之內蟣虱也，公何不為韓求質子于
　　楚？……公挾秦楚之重以積德于韓，公叔伯嬰必以國待公。」於是蟣虱竟不得歸
　　韓。韓立咎為太子。[37]

韓襄王卒，公子咎立，是為韓釐王。韓釐王即位之後，對蟣虱仍小心提防，不許他返回
韓國，公子蟣虱最後在楚國鬱鬱而終。結合上兩段文字，按照當時的情勢分析，楚國打
算將逃亡的公子蟣虱送回韓國，若是公子蟣虱回國當上太子，那麼韓國將會與楚國聯
合，對秦國產生威脅。所以〈韓世家〉稱蘇代勸韓咎把蟣虱接回國，倒符合蘇代一貫的
合縱的政策。但同年，〈韓世家〉中又記載蘇代勸秦新城君芈戎不要讓蟣虱回國，因為
如果蟣虱不回韓國，那麼韓、楚必會交惡，韓國只能轉而依附秦國，最後「蟣虱竟不得
歸韓」，這兩段說辭顯得蘇代的主張混亂，行為矛盾。再看《戰國策》中的記載，光是
《戰國策・韓策二》一章，關於韓咎與蟣虱爭奪太子位的情況，就有五篇以上相關記
載。冷向勸韓咎讓蟣虱回韓國，韓咎根本不可能同意。但是韓咎為了「公必將矣。公因
以楚、韓之兵奉幾瑟而內之，幾瑟得入而德公，必以韓、楚秦公矣」[38]，也只能先答應
了冷向的說法。隨後又派某人又去找新城君勸說，即是《戰國策・韓策二》「謂新城君
曰公叔」中所述：

　　謂新城君曰：「公叔、伯嬰恐秦、楚之內幾瑟也，公何不為韓求質子于楚？……
　　公挾秦、楚之重，以積德于韓，則公叔、伯嬰必以國事公矣。」[39]

讓秦國挑起楚、韓之間的矛盾，致使最後蟣虱無法回國。如此編排，韓咎機關算盡，既
得到了美名、軍權，又阻止了蟣虱回國爭權，最後當上了太子，縱橫家們的計策安排跌

36　（漢）司馬遷：《史記》北京：中華書局，2006年，頁1873。

37　（漢）司馬遷：《史記》北京：中華書局，2006年，頁1875。

38　（漢）劉向集錄，范祥雍箋證：《戰國策箋證》上海：上海古籍出版社，2006年12月，頁1571。

39　（漢）劉向集錄，范祥雍箋證：《戰國策箋證》上海：上海古籍出版社，2006年12月，頁1566-
　　1567。

宕起伏，順理成章，顯然比〈韓世家〉中的敘述要略高一籌。

楚國攻打韓國雍氏，在《戰國策・韓策二》中有兩章與此事相關，〈韓世家〉中亦有收錄：一是《戰國策・韓策二》「楚圍雍氏朝令冷向」，韓國派冷向去秦國請求救兵之事：

> 楚圍雍氏，韓令冷向借救于秦，秦為發使公孫昧入韓。公仲曰：「子以秦為將救韓乎？其不乎？」……公仲恐曰：「然則奈何？」對曰：「公必先韓而後秦，先身而後張儀。以公不如亟以國合于齊、楚，秦必委國于公以解伐。是公之所以外者儀而已，其實猶之不失秦也。」[40]

〈韓世家〉中不記冷向之名，只做「韓求救于秦。」其他內容基本一致。另一則是《戰國策・韓策二》「楚圍雍氏五月」，韓國先後派尚靳、張翠去秦國請救兵，最後張翠通過甘茂說服了秦王，秦國終於出兵援救韓國。但是「楚圍雍氏」之事在相關的《楚世家》及六國秦表、楚表皆無記載。更令人疑惑的是，《秦本紀》秦惠王更元十三年有段文字為「楚圍雍氏，秦使庶長疾助韓而東攻齊，到滿助魏攻燕」[41]，時間是西元前三一二年，與韓襄王十二年（西元前 300 年）相差十年；〈樗里子甘茂列傳〉也有情節相似的敘述：「楚懷王怨前秦敗楚於丹陽而韓不救，乃以兵圍韓雍氏。韓使公仲侈告急於秦。秦昭王新立，太后楚人，不肯救」[42]，發生時間大約在秦昭王元年左右，也就是西元前三〇六年。從這三段文字敘述的人名與對話來看，《史記》中這三段記載的應該為同一事件，但卻年代錯亂。這種現象當起因於戰國策士文獻中所記載的故事沒有時序、錯綜雜亂，難以排列。司馬遷在面對此一事件時，肯定也產生了疑惑，但因為沒有更準確的資料來判斷此事件的發生時間，故在作《六國年表》時便省略不記，也算是「疑則傳疑，蓋其慎也」[43]了。

〈韓世家〉中第五則故事係在韓釐王二十三年。〈韓世家〉記載道：

> 二十三年，趙、魏攻我華陽。韓告急于秦，秦不救。韓相國謂陳筮曰：「事急，願公雖病，為一宿之行。」陳筮見穰侯。穰侯曰：「事急乎？故使公來。」陳筮曰：「未急也。」穰侯怒曰：「是可以為公之主使乎？夫冠蓋相望，告敝邑甚急，公來言未急，何也？」陳筮曰：「彼韓急則將變而佗從，以未急，故復來耳。」穰侯曰：「公無見王，請今發兵救韓。」八日而至，敗趙、魏于華陽之下。[44]

40 （漢）劉向集錄，范祥雍箋證：《戰國策箋證》上海：上海古籍出版社，2006年12月，頁1544。

41 （漢）司馬遷：《史記》北京：中華書局，2006年，頁207。

42 （漢）司馬遷：《史記》北京：中華書局，2006年，頁2313。

43 （漢）司馬遷：《史記》北京：中華書局，2006年，頁487。

44 （漢）司馬遷：《史記》北京：中華書局，2006年，頁1877。

華陽之戰是戰國末期比較重要的戰役之一。趙、魏兩國聯合進攻韓國，包圍韓國重要城邑華陽。韓國求救於秦，秦昭襄王令武安君白起、客卿胡陽率軍救韓。趙、魏聯軍與韓軍膠著於華陽，而華陽距秦地較遠，魏、趙估計援韓秦軍短期內不會趕到而疏於防範。白起預測到趙、魏聯軍的想法，採取出其不意、攻其不備的方針，大軍由咸陽出發，以平均每日百里的急行軍進行遠途奔襲，僅八天就到達華陽城下，向魏軍發起攻擊，一舉殲滅魏軍十五萬人，生擒三名魏將，魏國宰相芒卯敗逃；接著又進攻趙將賈偃，大敗趙軍，殲敵二萬，遂乘勝直逼魏都大樑。

　　〈韓世家〉編錄的這段僅是體現華陽之戰前夕的情況，其實華陽之戰對韓國影響不大，主要是對趙、魏兩國——尤其是魏國產生了嚴重的打擊，六國韓表甚至連此事都不記。本段〈韓世家〉與《戰國策・韓策三》「趙魏攻華陽」的歷史背景、對話基本一致，唯在〈韓世家〉作陳筮的人物，在《戰國策・韓策三》「趙魏攻華陽」中作田苓（荼），然田苓與陳筮皆沒有更多的歷史資料做參考，所以無法判斷司馬遷改動人名的原因。

　　從上文的比較中可以看出〈韓世家〉對戰國策士文獻的運用，有的是年代不能確定，有的是情節產生矛盾，更有不明原因的人名更改。之所以會出現這樣的錯誤，主要是戰國策士文獻中對「楚圍雍州」與「韓咎蟣虱之爭」記錄本來就很多，而戰國時期國與國之間的情勢複雜，再加上沒有明顯的編年，司馬遷在編排資料的時候就發生了困難。簡單地說，〈韓世家〉編纂的脈絡大致就是拿韓表結合戰國策士文獻，概括說明韓國的興衰，在《史記》世家中是比較單調的一篇。

知無與體無

——王弼「以無為本」說的再考察

蔣麗梅[*]

北京師範大學哲學學院、價值與文化研究中心

　　《晉書・王衍傳》說「何晏、王弼等祖述老莊，立論以為天地萬物皆以無為本」[1]，王弼以「無」論「道」，「無」不僅創生了萬物還是萬物的本原。傳統對王弼「以無為本」說的考察大多放在宇宙論和本體論的視野內，說明王弼哲學注重思辨抽象的特徵及其在中國哲學發展上所實現的本體論轉向。本文則結合王弼「聖人體無」、「道不可體」的看法，重新思考「以無為本」說的思想內涵，說明王弼所凝練的「以無為本」說並不局限於對道的哲理認知，還包含「知無」向「體無」的轉化，表現為形而上學與人生哲學的聯結。

一　聖人體無，復歸於無

　　王弼是在與裴徽討論「無」時明確提出了「聖人體無」的說法，何邵《王弼傳》記載說：

> 時裴徽為吏部郎，弼未弱冠，往造焉。徽一見而異之，問弼曰：「夫無者誠萬物之所資也，然聖人莫肯致言，而老子申之無已者何？」弼曰：「聖人體無，無又不可以訓，故不說也。老子是有者也，故恆言無所不足。」

這裡裴徽的提問中隱含著兩個問題：一是無的本體性特徵，一是無的本體特徵是否能為語言所表達。如果人們無法通過語言對「無」加以表達，那麼人如何才能實現對無的把握呢？王弼以「聖人體無」作答正是要解決這一問題，他在肯定「無」的本體作用的同時用「體」來承認聖人與道的一體性，以克服裴徽所造成的聖人與無在存在意義上的割裂。王弼也同樣否定以知識論的途徑來實現道，其言下之意是認為傳統經學的方法並沒

---

[*]　北京師範大學哲學學院、價值與文化研究中心副教授，此文是國家社會科學基金重大項目「中國傳統價值觀變遷史」（14ZDB003）的階段性成果。

[1]　《晉書・王衍傳》北京：中華書局，1996年，頁1236。

能從根本上揭示出聖人所體察的大道，人們對古代經典的閱讀不應停留於知識性的了解，而應通過體悟的方法來把握內蘊的道理，而且這種體悟的主體還只能是聖人。《毛詩正義》中還有一段王弼佚文：

> 王弼云：「不曰聖人者，聖人體無不可以人名而名，故易簡之主，皆以賢人名之。」然則以賢是聖之次，故寄賢以為名。窮易簡之理，盡乾坤之奧，必聖人乃能耳[2]。

聖人之所以區別於一般的賢能，是因其具有遠高於凡人所具的神明，所以他們能窮盡天地萬物之奧妙，從而實現對道之無性的根本把握。徐復觀先生說「老莊所建立的最高概念的『道』，他們的目的，是要在精神與道為一體，亦即所謂『體道』，因而形成『道的人生觀』，抱著道的生活態度，以安頓現實的生活。」[3]王弼所主張的聖人對「無」的體認，正是要使「無」成為一種價值觀與方法論落實於生活人事之中。

　　《老子》書中對萬物的看法極具過程性，老子提倡從事物發展的始點和終點來看具體的事物，既關注萬物的生成，還包含萬物的長、育、成、熟、養、覆的發展過程，從物之始終看待萬物為老子特別強調，善始和歸根也成為道自然體現的兩個重要階段。王弼也延續了老子的終始觀，他從《老子》第一章中提拈出「始」與「母」兩字，認為二者分別象徵著事物的始與終，但本質上卻又是一致的，他注釋老子「各復歸其根」時既將其理解為「反終」，又理解為「返其所始」（第16章注），並在《蠱》卦注中提出「終則復始」將終始聯繫在一起，並在《老子指略》中總結出「故古今通，終始同」的結論，因此始、母、終等這些用以表達「生」的概念具有道性的一致性。他還將老子之「眾甫」解釋為「物之始」（第21章注），如此一來，「以閱眾甫」就是提示人們去考察萬物之始。

　　王弼將《老子》之「復」理解為一種「反復」，應以虛靜來觀察萬物之動靜，萬物由虛而起，動極而靜，「卒復歸於虛靜，是物之極篤也」。天下萬物生於無，萬物也當復歸於無，從萬物的始點和終點來說，它們都與「無」密切相關。王弼在第一章注中說：

> 徼，微之終也，凡有之為利，必以無為用；欲之所本，適道而後濟。故常有欲，

2　此斷原文的標點存有爭論，焦點主要集中於「然則以賢是聖之次」以下的作者歸屬問題。王葆玹將引號用在最後，認為他們仍然是王弼的觀點，「此語不見於現存的王弼著作，亦不見於樓宇烈所輯《王弼集校釋》，然而文中『聖人體無』一句見於何邵《王弼傳》所引王弼的議論，是王弼的著名命題，則此文應為王弼的佚文應該是可靠的。」（見王葆玹：《正始玄學》濟南：齊魯書社，1987年，頁10）本處所引文字所使用的標點方法採用李學勤主編標點本《毛詩正義》，認為「然則以賢是聖之次」以後內容非王弼原文。關於此段的具體考辨文字可參見楊鑒生作著《王弼及其文學研究》復旦大學博士學位論文，2005年，頁7-9。

3　徐復觀：《中國藝術精神》桂林：廣西師範大學出版社，2007年1月，頁36。

可以觀其終物之徵也。

萬物向其本原復歸的動力，後來被牟宗三先生總結為一種「徵向性」，牟宗三先生說「道具體的運用一定和萬物連在一起說，就是連著萬物通過徵向性而生物，這就是不生之生。若不和萬物連在一起，徵向性完全從物說，使你了解道的創生性，那只是開始的分解的了解，一時的方便」[4]。這種復歸於虛靜之無的常態正從側面佐證了萬物之始於「無」的起點狀態，也正是在這個意義上才能構成真正意義上的「反復」。後來王弼所說的「舉終以證始，本始以進終」，正是要將生成之無與歸終之無結合起來，從而論述出無對於萬物的重要意義。湯用彤先生就說「萬物始於精妙幽深之狀態，太初太素之階段。其所探究不過談宇宙之構造，推萬物之孕成。乃至魏晉乃常能棄物理之尋求，進而為本體之體會。」[5]但是不管是原始還是反終，王弼慎終追始的目的是希望人們從「以物觀之」的角度切換至「以道觀之」即「以無觀之」，在事物的流變和事物的相互關係中體認道的存在。可以說王弼透過無名、無形、無音、無為等否定意義的具體性的「無」，使無成為說明萬有的差別和根源的存在，從而上升至更具純粹抽象意的「無」。當人們以無重新觀照萬物時，萬物才能真正的成就自身。

在《周易注》中，王弼也特別注重六爻中初上二爻的意義，從畫卦之次序來說，二者分別象徵著物之終始，王弼認為對於這兩個特殊的爻位並無陰陽本位，這一判斷強烈的衝擊了常見陰陽奇偶對應的當位說的壟斷地位。按照王弼的邏輯，初上是「終始之地」，對他們的判斷不能獨論，不能以單一爻位來討論其陰陽的屬性，王弼認為如果初上能夠在終始上堅守於道，體現在爻位的吉凶禍福的判斷上就具有了很大的靈活性，可以動遠、可以處險惡，弱可禦敵、憂而不亂、柔而不斷，不必拘泥於居後與處先，不必執著於守靜與物競，可根據具體的情境去抉擇。這樣一來，體道之物就猶如孔子所說可以「從心所欲」，它所依據的原則不再是世間某一具體的原則，而是大道在變動不拘的現實流行中的自然流露。他還將這種原則運用於其他各爻的解讀中。對終始之道的體察不僅有助於理解每卦中「卦以存時」的理念，也能具體到每一爻位的具體情境中去，通過體察卦中所含之常道，就能突破短暫的時間性而進入到「久」、「常」之具有綿延性的道的流行中來，人們對事物恆常性的體認使人能不離於道，最終實現天下的化成。在關於恆常之道的效用說明中，我們可以看到王弼的論述並不是一種認識論的路徑，更強調在具體卦象的考察中去辨析、體認大道的方法。

4　牟宗三：《中國哲學十九講》上海：上海世紀出版集團，2005年4月，頁93。

5　湯用彤：〈魏晉玄學流別略論〉，《湯用彤學術論文集》北京：中華書局，1983年5月，頁234。

二　體道大通，與道同體

　　王弼認可事物之間的同一性，並將事物的同質性上升為同通性，從而肯定萬物共同的根源。他首先基於事物之間的類的屬性上來言事物之「齊」，比如《老子指略》所說的「義雖廣瞻，眾則同類」，對多種事物的某一屬性的共同性的認識形成了事物類的觀念，當以類的觀念來觀照萬物時，他就得出了與莊子相似的結論，「同聲相應，高下不必均也；同氣相求，體質不必齊也。」(《周易略例》)同質性並不是要求事物在具體性質上完全一致，「恢詭譎怪，道通為一」。王弼對「類」的概念的進一步抽象，使類成為道性某一特徵的具體呈現時，萬物在大類意義上就具有了根本的一致性。同時，他還從動態過程上揭示出萬物動而至無、動而知無的狀態，他說：

> 高以下為基，貴以賤為本，有以無為用，此其反也。動皆知其所無，則物通矣。故曰「反者，道之動」也。(第40章注)

事物皆在有無之間，以有的形式復歸於無，並在存在發展的狀態中不斷發揮無的效用，萬物因此具有相互聯通的可能性。牟宗三先生說，「無沒有存有論的一位，但當『無』之智慧徹底發展出來時，也可以含有一個存有論，那就不是以西方為標準的存有論，而是屬於實踐的(practical)，叫實踐的存有論(practical ontology)」[6]「以無」為基礎所實現的萬物貫通，按照牟先生的看法，可以被視作一種用於實踐的存有，而這種存有性只能通過主體於存有狀態下的領悟獲得。

　　如果我們將莊子與王弼關於萬物一致性的描述對比來看，二者都是從事物的現有狀態入手，並追溯至萬物在終始狀態上的根源性，從而得出萬物共通性的根源，莊子將之歸之於氣，王弼將之總結為無。無相比於氣，是對氣空有特質的進一步概括，莊子認為氣聚生成萬物、萬物散又歸於氣的思路被王弼延續了下來，只不過他沒有再繼續延續莊子的氣化說，也自覺拒斥漢代更為精細的元氣說，而是以形而上學之抽象的概念來說明萬物所共同具有的基質。而且王弼對萬物一致性的說明不是簡單地從現象到概念的抽象，而是要以抽象概念去重新規範現象界，萬物的一致性被用以約束萬物現實存在上的多樣性。

　　王弼以為現實事物都有其常性，這種常被他概括為「不偏不彰，無皦昧之狀，溫涼之象」，即不偏於某一具體屬性，萬物不偏執而復歸於此常就能不離其分，其行為就能避免「妄作」的問題，事物在這種保持常道的過程中就能「與天合德，體道大通，則乃至於窮極虛無也」(第16章注)。從個體性的自我成就出具有包通萬物的自我，從而體會道的通性，最終實現與道合一的狀態，在這種狀態下王弼所主張的「人與物通」，與

6　牟宗三：《才性與玄理》桂林：廣西師範大學出版社，2006年8月，頁84。

莊子的「通天下一氣」以及「萬化」的思路是一致的。

　　這種思路也同樣貫徹在他的《周易注》中。儘管《老子》和《周易》分屬於儒道兩家的代表性文獻，但王弼認為二者殊途同歸，其內含之道是沒有分別的。《周易》六十四卦中，王弼以為《泰》卦是最能體現天地交通的卦象，此卦坤上乾下，乾代表天，不斷上升，而坤代表地，不斷下降，上升與下降的交匯構成了天地的交通。王弼以為「泰者，物大通之時也。」在解釋九二爻辭「朋亡」時王弼說「無私無偏，存乎光大，故曰『朋亡』也。如此，乃可以得尚於中行。」這裡的無私無偏，正是《老子注》中常道的表現，堅守並復歸於常道則萬物能相互容通。相反《否》卦乾上而坤下，《象》曰「天地相交，而萬物不通也。」王弼釋九二爻辭說「傾後通，故後喜也。始以傾為否，後得通，乃喜」，「否」這種天地交覆的狀態是不能恆久的，只有二者顛倒成為《泰》卦實現天地的交通才可以獲得恆常性。從上面兩卦的注釋我們可以看出，王弼將萬物保持中道視作與物交通的重要手段，只有在對萬物通性的體認中事物才有可能體貼到道的效用，並進而深化對道的認知。

　　在注解「志於道」時，王弼說「道者，無之稱也，無不通也，無不由也。」道是天下萬物所以通會的原因和根據。注釋《睽》卦王弼說「至睽將合，至殊將通，恢譎詭怪，道將為一。」顯然這裡受到了〈齊物論〉的很大影響，〈齊物論〉說「故為是舉莛與楹，厲與西施，恢詭譎怪，道通為一。」道的貫通性已經超越了性質相同的事物貫通到性質相反的事物，但這並不是通的邊界，「通」可以惠及到天下萬物使萬物具有共同性。王弼注解《屯》卦六二爻辭說「屯如邅如，乘馬班如，匪寇婚媾」時，以「正道未通」來解釋六二欲與九五相應卻遇初九相逼之卦象，因為未通正道所以只能「乘馬班如」，盤旋不進。這一正一反的兩種說法應證了其在《老子注》中所描述的聖人。聖人「與天合德，體道大通」，其貌虛無柔弱，不言不教，卻「無所不通」，通於物情物理，因此萬物自化、自正、自樸。聖人「茂于人者神明也，……神明茂，故能體沖和以通無」，聖人與無相同，通過知無、體無，才能真正得道。

　　而王弼對得道主體的看法則具有一定的複雜性，他首先延續了《老子》的說法，將政治統治者視作得道者。通過文本的統計分析我們也可以看出，《老子》文中三分之二強的「聖人」、「我」都直接或間接地指向為政者，而文中更不乏「王公」、「為天下」者等等名詞，但這也並不意味著在老子那裡只有統治者才可以實現與道合一的境界。王弼在注釋時首先也承認為君者與道同體的可能，但他更進一步地將成聖的可能賦予每一個人，在他看來，只要掌握了為道的方法，每個人都可以與道同體。他說：

　　故從事于道者以無為為君，不言為教，綿綿若存，而物得其真，與道同體，故曰「同于道」。（第23章注）

　　窮極虛無，得道之常，則乃至於不窮極也。（第16章注）

王弼將「與道同體」的人稱為「有道者」，將踐行道的行為稱之為「行道」。在王弼與何晏關於聖人與凡人關係的論述中，王弼說：

> 聖人茂于人者，神明也；同于人者，五情也。神明茂，故能體沖和以通無；五情同，放不能無哀樂以應物。（何邵《王弼傳》）

王弼將聖人與一般人的根本區分放在「神明」上，他所說的「神明」，並不是神妙莫測的神靈力量，而是由個人生命覺悟所開發出來的智慧，用牟宗三先生的話說就是「虛靈明覺之心」。一旦生命的智慧發用出來，個體就能在道的開顯中逐漸體認道本體並與本體之無相通合一。也就是說，王弼雖不否認每個個體都有與道同體的可能，但僅有那些具有開悟智慧的少部分才能真正體察到顯而不彰的道體，從而實現生命的跨越。在《論語釋疑》對〈泰伯〉篇注釋時，王弼又對聖人、君主的關係給出了一定說明，〈泰伯〉大為讚揚堯作為君主的成功之處，認為他不僅能得到百姓的讚譽也能制定恰當的禮儀，王弼則提出

> 聖人有則天之德。所以稱唯堯則之者，唯堯于時全則天之道也。蕩蕩，無形無名之稱也。夫名所名者，生於善有所章而惠有所存。善惡相須，而名無形焉。若夫大愛無私，惠將安在？至美無偏，名將何生？故則天成化，道同自然，不私其子而君其臣。凶者自罰，善者自功，功成而不立其譽，罰加而不任其刑。百姓日用而不知所以然，夫又何可名也。

他用「則天成化，道同自然」來說明〈泰伯〉中的「民無能名」，王弼以為堯之所以能成為聖人具備天道天德，是因為他能完成作為君主的本分之事，即不徇私枉法並能以君主之位來管理好群臣，在這樣的社會秩序中，功成和賞罰都是萬物之自然而不是人為的干涉，因此百姓對於君上不會大加讚譽也不會加以抵制。通過這樣的注釋，堯這一角色在儒家、《老子》和王弼這裡出現了很大的變化，作為儒家的聖王的堯只不過是《老子》十七章中「親而譽之」的管理者，並不是他所理想的「太上」之選，但是王弼的注釋卻將堯提升到老子理想聖人的境界上，並將道家無為而治、順物自然的理念賦予到堯身上，從而使堯重新成為「與道同體」的代表。

　　堯在《莊子》一書中共出現了六十四次，是書中非常重要的人物形象。《莊子》書中「堯讓天下與許由」、「往見四子藐姑射之山」、「欲伐宗、膾、胥敖」、「堯問於許由」等段落都是將堯與道家聖人相對立，其形象主要集中於堯在社會治理方面和禪讓的傳統，並未脫離傳統儒家所尊崇的聖王形象。但莊子又以自己的理論立場解構了堯的聖人地位，〈大宗師〉篇則明確批評堯所具有的盛名，莊子說「與其譽堯而非桀也，不如兩忘而化其道」，〈外物〉篇中也指出「與其譽堯而非桀，不如兩忘而閉其所譽」。但是莊子也並未完全否定堯在事功方面的成就和價值，將其視作賢人的代表，〈徐無鬼〉說

「天下非有公是也，而各是其所是，天下皆堯也，可乎」。〈天地〉篇則將堯之治與後世進行對比，指出昔者堯治天下，不賞而民勸，不罰而民畏。今子賞罰而民且不仁，德自此衰，刑自此立，後世之亂自此始矣」，將「不賞」、「不罰」的內容添加到堯的聖王之治中，逐漸開始用道家的無為思想來改造堯的形象。王弼對堯之不可名的論述，正與莊子後學的這一思路相契合，只不過他以同化於道的理念重塑了堯的聖王形象，將他納入到道家聖人的體系中來。

　　《孟子・盡心上》說「盡其心者，知其性也。知其性，則知天矣。存其心，養其性，所以事天也」，孟子通過個人四端之心的自然流露使仁義禮智等德性成為個人自覺的需求，通過主體道德精神的挺立來實現一種與天地並立的人格形態，進而最終實現對道的體認。傳統儒家的這一路徑與道家是不同的，道家將人的本性定義為一種自然，並不以道德來要求個體生命，相反，王弼對《老子》、《莊子》、《周易》的思想資源的整合，我們可以發現一條與道同體的新路徑，即通過個人主體的觀察、覺悟和行為，去體察本體之道的微妙，進而使這種省察成為人的生存狀態。相比起來，傳統儒家的倫理學色彩被減弱了，王弼強調本體論和實踐論的合一，「與道同體」是一種知識、明覺和行為三者不可或缺的結果。他對體道的方式也成為後來談玄的一個重要結論，《世說新語・文學》記載說「司馬太傅問謝車騎：『惠子其書五車、何以無一言入玄』謝曰：『故當是其妙處不傳。』」妙處不傳，無法為語言所表達、傳遞和交流，因此對道的體認一定是具體到每個個體生命自身的，是個人精神之充盈和完滿的結果，其路徑可以複製，但其具體內容卻無法講述。

三　道不可體，志慕而已

　　儘管王弼試圖將傳統的知道轉化為一個體道的路徑，他又不得不面對「道不可道」可能存在的悖論，既然最高的道是不可以為人言說的，那麼這個道是不是也就是不能為人所體認呢？《莊子・知北遊》中知所提出的疑問又一次被再現在後世的著述之中，王弼在《論語釋疑》中注「志於道」就集中從「志」上談道的問題：

> 道者，無之稱也，無不通也，無不由也，況之曰道。寂然無體，不可為象。是道不可體，故但志慕而已。

在這裡王弼依然堅持以無釋道，認為無是道的代名詞，是萬物所通所由的根源，只不過人們以道、無等等不同的稱呼來稱謂它而已。王弼這裡所說的「道不可體」包含兩種不同的理解，一是至道不可為具體形象所限定的，所以它不能體現為具體的事物，第二種理解則是人是不可能實現與道同體的，人對道的追求只能通過不斷地超越提升卻永遠無法到達。嚴格說來，這兩種理解並不衝突，第一種看法可作為第二種看法的基礎。王弼

「道不可體」與「與道同體」的內在衝突可以通過王弼對「無」的論述來巧妙地化解，在他的表述中，他認為將道雖不可體，但「無」卻是可以把握的，他的「聖人體無」論也正是在這個意義上建立起來的。人們可以在實際生活經驗中建立起對有關關係的簡單認知，並上升到對無的根源性和無的功用性的體會，按照上文的論述，王弼因此建立起人們對「無」的本體性認識。

（一）王弼的言說方式

　　王弼對《老子》的注釋是一個完全反文本的詮釋案例，因為在他與裴徽的討論中，他提出「老子是有者也，故申之無已」，老子並未能達到他所定義的聖人的標準，《老子》的文本本身也就不能成為表達道義的經典文本。但王弼依然選擇注釋這個文本，是因為他透過訓無、言無，將他所認為的「有」的哲學改造成為「無」的學說，從而對接裴徽之說。如果借用郭象〈莊子序〉的語言來說可能更為形象些，郭象以為「莊生雖未體之，言則至矣」，王弼以為老子雖未能體道，但他的論述是以道為中心展開的，可以成為他來論道的工具文本。這種反文本的詮釋也見於他對《周易》的注釋，《易·繫辭》云「一陰一陽謂之道」，王弼注釋說：「一陰一陽者，或謂之陰，或謂之陽，不可定名也。夫未陰則不能為陽，為柔則不能為剛。唯不陰不陽，然後為陰陽之宗；不柔不剛，然後為剛柔之主。故無方物體，非陰非陽，始得謂之道，始得謂之神。」[7]他否定了傳統的陰陽構成的道，而代之以「非陰非陽」「不陰不陽」，從事物的單面性走向更為全面的把握，因此我們可以說王弼試圖通過對既有儒道對道的經典表述的反省，從中省察出「道」的超越性特徵並加以表達出來，否則我們今天對王弼文本的分析就無法真正實現對他的認識了。因此我們可以說，王弼以「體無」的方式來接近於道，但道的最高本體卻又是不可體認的。

　　王弼對「無」的功用的理解具有雙層的含義，一是事物本身的功用，受老子思想的影響，王弼不僅強調有之為用，更突出說明無的莫大而無窮的效用，他說：

> 木、埴、壁所以成三者，而皆以無為用也。言無者，有之以為利，皆賴無以為用也。

人們習慣從有形有象的事物上看到其實際的功用，但其之所以能發揮作用，更在於與其一直相伴的「無」的作用，王弼所言的「以無為用」，其實就是提醒人們重視無用之用，發現因無的空間性和空虛性所帶來的容納、運動等可能。而王弼更在老子意義的基

7　參見王葆玹：〈《穀梁傳傳疏》所引王弼《周易大演論》佚文考釋〉，《中國哲學史研究》1983年第4期。

礎上將「用」理解為一種本體之發用，他在第三十八章注中說「是以上德之人，唯道是用，不德其德，無執無用，故能有德而無不為。」道的功用的體現就是它所具有的「無」的特性，無執、無用、無為，因此「無」的本體被不斷下降成為具有形下意義的存在。當我們將這兩種「用」的觀念用於對聖人之言的理解上時，就會發現王弼一直提示人們在理解字句所蘊含的「有」的意義的同時，更需關注其未能加以表達的更為深刻的本體論的論述，通過聖人經典中的言論以及其所不言的內容，都可被視為至上之道的一種具體表達，因此他用「得意忘言」與「言以盡意」的方法，鼓勵人們透過已被記錄的言語和文字去把握至高的「無」的存在，並以「無」之本體去體察語句內蘊的未盡之意。我們也可以說，王弼將「體道」的方法運用到對經典文本的理解中，從而開創出一條從理解到體悟的新的道路。而在這個意義上「無」的概念又兼具抽象與具體的特徵，使無既能被絕對化成一種形式性的空，但同時又能作為一種具體的方法手段，發揮出道輔萬物之自然的功用來。

（二）無的絕對性的建立

　　王弼「道不可體」與「與道合一」說的內在矛盾，集中展現了長期蘊含在《老子》及後來著述中的一個理論問題。在《老子》原文中，道的絕對性地位就已經被建立了起來，但老子也一直在論述道是可以發用出來的，道通過生成萬物，一生二，二生三，三生萬物，產生了物質性的世界。這樣一來，一個作為絕對抽象性的概念如何能產生物質性的事物呢？這個問題也同樣存在於王弼的注釋中。王弼在對「無」的論述中，內在的包含著一種抽象義和具體義的矛盾。「無」是品物之宗主，能包通天地，不為具體的事物所限定。康中乾就指出，「無」為了能成為本體，必須是抽象的，不可同時具有生成義，同時，無為了能成為本體，又必須是具體的。「無」的兩難局面直接導致了兩種不同的結論，從本體意義上來說，道是不可以體察的，但從現象層面來說，無又必須落實在具象之上。

　　王弼借用了「本末」的理論模式來解決這一疑難。《老子指略》中他提出「崇本以息末，守母以存子」，認為「老子之書，其幾乎可一言以蔽之。噫！崇本息末而已矣」，盡可能突出無的某些本體性特徵。但與「末」相對的「本」，其意義並不是一種絕對的抽象，原初指稱的是樹之根，是對現象界具體現象的一種帶有抽象特徵的反思。王弼還用這種母子、本末的模式來說明諸子百家的差異，他說

> 法者尚乎齊同，而刑以檢之。名者尚乎定真，而言以正之。儒者尚乎全愛，而譽以進之。墨者尚乎儉嗇，而矯以立之。雜者尚乎眾美，而總以行之。夫刑以檢物，巧偽必生；名以定物，理恕必失；譽以進物，爭尚必起；矯以立物，乖違必

作；雜以行物，穢亂必興。斯皆用其子而棄其母。(《老子指略》)

法家、名家、儒家、墨家等分別通過刑罰、名理、聲譽、儉樸等手段，糾正社會存在的問題，但是在王弼看來諸子對社會問題的看法只停留在方法方面，未能深入到問題的本質，只看到有的方面，而未及無的特性。可以看出，王弼在與「末」相對應的「本」的理解上並未上升到今天我們所說的本體論（ontology）的層次，對本的本體論特徵也主要停留在「無不通」、「無不由」的論述上。

王弼在「無」的抽象度的困境也為後來很多研究者所注意，他們採用不同的方法來說明「無」的問題。唐君毅先生曾說「吾人之所以謂魏晉玄學家所用之自然、無、有、天、獨化之此一類名言，乃所以表吾人意中之理者，可從此類之名言恆不只是一個，而隨吾人之意之變而可以多，以證之。」[8]唐先生並沒有將「無」上升為本體的論說，而只是作為「理」的名言，雖較為突出無的抽象性，但並未將這種抽象性上升到絕對性的層面。湯用彤先生的論說中則用「以無為本」和「以無為用」兩個不同的概念，其背後是一種體用論的思路。但如果我們直接回到王弼的文本，會發現今天我們所說的體用論的特徵在王弼那裡並不明顯，王弼用以說明《周易》的體用並不是真正的本體之發用，更多的是從母子說所衍生出來的更具抽象性的理論方法。從母子說來看，不管是老子還是王弼，都還是試圖通過可形可象的事物來說明生成論，因此馮友蘭先生所提出的宇宙論之顛倒最終成為了本體論的說法[9]，其本體最終也並未完全進入到絕對抽象的層次。因此我們可以進一步推論認為，在早期玄學的討論中，儘管對道或無的論述已經逐漸擺脫了漢代氣化論的影響，通過對現象的進一步抽象，人們可以把握「無」的一些本體特徵，這種特徵儘管從語言論說中已進入到絕對本體的層次，但在實際論說中還未能充分剝離它的具體性。

四　結論

王弼的「以無為本」說深化了老莊「道」論，探索出一條從知道向體道轉化的路徑，但他對「無」的具體性和抽象性的結合並不完滿，與後來的體用論、本跡論相比，它未能在抽象與具體的相互關係中進行充分的論證，而這一理論問題也一直成為後來許多注釋者不得不面對的理論挑戰，直到後來，宋明理學的解答才提供了對這一問題的解

8　唐君毅：〈魏晉玄學與名理〉，湯一介、胡仲平編《魏晉玄學研究》武漢：湖北教育出版社，2008年8月，頁228。

9　馮友蘭先生指出「從認識的過程說，本來是天地萬物→有→無；把它顛倒了，就稱謂無→有→天地萬物。經過這樣一顛倒，這個無就稱為一種實體，稱之為『道』」。見馮友蘭：《中國哲學史新編》（中）北京：人民出版社，2007年，頁352。

決的方案。但是王弼體道說的提出，是道家學說從老子到莊子發展之後的一個新的高峰，它不僅提供了道家可以提升個體生命精神境界的路徑，也為個體生命於現實存在中獲得超越的可能提供哲學的解答。王弼的思路也為後來玄學家思考人與道合一提供了一定的問題意識，從知道向體道的側重也成為後繼之竹林玄學發展的重要方向。

天人之際
——一種天人互涵的歷史結構

閆陽

北京師範大學哲學學院

　　董仲舒的「天人學」思想是他哲學體系中的核心問題之一，歷來為各個時期的學者所重視。在現當代的董仲舒哲學研究領域，以「天人感應」為集中表達方式的董仲舒「天人學」一般被理解為一種君權神授的政治學構想，這方面的代表學者是張文英先生；或是帶有神學目的論色彩的宗教性理論，這方面代表學者是馮友蘭先生與侯外廬先生；又或是「天人合德」的人性論與倫理教化學說，這方面的代表學者是張立文先生。

　　近年來，大量學者試圖別開生面，或兼採三種提法，或取此三種中的某一種兩種，附以新說，盡可能地統括董仲舒「天人學」之精要。此類學者的代表有宋志明先生[1]、張立文先生[2]、丁為祥先生[3]、康中乾先生[4]、韓星先生[5]等等。持此研究方向的學者人數既多，影響又大，基本代表了近年來董仲舒「天人學」研究的主流方向。這也顯示出此領域的研究開始反思突破早期單向言說的方式，實現了研究方法與視角的轉向，進入成熟階段。

　　在這樣的大背景下，董仲舒「天人學」的研究進入一個繁榮的新時期，開拓出了許多有深入研究價值的新內涵、新領域。其中尤其比較值得注意的一個研究範式的轉變是：從靜態的研究視角向歷史的動態研究視角的轉變。傳統的靜態研究視角將董仲舒哲學中的「天」與「人」看作是給定的現成者，試圖建立一個確定的關係結構模型，將其統括其中。這類研究在明確董仲舒哲學中「天」與「天道」的確定性方面起到了奠基性的作用。在此基礎上有的學者嘗試進行轉向，以一種動態的視角去重新理解董仲舒的

1　宋志明：〈以吏為師到以天為教——董仲舒天人學說新探〉，《河北學刊》第29卷第2期，2009年3月，頁58-62。

2　張立文：〈董仲舒哲學核心話題探賾〉，《河北學刊》第20卷第1期，2010年1月，頁30-36。

3　丁為祥：〈董仲舒天人關係的思想史意義〉，《北京大學學報（哲學社會科學版）》，第47卷第6期，2010年11月，頁35-43。

4　康中乾：〈董仲舒「天人感應」論的哲學意義〉，《吉林大學社會科學學報》第54卷第5期，2014年9月，頁106-115。

5　韓星：〈董仲舒天人關係的三維向度及其思想定位〉，《哲學研究》2015年第9期，2015年9月，頁45-54。

「天人學」。

　　中國社科院陳靜研究員在〈試論王充對「天人感應論」的批判〉一文中以宇宙論的視角談「天人關係」:「在董仲舒那裡,『天人感應論』主要有兩個作用,首先是以『感應』的特殊方式,把人納入天的大體系之中。董仲舒曾言『天有十端』,把構成宇宙的基本要素歸結為天、地、陰、陽、金、木、土、水、火和人共十項……由人之外的九端,董仲舒建構了一個機械的宇宙……人之成為天的一部分……而在於人能夠與天感應,能夠主動地施加影響於天。這樣,宇宙的機械屬性就被打破了,宇宙的『既定狀態』也就不存在了。」[6]

　　康中乾先生在〈董仲舒「天人感應」論的哲學意義〉一文中也提到:「怎樣具體地通過功能來溝通、導通天與人呢?在此,董仲舒講起了宇宙結構的系統論,即他將人、天以及陰陽、五行、四時、物候、方位等等組合為一個有機的大系統,通過這個系統的運轉、運行來將功能性地將天與人統一起來。功能本來就與結構有內在關聯,所以董仲舒的『天人感應』論之表現為宇宙結構的系統論是順理成章的。」[7]

　　不論是宇宙論還是系統論,都已經跳出了傳統的框架,將「天」解釋為有機的宇宙全體,並且說明了它是如何打破「既定狀態」而運轉衍化的。這種由靜到動的轉變首先得益於有關於董仲舒歷史學研究成果的引入。這個方向的學者以「三統三正」作軸,演繹出一條或進化[8]或退化[9]的歷史進路,使得「天」與「天道」的歷史性內涵得以彰顯。另外,新的轉變也起到了糾偏補闕的作用。以往歷史學的研究中「天」更多地是在「人」的歷史中出現並發揮作用,「天」的歷史卻是隱而不顯的。而動態的「天人學」研究視角則有助於解決這個問題,發現並關注董仲舒所給出的「天」的衍化歷史。

　　在董仲舒那裡,「天」作為有機統一的宇宙全體,具有歷史性的內涵,包含了由始到終的衍化過程。董仲舒對這一問題的表述更為宏大,也更為隱晦。它需要我們將「天人學」與歷史學的研究相互滲透、相互觀照,才能有所發現。一方面,要將「天」融入歷史中去,賦予歷史以更加綿長的生命,將「人」的歷史拓展為「天」的歷史;另一方面,要將歷史的視角引入到「天人」中去,賦予「天人學」更加豐富的思想內容,發現「天」與「人」之間更加多維度的關係。

　　本文在立足於前輩學者研究的基礎之上,充分地吸收其優秀研究 成果,並謹慎地對其所存留的未盡之於予以補充,力圖在三個問題進行更加清晰的交代。第一是對

6　陳靜:〈試論王充對「天人感應」論的批判〉,《哲學研究》1993年第11期,1993年11月,頁40-46。
7　康中乾:〈董仲舒「天人感應」論的哲學意義〉,《吉林大學社會科學學報》第54卷第5期,2014年9月,頁106-115。
8　王永祥:〈董仲舒取法於天的歷史哲學論綱〉,《河北大學學報(哲學社會科學版)》第24卷第2期,1999年6月,頁68-74。
9　張秋升:〈董仲舒歷史哲學初探〉,《南開學報》1997年第6期,1997年6月,頁9-15。

「天」的「宇宙全體」概念進行更為清晰的整理；第二是對「宇宙全體」生生衍化的歷史進程試圖予以描摹；第三是對此視角之下的「天人關係」問題給出總結性的回答。

一　「元」統攝下的宇宙全體

「天」在董仲舒那裡有時也稱「天地」，是董仲舒天人學的核心概念。他在批判與繼承傳統「天論」的基礎上，對「天」的涵義給予了創造性的拓展和豐富。他綜合道、墨、陰陽等諸家理論，納「陰陽」、「五行」、「三才」等未見或少見於孔孟的概念入「天」，構造出一個至大無外、有機統一的宇宙全體。

董仲舒對「天」的概念最為集中的交代有兩處：

> 天、地、陰、陽、木、火、土、金、水、九，與人而十者，天之數畢矣。[10]
> 何謂天之端？曰：天有十端，十端而止矣已。天為一端……人為一端，凡十端而畢，天之數畢矣。[11]

在這裡，董仲舒給出了「天」分屬兩個不同觀念層級的涵義。前一個「天」指的是構成宇宙全體的十種元素之一，後一個「天」指代的則是宇宙全體。這兩個意義上的「天」董子均有大量使用。茲引證如下。

以「天」為十端之一：

> 喜怒之情，哀樂之義，不獨在人，亦在於天。[12]
> 天為君而覆露之，地為臣而持載之。[13]
> 天德施，地德化，人德義。[14]
> ……

在以上這幾處引文中，「天」與「地」、「人」相對，有分有合，而並無普遍意義與全體意義。故而可知是之十端之一的「天」，而非宇宙全體的「天」。

10　（漢）董仲舒著，周桂鈿等注：《春秋繁露》北京：中華書局，2012年6月，卷81，〈天地陰陽〉，頁646。

11　（漢）董仲舒著，周桂鈿等注：《春秋繁露》北京：中華書局，2012年6月，卷24，〈官制象天〉，頁269。

12　（漢）董仲舒著，周桂鈿等注：《春秋繁露》北京：中華書局，2012年6月，卷46，〈天辨在人〉，頁433。

13　（漢）董仲舒著，周桂鈿等注：《春秋繁露》北京：中華書局，2012年6月，卷53，〈基義〉，頁465。

14　（漢）董仲舒著，周桂鈿等注：《春秋繁露》北京：中華書局，2012年6月，卷56，〈人副天數〉，頁473。

以「天」為宇宙全體：

> 天道之常，一陰一陽。陽者，天之德也；陰者，天之刑也。[15]
> 天道之大數也，相反之物也，不得俱出，陰陽是也。[16]
> 天之常道，相反之物也，不得兩起，故謂之一。[17]

在以上三處引文中，「天」含融「陰陽」，為「大數」、「常」、「一」，乃是高於十端的最高層級的觀念，與「天之數畢」中的「天」可做同一認定。而這一意義上的天統括十端，即是包羅萬有的宇宙全體。

董仲舒談「天人關係」，有時在前一種意義上談，有時又落在後一種意義上。但本文以為，後一種意義上作為宇宙全體的「天」，與「人」之間的關係構成了董仲舒天人學的基本立場。作為宇宙全體的「天」乃是一種最高整體性、抽象性存在。儘管人能夠以整體直觀的方式與對其進行追問與反思，但落實在具體的經驗性活動中則必然表現為與某一形象事物的往還。而前一種意義上的「天」與「人」的關係即是基於此而展開的對「天人關係」的具體落實與具象化表達。與此相似的還有「地」與「人」的關係、「陰陽」與「人」的關係、「五行」萬物與「人」的關係等等。這些關係都發生在宇宙全體之內的各個部分間，被統一地涵蓋入「天人關係」的討論範圍。故而，本文以為只有站在以「天」為全體的立場上，對董仲舒「天人學」的討論研究才是全面而無偏頗的。

對於這一意義上的「天」所表徵的至大無外的宇宙全體，董仲舒從生成論的方向著手去論證它的有機統一性和整體性。他為宇宙的生成與衍化設立了統一的源頭：「元」。「元」是統括宇宙萬類的大本：「惟聖人能屬萬物於一，而系之元也……是以春秋變一謂之元，元猶原也，其義以隨天地終始也……故元者為萬物之本，而人之元在焉。」[18]可以說，宇宙正是在「元」的意義上實現了它自身的統一性與整體性。就哲學上說，我們可以姑且稱之為「元一元論」。

「元」作為宇宙的起源，在董仲舒的哲學中表達了兩方面的內容。其一，它揭示了宇宙的歷史性內涵。「元」是宇宙最原初的狀態，同時這種狀態中蘊含著某種不可調和的衝突，使得它一定要完成對自身的消解——這個衝突就是「生」。一方面，生化萬物是「元」作為「萬物之本」必然的實現；另一方面，萬物化生又是對宇宙原初狀態的突

15　（漢）董仲舒著，周桂鈿等注：《春秋繁露》北京：中華書局，2012年6月，卷49，〈陰陽義〉，頁445。

16　（漢）董仲舒著，周桂鈿等注：《春秋繁露》北京：中華書局，2012年6月，卷50，〈陰陽出入〉，頁449。

17　（漢）董仲舒著，周桂鈿等注：《春秋繁露》北京：中華書局，2012年6月，卷51，〈天道無二〉，頁454。

18　（漢）董仲舒著，周桂鈿等注：《春秋繁露》北京：中華書局，2012年6月，卷4，〈玉英〉，頁70。

破。在「生」的活動中，「元」的狀態被消解，宇宙實現了第一「變」。「變」自「元」始，有始必有終，故而董仲舒言：「元猶原也，其義以隨天地之終始也。」這也就意味著董子所給定的這個「天」或「天地」不是靜態的、既成的實體，而是包含著「天地終始」所昭示的歷史性，應當是一個動態的、歷史的存在。我們需要引入歷史的視角去思索「天」，將其視為一個從始到終、從發端到完成的生生衍化進程。恰恰是在這一進程中，宇宙才成為其自身。

另外，容易引起誤解的是，董仲舒在另一處也提到了「天地終始」的問題。他說：「天之道，終而復始。故北方者，天之所終始也，陰陽之所合別也。」[19]雖然兩處同樣是一種時間性表達，但〈玉英〉篇所引之「天地終始」扣在「元」上，而〈陰陽終始〉篇則著落在方位、陰陽上。後者所討論的問題是年歲四時的問題，是宇宙內一小循環；前者則指的是宇宙自始而終之大遞進，涵義切不可混淆。

「元」的第二個內容在於它表明了宇宙衍化過程中的歷史確定性。「元」的本初狀態在「生」／「變」中被消解，但「其義以隨天地之終始也」。也就是說，「元之義」在宇宙的衍化中以一種恆常的狀態留存下來，貫穿「天地終始」。它構成了宇宙的「變」中之「不變」，是宇宙維持其自身的歷史確定性。董仲舒將其指稱為「天道」，他〈天人三策〉中提出了「天不變，道亦不變」的問題。「道之大原出於天，天不變，道亦不變。」[20]「原」即是「元」，「天道」是「元」由於其自身不可調和的內在衝突而被消解掉之後留存下來的，究其根本仍須著落在「元」上去看。而「元」又是宇宙的原初狀態，是宇宙衍化歷史的開端，故而「道之大原出於天」。董仲舒由此所說的「天不變」談的不是機械論意義上的「不變」，而是蘊含在「生」／「變」之中的「不變」，是宇宙在衍化過程中維持自身的內在的歷史確定性。這種確定性恰恰在於「元之義隨天地之終始」，也就是「天道」的一貫。故而他又說：「道亦不變」。如果說「元」作為宇宙的最初狀態，在「生」／「變」之先處於一種未發的境域，此種境域下的宇宙將始而未始，確定性尚隱而未顯；那麼從「元」向下，「天地」一變而有始，進入「已發」的境域，便是當下具足了成為其自身而非任一他者的內在的歷史確定性。此後「天地」運行，生生衍化，「天道」便周流其中，作為天地運行圖式之最高表述而漸次展布，「萬世無蔽」。

二　「天道」與「王道」的涵攝

宇宙生生衍化的歷史進程顯現為一個確定的圖式，而「天道」就是對此的集中表述。在董仲舒看來，《春秋》的一個更重要的意義就在於對「天道」所表達的歷史圖式

---

19 （漢）董仲舒著，周桂鈿等注：《春秋繁露》北京：中華書局，2012年6月，卷48，〈陰陽終始〉，頁440。

20 （漢）班固著、王先謙注：《漢書補注》上海：上海古籍出版社，2008年，頁4047。

予以描摹。「春秋之為學也，道往而明來者也。然而其辭體天之微，故難知也。」²¹ 《春秋》「道往而明來」，這個「往來」是歷史的「往來」，而歷史不獨是「人」的歷史，更是「天」的歷史。唯有如此，《春秋》之辭才能夠上達於「天」而「體天之微」。也正是因為它所表達的對象是「天」之幽微不測處，故而「難明」。董仲舒認為《春秋》所描摹的「天」的歷史運行圖式，也就是「天道」一貫其中而具體展開的進程。他試圖通過對《春秋》公羊學的詮釋而將這一隱晦不可說的「天」的歷史說清楚。

《春秋》首書：「元年春，王正月」，²²後文又言：「公何以不言即位」。有此兩句而構成了公羊學的「五始」說：「元」為萬物之始，「春」為歲之始，「王」為治道受命之始，「正月」為王者所頒佈政教之始，「即位」為一國之始。董仲舒認為：「以元之深，正天之端；以天之端，正王之政；以王之政，正諸侯之即位；以諸侯之即位，正竟內之治。五者俱正，而化大行。」²³在這裡，我們可以清晰地看出，董仲舒所給出的宇宙生生衍化的邏輯序列：

元──天──王──政教──治──化大行。

「元」作為宇宙萬物最原初的開端，構成了宇宙生歷史性衍化將始而未始的第一階段。從這一階段向下，「春」為歲之始，象「生」，代表了宇宙間萬物資始。大而化之地說，「春」昭示著「天」的第一變，恰恰是這一「變」開啟了宇宙的衍化，「元」作為「始」的意義才明確起來。這樣，宇宙的原初狀態被打破，「天」從未始到有始，從未發到已發，宇宙生生不息的衍化歷史進入第二階段：「天」的階段。此處董仲舒所使用的「天」並非宇宙全體，而是十端之首。董仲舒言十端起於「天」，它是宇宙走出「元」狀態後的第一端，具有開關性的意義。故而董仲舒以之總稱在「人」出現以前，「天」、「地」、「陰」、「陽」、「木」、「火」、「土」、「金」、「水」九端其備而構成的純粹自然化宇宙。這一階段的宇宙天生地化、有序而時，有度而節，萬物萌蘖。這是「天道」圖式的第一個節點，在此節點上「天道」具體地表現為純粹的自然之道。

「王」為治道之始，它首先標誌著第十端「人」的出現。至此構成宇宙全體的各個功能性要素已然齊備，「天地」生生衍化進入第三階段。「人」是十端之「畢」，具有與「天」一首一尾相對待的地位。唯因於此，「人」才能夠以一種不同於萬物的姿態面向世界，於天地之間最為靈明。自有「人」以來，「天道」的落實就具體地從純粹自然之道的生化轉向了「王道」的開啟。王道昌明，則四時有序，風調雨順；王道不彰，則災異橫生。萬物的性命也隨之開始轉化，由人予以重新地理解和定位。當然，這並不是說

21 （漢）董仲舒著，周桂鈿等注：《春秋繁露》北京：中華書局，2012年6月，卷5，〈精華〉，頁99。
22 （漢）何休注，徐彥疏：《春秋公羊傳注疏》，《十三經注疏》上海：上海古籍出版社，1997年，頁2196。
23 （漢）董仲舒著，周桂鈿等注：《春秋繁露》北京：中華書局，2012年6月，卷4，〈玉英〉，頁72。

自此「天地」的自然秩序就不再發生作用。恰恰相反，作為先在的前提，它依然在與「人」的往還中顯現自身。

　　「王道」是天道的落實，「正」與「即位」又是「王道」的具體落實。其中所涉及的國家興滅、王朝更迭、禮樂制度等均是「王道」的具象化表達。董仲舒以《春秋》史實言國家之興衰乃在於由此而見背後的「王道」，從而合於終極的 「天道」。可以說，「天道」為體，「王道」為用；「王道」為體，「政教」、「國家」為用。「天道」經過雙重的具象化，最終表現為人間事的日常行用。人間的理想秩序得以確立，則「五者俱正」、「而化大行」，也就是董仲舒說的「王道之終」：

> 是以陰陽調而風雨時，群生和而萬民殖，五穀熟而草木茂，天地之間被潤澤而大豐美，四海之內聞盛德而皆臣，諸福之物，可致之祥，莫不畢至，而王道終矣。

　　這樣一種理想狀態中，天地萬類成化，完全地實現自身天道性命，宇宙全體達至一種最高的和諧。董仲舒認為它的實現在於「王道」的完成。換言之，宇宙生生衍化的初始階段起於「天」，完成階段則「畢於人」。

三　動態視角下的天人關係

　　在宇宙生生衍化的歷史進程中去打量董仲舒的天人學，對「天人關係」的內涵無疑會多出幾分理解。在以「天道」為最高抽象、以「五始」為具體落實的宇宙生生不息的歷史性衍化中，「天」「人」之間存在一下四種結構的關聯。

　　第一，「天」「人」間是歷史與當下雙重意義上的整體與部分關係。

　　在「天地」宇宙的歷史性衍化中，表徵宇宙全體的「天」具有雙重意義。它既是進行這一歷史進程而始終維持其自身確定性的主體，同時又是統括這一進程「終始」的全體。作為歷史主體的「天」自身包含著一個總有萬類的整體性結構。如果我們暫且遮蔽掉歷史性的因素，就當下取出一個宇宙的靜態截面來看，它是由「天」、「地」、「陰」、「陽」、「木」、「火」、「土」、「金」、「水」與「人」這十端相與相參而構成的整體。而「人」作為十端之「畢」而參與其中，乃是其中最富獨特性、與「天」同構、與「天」相偶的部分性存在。如此，「天」「人」之間是當下的整體與部分關係。

　　而就歷史進程的總體意義而言，「天」以「元」為開端，自「生」「變」而始動，終與「王道大行」。而「人」的出現恰恰終結了宇宙衍化進程中第二個階段的自然狀態，開啟了以「王道」為「天道」的第三個階段。故而相比於「天」之總體，「人」歷史地構成了其中的部分性存在。

　　第二，「天」「人」間是抽象與具體落實關係。

　　「天」作為宇宙全體，是只能夠在「人」的整體直觀中顯現，而無法具體落實的抽

象存在。同樣地,「天道」作為宇宙歷史性衍化之運行圖示的最高表述,也是無形無象的存在,只能經由人的「觀」、「取」活動而得以顯現。如果只就這一維度而言,人將是「天」之旨意的聽受者,那麼董仲舒的天人學說恐怕只能流於一種不太嚴密的理神論式的宗教學說。然而其之所以能跳出一般意義上的神學目的論範疇,走向一種更為深邃的哲學體系,恰在於董仲舒所解釋的「天」和「天道」除了向上的抽象維度,還具備一個向下的落實維度。

一方面,人所直面的經驗對象是「天」和「天道」的具象化。另一方面,人自身既與作為宇宙整體的「天」保持著完全的同構,又通過反思與修行自發地遵循並完成著天道。人自身的存在構成了對「天」的落實,人的存在活動即「王道」、「政教」又構成了「天道」的具體化落實。並且,在經驗與實踐的雙向具體化中,「人」自始至終地保持著某種獨特的能動性,與天相感,主動地施加影響於「天」,以自身的活動切實地落實著「天」的歷史性衍化中。

第三,「天」「人」間是歷史與當下的承續關係。

「天」作為統括「終始」的全體,首先是超越時空之上的歷史的綿延。而落實到具體的活動中,對「人」而言,它又構成了先在於「人」的前提性存在而與人發生關係。一方面,當「人」當下地展開活動時,「天」總是提供著人從事所有活動的可能性。另一方面「天」也以觀念的形式深深地介入到人的理解中。對活動而言,理解是邏輯先在的,我們能夠對某一個事物展開對象化的活動,也就意味著我們首先在一定程度上對它產生了理解。而理解得以產生根源在於前理解狀態的某種前提性觀念,即具有明見性的成見、前識——它是一種不必借助經驗與邏輯的先天觀念,在中國哲學的語境中,它的發生源出於「天」。「天」在活動與理解中的雙重前提性意味著,「天」對於「人」的顯現就邏輯上說總是發生在過往的、歷史的。並且,由於這種狀況根源於「天」超越於時空之上的本原性,故而是恆常的,不以時間為轉移的。這也就形成了「天」對「人」的覆蓋。不論在何種情境下,「天」「人」之間永久地存在著先在的過往、歷史,與當下所發生的理解、活動之間的承續關係。

第四,「天」「人」間是本原與目的的往還。

首先,「為人者天」,「天」對於「人」來說構成了「生」的意義上的本原性存在。這在董仲舒那裡是不言自明的。而作為被生成者的「人」於「天」而言則構成了目的性存在。「天地之大德曰生」,董仲舒所設想的「王道之終」的理想世界包含著「群生和而萬民殖」的要求。我們可以說,「天」的存在活動一定要去成就其自身,而「天」自身即包含著「生」的目的。「生」的活動一方面確立了「天」的地位,另一方面也使得作為「天」所生萬類中最為靈長的「人」構成了「天」的目的性存在。

其次,「天」是動態的、未成的,而非靜態的、現成的。它要在歷史性的衍化進程中去完成自身,而這一進程又具體地落實為以「王道」為綱常的「人」的活動。換言

之，「人」的活動構成了「天」成其自身的生成活動。董仲舒說：「天德施，地德化，人德義。」[24]十端之「天」與「地」所代表的宇宙的自然面向在於生化，而「人」的意義則在於「義」。所謂「義」，宜也，使萬物各得其所宜。用《中庸》的語言表達就是「非獨成己，所以成物。」「人」成己成物的活動實際上也就是向「天」施加影響，去塑造「天」的過程。就這一方面來說，「人」在「成」的意義上又是「天」的本原性存在。而「人」出生於「天」，「人」的活動亦出於「天」自身歷史性衍化的具體落實。如果「天」的存在一定要去成就其自身，那麼毫無疑問「人」的活動也應當服從於這一目的。也就是說，對「天」的成就乃是「人」自身內在的要求。「天」在這裡構成了「人」的目的性存在。

　　學者常論「天人合一」的命題，但其實「天人本無二，不必相合」。在董仲舒這裡，「天」是整體，「人」是部分；「天」是最高抽象，「人」是具體落實；「天」意味著歷史，「人」意味著當下；「人」生於「天」，「天」成於「人」，「天」生「人」即是成己，「人」成己即是成「天」。故而，董仲舒關於「天人關係」的表述，其中蘊藏這「天」與「人」之間的終極一致性。

24　（漢）董仲舒著，周桂鈿等注：《春秋繁露》北京：中華書局，2012年6月，卷56，〈人副天數〉，頁473。

淺談阿賴耶識思想

釋如傳（Ven. Skalzang Dolma）

泰國摩訶朱拉隆功大學（Mahachulalongkornrajavidyalaya University）

前言

　　阿賴耶識是佛教瑜伽行派理論的核心，它的建立解決了佛學所要面對的宇宙人生問題。一方面阿賴耶識含藏一切諸法的種子，內變根身、外變器界，宇宙萬有的一切諸法皆由阿賴耶識所變現，阿賴耶識為宇宙的本原；另一方面，阿賴耶識又是有情生命流傳的輪回主體，佛學所說的起惑、造業、受報的生死輪回必有一個負起聯繫的東西，而阿賴耶識恆轉如瀑流、非斷非常，自然就負起這生命相續的任務。但阿賴耶識並不是憑空建立的，也不是單純解決佛學理論上的矛盾，它的建立有著深厚的淵源。本文就試圖探究阿賴耶識建立的早期淵源與建立阿賴耶識的意趣。

一　阿賴耶識的定義與功能

　　阿賴耶識的梵文是 alayavijnana，亦譯阿黎耶識、無沒識、藏識、宅識。阿賴耶（alaya）原意是執著（由字頭 a 連結表示「執著」意義的語根 li 演變而成），或指所執的對象。原始經典說「眾生愛阿賴耶、樂阿賴耶、欣阿賴耶、喜阿賴耶，即難悟入緣起之理[1]（CCMajjhima-nikaya, I, P. 一六七），又說如來說非阿賴耶法，眾生恭敬攝耳，住求解心[2]（Anguttara-nikaya, II, P. 一三一），無著《攝大乘論》即是引用此義來建立所知依），則阿賴耶之本義可以想見。但原始經典中，有時又以阿賴耶為棲息之處、住處、貯藏處、家宅，這可能是從執著之義引申而來，因為住處可代表思想的歸宿。

　　瑜伽行派所說的根本心。音譯又作阿梨耶識或阿黎耶識，意譯為藏識、宅識等。部派佛教只建立眼識、耳識、鼻識、舌識、身識、意識等六識；瑜伽行派卻認為在此六識的深處，有不斷地生死輪回、經常都有持續活動的根本性的心，並稱之為阿賴耶識。而最先提到此阿賴耶識的是《解深密經》。

　　關於 alaya 一詞，原指貯藏物品的倉庫或藏；詳細地說，有（1）潛藏、（2）所

1　CCMajjhima-nikaya, I,P. , p167

2　Anguttara-nikaya, II,P. , p131

藏、(3)執著三意。依照此三意，阿賴耶識具有如下三種特質：

（1）潛藏於身體中的阿賴耶識：此識被認為潛藏於身體中，是以生理方式維持身體的根源性的心。它存在於身體的每個部位；不管睡覺或覺醒，都在心的深處持續活動。

（2）所藏所有種子的阿賴耶識：阿賴耶識又名為一切種子識；被認為是種子（受表層性的身、口、意三業的影響而成）所停留的場所。過去的業變成種子在阿賴耶識中受薰習。蓋被種植的種子在阿賴耶識中成長發展，其後遇緣而成為新的業並發芽，接著此業又會再種植新的種子。由於表層性的心（現行識）與深層性的心（阿賴耶識）的相互因果且有機性的關係而持續存在的情形，被稱為阿賴耶識緣起說。而瑜伽行派又從「一切均由阿賴耶識所作」的立場，主張唯識說。阿賴耶識，不僅一方面產生眼識乃至末那識七識，同時也產生身體與自然界（器世間），並持續任持之。

（3）作為執著對象的阿賴耶識：瑜伽行派在阿賴耶識之外同時又建立了一深層性的心，即稱為「末那識」的自我執著心。而此深層性的自我執著心的對象又是阿賴耶識。阿賴耶識是剎那生滅的，絕不是常一主宰性的我（阿特曼）。然而從阿賴耶識產生的末那識，卻將生出自己的阿賴耶識，誤解其為我、自我、常一主宰的我，而加以執著。

阿賴耶識（藏識）其後又被分為能藏、所藏、執藏三方面來研究。「能藏」是指收藏種子，「所藏」是指收藏諸法所薰習的種子，「執藏」是就被末那識執著而言。阿賴耶識的異名，除一切種子識之外，又有異熟識、阿陀那識、無垢識等，而無垢識（阿末羅識）是指沒有污染、無垢清淨的阿賴耶識。從阿賴耶識中去除所有污染的種子，使阿賴耶識轉化成極其清淨、沒有污染的大圓鏡智，這是瑜伽行派的究終目的。

二　原始佛教中的阿賴耶識思想

唯識學創始人之一無著造的《攝大乘論》，稱《阿含經》中已經有阿賴耶識之名，即愛阿賴耶、欣阿賴耶、喜阿賴耶。但於現存漢譯《阿含經》找不到這幾句話。無著時期梵本《阿含經》仍存，如果無著所說的與事實相違，小乘佛教徒就會戳穿他，因為無著是西元四、五世紀的古印度人，此時正是大乘佛教和小乘佛教的激烈鬥爭時期，玄奘法師的《大唐西域記》記載說，大乘佛教徒和小乘佛教徒不同飲一井水，可見雙方的對立情緒是非常嚴重的。小乘佛教攻擊大乘佛教「非佛說」。大乘佛教徒為了論證自己是佛說，把大乘佛教中觀學派之「空」和唯識學派之「有」，都探源到《阿含經》，因為大乘佛教和小乘佛教都承認《阿含經》是佛說。對於無著稱《阿含經》中已經有阿賴耶識之名，至今沒有發現小乘佛教徒對此問題的反駁。由此斷定，無著所說是事實。

對原始佛教的十二因緣仔細分析，已有阿賴耶識的萌芽。十二因緣，又稱為十二支，這十二支通過去、現在、未來三世，可以概括為兩重因果：由無明、行二支作為過去世的因，識、名色、六處、觸、受五支則成為現在世的果。由愛、取、有三支作為現

在世的因，生、老死則成未來世的果。總稱為「三世兩重因果」。任何一個生命體，在沒有獲得解脫以前，都要按照這種因果律在三世、六道中生死流轉，直至涅槃方休。可見十二因緣是輪回理論。

在十二因緣裡，值得注意的是第三支「識」和第四支「名色」。名裡也有識，和第三支「識」是甚麼關係，二者的區別是甚麼呢？二者肯定有區別，如果沒有區別，就重複了。小乘佛教無法回答這個問題，大乘有宗即唯識學派認為：第三支的「識」是第八阿賴耶識；第四支「名」所含的「識」是前七識：眼識、耳識、鼻識、舌識、身識、意識、末那識。

《長阿含經》卷十《大緣方便經》[3]對識和名色的關係講得很清楚：「阿難！緣識有名色，此為何義？若識不入胎者，有名色不？答曰：無也。若識入胎不出者，有名色不？答曰：無也。若識出胎，嬰孩壞敗，名色得增長不？答曰：無也。阿難！我以是緣，知名色由識，緣識有名色。我所說者，義在於此。阿難！緣名色有識，此為何義？若識不住名色，則識無住處，寧有生老病死憂悲苦惱不？答曰：無也。阿難！若無名色，寧有識不？ 答曰：無也。阿難！我以此緣，知識由名色，緣名色有識。我所說者，義在於此。」[4]

從這段經文我們可以看出，胎兒的形成，必須有識入母胎，一般稱為入胎識。這入胎識是指甚麼呢？根據大乘有宗的觀點，這入胎識就是十二因緣的第三支「識」，也就是大乘有宗的第八識阿賴耶識。

為甚麼說入胎識就是第八識呢？大乘有宗認為：一切有情眾生，從死到生的階段稱為中有，又稱為中陰，在此階段只有第八識阿賴耶識存在。正如《八識規矩頌》所說：「去後來先作主公」。「去」就是死，「來」就是生。在中有存在的第八阿賴耶識待轉生時，即進入另一個軀體，胎兒形成後就具備了名色，「色」是肉體，「名」是精神現象。

十二因緣的「緣行有識」，用唯識觀點來解釋，就是由現行產生種子，存在於阿賴耶識當中。

三　部派佛教中的阿賴耶識思想

阿賴耶識還可以追溯到部派佛教犢子部的補特伽羅、上座部的有分識、大眾部的細意識。

原始佛教不承認起主宰作用的「我」（靈魂），這是佛教區別於外道的一個主要特徵。佛教主張輪回，那麼輪回的主體是甚麼？誰在輪回呢？釋迦牟尼佛涅槃三百年後出現的

3　《長阿含經》卷10《大緣方便經》。

4　《大正藏》卷1，頁61。

犢子部及其支派正量部、法上部、賢冑部、密林山部，大膽提出有補特伽羅（pudgala，意譯為我）的主張。理由如下：

一、補特伽羅是輪回的主體。如《異部宗輪論》說：「諸法若離補特伽羅，無從前世轉至後世，依補特伽羅，可說有轉移。」[5]犢子部認為：人的肉體在人間的存在是有期限的，是有始有終的，而補特伽羅則是永恆的，它既可以附著於肉體，又可以獨立存在（中有），還可以從這一肉體轉移到另一個肉體。佛教的因果報應，有的是在本世受報，有的是在來世受報。一切有情眾生在沒有達到涅槃以前，都是在六道不停地輪回。這樣的輪回需要一個主體。犢子部認為，這種輪回的主體就是補特伽羅。

二、記憶的主體。曾見曾聞的事情可以留下記憶。犢子部認為，這記憶的主體就是補特伽羅。《大毗婆沙論》卷十一稱：「犢子部說，我許有我，可能憶念本所作事，先自領納今自憶故。」[6]

三、補特伽羅是認識的主體。認識客觀事物靠六識，六識的所依是補特伽羅，六識間斷時，補特伽羅仍然存在。正如《大乘成業論》所說：「我體實有，與六識身為所依止。」[7]

補特伽羅的三大功能與阿賴耶識有許多相通之處，由此可見，阿賴耶識的形成受到補特伽羅的很大影響。

犢子部提出「有我」的主張，當時的佛教界紛紛指責犢子部是依附於佛教的外道，要開除他們的僧籍。在強大壓力下，犢子部解釋說，他們設立的補特伽羅「非即蘊離蘊，依蘊處界，假施設名。[8]「非即蘊」是說補特伽羅不等於五蘊，因為五蘊是生滅無常的，而補特伽羅是常住的。「非離蘊」是說補特伽羅與五蘊有著不可分割的聯繫，離不開五蘊。所以依五蘊、十二處、十八界虛假施設一個不可說的補特伽羅。據《成唯識論述記》卷一，犢子部把一切事物分成過去法藏、未來法藏、現在法藏、無為法藏、不可說法藏這五藏，不可說法藏就是補特伽羅。犢子部這樣講補特伽羅，就和外道所說的「我」不同了。外道所說的「我」是實有，犢子部所說的「我」是假有。這就沒有理由開除他們的僧籍了，這件事被認為是佛教史上的重大事件，從此以後出現的佛教論典都要對「無我」問題明確表態，否則就被認為是外道，如《俱舍論》和《大毗婆沙論》都專門設立了《破我品》。

唯識學派的阿賴耶識，不僅繼承了犢子部補特伽羅的本質特徵，也繼承了上座部「有分識」的本質特徵。上座部佛教把「細心」看成是輪回的主因，稱為「有分識」，

5　《大正藏》卷49，頁16。

6　《大正藏》卷27，頁55。

7　《大正藏》卷31，頁785。

8　《異部宗輪論》，《大正藏》卷49，頁16。

也就是構成輪迴的條件或原因。「有分識」具有三界輪迴的條件或原因。

關於「有分識」，無性著《攝大乘論釋》卷二曾作過這樣的說明：「上座部中，以有分聲亦說此識，阿賴耶識是因故。如說六識不死不生，或由有分，或由反緣而死，由異熟意識界而生。如是等能引發者，唯是意識。故作是言：五識於法無所了知，唯所引發，意界亦爾。唯等尋求，見唯矚照。等貫徹者，得決定智。安立是能起語分別，六識唯能隨起威儀，不能受善不善業道，不能入定，不能出定。勢用，一切皆能起作。由能引發，從睡而覺。由勢用故，觀所夢事。如是等分別說部，亦說此識名有分識。」[9]

玄奘弟子窺基據此提出「九心輪」的主張，實際上只有八心，因為從有分心開始，又到有分心結束，把有分心一分為二而成九心。窺基著《成唯識論掌中樞要》卷下稱：「上座部師立九心輪：一、有分，二、能引發，三、見，四、等尋求，五、等貫徹，六、安立，七、勢用，八、反緣，九、有分。其實只有八心，以周匝言，總說有九，故成九心輪。」[10]最早提出「九心輪」的是巴厘文《法集論》，它把心分為八十九種，又把一般的心理作用分為十二心，再把十二心概括為九心。這裡所說的九心和《成唯識論掌中樞要》所說的九心，只是名字不同，內容完全一樣。

一、有分心。此時剛剛受生，還未起分別心，此時之心完全處於平靜狀態。

二、轉向心或能引發。境與心欲相緣，生起警覺，好像從睡眠狀態剛剛醒來一樣。

三、見或見心。其心於境地上轉，隨著眼、耳、鼻、舌、身五根而起五類感覺作用。

四、受持心或等尋求。有了「見心」，便對境界產生了痛苦或歡樂的感受。

五、分別心或等貫徹。有了分別心，就可以分別善和惡。

六、令起心或安立心。能分別善惡後，就對境界安立了好或壞的相狀。

七、速行心或勢用。開始下決心並採取行動。

八、果報心或反緣。外境對心所起的影響。

九、有分心。再回到平靜狀態。

生命剛一開始稱為「結生心」，生命結束稱為「死心」。一切有情眾生就像輪子一樣，從有分心到有分心，一直輪迴循環不已，直至涅槃。由此可見，有分心可以通達生和死，很像大乘有宗的阿賴耶識。

阿賴耶識的設立與大眾部的「細意識」也有著密切關係。據《異部宗輪論》，大眾部主張「心遍於身」，窺基的《異部宗輪論述記》對這句話進行了解釋：「即細意識遍依身住，觸身夾足，俱能覺受，故知細意識遍住於身。非一剎那能次第覺，定知細意識遍住身中。」「心遍於身」是從執受推論出來的，心能執受，所執受的是根身。心就是細意識，亦稱「細心」，這「細心」有生起六識的功能，相當於大乘有宗的阿賴耶識。《攝

9　《大正藏》卷42，頁386。

10　《大正藏》卷43，頁635。

大乘論》稱：「於大眾部阿笈摩中，亦以異門密意說此名根本識，如樹依根。」[11]大乘有宗的前六識依附於阿賴耶識，也像樹幹和樹枝依附於樹根一樣。

　　阿賴耶識還可以追溯到經量部的一味蘊和化地部的窮生死蘊。經量部認為人體內有一種叫作「一味蘊」的細意識，細微難言，稱為勝義補特伽羅，以它為基礎長出根邊蘊，即通常所說的色、受、想、行、識五蘊，由此構成世界上的一切有情眾生。由一味蘊長出根邊蘊，很像十二因緣的「識緣名色」，勝義補特伽羅就像阿賴耶識一樣，是輪回的主體。

　　小乘佛教的化地部認為有個窮生死蘊，《攝大乘論本》卷上稱：「化地部中，亦是異部密意，說此名窮生死蘊」。[12]「說此名窮生死蘊」即把阿賴耶識稱為窮生死蘊。世親著《攝大乘論釋》對窮生死蘊曾作這樣的解釋：「窮生死陰，恆在不盡故，後時色心，因此還生。於無餘涅槃前，此陰不盡，故名窮生死陰。」[13]此中「窮生死陰」就是窮生死蘊，它於無餘涅槃前，能生一切色法和心法的功能，也很像十二因緣的「識緣名色」，即由阿賴耶識的種子變現出色受想行識五蘊，形成新的生命。

四　建立阿賴耶識的兩種意趣

意趣之一──有情流轉之業果安立

　　建立阿賴耶識的意趣在部派佛教的論義中就已經出現了，更早一點說，在《阿含經》中就已經出現了。[14]《雜阿含經》第五十八經記載了一個具有哲學頭腦的「鈍根」比丘受批評的故事。佛住舍衛國東園鹿母講堂的時候，有二比丘來問法。一比丘問「五受陰」之「味、患、離」及「我慢」、「漏盡」、「無我」等問題；另一比丘即尋思，「若無我者，作無我業，於未來世，誰當受報？」可以看出，這位比丘尋思了一個很重要的問題，佛教既然說「無我」，那麼有情業報誰來承擔呢？諸法無我，諸行剎那生滅，那現在造業的身心，與未來受果的身心有甚麼聯繫？佛經中說：「假使經百劫，所作業不亡，因緣會遇時，果報還自受。」[15]業的作用，並不是立刻受報，有的業要在無量劫之後才受報，那麼這個業又是如何保存的呢？業是無常，才生即滅的，又怎能說業經百劫、千劫都不失呢？倘使業依舊存在，那又怎麼可以說諸行無常？就是存在，存在在哪

11　《大正藏》卷31，頁134。

12　《大正藏》卷31，頁134。

13　《大正藏》卷31，頁160。

14　《雜阿含經》，第58經。

15　《大寶積經佛·說入胎藏會》卷57，《大正藏》第11冊，頁335。

裡？在過去？在現在？在內？在外？[16]當無我觀與三世相續、業力任持的流轉生命觀相遇時，自然會感覺到它的深奧難知。又如記憶的問題，認識統覺的問題，輪迴與解脫之聯繫的問題等。[17]這就是佛教中如何同時成立「無我」與「安立業果」這兩個看似矛盾對立觀點的問題，也是後來小乘、大乘要解決的理論難點之一。邏輯地看，順著這個問題出發，自然會建立「阿賴耶識」概念。但原始佛教時代，更重視當下離欲、出離的解脫道，哲學思辨並不受鼓勵，所以這樣的思考被看作是支衍，經中稱這個比丘為「鈍根無知，在無明殼起惡邪見」，反映了原始佛教對「法」的討論是著眼於解脫道的現實態度。

然而一個真正的思想問題往往會隨著理論的發展而突顯出來。部派佛教時期，為了解決「無我」與「安立業果」的矛盾問題，開始出現作為一切有情業果含藏、生死流轉之根本所依的概念。在部派佛教中出現了如大眾部的「根本識」、化地部的「窮生死蘊」、經部的「細心說」等觀點，這些觀點也被《攝大乘論》「聲聞異門教」中部分引證以成立阿賴耶識。《攝論》中引文有：

> （1）《增一阿含經》云：「世間眾生愛阿賴耶，樂阿賴耶，欣阿賴耶，憙阿賴耶，為斷如是阿賴耶故，說正法時恭敬攝耳，住求解心，法隨法行。」於聲聞乘《如來出現四德經》中由此異門密意已顯阿賴耶識。（2）於大眾部阿笈摩中，亦以異門密意說此名根本識。如樹依根。（3）化地部中亦以異門密意說此名窮生死蘊。有處有時見色心斷，非阿賴耶識中彼種有斷。[18]

大眾部的根本識，是六識生起的所依根本因。化地部的窮生死蘊，是指第六識別有功能，窮生死際恆轉不斷的微細意識，是能生一切有漏色心的功能，直到金剛喻定，才滅盡無餘。經部根據十八界中的「意界」，緣起支中的「識」支；在間斷的六識以外，建立起一味恆在的細心，提出六識以外別有細心的主張。[19]無論是「根本識」、「窮生死蘊」，還是「細心說」等觀點，試圖解決的理論問題主要有兩點：一是成立一個相續識，作為有情生命流轉的所依；二是試圖建立有情業果相續的攝藏之處，所以後來部派佛教中又出現了種子的概念。這些觀點被看作是阿賴耶識概念建立的思想前驅。從以後唯識學的發展可知，作為有情流轉相續的所依之體和差別業果種子的含藏之處，這始終是阿賴耶識概念的兩個中心含義。因此，大乘唯識學興起之後，《解深密經》的阿陀那識概念，以及《楞伽經》的一切根識等阿賴耶識概念，其含義正是上述兩方面內容的明確化。

---

16 見印順：《唯識學探源》新竹：正聞出版社，2000年，頁45。
17 見呂澂：《印度佛學源流略講》上海：上海世紀出版集團，2002年，頁79。
18 《攝大乘論本》卷1，《大正藏》第31冊，頁134。
19 見印順：《唯識學探源》新竹：正聞出版社，2000年，頁50、121，165。

綜上，阿賴耶識概念的建立，首先是著眼於有情流轉而論，是為了解決生命流轉、業果安立的所依之體問題。這是阿賴耶識建立的意趣之一。

意趣之二——一切法之緣起安立

緣起問題，原始佛教時期是從生命現象來講的，部派佛教時期範圍擴大了，不僅講生命現象，也涉及到客觀上宇宙現象的一切法。總的來說，部派佛教對一切法的分析是把一切法歸納為不同的類別，各別地討論其性質，就一切法之總體性質的討論還沒有出現。大乘般若思想興起之後，轉向論一切法的總體性質。龍樹建立的中觀派的分析方法就轉向從一切法的總體性質來分析，以二諦說簡明有力地論述一切法的「緣起」與「空性」兩個層次性質，以遮詮的論述方式破除一切相，顯示一切法的實相，表現出了高度的理論概括。

與中觀派相同，大乘唯識學也是基於一切法的總體性質而論。部派佛教的根本識，是在生命依持與現起六識的作用上形成的，著重從有情流轉之業果主體安立來深化生命問題，湧出了深秘的本識思想，但本識的內容還沒有擴展到一切法。大乘佛學基於一切法總體性質展開論義的基本立場，使得唯識學安立的阿賴耶識概念所包含的內容也擴大到了一切法，提出了「名言種子」概念，構建了「分別自性緣起說」，這與部派佛教的根本識、細心識有了實質性不同。此時，阿賴耶識是一切所知法的總依，它能發生一切法。各種法的不同自相，是因為阿賴耶識含藏有自性各別的諸法名言種子。名言種子的自性不同，一切法因之就有區別。[20]此種阿賴耶識概念，由有情流轉的業果安立問題，擴大到了一切法之緣起因果安立的所依之體問題，可以說是阿賴耶識建立的意趣之二。

簡言之，阿賴耶識的建立有兩種意趣：一是著眼於有情流轉、業果安立的所依之體，二是著眼於一切法之緣起因果安立的所依之體。這中間，「名言種子」概念的建立是形成兩種不同意趣的關鍵原因。雖然作了這兩種區分，也只是觀察角度、論述次第的不同。佛教著眼於解脫論的特點，即使是基於一切法之緣起論述，也包含有情流轉緣起在其中。《攝論》所云「兩種甚深緣起」（一者分別自性緣起，二者分別愛非愛緣起）[21]，可以說是這兩種意趣在論義中的自然反映。

然而實際上，由於對這兩種意趣的解釋有著不同的思路，也造成了唯識思想的種種差別，實質性地影響了唯識學思想前後期的不同解釋。早期的阿賴耶識概念還是偏重於第一種意趣的，以有情流轉之業果安立為主要內容；而唯識學的發展，越是後期，越是基於一切法之緣起安立為中心而立論。

20　見呂澂：《印度佛學源流略講》上海：上海世紀出版集團，2002年，頁223。

21　《攝大乘論本》卷1，《大正藏》第31冊，頁134。

結語

　　總之，阿賴耶識可以追溯到原始佛教和部派佛教，說明唯識理論的形成曾經經歷了漫長的歷史時期，是逐步完滿逐步成熟的複雜理論體系。也反駁了小乘佛教關於「大乘非佛說」的詰難，說明大乘是佛說。

漢代詠物賦的物象解放之旅
── 由政治隱喻向物象自身的回歸

陸晨琛

北京師範大學哲學學院

　　漢代詠物賦是詠物文學的一種，顧名思義，它指的是兩漢時期以某一具體物象為表現對象的漢賦作品。詠物文學以物象為表現對象，然而，詠物並不等同於狀物、繪物。《國語・楚語上》云：「若是而不從，動而不悛，則文詠物以行之，求賢良以翼之。」[1]在此，楚王向申叔時請教如何才能將太子培養成理想的君主。申叔時認為應教之以禮樂經典，培養他的德性。如果這樣教導還不聽從，舉止失當而不改正，就用文辭托物的方式勸誡他，等等。可見，「詠物」這一範疇在形成之初，就已經與政治、教化這樣的社會功能聯繫在一起，並試圖通過物象傳遞出遠遠大於物象自身的文化含義。

　　在傳統形態的詠物賦研究中，人們一般認為，中國文學中的詠物作品可分為兩類。一種是摛文博物，即：「夫鳥獸草木，學詩者資其多識，孔門之訓也。郭璞作《山海經贊》，戴凱之作《竹譜》，宋祁作《益部方物略記》，並以韻語敘物產，豈非以諧諸聲律，易於記誦歟。學者坐諷一編，而周知萬品，是以摛文而兼博物之功也。」[2]一種是托物起興，即：「借題以托比，觸目以起興，美刺法戒，繼軌風人，又不止《爾雅》之注蟲魚矣。」[3]這就意味著，自然或人工物象雖然是詠物作品的表現對象，有時卻並不是作品想要表現的真正主題，而是通過托物起興的手法，來彰顯物之外的人文教化意義。具體到兩漢時期詠物賦的不同歷史階段而言，其表現對象 ── 物象的地位在不斷發生變化，為理解漢代思想史提供了一個別致的線索。下面嘗試論之：

一　政治隱喻 ── 物象作為媒介

　　漢代詠物賦是禮制藝術的一種，但卻與理想中的禮樂精神不符。《漢書・禮樂志》認為，「人函天地陰陽之氣，有喜怒哀樂之情……纖微憔悴之音作，而民思憂……粗厲

1　左丘明：《國語》〈楚語上・申叔時論傳太子之道〉上海：上海古籍出版社，2015年，頁355。

2　永瑢等：《四庫全書總目・佩文齋詠物詩選提要》北京：中華書局，1965年，頁1726。

3　永瑢等：《四庫全書總目・佩文齋詠物詩選提要》北京：中華書局，1965年，頁1726。

猛奮之音作，而民剛毅……流辟邪散之音作，而民淫亂。」[4]也就是說，人的情緒是被上天賦予的。不過，人的情緒缺乏恆定性，體現出「應感而動」[5]的特點，但是，「應感而動」也具有積極性的一面，也就是說，民眾的情緒既可以被「流辟邪散」的藝術形式引導至「淫亂」，也可以被符合中和之美的行為與藝術引導至和親無怨，在班固看來，這是禮和樂被制作出來的初衷。禮樂相成的目的是「通神明，立人倫，正情性，節萬事者也。」[6]由神明到人倫，到情性，再到萬事，這四者之間是一個從社會倫理秩序到個體人格發展，從抽象觀念到具象事物的不斷具體化的過程。可見聖人「象天地」而制禮作樂，其根本目的是為了通過規範教化的方式實現天下大治，而君主由此獲得的政權鞏固等現實利益則是由天下大治所導致的衍生效果，而非其最重要的目的。

　　傳統儒家治理天下的理想模式應該是以禮樂為主，以政令、刑法為輔，但是現實情況卻是與之相反。漢朝初期，漢高祖劉邦命叔孫通制禮儀的實際目的不是為了「安上治民」、「移風易俗」[7]，而是為了「正君臣之位」[8]，彰顯自己的威嚴與權勢。在此，統治者對禮樂的定位就由先秦時期對個體人性的培養、倫理秩序的和睦下降到極其功利的現實層面，禮樂僅僅作為政治權力的裝飾出現。「今叔孫通所撰禮儀，與律令同錄，臧於理官，法家又復不傳。漢典寢而不著，民臣莫有言者。又通沒之後，河間獻王采禮樂古事，稍稍增輯，至五百餘篇。今學者不能昭見，但推士禮以及天子，說義又頗謬異，故君臣長幼交接之道浸而不章。」[9]這說明在當時，一者禮樂的精神已經沒落，二者禮樂只限於朝廷皇家，未推及到百姓，禮樂流於形式，流於功利，並未產生甚麼實質的倫理教化意義。至武帝時期，雖然確立了「獨尊儒術」的治國方針，但是「是時，上方征討四夷，銳志武功，不暇留意禮文之事。」[10]也就是說，武帝時期「禮文」的角色定位依然不高，「禮文」起的不是「移風易俗」的教化作用，而僅僅是為現實政治錦上添花的意義。

　　漢代早期，詠物賦中的審美關係往往以政治倫理關係為基礎，如此一來，現實的政治環境就對禮制藝術產生決定性的影響。在這之中，詠物賦作為禮制藝術的一種，與政治的關係尤其密切。根據現存資料統計，西漢詠物賦多為臣子應詔制作或獻納君王之作，往往出現在祭祀、外交、宮廷宴飲等場合。於表面看，賦作者與接受者之間構成審美接受關係，實質上兩者之間是一種穩定的政治關係。無論詠物賦是否具有諷諫作用與

4　顏師古注；班固撰：《漢書‧禮樂志》北京：中華書局，2005年，卷22，頁881，887。

5　顏師古注；班固撰：《漢書‧禮樂志》北京：中華書局，2005年，卷22，頁887。

6　顏師古注；班固撰：《漢書‧禮樂志》北京：中華書局，2005年，卷22，頁881。

7　顏師古注；班固撰：《漢書‧禮樂志》北京：中華書局，2005年，卷22，頁881。

8　顏師古注；班固撰：《漢書‧禮樂志》北京：中華書局，2005年，卷22，頁883。

9　顏師古注；班固撰：《漢書‧禮樂志》北京：中華書局，2005年，卷22，頁887。

10　顏師古注；班固撰：《漢書‧禮樂志》北京：中華書局，2005年，卷22，頁884。

參政能力，賦作者與接受者的政治身份都對詠物賦文本產生影響，並左右了詠物賦的物象選擇。以西漢的樂器賦為例：經過整理發現，賦作者對賦作的表現對象──樂器的著墨往往較少，作品的較大篇幅是在描寫演奏者、演奏者的音樂、欣賞音樂的人，諸如此類。說明在樂器賦中，作者關注的對象並不限於某一樂器，而是針對這一樂器所產生的音樂生活進行吟詠。漢代的樂器賦實質上是圍繞該樂器展開的音樂生活賦。在詠物賦中，樂器這一物象承載的是一種貴族生活方式，一種高雅與理想化的貴族享樂生活。賦作者選擇屬於雅器的樂器作為詠物賦的創作對象正是對接受者生活內容的一種迎合。賦作者表面上是在吟詠樂器，實質上是對貴族享樂生活的變相追隨與吟詠。

　　在這種穩定的政治關係下所創作的詠物賦，其物象選擇其實被限定在一定範圍。此類詠物賦傾向選擇既美且善的物象入賦，以實現對君主、皇權進行讚美的政治隱喻。以枚乘的〈柳賦〉為例：柳樹的生命力頑強，易於種植，自古就被廣泛種植在河邊、村落和庭院。《詩經·齊風·東方未明》中就有「折柳樊圃」[11]的記載，這裡的柳樹作為園圃的籬笆，發揮的是現實防護的功能。至兩漢時期，折柳送別與寒食插柳的習俗成型，柳樹的防護功能由物理世界漫溢到人的精神領域。柳樹不僅保護人們的園圃，還在理想層面保護人們的身心不受外邪傷害。而《詩經·小雅·采薇》中「昔我往矣，楊柳依依；今我來思，雨雪霏霏」[12]的詩句，則為柳樹的意象化、風雅化提供了文學上的源頭。枚乘以柳樹為表現對象，既如實描寫了君臣宴樂的物理環境，又依託經典，讓頌德行為顯得信而不諂，同時還彰顯了賦者個人的精神品格與風雅情懷，如此一舉三得，顯然是深思熟慮、精心挑選後的結果。賦作者的主人（梁孝王）也出現在作品中：他端坐在柳蔭之下，風姿極其美好，正率領眾臣子玩賞這靜謐的夏日風光。君主在賦作中的出現解釋了賦作者寫作這篇賦作的目的，賦作的表現對象──柳樹也因之產生意義。通過柳樹這一物象，賦作者美化並強化了君主與自己之間的等級關係，進一步美化並強化了君主與臣民的等級關係，在枚乘的〈柳賦〉中，我們可以初步獲得這一印象。

　　事實上，漢代早期，詠物賦中的表現對象往往都是符合一定政治理想的物象，具有或顯或隱的政治含義。宮室賦在西漢詠物賦中數量較多，名篇不少，這就產生一個問題，大千世界，品類群生，為甚麼宮室建築能夠在諸多物象中脫穎而出，屢屢斬獲賦作者的青睞？「故奚斯頌僖，歌其路寢，」[13]早在春秋時期，魯公子奚斯就已經通過頌揚魯僖公的宮室的方式進而頌揚魯僖公。詠宮室原來就是詠帝王！這解釋了西漢時期乃至東漢以來賦作者對於都市與宮室建築這一類宏大物象的的創作激情。賦作者通過讚美宮室進而讚美宮室的擁有者，進而暗示的是君主統治國家的無上權力。需要注意的是，不

11　王秀梅譯注：《詩經·齊風·東方未明》北京：中華書局，2015年，頁134。

12　王秀梅譯注：《詩經·小雅·采薇》北京：中華書局，2015年，頁251。

13　費振剛、仇仲謙、劉南平校注：《全漢賦校注下·魯靈光殿賦》廣州：廣東教育出版社，2005年9月，頁850。

同的都市宮室賦，賦作內容與賦作構成卻高度相似。這裡不排除賦作者師法古人的創作傾向，除此之外，這也是藝術形象的理想性大於現實性這一創作觀念的生動體現。都市宮室賦的歌詠對象是否是現實的真實寫照並不重要，重要的是它是否塑造出一個理想宮室應該有的樣子。這一創作現象為我們揭示出都市宮室賦的真正含義：都市與宮室建築作為君王的化身，應集君王的威嚴與仁德於一身。與其說都市與宮室建築是賦作者的表現對象，不如說這是君主的理想世界。在這個世界之中，君主以世人景仰的聖王的形象出現，以宮室為媒介所生成的政治生活亦呈現出其最理想的存在狀態。

　　總體而言，在漢代早期，詠物賦中的物象主要起媒介的作用，用於通往君主的理想世界。這一類的詠物賦最終想要實現的是君臣之間對於政治生活的極為浪漫的、富於理想主義精神的集體想像，令人目眩神迷的物象世界裡潛藏著的實則是時代理想中的政治生活與聖王形象。也就是說，在漢代詠物賦發展早期，其表現對象——物象本身是不重要的，政治隱喻才是這一階段真正的文本主題。

　　需要補充的是，物象的政治隱喻不僅是漢代詠物賦創作的最初動機，在兩漢的各個階段，我們都可以看到一些富含政治隱喻色彩的詠物賦作品出現。西漢時期，政治意圖的直接表達略顯粗魯，這使得物象與頌德之間的關聯看起來有些牽強。隨著創作技巧的進一步圓熟，賦作者漸漸改進最初那種對政治意圖的直截了當的言說方式，嘗試以更加委婉、隱喻的方式顯示君主的權威。以東漢時期王粲的〈槐樹賦〉為例：〈槐樹賦〉是王粲奉命而作，王粲在賦作中說到這株槐樹本來生長在田間，後來被移栽到宮廷的中唐，它矗立在重要之處，根深葉茂，鳥兒棲息於此，過往的人們也在它的蔭庇下生活，隱喻曹氏輔佐漢室之功勞，曹氏才能突出，政績顯著，是朝廷的中流砥柱，於是人才競相投奔向他，人們也在他的庇佑下生活。在這裡，物象的政治維度與審美因素十分自然地混融在一起，物象作為詠物賦作品隱喻生成過程中必不可少的一環，有效地實現了賦作的政治訴求。也正基於此，曹丕才會盛讚王粲〈槐樹賦〉之美。綜上所述，政治隱喻不僅是西漢詠物賦的文本主題，也貫穿了整個漢代詠物賦發展的始終。

二　義理解釋——物象獨立價值的突顯

　　根據現存資料，漢代詠物賦中物象地位的提升發生在兩漢交替時期。在這一階段，由於整體政治環境的鬆弛，詠物賦的創作不再局限於宮廷獻納，由宮廷文學擴展到文人文學。當詠物賦中的物象不再行使政治隱喻的功能，物象自身的獨立價值就得到突顯。這在劉歆的〈燈賦〉、杜篤的〈首陽山賦〉等作品中均可以找到相應的解讀。劉歆〈燈賦〉的表現對象指的是燭臺與燭的一體，賦作先寫燭臺的外形優美，再寫燭光的作用

「明無不見，照察纖微。以夜繼晝，烈者所依。」[14]字裡行間雖然仍有微言大義之感，但與政治的關聯已經相當淡薄。而在〈首陽山賦〉中，首陽山之所以能夠作為表現對象在賦作中出現，是因為它自身承載的抽象的德性含義，而與現實的政治環境無關：武王伐商之際，孤竹君的兩位公子伯夷與叔齊不食周粟餓死在首陽山，因此，此處的自然風光便不同於其他地方。在這首作品中，首陽山與伯夷、叔齊一併成為儒家仁義思想的共同體。

　　至東漢時期，以政治隱喻為文本主題的詠物賦作品已經大幅度減少，詠物賦向物象自身回歸。不過囿於長期以來形成的政治隱喻傳統，物象繼續以倫理化的面目出現，但其政治訴求的維度被剝離，取而代之的是對物象義理的重視與探索，這也是物象獲得獨立審美意義的關鍵一環。回顧詠物賦史發現，東漢時期的賦作者極其熱衷給予詠物賦中的物象一種有效的義理解釋。一方面，賦作者認為詠物賦的表現對象——物象符合社會的倫理原則，其內部蘊含著善。以王粲的〈瑪瑙勒賦〉為例：在這首賦作中，瑪瑙製成的馬勒之所以美是因為它的「厥容應規，厥性順德。」[15]瑪瑙勒既遵守馬勒的標準與形制，符合禮制標準，又順應瑪瑙的自然之德，減少了不必要的雕刻。在此，物象的外在形式美被視為是其內在德性的流露。也就是說，善對物象之美具有更為高超的統攝意義。另一方面，賦作者把物象的獨特魅力解釋為物象內部運行的自然法則。物象內部蘊含著道性，順應了天地、四時、陰陽、五行的形而上法則。阮瑀在〈箏賦〉中將箏的結構與四時運行以及天人關係聯繫起來，認為「弦有十二，四時度也；柱高三寸，三才具也。」[16]強調箏樂之所以動人是因為箏的結構是四時與「天、地、人」的對應。應瑒的〈鸚鵡賦〉是一殘篇，短短幾句，依然流露出明顯的義理思想，他將鸚鵡的獨特性歸納為「苞明哲之弘慮，從陰陽之消息。」[17]認為鸚鵡的獨特之處正是在於其順應了聖人賢者關於宇宙人生的哲思道理，包蘊了天地四時萬物的變化消息。

　　而在一些詠物賦作中，物象的這兩種依據則同時存在，並行不悖。以王粲的〈車渠椀賦〉為例：車渠椀十分珍貴與美麗，賦作者想要為它的美麗尋找解釋的依據，於是將它與天地自然、倫理道德聯繫起來，認為車渠椀「挺英才于山嶽，含陰陽之淑真，」[18]

14　費振剛、仇仲謙、劉南平校注：《全漢賦校注上·燈賦》廣州：廣東教育出版社，2005年9月，頁329。

15　費振剛、仇仲謙、劉南平校注：《全漢賦校注下·瑪瑙勒賦》廣州：廣東教育出版社，2005年9月，頁1056。

16　費振剛、仇仲謙、劉南平校注：《全漢賦校注下·箏賦》廣州：廣東教育出版社，2005年9月，頁978。

17　費振剛、仇仲謙、劉南平校注：《全漢賦校注下·鸚鵡賦》廣州：廣東教育出版社，2005年9月，頁1157。

18　費振剛、仇仲謙、劉南平校注：《全漢賦校注下·車渠椀賦》（廣州年）廣州：廣東教育出版社，2005年9月，頁1057。

是天地孕育的精華，內蘊著宇宙的陰陽之氣，它「雜玄黃以為質，似乾坤之未分。兼五德之上美，起眾寶而絕倫。」[19]認為車渠椀的顏色質地像是乾坤的狀態，內蘊著五德之美（仁智禮義信）。綜上所述，賦作者對物的判斷顯然與漢代的哲學觀念有密切關聯，但與其說是賦作者用物作為媒介來表達當時的哲學觀念，毋寧說他們是在用當時的哲學觀念解釋詠物賦中物的獨特性。無論賦作者的解釋是否合理，眾多賦作者樂於解釋物象，為物象的獨特魅力尋找依據，這一現象本身就非常有趣，可以視為是審美活動理論自覺的一個必經階段，意味著在當時獨立的審美意識正在萌芽成形。

在東漢詠物賦中，物象與解釋之間構成的是複雜的關係。一方面，賦作者對物象的義理解釋是由物象觸發的，解釋是對物象的回應，從而突顯物象在詠物賦中的首要地位；另一方面，解釋作為文本的構成部分又重新塑造了物象並改變了人們對這一物象的理解——賦作者對物象的解釋並不在作品之外發生，解釋作為詠物賦作品必不可少的組成部分，直接參與作品的文本構成。詠物賦朝物象的回歸激發了辭賦者的創作熱情，所以，東漢時期的詠物賦數量要遠遠大於西漢時期的詠物賦作。賦作者們紛紛結合當時的義理觀念去創作、解釋詠物作品。但是這也帶來了問題，義理是物象之外的東西，由於賦作者對義理的過度追求，物象自身的光輝在這解釋中暗淡了。邊韶的〈塞賦〉就是其中的典型代表。在這之中，解釋雖然是因為賦作者對物象的關注而產生，卻在一定程度上造成了文本對物象自身的淹沒。對物象的義理解釋不盡具有說服力，有些賦作者也感受到用義理解釋物象的牽強，東漢中、後期，以物象自己的感性外觀為寫作中心的作品陸續出現，賦作者嘗試放棄對物象的義理解釋，開始專注於物象本身。

三　回歸自身——物象作為獨立審美具象

東漢時期，以政治隱喻為文本主題的詠物賦作品大幅度減少，物象突破政治隱喻的束縛成為詠物賦唯一的文本主題。總體而言，東漢詠物賦朝物象回歸的方式可以歸納為兩個層面。第一，解釋物象。正如上文所說，在兩漢交替時期，物象的獨立價值已經突顯，但基於一種固有的政治隱喻傳統，賦作者往往迴避把賦作看成是純粹的文學作品，迴避僅僅因為物象的感性外觀欣賞它們，所以此時詠物賦中的物象繼續以倫理化的面目出現，其獨立的審美屬性尚處於萌芽狀態；第二，聚焦物象感性外觀。揚雄說，「詩人之賦麗以則，辭人之賦麗以淫」[20]，在此，「麗以則」與「麗以淫」的區別在於賦作是否符合禮樂精神所要求的中和之美，是否實現了賦作被寄予的倫理價值「德」，但是，

---

19 費振剛、仇仲謙、劉南平校注：《全漢賦校注下・車渠椀賦》廣州：廣東教育出版社，2005年9月，頁1057。

20 揚雄：《法言・吾子篇》北京：中華書局，1985年，頁5。

無論是「麗以則」，還是「麗以淫」，它們都沒有否認漢賦的「麗」的審美特點，也就是漢賦的感性化傾向。「麗」一方面具體體現為賦作構成中華美的辭漢語言，另一方面則體現為賦作對事物外在感性形象的塑造描寫。東漢時期，在賦作者努力構建物象與義理一體關係的同時，也有人保持了冷靜的認知態度。例如杜篤在他的〈書護賦〉中提到「惟書護之麗容，象君子之淑德。」[21]「象」同「像」，指的是某一物與另一物類似，這裡既然使用到「象」，顯然是將書護與君子的德性區分開的。儘管賦作者還沒有在理論層面提出相對明晰的見解，但在具體的文學發生活動中，他們感受到用義理解釋物象的牽強，並嘗試做出改變。

　　東漢中後期的大量詠物賦表明，歷經對物象進行義理解釋的中間環節，物象自身的感性層面被真正突顯。以朱穆的〈鬱金賦〉為例：賦作者先講鬱金的生長環境，再寫鬱金像秋菊一樣光彩熠熠，像春松一樣挺拔茂盛，像羅星一樣靈動美麗。再寫折下鬱金，佩戴在年輕女子的頭髮上。鬱金的花期很長，很久才會凋零，在眾花卉中「邈其無雙」[22]。可以發現，不像之前的詠物賦文本，在這首賦作中，物象與政治、哲學、倫理不再產生甚麼內在的關聯，也不再承載甚麼重要的意義，只是呈現物象自身的一種情趣生動的自然趣味。在這裡，物象以及物象自身的感性特徵成為作者與接受者最先也是最終的關心對象。我們在蔡邕的〈漢津賦〉中也可以清楚地看到這種創作觀念上的重要變化。賦作先寫漢江水流之長似乎與天相接，然後寫漢水的源頭，接著寫漢水的流向（流經之地），再寫漢水的物產，最後寫漢水的壯觀景色，全文氣勢宏大，一氣呵成，沒有頌德，沒有義理，在熱衷對物象進行過度解釋的創作環境裡，可以視為是一篇相當理智的詠物賦作品。

　　這一階段詠物賦由對物象的義理解釋朝物象自身感性外觀的聚集並非是偶然現象，漢代詠物賦的狀物精神實則一直存在，體現在每一篇詠物賦文本中的狀物部分。也就是說，無論詠物賦文本的政治隱喻與義理解釋再突出，也必然是建立在狀物的基礎之上，狀物是詠物的基礎。事實上，早在西漢早期，孔臧就在其〈楊柳賦〉中提出「物有可貴，云何不銘」[23]的見解，認為物有自己的可貴之處，物的可貴之處不在政治隱喻，不在道德隱喻，而在物自身的內在自然屬性，即「惟萬物之自然，故神妙之不如。」[24]漢武帝的異母兄弟劉勝在其作品〈文木賦〉中也強調文木自身的審美屬性，認為文木的人

21　費振剛、仇仲謙、劉南平校注：《全漢賦校注上·書護賦》廣州：廣東教育出版社，2005年9月，頁400。

22　費振剛、仇仲謙、劉南平校注：《全漢賦校注下·鬱金賦》廣州：廣東教育出版社，2005年9月，頁839。

23　費振剛、仇仲謙、劉南平校注：《全漢賦校注上·楊柳賦》廣州：廣東教育出版社，2005年9月，頁155。

24　費振剛、仇仲謙、劉南平校注：《全漢賦校注上·楊柳賦》廣州：廣東教育出版社，2005年9月，頁155。

工屬性非但不違反它的自然本性，反而是事物的內質顯現，於一物象中顯現出了天地萬物之象，「猗與君子，其樂只且。」[25]文木的確很美，到底有多美，需要君子在賞玩中才能獲得這種審美樂趣。但是，孔臧與劉勝的見解跟主流創作觀念不符，因此在當時並沒有得到重視，物象本身在東漢詠物賦的整體發展過程中依舊保持存而不顯的姿態。及至東漢中、後期，附著在物象之上的政治、倫理、哲學訴求漸次讓位給物象的感性外觀，諸如繁欽的〈柳賦〉、王粲的〈鸚鵡賦〉、應瑒的〈迷迭賦〉這類對物象感性外觀進行純粹觀照的作品漸次出現，物象才逐漸由政治、義理的象徵轉變成為單純的視覺欣賞的、情趣生動的審美對象。

至此，兩漢詠物賦的表現對象——物象完成了從政治隱喻的媒介到獨立審美具象的蛻變。漢代詠物賦最終放棄隱喻、向物象本身的回歸的方式實則是一種簡化的做法。剝離那些文化因素的阻隔，人發現了大自然自身的情趣所在，人與自然直接相對，與其真實地發生情感，這之間沒有遮擋，物在賦作者的視野裡頓時鮮活起來，賦作者也由一種公共性、外放式的情感抒發走向了自己的內心。我們需要對這一轉變給予重視，因為它意味著，人們對詠物賦的審美期待發生了改變，與此同時，時人的物象觀念也潛在地發生變化。

四　結語

漢代詠物賦是兩漢時期物象觀念的文本呈現，研究漢代詠物賦中物象觀念的變更、發展過程，有助於理清漢代自然和器具之美觀念的變化，同時也是對漢代審美風尚變化的透示。漢代詠物賦中的物象並非是單純的自然界的摹本，而是建基於政治訴求的基礎之上，又包含了作者乃至那個時代對物象的義理解釋以及對物象感性因素的聚焦。這種承載著政治、倫理、哲學含義以及本身自然屬性的物象在詠物賦作中被不斷複製，逐漸形成一套穩定的文本構成系統。具體到不同時期、不同類型的詠物賦作品中，物象的政治隱喻、物象的義理解釋、物象本身自然屬性這三者之間的比例有所增減。物象突破政治隱喻回歸自身是詠物文學發展的必然規律。東漢中後期的詠物賦發現物象自身的美，並在觀念層面納入這種美，這意味著詠物賦的發展正在進入一個全新的階段，並為魏晉獨立自然審美意識的發生埋下了伏筆。

---

25 費振剛、仇仲謙、劉南平校注：《全漢賦校注上・文木賦》廣州：廣東教育出版社，2005年9月，頁161。

西漢以來別調

——蘇轍晚年散文風格之變

楊一泓

北京師範大學文學院

　　茅坤〈蘇文定公文鈔引〉言道：「蘇文定公之文，其鑱削之思或不如父，雄傑之氣或不如兄，然而沖和淡泊，遒逸疏宕，大者萬言，小者千餘言，譬之片帆截海，澄波不揚，而洲島之紛錯，雲霞之蔽虧，日星之閃爍，魚龍之出沒，並席之掌上而綽約不窮者已，西漢以來別調也。」[1]認為蘇轍與其父兄相比，雖於「鑱削之思」、「雄傑之氣」稍遜，然其獨特風格亦足以名家，「沖和淡泊，遒逸疏宕」，堪稱「西漢以來別調」。

　　蘇轍晚年回首一生之時，對所著文章充滿自信：「活計無多子，文章自一家。」[2]獨成一家的文章並非一蹴而就，實際上蘇轍早期文風正類西漢以來常調，及至晚年，因時局環境與個人境遇的變化，蘇轍文風才漸臻成熟，與早期文風呈現顯著差異。茅坤評其文風之變：「蓋子由於罷官潁上時，其年已老，其氣已衰，無復向所為飄颻馳驟，若雲之出岫者，馬之下阪者之態。然而閱世既久，于古今得失處參驗已熟，雖無心于為文，而其折衷於道處，往往中肯綮，切事情，語所謂老人之言是已。」[3]筆者認為，蘇轍「別調」風格成熟於晚年創作階段，並且其晚年文風並非如茅坤所評「其氣已衰」，而應是似衰實淡。平淡的老人之言中蘊含著複雜的思想與絢爛的光彩，值得我們細細探究。

一　求雄求奇——西漢以來常調文風

　　茅坤之批評「西漢以來別調」，是基於與西漢以來常調之對比。祝尚書在《北宋古文運動發展史》中解釋「西漢以來別調」時說：「蓋議論文多喜出奇，而蘇轍求穩，求疏宕、淡泊，故稱別調。」[4]文多求奇，正是西漢以來常調之特色。西漢至北宋議論散文中始終有一脈氣勢磅礴、雄大閎肆之文風傳統，雖至各朝各家，風貌略異，但其沛然

1　（明）茅坤著：《唐宋八大家文鈔・蘇轍文鈔》安徽：黃山書社，2010年，頁3811-3812。

2　詩《閒窗》，作於蘇轍六十八歲（崇寧五年）。（宋）蘇轍著：《欒城後集》上海：上海古籍出版社，2009年，頁1185。

3　（明）茅坤著：《唐宋八大家文鈔・蘇轍文鈔》，頁4101-4102。

4　祝尚書著：《北宋古文運動發展史》北京：北京大學出版社，2012年，頁222。

之文氣仍總體相承。

　　漢初文章，延續戰國餘風，「賈誼的〈過秦論〉，晁錯的〈言兵事書〉，出謀獻策，雖已不同於戰國的策士之辭，而馳騁辭辯，仍似受管、商、縱橫的影響。」[5]如賈誼〈過秦論上〉篇，歸有光評價：「行文開闔起伏，精深雄大」。姚鼐評：「雄駿閎肆」。張裕釗評：「瑋麗之辭，瑰放之氣，揮斥而出之，而沛然其甚有餘，惟盛漢之文乃有此耳。」[6]可見其議論乃是鋪排宏達之風，重氣勢，重文采。

　　後至唐代，韓柳文中也體現出此類文風之延續，「退之著論，取于六經、《孟子》。子厚取于韓非、賈生。」[7]韓愈文常常氣勢磅礡，汪洋恣肆，如劉大櫆評〈原道〉篇：「老蘇稱公文如長江大河，渾灝流轉，魚鱉蛟龍，萬怪惶惑，惟此文足以當之。」[8]〈諱辯〉篇，葉大慶評：「觀其反復抑揚，論辯甚力，其佈置機軸，蓋出孟子」[9]唐文治評：「筆致夭矯，凌厲無前，自從《穀梁傳》得來。」〈爭臣論〉篇，姚鼐評：「此文風格，蓋出於《左》、《國》。」沈德潛評：「四問四答，首尾關應。此篇此法，本〈過秦〉、〈辯亡〉、〈王命〉、〈六代〉諸論得來。」[10]足見韓愈之議論文筆力硬瘦，求雄求奇，與先秦諸子散文頗為相類。柳宗元主張興「西漢之文章」，韓愈稱讚其文「雄深雅健，似司馬子長」。[11]其〈封建論〉被真德秀評為：「間架宏闊，辯論雄俊」，吳汝綸評：「體勢雄俊，辭理廉悍勁古，宋以來無之。」[12]可見二者氣勢筆力絕類西漢之文。及至北宋，歐陽修針對太學體、西昆體的時風，追溯唐代古文運動，倡導詩文革新，主張「文博辯而深切，中於時病而不為空言」[13]。蘇軾評歐文：「論大道似韓愈，論事似陸贄，記事似司馬遷」[14]歐陽修文風上追司馬遷、韓愈、陸贄，繼承漢唐散文一脈傳統。

　　因此，所謂與西漢以來「別調」相區別的常調，是指西漢初期帶有戰國餘響、大漢新聲特色的文風，注重文采和氣勢，常常鋪陳排比，誇張渲染。論說文求雄求奇，間架宏闊。這一脈文風綿延漢唐，又至北宋，融合各家特色，內涵不斷豐富和發展，終成西漢以來常調。但同時，西漢以來文章雖有常調之傳統與追尋，但以往文風並非只有一常調，實際上，有不同文體文風特色雜駁於散文大觀，只不過並非與「別調」顯著相別，

5　郭預衡著：《中國散文史長編》太原：山西教育出版社，2008年1月，頁5。

6　吳孟復、蔣立甫主編：《古文辭類纂評注·上冊》合肥：安徽教育出版社，2004年6月，頁5-6。

7　（清）姚鼐纂集：《古文辭類纂·序目》上海：上海古籍出版社，2016年，頁1。

8　吳孟復、蔣立甫主編：《古文辭類纂評注·上冊》，頁26。

9　（宋）葉大慶著：《考古質疑·卷六》上海：上海古籍出版社，1985年，頁54。

10　吳孟復、蔣立甫主編：《古文辭類纂評注·上冊》，頁39、54、55。

11　（唐）劉禹錫著：《劉禹錫集·唐故尚書禮部員外郎柳君集紀》北京：中華書局，1990年3月，頁237。

12　吳孟復、蔣立甫主編：《古文辭類纂評注·上冊》，頁69-70。

13　（宋）歐陽修著，李之亮箋注：《歐陽修集編年箋注》成都：巴蜀書社，2007年12月，頁272。

14　（宋）蘇軾著，李之亮箋注：《蘇軾文集編年箋注》成都：巴蜀書社，2011年11月，頁16。

故本文不予詳細討論。

　　蘇洵、蘇軾、蘇轍父子文章的總體特色與歐陽修當時所倡暗合，文章議論古今之要，合於時事，也體現出西漢以來「常調」文風。

二　氣象崢嶸──蘇轍早期常調文風

　　蘇洵自言：「洵著書無他長，及言兵事，論古今形勢，至自比賈誼。」[15]歐陽修在〈薦布衣蘇洵狀〉中，謂其散文「議論精於物理而善識變權，文章不為空言而期於有用。其所撰〈權書〉、〈衡論〉、〈幾策〉二十篇，辭辯閎偉，博於古而宜於今，實有用之言，非特能文之士也。」王安石也曾評價蘇洵、蘇軾父子：「東坡初為趙清獻公作〈表忠觀碑〉。或持以示王荊公……公曰：『斯作絕似西漢。』」認為蘇軾之文有西漢文風；「東坡中制科……荊公曰：『全類戰國文章，若安石為考官，必黜之。』故荊公後修〈英宗實錄〉，謂蘇明允有戰國縱橫之學。」認為蘇洵、蘇軾文有戰國縱橫之風。[16]茅坤〈蘇文公文鈔引〉中也言：「蘇文公崛起蜀徼，其學本申、韓而其行文雜出荀卿、孟軻及《戰國策》諸家，不敢遽謂得古六藝者之遺，然其鑱畫之議、幽悄之思、博大之識、奇崛之氣，非近代儒生所及。要之，韓、歐而下，與諸名家相為表裡。及其二子繼響，嘉祐之文，西漢同風矣。」[17]認為蘇洵文類諸子，蘇軾、蘇轍繼父之文，承西漢遺響。

　　蘇轍自幼受父兄影響，他於〈歷代論引〉中說：「予少而力學。先君，予師也。亡兄子瞻，予師友也。父兄之學，皆以古今成敗得失為議論之要。」[18]於〈亡兄子瞻端明墓誌銘〉中言：「（軾）少與轍皆師先君，初好賈誼、陸贄書，論古今治亂，不為空言。」[19]西漢賈誼，唐代陸贄，皆以議論為名，善宏辯，蘇軾、蘇轍初皆師法於此。可見，蘇轍早期文風尚未脫胎於家學，文風自然也隨父兄體現為西漢以來「常調」。他的應舉文字，如五十篇政論文〈進策〉、史論文〈進論〉，語多機鋒稜角，風格博大雄放。他也曾用心習過西漢文賦：「予〈黃樓賦〉，學〈兩都〉也。晚年來不作此工夫之文。」[20]黃庭堅〈題蘇子由黃樓賦草〉中也說：「銘欲頓挫崛奇，賦欲宏麗，故子瞻作

15　郭預衡、郭英德主編：《唐宋八大家散文總集》石家莊：河北人民出版社，2013年1月，頁2689。

16　王水照編：《歷代文話・文章雜論下》上海：復旦大學出版社，2007年11月，頁1777。

17　（明）茅坤著：《唐宋八大家文鈔・蘇洵文鈔》合肥：黃山書社2010年9月，頁2361-2362。

18　（宋）蘇轍著：《欒城後集》，頁1212。

19　（宋）蘇轍著：《欒城後集》，頁1421。

20　（宋）蘇籀著：《欒城先生遺言》，節錄於《欒城集》，（宋）蘇轍著：《欒城集》上海：上海古籍出版社，2009年10月，頁1841。

諸物銘，光怪百出。子由作賦，紓徐而盡變。」[21]可見，蘇轍早年的論體文、賦體文，均呈現氣象崢嶸之態。劉弇在〈代回賀蘇舍人啟〉中曾稱讚蘇轍的文風：「文章雄放，如造父駕騏驥而取道；辯議灑落，如神禹排淮泗而傾冬。平日著書，蓋嘗弗論揚雄、班固而下；少年發策，不意復見晁錯、董生之徒。」[22]以「雄放灑落」形容蘇轍文風，並將其策論比於西漢揚雄、班固、晁錯、董生之上，雖然是賀啟，有誇耀美飾之可能，但亦可見蘇轍早期文風與西漢之文的相通之處。

　　蘇轍在地方執政時間較短，其一生的政績主要以元祐年間最為突出。蘇轍任右司諫、戶部侍郎、御史中丞、尚書右丞等職期間，廣議廟堂時事與江湖民情，政治主張獨立不倚，有自己的立場與堅持，和同在朝廷的哥哥蘇軾也不盡一致。任職右司諫時，曾八次上書責降右僕射韓縝，三乞誅竄呂惠卿，一論張淳，再論安燾，五論蔡京。在新舊黨爭的問題上，蘇轍有明確的君子小人論，認為君子小人不可共事，堅決反對調停[23]。在差免役法、科舉改革問題上，與同為舊黨的司馬光爭論。舊黨內部，又與洛黨程頤、賈易，與朔黨劉摯、呂大防黨爭不斷。故其文章多為劄子、表狀、告詞等[24]，言語激烈，極富鋒芒，雖與青年時期雄放灑落之風格有別，亦呈現淩厲、崢嶸之氣象。因此，蘇轍早期文風之所以屬西漢常調，是由蘇門之家學，文壇之時風，青年科舉應試之功名志向，以及壯年朝政大臣之政治身份所共同決定的。

　　及至蘇轍晚年閒居潁昌之時，年歲已高，作為元祐舊臣生存於黨禁、國是的環境之中，時局與個人境遇均徹底逆轉，作為政治生活庶幾近於人生底色的潁濱遺老，其文風必然一變。

三　似衰實淡的絢爛──蘇轍晚年「別調」文風

　　曾棗莊《蘇轍評傳》將蘇轍一生劃分為五個階段，少年得志、沉淪下僚、青雲直上、遠謫嶺南、杜門潁濱，杜門潁濱階段即為人生晚年[25]；洪柏昭《三蘇傳》將卜居潁濱、遷居汝南、復歸潁昌劃分為蘇轍暮年生活[26]；金國永《蘇轍》將蘇轍晚年概括為：

21　（宋）黃庭堅著：《黃庭堅全集》成都：四川大學出版社，2001年，頁1592。

22　（民國）胡思敬輯：《豫章叢書・龍雲集》杭州：杭州古籍書店，1985年。

23　元祐五年，宰相呂大防、中書侍郎劉摯欲引用元豐黨人，以平舊怨，針對調停一事，蘇轍先後上書〈乞分別邪正札子〉、〈再論分別邪正札子〉、〈三論分別邪正札子〉論述君子小人不可同處：「如冰炭同處，必至交爭；薰蕕共器，久當遺臭。」據孔凡禮著：《蘇轍年譜》北京：學苑出版社，2001年6月，頁432-433。

24　雖然也有記、敘、傳、祭文、墓誌銘等文體的創作，但數量不廣，非蘇轍該時期所作文章類型主體。

25　曾棗莊著：《蘇轍評傳》成都：巴蜀書社，2018年。

26　洪柏昭著：《三蘇傳》廣州：廣東高等教育出版社，2002年。

竹杖藤鞵一老翁[27]。朱剛在論文〈論蘇轍晚年詩〉中，也將元符三年（1100）遇赦北歸後，閒居潁昌時期定義為蘇轍的晚年[28]。綜合上述研究，蘇轍晚年為元符三年蘇轍遇赦北歸以後，閒居潁川、汝南避禍、再歸潁川的時期，即蘇轍六十二歲至七十四歲時期。蘇轍晚年散文常見雜文、雜說、祭文、記文等文體，但數量比較有限。創作最多的文體是史論文，有〈歷代論〉四十五篇，創作字數最多的是其自傳〈潁濱遺老傳〉，長達萬餘言。[29]

　　上文已論述，蘇轍早期文風與西漢以來常調相類。相對於常調，蘇轍於後期形成的獨特文風被茅坤評為「西漢以來別調」。「沖和淡泊，遒逸疏宕」之內涵在他的書、記、賦、論等文體中都有所體現[30]，「沖和淡泊」，指蘇轍汪洋澹泊，一唱三歎，一波三折的紆徐文風，「遒逸疏宕」，指其人其文的瀟灑秀傑之氣。此外，蘇轍文還有不求為奇而求穩的特點。在蘇籀《欒城先生遺言》中記有蘇轍自己的評價：「子瞻文奇，余文但穩耳。」[31]曾棗莊認為「所謂穩，就是立意平允，結構謹嚴，行文紆徐，語言淡雅。」[32]韓兆琦在《中國古代散文專題》中也注意到蘇轍晚年的文風變化：「蘇轍自謂『余少年苦不達為文之節度』，所以像早年所撰〈上皇帝書〉等篇，行文洋洋灑灑，而論精煉老到則尚欠火候。《宋史》本傳稱：『蘇轍論事精確，修辭簡嚴。』為其晚年所臻的境界。」[33]所以正如朱剛在《唐宋「古文運動」與士大夫文學》「晚年蘇轍與古文運動的終結」一節中所說，「蘇轍許多被認為體現了『汪洋淡泊』風格的散文作品，其實也同時包含『精確』、『簡嚴』的成分，即外柔內剛才是他的基本風格。」[34]「沖和淡泊，遒逸疏宕」是蘇轍「別調」文風之外顯，「穩」、「精確」、「簡嚴」是「別調」文風之內核。

　　蘇轍晚年，文風漸老漸熟，「論事精確，修辭簡嚴」的特點則愈發突顯，語言漸趨平淡，實為老人之言了。這一變化，被茅坤評為「衰」：「蓋子由罷官潁上時，其年已老，其氣已衰，無復向所為飄颻馳聚，若雲之出岫者，馬之下阪者之態。然而閱世既久，于古今得失處參驗已熟，雖無心于為文，而其折衷于道處，往往中肯綮，切事情，

27　金國永著：《蘇轍》北京：中華書局，1990年。

28　朱剛：〈論蘇轍晚年詩〉，《文學遺產》，2005年第3期，頁51-63。

29　這兩部作品均完成於崇寧五年，蘇轍六十八歲之時。據《宋史・卷三百三十九・列傳第九十八》：「築室於許，號潁濱遺老，自作傳萬餘言，不復與人相見。終日默坐，如是者幾十年。」編年據孔凡禮著：《蘇轍年譜》，頁620。

30　如茅坤評〈王氏清虛堂記〉「淺然卻澹宕。」評〈答黃庭堅書〉為「雅致。」〈民政策二〉，茅坤評：「行文紆徐而甡」；劉大櫆評：「子由之文，其正意不肯一口道破，紆徐百折而後出之，於此篇可見」等。

31　（宋）蘇籀著：《欒城先生遺言》，節錄於《欒城集》，頁1840。

32　曾棗莊著：《三蘇評傳》上海：上海書店出版社，2016年8月，頁354。

33　韓兆琦主編：《中國古代散文專題》北京：高等教育出版社，2008年2月，頁216-217。

34　朱剛著：《唐宋「古文運動」與士大夫文學》上海：復旦大學出版社，2013年3月，頁343。

語所謂老人之言是已。」[35]茅坤此言含三層意蘊：一，蘇轍晚年文章的文氣已經漸趨衰頹，無復以往雲之出岫，馬之下阪之態，也即無復西漢以來常調，奇峭雄傑之氣；二，蘇轍晚年作文，無任何世俗功利之因素摻雜，所以純粹無心於為文，意味著無技巧，無設計，反而更加本真自然；三，蘇轍因涉世既久，世理已然純熟默志於胸，所以發而為文，即切合事情，論述精詳，修辭簡嚴，正如老人之言，內部蘊含著深沉的肌理和複雜的思想，表面卻表現為平淡、內斂、成熟的文風。筆者認為，茅坤對於蘇轍晚年文風變化之述大體準確，後兩點意蘊尤為精詳。可以作為旁證的是，上文所引蘇轍之自言：「晚年不作此工夫之文。」正說明至蘇轍晚年，已不再工於雕琢，漸趨平淡了。

　　但筆者認為，對於茅坤所評之「其氣已衰」，還需細緻斟酌。衰只是蘇轍晚年文風的一個表徵，實際上應是更貼近於淡，即蘇轍文風是似衰實淡的。正如清代儲欣於《唐宋十大家全集錄·欒城先生全集錄序》說：「人之言曰：『眉山父子兄弟之文，逮子由而薄；唐宋諸大家魁宏奇怪，不可方物之氣，逮子由而衰。』余竊謂子由之文好淡好紆，淡似薄而實非薄也，紆似衰而實非衰也。」[36]蘇轍文風之衰，只是與其早期文風相比而得的表象。其晚年文章內裡真實的風格，卻是淡。

　　蘇轍文的淡，具有豐富的內涵。正如朱熹評歐陽公文曰：「雖平淡，其中卻自美麗，有好處，有不可及處，卻不是闒茸無意思。」[37]平淡，並非枯槁，而恰恰相反，中有萬千美麗。非經歷幾重奇崛峻嶺後，不能臻於此境。蘇軾、蘇轍晚年文風也正如此，蘇軾言：「漸老漸熟，乃造平淡。其實不是平淡，絢爛之極也。」[38]如他們所仰慕的陶淵明與歐陽修一樣，平淡之中，有極為絢爛的光彩，是「外枯中甘」，「質而實綺，臞而實腴」之境界，故絕非衰頹之意。蘇轍晚年文章，語言風格平直通達，古樸簡實，往往於紆徐百折後道破正意，由遠及近，逶迤道來，淡而有味。雖少奇峭雄傑之氣，但別有一番光彩。這是因為平淡的文風，承載的是作者深沉成熟的思想。他的史論文以古鑒今，和年輕時的史論相比已經更具有現實針對性，發言議事落於實處；自傳文以記錄歷史為主，立言以明己心；雜記雜說多含佛理之悟，這正是老人之言中極為絢爛的光彩。

　　十九歲的蘇轍曾在進京趕考時作〈上樞密韓太尉書〉：「太史公行天下，周覽四海名山大川，與燕趙間豪俊交遊，故其文疏蕩，頗有奇氣。」[39]那時，年輕的蘇轍剛意識到人生閱歷也是養成文氣之關鍵，立志「求天下奇聞壯觀，以知天地之廣大」。而至晚年，蘇轍經過一生的宦海浮沉，一生的黨爭離合，經歷過一歲三貶、七年南流的貶謫生涯，最終以人情世故之練達成其文章。這時的蘇轍，以文寫心，因為他已無意於世俗與

35　（明）茅坤著：《唐宋八大家文鈔·蘇轍文鈔》，頁4101-4102。

36　（清）儲欣著：《唐宋十大家全集錄》蘇州：光緒間蘇州書局刻本。

37　（宋）朱熹著：《朱子語類》北京：中華書局，1986年3月，頁3312。

38　（宋）蘇軾著，李之亮箋注：《蘇軾文集編年箋注》，頁509。

39　（宋）蘇轍：《欒城集》，頁477。

功用,也無意於辭彩篇章之華美。在王氏新學成為國是,眾口一致的大環境下,晚年的蘇轍審美取向與人生態度已發生根本性的轉變,真實在他的文章中成為第一追求,他以平淡無奇為美,以沖和淡泊為美,以質樸真實為美,這是潁濱遺老最後的堅持與反抗。正所謂「豪華落盡見真淳」,真與美,在通達人情世故後的蘇轍晚年文中,臻於融合與統一。表面上衰落之象,實際走向了一種更加內斂成熟的境界。筆者認為,蘇轍晚年「西漢以來別調」之文風,「衰」之文氣,「老人之言」,當作此解。

此外,蘇轍成熟於晚年的「別調」,不僅意味著蘇轍西漢以來獨特的文章風格,也可理解為晚年的蘇轍在當時孤獨寥落的背景下,自號潁濱遺老,堅持迥然不同於眾之姿態的選擇。「別調」,也是蘇轍人格之「別調」。日後,筆者將致力於探究蘇轍晚年文章「別調」形成的內在原因,以及蘇轍人格之「別調」如何影響其文章「別調」之形成。

寇謙之的家世與生平考

李亞飛

北京師範大學哲學學院

由於記載寇謙之家世、著作的史料不足，故對於上述內容之研究議論紛紜，說法難以統一，唯有廣泛占有材料，從歷史所露出的蛛絲馬跡之中，尋以理性思辨，才能撥開浮雲之遮蔽，露出真理光芒。謙之家世顯赫，生於北方大族之家，但其並未憧憬官場，冠帶衣錦，而是傾心慕道，並不忘政治理想，將其政治理想以道教國教化，佐國扶命的方式得以實現。其一生經歷豐富，功績卓著，令人歎為觀止。

一　北方大族之後

寇謙之（西元 365-448 年），祖籍上谷昌平（約今北京昌平區），來自北方世家大族，出生在南北朝十六國時代中期的晉哀帝興寧三年、前秦苻堅建元元年。生世歷經西晉、東晉、五胡十六國、劉宋及北魏。讓我們凝視歷史的鏡頭拉出長焦距，從謙之出生到北魏統一北方之前，那是一個金戈鐵馬、戰亂頻頻、流矢橫飛、刀光劍影的紛塵亂世。西晉八王之亂使得生民塗炭，西晉王朝元氣大傷，五胡亂華接踵而至，從此徹底開啟南北方持續戰爭模式，也揭開了胡族大規模內遷與各族相互融合的大序幕，晉朝南遷後，北方出現胡漢既衝突又融合的歷史境況，北方胡族逐步內遷並建立政權，開始在中原大地。[1]民族文化大融合是研究謙之新道教所處時代重要的文化發展史之背景。

記載謙之家世的史料主要有《魏書》以及寇氏子孫的墓誌銘等。[2]

據《魏書》[3]可知謙之的父親為東萊太守寇修之，謙之為南雍州刺史寇贊之弟，謙

1　晉朝南遷後，北方出現胡漢既衝突又融合的歷史境況，北方胡族逐步內遷並建立政權，開始在中原大地登上歷史舞臺。雖前秦苻堅時代曾開創北方短暫統一安定的大好局面，華夏文化的向心力也發揮了巨大作用，但少數民族政權也是一方唱罷，一方爭場，更迭頻頻，戰亂不休，社會動盪劇烈，戰亂也加速了各族民族文化在衝突中之融合。

2　可參考的國外對謙之家世研究的文獻有：（日）室山留美子：〈五胡十六國北魏時期的上谷寇氏〉，《東方宗教》第123號，2014年；（日）春本季雄氏：《崔浩と寇謙の邂逅について》（上），《中村璋八博士古稀記念東洋學論集》東京：汲古書院，1996年；〈北魏の郡望—上谷寇氏を中心に—〉，《史學研究》第258號，2007年。

3　「世祖時，道士寇謙之，字輔真，南雍州刺史贊之弟，自云寇恂之十三世孫。」見《魏書·釋老志》，卷114，頁3049。「寇贊，字奉國，上谷人，因難徙馮翊萬年。父修之，字延期，苻堅東萊太

之自稱為東漢大臣寇恂之後，祖籍上谷昌平（約今北京昌平區）。在寇贊之前，家族曾因難徙居馮翊（陝西關中）萬年。徙居之後一直到謙之時代，寇氏家族發展興旺，仕運亨通，父親修之任東萊太守，因謙之的道教得勢，太武帝還贈其兄贊為秦州刺史、馮翊公，同宗族成員也多被追贈官職。[4]

寇氏家族本信仰仙道，是謙之為上谷寇氏家族的依證之一：

> 六代生子明，明仁，仕漢為臨淮守，棄郡入王屋山修道，《列仙傳》所謂朗鎮先生是也。郎真孫恂。[5]

《列仙傳》雖未見寇氏家族有朗鎮先生，但此亦無法否定寇氏的仙道傳統，或可說寇氏家族在上谷定居時期，那裡乃為燕趙之地，仙道氛圍濃厚，寇氏家族受其地影響也信奉仙道。自寇氏從曹魏時期遷居漢中一帶，很可能已受當地濃厚的天師道信仰氛圍影響，或既保留了原來的仙道信仰，也信奉天師道。

寇氏祖先或為周康叔一脈，陳寅恪先生在他的著名文章〈崔浩與寇謙之〉中質疑寇氏家源於上谷之說[6]，否定寇氏因難因官遷徙馮翊，認為是託詞而已，來為寇氏從漢中天師道區遷入馮翊立據，我欲與其商榷，闡明寇氏家族到底有沒有遭難以及因何難遷徙馮翊。

《元和姓纂》云：「恂，後漢執金吾、雍奴侯，曾孫榮。榮孫孟，魏馮翊太守，徙家馮翊」[7]，〈寇臻墓誌〉云：「榮之子孫，前魏因官，遂寓馮翊。」[8]可確定的是，寇氏家族是在寇恂的第五世孫寇孟於曹魏時遷徙至馮翊的，而這之前寇孟的父親寇寵在東漢

守。贊弟謙之有道術，世祖敬重之，故追贈修之安西將軍、秦州刺史、馮翊公，賜命服，諡曰哀公，詔秦雍二州為立碑於墓。又贈修之母為馮翊夫人。及宗從追贈太守、縣令、侯、子、男者十六人，其臨民者七郡、五縣。」見《魏書·寇贊傳》北京：中華書局，1974年，頁946。

4　日本學者室山留美子認為寇氏一族可能在馮翊建立塢堡，可推測其族以此為軸心率數萬民眾成為秦雍的豪宗名族。其受到陳寅恪思想影響，還說在採用籍貫地任用制的北魏，寇氏一族沒有到籍貫地上谷赴任，也沒有把家族墓地歸葬到上谷，都表明上谷實為假託之辭。但北魏採用籍貫地任用制多適用於鮮卑政權對待在地區有名望的漢族大族及塢堡主，非普遍應用於所有官僚，如崔玄伯、崔浩父子就在中央為官，況且官員任期內調動也很正常，不可據此認為寇氏家族稱祖籍上谷為託辭。詳見（日）室山留美子：〈五胡十六國北魏時期の上谷寇氏〉，《東方宗教》第123號，2014年，頁24、26-28。

5　周紹良主編、趙超副主編：《唐代墓誌彙編》上海：上海古籍出版社，1992年11月，頁2274。

6　陳寅恪先生不同意謙之家族源自上谷說，認為其家族世居漢中，寇氏在曹魏時徙居關中馮翊與曹操徙漢中天師道教民於馮翊的時間點相合，故其說：「頗疑寇氏一族原從漢中徙至馮翊……以其為米賊餘黨，故其家世守天師道之信仰。」以此證其家族有信仰天師道的傳統，「寇氏之自稱源出上谷，為東漢寇恂之後，其為依託，不待詳辯」。詳見陳寅恪：〈崔浩與寇謙之〉，《金明館叢稿初編》北京：生活·讀書·新知三聯書店，2001年6月，頁123-124。

7　岑仲勉校、郁賢皓等整理：《元和姓纂》北京：中華書局，1994年5月，頁1384-1385。

8　趙超：《漢魏南北朝墓誌彙編》天津：天津古籍出版社，2007年，頁48-49。

末年失去官職因故「避地秦川」，〈寇錫墓誌〉云：「榮生寵，避地秦川；寵生孟，仕魏為馮翊太守，子孫或家焉。」[9]劉屹先生認為此兩說皆不可靠。[10]其實，「秦川」約為戰國秦朝統治的關中區域，「避地秦川」顯然是因避政治難隱居關中一帶，非必指馮翊，可能為馮翊附近，後寇孟被封為馮翊太守，因官才遷居馮翊。細讀《後漢書·寇恂傳》可知，至寇恂曾孫寇榮時，其因外戚身份在宮廷內鬥中敗下陣來，飽受迫害，最終淪為政治鬥爭的犧牲品。[11]因寇榮被殺，「寇氏由是衰廢」，故其子寇寵受遷累而「避地秦川」，至寇寵之子寇孟之時，此時漢王朝已被曹魏篡權，故迫害寇氏家族政策不會延續，所以寇氏家族從漢中某偏僻之地遷入馮翊。由於寇榮受政治鬥爭迫害引起了家族遷徙，故稱「因難徙馮翊萬年」。後漢滅，寇氏成員或因其世家大族身份和個人才幹被重新予以重用，寇孟任曹魏馮翊太守，或於此時舉家從隱居的漢中山野遷至附近的城市馮翊，所以如〈寇臻墓誌〉所說的「前魏因官，遂寓馮翊。」

此外，〈釋老志〉說謙之自稱寇恂的十三世孫，但〈寇臻墓誌〉云寇臻為「侍中榮十世之胤。」

> 漢大將軍恂以河內光祚，蟬聯修映。十一世祖侍中榮，應圖踵武，聲休素牒。魏泰州刺史馮翊哀公之曾孫。王考贊，雍州刺史河南宣公。假節刺史幽郢二州刺史威侯臻之第二子。[12]

寇治為「侍中榮」的十一世孫，寇臻為寇治之父，寇贊為寇臻之父，為寇榮的九世孫，寇贊為謙之之兄，故可推謙之為侍中榮的九世孫，而寇榮為寇恂的曾孫，可知謙之為寇恂的第十二世孫。[13]〈釋老志〉記載或有誤，成書於北齊的《魏書》或由於年代相隔口頭相傳或抄寫有誤。但按照《元和姓纂》所載又可推知謙之為寇恂的十一世孫。原因或為寇榮遇難後的家族動盪有關，「這對寇氏家族的歷史是一個轉折，因而也最容易出現世代不清的情況。」[14]由謙之家世梳理可知，其社會政治理論乃是繼承家族既治身又治國的傳統。

9　周紹良主編、趙超副主編：〈寇錫墓誌〉，《唐代墓誌彙編》上海：上海古籍出版社，1992年11月，頁1805。

10　「至於寇氏『因難徙馮翊』的時間，〈寇臻墓誌〉和《元和姓纂》都說是從曹魏時期的寇孟開始。〈寇錫墓誌〉則提前一代，在東漢末葉的寇寵時。」進而得出結論說：「在沒有其他證據之前，這兩說都難確信。」北京大學東方學研究院主辦：〈寇謙之的家世與生平〉，《華林》卷2，北京：中華書局，2002年，頁273。

11　見《後漢書·寇恂傳附寇榮傳》以及倪潤安先生的文章〈墓誌所見所見上谷的興衰〉，《北方文物》2000年第4期，頁54。

12　〈寇治墓誌〉，《漢魏南北朝墓誌彙編》，頁198。

13　此處參考了劉屹先生的觀點，見《寇謙之的家世與生平》，頁273。

14　劉屹：《寇謙之的家世與生平》，頁273。

二　少修張魯之術

關於謙之「少修張魯之術」作何解？歷來注解分歧，須以史料為據，並結合仙道與天師道傳播發展史才能得出公允判斷。

> 寇謙之……早好仙道，有絕俗之心。少修張魯之術，服食餌藥，歷年無效。幽誠上達，有仙人成公興……[15]

此有頗多關鍵問題：早好仙道與家族仙道背景的關聯，以及修張魯之術的事件是否存在，如果不存在，其原因為何？如果存在，修張魯之術的內容為何？「服食餌藥」是仙道影響還是「張魯之術」固有內容？或是否為二者之結合？「服食餌藥」原本追求之目的為何？或達到的功能作用為何？為何無效？通過這些問題的逐步解答可明其因何有道教思想。

從「早好仙道」以及際遇仙人成公興隱居華山修道的史料看，似乎謙之少時受仙道影響更大。謙之祖籍上谷昌平，是仙道氛圍濃厚的北方重地，毗鄰燕齊等濱海之地。南北濱海一帶仙道信仰鼎盛[16]，寇氏祖先徙居上谷昌平，那裡至少在戰國中期就已經始現仙道信仰，故寇氏家族或亦不免於仙道氛圍之薰陶。

或為謙之祖先的寇仁曾為臨近東海的臨淮郡太守，此東部濱海之地亦是仙道信仰傳統濃厚之域，據傳寇仁仙道信仰之深竟至棄官入遙遠的王屋山修道，此仙道信仰氛圍不能不影響其後世。謙之父修之，「字延期，符堅東萊太守。」東萊即齊之濱海之地，仙道影響當波及修之，而仙道信仰往往具有家族性，故進而影響謙之仙道信仰。故說謙之「早好仙道，有絕俗之心」有著悠久而深厚的家族仙道信仰積澱，絕非空穴來風。

天師道信眾被北遷最遠至鄴城，距濱海之地仍有距離，修之任蓬萊太守時，燕齊之地當主要流行仙道。北遷的天師道「在魏晉之際從西南一隅傳播到了北方更廣大的地區」[17]，可說最晚至西晉時，天師道已傳播於燕齊之地，琅琊王羲之一門的王氏崇信天師道是為明證。修之從家族聚居的天師道信仰重地馮翊徙任東萊太守，或皆受天師道與仙道之信仰薰陶，繼而影響謙之同修仙道與天師道。

據考為天師道三張所作經典《老子想爾注》也多現「仙道」思想[18]，該書突出仙道

---

15 《魏書・釋老志》，頁3049。

16 湯用彤先生認為：「而其時淮南王招納方術之士千餘人。則北方燕齊之學，已布江淮之間。故至東漢初，濟南、阜陵（原淮南地）、廣陵及楚諸國王，均信方術。招納有漁陽方士。時方仙道盛行於淮濟一帶。」湯用彤：《漢魏晉南北朝佛教史》北京：北京大學出版社，2011年，頁49。

17 湯用彤：《漢魏晉南北朝佛教史》北京：北京大學出版社，2011年，頁49。

18 如「而目此得仙壽，獲福在俗人先」，即通過少私寡欲的身心修煉，期望獲得仙壽福祉。「不知長生之道，身皆屍行耳，非道所行，悉屍行也。道人所以得仙壽者，不行屍行，與俗別異，故能成其屍，令為仙士也。」將長生的仙士視作對不知長生之道的世俗屍行之身之超越。「奉道誡，積善成

思想。此外可證三張天師道多有「仙道」思想的還有碑刻《仙集留題》：

> 仙集留題
> 漢安元年四月十八日會仙友
> 東漢仙集，留題洞天[19]

蓋《仙集留題》原刻在現四川簡州（今簡陽市）的逍遙山石室。雖據考「東漢仙集」及
「留題洞天」為後人所加，但「漢安元年四月十八日會仙友」幾字實是漢末天師道徒所
刻；且「長生久視」為老子之名言，天師道在老子思想基礎上增加了仙道維度。故時天
師道道徒崇信仙道，有著濃重的仙道思想不可能有假。此外，在巴蜀及漢中天師道未創
之前，當地也早有仙道信仰，四川郫縣有東漢順帝陽嘉四年（135 年）所造《延年石室
題字》：

> 延年石室題字
> 陽嘉四年三月造作延年石室[20]

延年反映了受仙道信仰影響，個體渴望生命長存於世。既然天師道是仙道和巴蜀地區少
數民族宗教信仰相結合而創立的教派[21]，那把天師道與仙道不相聯繫，對立割裂開來看
待二教關係的觀點值得商榷。[22] 故謙之「早好仙道，有絕俗之心。」早年信仰仙道的傳
統與「少修張魯之術，服食餌藥，歷年無效」的傳統並無矛盾。論證謙之早年是否修過
張魯之術，還可看其早年生活的社會環境。謙之父雖在苻堅時為蓬萊太守，但考〈寇錫

功，積精成神，神成仙壽，以此為身寶矣。」是將奉道誠、積善德、積養精氣神作為成仙長壽的前
提。「能以古仙壽若喻，今自勉勵守道真，即得道綱紀也。」以遠古仙壽者作榜樣，來勉勵自身，
屬守真理之道，最終獲得道之真理。饒宗頤：《老子想爾注校證》上海：上海古籍出版社，1991年
11月，頁10、頁16。

19 陳垣編：《道家金石略》北京：文物出版社，1985年，頁2。

20 陳垣編：《道家金石略》北京：文物出版社，1985年，頁1。

21 王家佑先生說：「所謂「五斗米」教既不是蜀道，也不是巴道，是巴蜀的合道……巴蜀的五斗米道
　是與彝族（筆摩）、藏族（本簸瓦）、氐族（達簸人的『白莫』，亦譯為『白馬』）、羌族（端公、白
　石神君）有共同淵源的。天師道在西南興起時已經是西南民族巫術的大雜燴。」王家佑：《道教論
　稿》成都：巴蜀書社，1987年，頁161。

22 劉屹認為「寇氏所好『仙道』自應是戰國以降社會中上層所普遍奉習求仙道術，而五斗米道更多是
　夷漢雜糅的民間信仰混合體，與中上層社會的仙道信仰應該判然有別。」以階級劃分法認為五斗米
　道（天師道）多為下層民眾信仰的道教，而仙道多為官僚上層民眾的信仰宗教，二者的宗教信眾判
　然有別，互不交差。見劉屹：《寇謙之的家世與生平》，頁274。鍾國發也同意其觀點：「說他的家族
　有濃厚的仙道興趣，是大不會錯的；但是累世有仙道興趣並不等於天師道世家……我贊成劉屹的意
　見」，鍾先生認為謙之及其家族只信仰仙道，而非信仰「鬼神道」（天師道），見鍾國發：《寇謙之評
　傳》南京：南京大學出版社，2005年，頁441-442。但以道教信眾階級劃分法來判定謙之的宗教信
　仰可再商榷，時天師道早已突破階級局限，早在西晉時，上層社會成員就已開始天師道信仰。

墓誌〉云：「寵生孟，仕魏為馮翊太守，子孫或家焉。」明受安土重遷觀念影響，寇氏子孫視馮翊為繼上谷昌平之後的第二故鄉，似明自寇孟遷家馮翊之後，世代皆仍以馮翊為家，未隨官遷徙。

> 贊少以清素知名，身長八尺，姿容嚴嶷，非禮不動。符堅僕射韋華，州里高達，雖年時有異，恆以風味相待。華為馮翊太守，召為功曹，後除襄邑令。[23]

此「州里」即為馮翊所在之州，寇贊少時知名於關中政治中心並與中央政權長官僕射韋華關係甚密，後韋華為寇贊家鄉馮翊太守，召寇贊為功曹，後贊任襄邑令，襄邑即今豫東睢縣，是古代絲綢重鎮。結合〈寇錫墓誌〉可說寇贊少時應居家馮翊，其弟謙之也應少時在馮翊。而馮翊為曹操遷漢中及巴蜀天師道民的重點目的地，馮翊天師道氛圍濃厚。馮翊匯集大量遷入的道民，馮翊籠罩在天師道宗教信仰的濃厚氛圍中。[24]謙之亦捲入天師道信仰中，故《魏書》提到的謙之「少修張魯之術」，非無根據。

「張魯之術」有哪些方面的內容呢？此內容之揭示，可明其新道教宗教實踐方法部分來源。張道陵家鄉江蘇豐縣屬於吳越的中心地帶，張陵的仙道之術有行氣導引的內容[25]，其中還包含養神的方法。但燕齊與吳越等各流行何種仙術，並能夠鮮明之區分，是在方術起源的早期階段說的，在淮南王後，各地和各派仙術已經較為融合，不容易區分，故張陵還可能也修習服食術、房中術、符籙術等，後張陵離開吳越學道於鶴鳴山中。

張陵在入鶴鳴山之前還獲「黃帝九鼎丹法」[26]，如此說為真，張陵可能已將各派別的仙道融會貫通，既有呼吸導引術、養神之術，又有房中術、金丹術以及服食草木藥餌術、此外還會製作符水治病等。故張陵「即師承先秦三派仙道，而開道教練養門戶。」[27]

「《想爾注》所指出的途徑主要有「結精」、「練氣」、「養神」、「入靜」等，這和後

---

23 《魏書・寇贊傳》，頁946。

24 陳寅恪先生指出釋玄高的母親寇氏信奉天師道，此寇氏是否與謙之同直系家族，《高僧傳》並未講明，其考慮謙之之後與崔浩合作，和釋玄高與太子是對敵，「僧傳不載其與寇謙之之親屬關係，當非近屬。」也可明馮翊信奉天師道的信眾很多，影響很大。陳寅恪：〈崔浩與寇謙之〉，《金明館叢稿初編》上海：上海三聯書店，2001年6月，頁123。

25 蒙文通先生說：「是古之仙道，大別為三，行氣、藥餌、寶精三者而已也。」認為燕齊之術主要為求仙藥；行氣導引則源於蜀而流行於吳越；房中或為秦中與楚之傳統。胡孚深先生則仙道方術細化：燕齊一帶多服食仙藥、煉製丹砂；秦晉一帶傳房中術；南方荊楚、吳越、巴蜀傳行氣、導引、吐納、冥想之術。儘管二位先生關於仙道方術的地域差別之區分有些許不同，但認為吳越一帶行氣導引之術是一致的。見胡孚深，呂錫琛：《道學通論》北京：社會科學文獻出版社，1999年1月，頁271。蒙文通：《古學甄微》，《蒙文通文集》卷1，成都：巴蜀書社，1987年，頁337。

26 「張道陵者，沛國人也，本以太學書生，博通五經……得黃帝九鼎丹法，欲合之，用藥皆糜費錢帛。」見李昉等編：《太平廣記》北京：中華書局，1981年，頁55-56。

27 李遠國：〈論《老子想爾注》中的養生思想〉，《中國道教》2005年第6期，頁44。

世內丹的修煉法門基本相同。」[28] 三張著作系統的《老子想爾注》除沒有金丹術和服食草木藥餌術以及符水療病術，房中術、呼吸導引術、養神術等仙道修煉方法皆在。張魯應繼承了家族及天師道的仙道傳統，謙之所修張魯之術應無為士族倫理道德所恥的「房中術」，也應無金丹術，其無服食煉製好的金丹這些劇毒的礦物藥，況且金丹的煉製技術在當時尚未普及，謙之還否定了金丹大藥的絕對價值，其批判的對象乃是葛洪一系的丹鼎派[29]，故繼承張陵道術的「張魯之術」的金丹術也可排除。如果說謙之服食以草木藥為主或輔以未經煉煮的非金丹的礦物藥則完全有可能，早在三國之時就有服食礦物藥的傳統，何晏等士族服食寒石散已蔚然成風。行氣導引、呼吸吐納、冥想之術皆有可能為「張魯之術」的範疇。由於仙道和張魯之術互交叉，故難細分。謙之用仙道和張魯之術的方法修習而「歷年無效」，其所追求的效用應是「長生不老，羽化成仙」，或還有行善度生的理想。謙之少修道術歷來無效，但他虔誠修煉「絕俗之心」的精神感動「太上老君」，故派仙人成公興作謙之弟子，引導謙之做進一步修行。

三　成公興、崔浩與寇謙之

　　成公興與崔浩是謙之生命中最重要的「大人」，前者是謙之出世進行道教修煉的引路人，可說無成公興，謙之或在道教理論與實踐水準上達不到後來的高度；後者是新道教能在北方興盛的最關鍵的助力者，其與謙之合作，使民間道教為北魏國教，謙之為國師，道教盛極一時。

　　成公興的身份較神秘，只能通過有限的史料從側面了解大概：

　　　　有仙人成公興，不知何許人。[30]

北齊的魏收作《魏書》時已無法詳解成公興的來龍去脈，但說其有仙道信仰，概不會錯。

　　殷紹所說其遇成公興的年代及其事蹟與謙之所際遇成公興的年代相合，故成公興在歷史上應真實存在，非為假託[31]，其依山隱居，遊歷四方，遠離世俗生活。〈釋老志〉

28　李遠國：〈論《老子想爾注》中的養生思想〉，《中國道教》2005年第6期，頁42。

29　「抱朴子者，未（才）明蓋世，掬合前賢，諸家經方，造經勸仙，內外卷首，言仙之可得，可開悟人心。承前多有遺經，亦復不妄造出意，不犯改經詐說之罪。造經勸仙，功過自保，補後身當得仙人之階。」見《老君音誦誡經》，《道藏》第18冊，文物出版社，1988年3月，頁216。這是說葛洪作《抱朴子》是造經勸人修習包括服食金丹之術等能夠成仙的道法，所以其金丹術的成仙效用值得懷疑，但是其繼承在以前遺存的舊經基礎上，所以「不妄造出意，不犯改經詐說之罪」。謙之認為造作包括有金丹術的道經還是不應當的，但《抱朴子》的目的是為了勸仙，即告訴世人仙之可得，所以目的以及效果是好的，所以功過自保。

30　《魏書·釋老志》，頁3049。

31　「殷紹，長樂人也。少聰敏，好陰陽術數，遊學諸方，達《九章》、《七曜》。世祖時為算生博士給

載成公興把謙之帶到華山修習道術，種種跡象皆明成公興有仙道道術或仙道信仰當不為錯。但殷紹說其為「大儒」，或其也兼通儒家經典與禮義系統。成公興帶殷紹入僧門習法術，明其與佛教徒接觸緊密，而〈釋老志〉云其去世升入仙館時衣著法服，持當時道教吸納佛教特徵明顯的「鉢」和「杖」，或又明成公興是納佛入道的道教信徒。其或三教融於一身，為集大成者。

在謙之與成公興的交往與修道事件中，有兩個重要問題，一是謙之演算的天體數術與成公興傳授的數術之別，及其中是否體現佛道教思想的時代特徵。

蓋魏晉南北朝天文曆算上承先秦至兩漢的文明成就，在此時期出現了「蓋天說」「渾天說」與「宣夜說」，由於古人無法以站在時空外立體多維之觀察星體對象，故出現三種推演天文曆算的方法及學說，以渾天說更科學。[32]

謙之在未遇成公興指點前演算的或為蓋天術，因〈釋老志〉云：「而近算《周髀》不合」[33]，《周髀》為蓋天說系統。《西嶽華山志》載：「後魏道士寇謙之，洞曉渾天儀」，或明謙之得成公興點化，改進蓋天說的缺陷，得其渾天說指點，故二者演算的很可能為渾天說。

《魏書·殷紹傳》明成公興與沙門交往密切，故謙之從成公興那是否學到從天竺傳來的天文醫藥知識，來改進中國舊醫藥與天文學，陳寅恪先生對此持肯定態度。[34]佛教傳播於華夏或帶來其科技，但考中國天文數術及醫學之發展歷程，自有周易象數及陰陽五行思想的發展史與自身邏輯系統，故或極少受佛教影響，且其時佛教天文數術與醫學未必比華夏水準高，《黃帝內經》早已奠定中醫的理論基礎，《周禮》及《周髀》也為天文數術之經典，皆多為中國本土思想發展之結果。[35]

事東宮西曹，以藝術為恭宗所知。太安西年夏，上《四序堪輿》，表曰：「臣以姚氏之世，行學伊川，時遇游遁大儒成公興，從求《九章》要術。興字廣明，自云膠東人也。山居隱跡，希在人間。興時將臣南到陽翟九崖岩沙門釋曇影間。興即北還，臣獨留住，依止影所，求請《九章》。影復將臣向長廣東山見道人法穆。法穆時共影為臣開述《九章》數家雜要，披釋章次意況大旨。又演隱審五藏六府心髓血脈，商功大算端部，變化玄象，土主、《周髀》。」見《魏書·殷紹傳》，頁1955-1956。

32 「古言天者有三家：一曰蓋天，二曰宣夜，三曰渾天。漢靈帝時，蔡邕於朔方上書，言宣夜之學，絕無師法，周髀術數具存，考驗天狀，多所違失。惟渾天近得其精，今史官候臺所用銅儀，則其法也。」見《晉書·天文志》，頁278。各說皆有自身優點與缺陷，故或為謙之演算天體數術出現矛盾之因。蓋天說以「天圓地方」為中心的天文數術後逐漸被更加科學的渾天說所取代。

33 《魏書·釋老志》，頁3050。

34 陳先生認為：「寇謙之、殷紹從成公興、曇影、法穆等受周髀算數，即是新蓋天說，然則新蓋天說乃天竺所輸入者。」見陳寅恪：〈崔浩與寇謙之〉，頁132。

35 臺灣學者羅獨修認為謙之的天算醫藥之術非來自佛教，而是源於中國固有學術傳統。見羅獨修：〈陳寅恪之「寇謙之採用釋家（天竺）天算醫藥之學以改進道教說」之商榷〉，《史學匯刊》2008年第21期，頁111-123。

　　謙之為何對天文曆算投入這麼大精力呢？或因其家庭薰陶，家庭成員或善於察氣觀象；另外，謙之也或為其宗教的宇宙論、本體論奠基，探索神靈體系在天界的排列分佈，將遠古天文曆數系統與神靈信仰相結合的傳統承續併發展。[36]

　　崔浩（西元？-450 年），字伯淵，出身於北方大士族清河崔氏。崔氏世代以才學與儒門著稱，為北方五胡亂華，衣冠南渡後，漢族傳統文化由「太學」等官方機構為主導傳承轉為士族家族內部繼承發展的典型代表。崔浩繼承家族傳統，天文曆算，地理史籍、禮儀制度、陰陽玄象無不精通，特別是繼承綜括了兩漢以來《周易》象數與義理的博大系統。浩歷仕魏太祖、太宗、世祖三代，三代皇帝都推崇備至，在世祖時官至司徒。

　　崔浩信仰陰陽家的宗教[37]，其政治理想和其接受謙之新道教並幫助其道教獲得政權支持、將其道教上升為國家宗教有深刻關聯性。

　　崔浩向以儒家正統自居，精通禮義制度，對儒家的禮義制度充滿了認同感：

> 性不好《老》、《莊》之書，每讀不過數十行，輒棄之，曰：「此矯誣之說，不近人情，必非老子所作。老聃習禮，仲尼所師，豈設敗法之書，以亂先王之教。[38]

36　《無上秘要》卷三〈日品〉、〈月品〉、〈星品〉引《洞真黃氣陽精經》以及卷六〈劫運品〉引《洞真三天正法經》，將天體運行規律與神學宇宙論結合的內容可備參考，如〈日品〉載：「一年日運周度，冠帶四鄉，合一百八十日。是日所經之分，餘一百八十日屬月之度。二景離合，陰陽虧盈，名分度之限也。」見《無上秘要》卷三〈日品〉，《道藏》第25冊，北京：文物出版社，1988年3月，頁4。

37　崔浩的信仰多來自傳統的陰陽家，非來自天師道。崔浩在其父病重時，曾進行一系列宗教求生儀式：「初，浩父疾篤，浩乃剪爪截髮，夜在庭中仰禱斗極，為父請命，求以身代，叩頭流血，歲餘不息，家人罕有知者。」見《魏書·崔浩傳》，頁812。此是源自傳統的星命崇拜，早於道教誕生前就已有之。詳見《尚書緯》、《晉書·天文志》、《搜神記》卷3、《三國志·呂蒙傳》，道教後繼承此種星命信仰，見《度人經》等。故崔浩所拜的「斗極」亦是秉承先秦至秦漢來的信仰傳統，陳寅恪說崔浩星命觀源自佛教星命觀影響下的道教說可再商榷，他說：「正似後來道家北斗七星延命之術……要是天竺早已有之，道家之術或仍間接傳自西方。」見陳寅恪：〈崔浩與寇謙之〉，頁16-17。《魏書·崔浩傳》可明其星斗信仰非因其有道教信仰：「初，姚興死之前歲也，太史奏：熒惑在匏瓜星中，一夜忽然亡失，不知所在。或謂下入危亡之國……浩對曰：『案《春秋左氏傳》說神降於莘，其至之日，各以物祭也。請以日辰推之……』」見《魏書·崔浩傳》，頁808-809。此明崔浩的星斗信仰源於先秦的星神信仰傳統。《魏書·崔浩傳》曰：「浩母盧氏，諶孫女也。」見《魏書·崔浩傳》，頁827。浩之父玄伯的妻子為盧諶的孫女，是孫恩妹婿的姑母，崔浩與盧循為表兄弟關係，盧諶與盧循乃天師道世家，故陳先生認為崔浩的母親也信天師道，崔浩受其母影響而信天師道，其母是否有天師道信仰另當別論，但其母即使有天師道信仰也不能斷定崔浩就崇信天師道，其家族世代儒家以及傳承的陰陽術數及其相關的鬼神與星命信仰不能不引起重視；《魏書·崔玄伯傳》曰：「（魏）太祖征慕容寶，次於常山，玄伯棄郡，東走海濱。」見《魏書·崔玄伯傳》，頁620。陳先生認為玄伯東走天師道信仰氛圍濃厚的海濱，此又是其信仰天師道的例證可再商榷，東走海濱實是為遠離可能的政治禍害，非必與天師道信仰聯繫起來。

38　《魏書·崔浩傳》，頁812。

浩不喜老莊之說，因其是儒家禮樂制度的倡導者，老莊主張「道法自然」，主張無為而治，這與政治上欲大有作為的崔浩主張相衝突，更關鍵的是老莊書中多次否定與抨擊儒家禮義制度消極面，為崔浩所不能接受。

陳寅恪先生認為「至其不好老莊之書者，蓋天師道之道術與老莊之玄理本自不同，此與浩之信仰天師道，並無衝突也。」[39]其實，天師道已把《五千文》玄理與道術統一，作為一個天師道徒並不會認為有何對立之處。

明崔浩原不通道的意義在於其與謙之道教合作非源於共同的道教信仰，而主要是二者合作有助於其宏偉的政治規劃藍圖。浩時受到其他官僚排擠，以公卿身份賦閒在家，苦於無法進入權力中心，恰逢此時（西元 424 年）謙之攜神書《籙圖・真經》及其國教化的宗教與政治抱負出現在北魏朝廷。

時謙之就提出要授太武帝「太平真君」的稱號，但太武帝未了解事件背後對其政權鞏固與民族團結的巨大促進意義，半信半疑，其未獲得官方信任，僅讓其住於仙人博士張曜處所。可謂政教抱負一時受挫，而崔浩正賦閒在家，欲修服食養性的道術：

> 既得歸第，因欲修服食養性之術，而寇謙之有《神中錄圖新經》，浩因師之。[40]

浩與謙之的機緣或首因有具體服食養性內容的《籙圖・真經》，崔浩因此師於謙之，在學習服食養性術時，浩意識到借謙之及其道教是其重入朝廷掌握大權，實現政治抱負的難得機遇，故與謙之及其道教合作。

浩以復「五等爵」為中心，欲探索改革秦、漢以來的監察制、三公九卿制、分封制、郡縣制、九品中正制等，以立嚴格的等級制。其要分明姓族，皆因其崇尚漢族世家大族出身入仕，欲抑制庶民與少數民族政治地位，並有以此來鞏固並抬高漢族世家大族政治地位的理想。謙之家族也為大族，亦屬五胡亂華後，未南遷的大家豪族，謙之受其家族信仰道教與從事政治之影響，故他面對時代巨變，作為道教的領袖積極佐國扶命，維護禮法制度，故其深得崔浩之認同與支持。謙之承諾協助崔浩政治理想之實現，實行儒道聯合，其道教「除三張之偽法」並「專以禮度為首」，都合浩理想中倫理有序、族姓分明的社會與政治理想。謙之以史為鑒，繼往開來，故要崔浩為其著書，主要內容為復「五等爵」。

後浩下場極其悲慘，不僅全家被誅，還累及姻親，「清河崔氏無遠近，范陽盧氏、太原郭氏、河東柳氏，皆崔浩之姻親，盡夷其族。」[41]（《魏書・崔浩傳》）考太武帝大動干戈之因，據《魏書》載導火索是其修國史事件，此為表象，本因為鮮卑貴族與漢族

---

39 陳寅恪：〈崔浩與寇謙之〉，頁154。

40 《魏書・崔浩傳》，頁814。

41 《魏書・崔浩傳》，頁826。

大族之間矛盾衝突所致，是胡族漢化過程中與反漢化、反對漢族大族爭權分割權力利益之鬥爭。[42]「崔浩之死是統治階級內部胡漢矛盾和鬥爭的結果，國史不過是一個近因。」[43]浩「於五胡亂華之後，欲效法司馬氏以圖儒家大族之興起，遂不顧春秋夷夏之大防，卒以此觸怒鮮卑，身死族滅，為天下後世悲笑」[44]。浩急於實現政治抱負而不顧民族融合須有長期過程的發展規律，以利益紛爭為主因，終致胡漢矛盾激化，這才是崔浩之死的根本原因。

四　始創國家宗教

謙之新道教得到了崔浩信任與支持，對於謙之道教反映平淡的太武帝和宮廷大臣，浩須出面，說服他們，於是浩上疏太武帝，贊明其事：

> 臣聞聖王受命，則有大應。而《河圖》、《洛書》，皆寄言於蟲獸之文。未若今日人神接對，手筆璨然，辭旨深妙，自古無比。昔漢高雖復英聖，四皓猶或恥之，不為屈節。今清德隱仙，不招自至。斯誠陛下侔蹤軒黃，應天之符也，豈可以世俗常談，而忽上靈之命。臣竊懼之。[45]

「這是依漢儒祥瑞符命之義立論。」[46]浩打動太武帝是依據天人感應說。說謙之是天神降命於人的信息傳遞者，極其稱讚謙之的才學與德行，比漢初的四皓還要高。浩以謙之道教所作《籙圖・真經》為天命予帝王之象徵，為胡族政權的合法性與正統性找到宗教根據。拓跋燾欣然派使者和近侍奉玉帛犧牲前往嵩嶽廟祭嵩山：

> 於是崇奉天師，彰顯新法，宣佈天下，道業大行。[47]

迎下謙之在嵩山的弟子四十餘人，並設五層重壇，供道士一百二十人，且每月廚會有幾千人，可見拓跋燾以國力對謙之道教支持力度之大，至此，謙之為道教發展開啟了新篇章，使得自張陵創教以來一直以民間宗教為顯著特徵的道教一躍質變為國家宗教，道教

---

42 參見何德章：〈北魏太武朝政治史二題〉，《魏晉南北朝隋唐史》第17輯，武漢：武漢大學出版社，2000年，頁51-57。逯耀東：《從平成到洛陽——拓跋魏文化轉變的歷程》北京：中華書局，2005年，頁78。張宏斌：《國家建構與文化認同——以北魏的興廢進行的考查》北京：人民出版社，2016年5月，頁35-57。

43 周一良：《魏晉南北朝史論集》北京：中華書局，1963年12月，頁118。

44 陳寅恪：〈崔浩與寇謙之〉，《金明館叢稿初編》北京：生活・讀書・新知三聯書店，2001年6月，頁158。

45 《魏書・釋老志》，頁3052。

46 鍾國發：《寇謙之評傳》，頁458。

47 《魏書・釋老志》，頁3052-3053。

在歷史上第一次獲得國家宗教身份。

神䴥四年（西元 431 年），太武帝同意謙之請求建造至高人神交接的平臺「靜輪天宮」。〈釋老志〉載上師李譜文要其「出天宮靜輪之法。能興造克就，則起真仙矣。」[48] 可見靜輪天宮承載著謙之欲要成仙的願望。《水經注·㶟水》載：「壇之東北，舊有靜輪宮，魏神䴥四年造，抑亦柏梁之流也。臺榭高廣，超出雲間，欲令上延霄客，下絕囂浮。」[49] 欲要靜輪天宮上入雲霄，其高度可歎。靜輪天宮之營建以及道壇之建設向世人昭示道教依靠的是國家權力意志。此一系列國家崇奉道的大事件在北魏必刮起旋風，地方政府也會積極配合支持道教發展，這有利於信眾增加與道教所承載的華夏價值觀之散佈。

新道教也隨著太武帝於真君三年（西元 442 年）親至道場受籙而達至極盛。太武帝親登道壇受籙，隨從旗幟也改為道家標誌的青色，鮮卑皇帝成為道教信徒，標誌著國家政權給予謙之道教發展的最高規格待遇。太武帝以後的幾位北魏國君即位也要接受道教符籙，昭示獲得天命正統。

太武帝接受謙之建議，將四四〇年改年號為「天平真君」。太武帝成為「太平真君」的社會影響相當廣泛，《魏書·靈征志下》記載了太平真君五年二月的讖緯命符事件，張掖郡上書說丘池縣發現五個青色大石，上有文字，有二石記載前代事件已經應驗，有一石記載今事「太平天王繼世主治」也已實現，可見在太武帝改年號支持道教國教化的社會影響廣泛。此次天降符命事件再次向世人表明北魏國家政權的正統與合法性。

太平真君九年（西元 448 年），謙之卒，魏武帝葬其以道士之禮。其去世之前，由於靜輪天宮耗資靡費，勞財傷民，遭到了反對聲音。謙之顯然已悲痛地意識到靜輪天宮在其在世時，憑藉其與崔浩的威望尚能維持建設，但在其去世後將難以成就，並對其身後的新道教發展報以悲觀態度，所以悲痛地謂其弟子：「及謙之在，汝曹可求遷錄。吾去之後，天宮真難就。」[50]

五　結語

縱觀謙之輝煌傳奇的人生歷程，可說他既將家族傳統的投身政治、服務社會的治世理想發揚光大；也將家族的道教信仰結合，使道教國教化，並以之為契機，實現了佐國扶命的理想人生；不容忽視的是，在少數民族政權中，其發揮促進民族融合與少數民族漢化的意義也極為重大。

---

48 《魏書·釋老志》，頁2051。
49 酈道元著、陳橋驛校證：《水經注校證》北京：中華書局，2013年1月，頁301。
50 《魏書·釋老志》，頁2053。

　　謙之著作雖有爭議，並影響許多學者對其思想的客觀研究，但除二位湯先生之外，但凡做過考證的學者[51]皆只認為《老君音誦誡經》為謙之的僅存作品。部分學者默認湯用彤、湯一介先生先後著作文章的觀點，推測收錄於《洞神部・戒律類》者大體為謙之的作品[52]，且二位先生只用「大體為」等措詞，明非定論。後部分學者未做考證，把很多非謙之的思想強加於他，導致歷史與邏輯之對立。《音誦誡經》的內容是體現謙之思想與活動的重要座標。另其著作沒有敦煌所出《太上靈寶老子化胡妙經》。[53]

51　如小林正美、鍾國發、丁培仁、唐長儒等。見小林正美：《六朝道教史研究》成都：四川人民出版社，2001年3月，頁325-360；鍾國發：《寇謙之評傳》，頁487-488；朱越利主編：《道藏說略》北京：北京燕山出版社，2009年6月，頁368-369；唐長孺：《魏晉南北朝史論拾遺》北京：中華書局，1983年5月，頁224。

52　二位先生查《隋書・經籍志》與《魏書・釋老志》有關謙之著作的內容，認為其作品《雲中音誦新科之誡》原二十卷，今有《老君音誦誡經》固為謙之作品，《洞神部・戒律類》的所有作品也應是其作品二十卷的部分。又結合各卷主題的分析方法，大致認為《雲中音誦新科之誡》為《太上老君戒經》、《老君音誦誡經》等七部誡經之總名。湯用彤，湯一介：〈寇謙之的著作與思想——道教史雜論之一〉，《歷史研究》1961年第5期，頁64-65。寇謙之著作之詳細考證，詳見李亞飛：〈寇謙之道教著作考論〉，《新亞論叢》2017年年刊，頁189-200。

53　該經前後二部分係王卡先生據《老君開天經》及《三洞珠囊》所引《化胡經》補缺，王卡先生把敦煌文書P.2360與S.208合併，擬名《太上靈寶老子化胡妙經》。中前部分提到《通玄真一經》為唐朝時期稱謂《文子》的別名，深受佛教影響，用詞與老子化胡的內容當往北朝以後再推，當為隋唐時期作品。王卡先生據該經文中部內容載：「三陽地男女百八十人得道，北方魏都地千二百人得道，秦川漢地二百五十人得道，長安晉地男女二百人得道。」認為「可知此經應出於東晉末北魏初，即西元四一六年晉將劉裕北伐，滅關中姚秦政權，北魏定都平成之時。作者疑即嵩山道士寇謙之。」認為此句所在之段或出於謙之，並認為〈釋老志〉載謙之的納佛入道的內容與該經類似，其說「故此經當出於四一六年間」。見張繼禹主編：《中華道藏》第8冊，北京：華夏出版社，2004年1月，頁207-210。我認為此疑點頗多，如《太上靈寶老子化胡妙經》載「天尊言：上有卅三天」，此顯然不同於〈釋老志〉載謙之《籙圖・真經》的「三十六天」，且該經用語如「善男子」、「善女人」與《音誦誡經》「道民」「籙生」等習慣不符，該段落或深受謙之影響，與謙之時代相近，或為謙之之後的北魏至北周時期左右，「秦川漢地」「長安晉地」等乃是追溯歷史，是歷史的習慣用語，描述的內容非現在進行時。中後半部分據王卡先生考與《洞淵神咒經》類似，或出於東晉初。

六朝子書文論的內涵與致用傾向

何維剛

臺灣大學中國文學系

一　前言

現存魏晉南北朝時期的子書文論，較為著名的如曹丕《典論‧論文》，徐幹《中論‧序》，桓範《世要論》〈銘誄〉、〈政要〉，葛洪《抱朴子》〈鈞世〉、〈尚博〉，蕭繹《金樓子》〈立言〉、〈雜記〉等諸篇，皆為前人研討六朝文學重要的文論資料。其中《文心雕龍》更是以子學精神撰寫文章評論之典範。顏之推《顏氏家訓‧文章》雖本為戒子之家訓，然「諸子者，入道見志之書」[1]，顏之推對魏晉以來諸子不以為然。[2]〈隋志〉雖未著錄《顏氏家訓》，兩〈唐志〉以下皆歸類子部。其書依其文而見其志，在此一層面實是從「家訓」提升至「子書」層面。

然而，子書受限於先天修身、治國之編纂理念，偏重在傳統之融合運用，即使論文，也需以合乎編纂理念為前提，較難在純文學的層面有所創革。進而可能產生子書文論傾向保守，作者自身創作卻新穎時髦的矛盾狀況。文章觀念之釐清，亦可能反動影響了子書作者對於文章之認識與評價。下文將聚焦於子書中所收錄之文論，試圖探析子書作者於文章意識的轉變，是否亦會反動影響子書書寫習慣之變動。

二　子書文論中論子、文之地位高低

在立言以求不朽之中，強調撰寫子、史的地位高於純文學創作，是子書中時見之言論。此一概念魏晉便已逐漸成形，曹丕《典論‧論文》：「文章者，經國之大業，不朽之盛事。」然而考之後文，乃是指涉「西伯幽而演易，周旦顯而制禮」等有治世之用的經書。在曹丕眼中，「唯幹著論，成一家言」[3]，參照〈與吳質書〉，即稱「辭義典雅」、可謂「不朽」之《中論》。可知在曹丕觀念中，文章之範圍仍與經、子不分，文章即泛指

1　（梁）劉勰著，范文瀾注：《文心雕龍注》臺北：學海出版社，1991年2月，卷4，〈諸子〉，頁307。

2　《顏氏家訓‧序致》：「魏晉以來，所著諸子，理重事復，遞相模效，猶屋下架屋，床上施床耳。」此雖可見顏氏對六朝子學之評價，然既謂「遞相模效」，亦可從中窺視六朝撰寫子書風氣之盛。見王利器：《顏氏家訓集解》北京：中華書局，1996年，卷1，〈序致〉，頁1。

3　分見（梁）蕭統編，（唐）李善注：《文選》臺北：藝文印書館，1967年，卷52，〈論二〉所錄曹丕：《典論‧論文》，頁734。

著述。[4]若說曹丕尚且毋分文章子史，《中論‧序》則明確將詩賦等文章區隔於外：

> 見辭人美麗之文並時而作，曾無闡弘大義、敷散道教、上求聖人之中、下救流俗
> 之昏者，故廢詩賦頌銘贊之文，著《中論》之書二十篇。[5]

揚棄無益世用的詩賦頌銘，推尚「闡弘大義」、「救流俗之昏」的有益之文：子、史，乃是出於政治治世的角度，合乎傳統子學「術道言志，枝條五經」之本業。[6]但自曹魏以來尚名法、疑經儒的風氣，可能也是此種觀念之助力。《典論》、《中論》自〈隋志〉以降皆列子部儒家，時代相近、列於〈隋志〉法家之桓範《世要論》，對於文章的批評則更為偏激。《世要論‧序作》：

> 夫著作書論者，乃欲闡弘大道，述明聖教，推演事義，盡極情類，記是貶非，以
> 為法式。……故作者不尚其辭麗，而貴其存道也；不好其巧慧，而惡其傷義也。
> 故夫小辯破道，狂簡之徒，斐然成文，皆聖人之所疾矣。[7]

是以詩賦不過「辭麗」之小道，不足以「闡弘大道，述明聖教」，不僅其「巧慧」有傷於「義」，斐文破道更為「聖人之所疾」。其所注目的重點，皆不在文章本身，而是在「治世」之前提下，文章應當如何為政教服務。桓範反覆強調文章之權柄應當歸諸天子，如〈贊象〉：「宜由上而興，非專下而作也。」〈銘誄〉：「且夫賞生以爵祿，榮死以誄謐，是人主權柄而漢世不禁。」[8]贊、象、銘、誄本介乎史學、禮學與文章之間，其觀察的角度不同，自然會得出不同結果。然而桓範對於文章之認識，強調歸諸史家之是非、本諸禮儀，而其評判權柄與施用對象，都應當以君王作為優先考量，與今日文學強調自主、重視美感之特色相距甚遠。但若從另外一個角度來看，則意謂著此時文章創作風氣之盛，各家不得不受此風氣影響、進而提出修整風氣之意見。

　　葛洪於《抱朴子》中，雖然認為不應當貴古賤今，強調應當提高文章創作的地位。但在其心目中，立言之中能傳於後世的，仍在於子書而非詩賦。是以《抱朴子》外篇

4　其說詳參朱曉海：〈魏晉時期文學自覺說的省思〉，《淡江中文學報》，2003年第9期，頁6。

5　（魏）徐幹撰，孫啟治解詁：《中論解詁》北京：中華書局，2014年5月，附錄一無名氏，〈徐幹中論序〉，頁395。

6　《文心雕龍注》，卷4，〈諸子〉，頁308。除徐幹外，王粲亦曾反對當時之詩賦。〈硯銘〉：「在世季末，華藻流淫。文不寫行，書不盡心。淳樸澆散，俗以崩沉。」然考之徐、王，亦多有詩賦存留。可推測徐、王身於官場，有時難免需作官樣文章，言與行之間未必全然合轍。見（唐）歐陽詢：《藝文類聚》上海：上海古籍出版社，1985年，卷58，〈雜文部四‧硯〉所錄王粲：〈硯銘〉，頁1057。

7　（清）嚴可均：《全上古三代秦漢三國六朝文》北京：中華書局，1999年，《全三國文》，卷37所錄桓範：《世要論‧序作》，頁1263。

8　分見《全上古三代秦漢三國六朝文》，《全三國文》，卷37所錄桓範：《世要論‧贊象》，頁1263。《世要論‧銘誄》，頁1263。

〈尚博〉批評世俗：

> 或貴愛詩賦淺近之細文，忽薄深美富博之子書。以磋切之至言為駁拙，以虛華之小辯為妍巧。真偽顛倒，玉石混淆。[9]

世俗既然價值混亂，葛洪在看透了這些問題後，自然是棄詩文而作子書：「洪年二十餘，乃計作細碎小文，妨棄功日。未若立一家之言，乃草創子書。」[10]直至梁朝，蕭繹撰寫《金樓子》，仍是「竊重管夷吳之雅談，諸葛孔明之宏論」，目的在於「足以言人世，足以陳政術。」而論到立言以垂不朽，蕭繹心目中的榜樣是：

> 竊念臧文仲既歿，其言立於世。曹子桓云：「立德著書，可以不朽。」杜元凱言：「德者非所企及，立言或可庶幾。」……常笑淮南之假手，每蚩不韋之託人。由是年在志學，躬自搜纂，以為一家之言。[11]

曹丕著書不朽之作，即為其自視為不刊之《典論》，杜預之立言則在其《春秋左氏傳》，可見蕭繹於〈金樓子序〉對於立言之看法，仍承襲了傳統子、史高於詩賦之觀念。

著書體系出自子學傳統，卻對諸子略有微辭者，恐怕劉勰《文心雕龍》唯屬特例。但細考之，亦出於顧及全書宗經、徵聖、原道之宗旨使然。「彥和著書，自成一子。」[12]《文心雕龍》一書向來有類屬集部、子部之紛爭，但是實際上劉勰對於現實之針砭與理想，歸結於聖人、經典與大道，與傳統子家並無差異。「不過傳統子家常用心力於『政化』、『事績』、『修身』，而劉勰則轉而要求用心力於『文』而已。」[13]《文心雕龍·諸子》雖稱子書為「入道見志之書」，其優秀者不但可立言不朽，「英才特達」者甚至可「懸諸日月」。但此篇之關鍵，仍在於強調「經子異流」。是以諸子「述道言志，枝條五經」，若依彥和之觀點，不妨視經書為嫡、諸子為庶、而楚騷為孽。是以諸子良莠參差，學習者應當：

> 宜撮綱要，覽華而食實，棄邪而採正，極睇參差，亦學家之壯觀也。[14]

言下之意，在於應當學習諸子出於經學的部分，此種論辨態度實與〈辨騷〉中稱「離騷之文，依經立意」、但在學習之際仍應歸諸經典，斥其詞賦之風：「若能憑軾以倚雅頌，

9　楊明照：《抱朴子外編校箋》北京：中華書局，1997年，卷32，〈尚博〉，頁105。

10　楊明照：《抱朴子外編校箋》，卷50，〈自敘〉，頁697。

11　（梁）蕭繹撰，許逸民校箋：《金樓子校箋》北京：中華書局，2011年，〈金樓子序〉，頁1-2。

12　（清）譚獻：《復堂日記》，收入《叢書集成續編》臺北：新文豐出版公司，1989年，卷5，頁749。

13　張蓓蓓：〈從中國子學傳統重探《文心雕龍》〉，《林文月先生學術成就與薪傳國際學術研討會論文集》臺北：臺灣大學中國文學系，2014年5月，頁85。

14　《文心雕龍注》，卷4，〈諸子〉，頁309。

懸轡以馭楚篇，酌奇而不失其真，翫華而不墜其實。」[15]歸根究柢，諸子、楚騷僅為「華」，經書方為「實」，在彥和心中好的文章仍應取資經典、歸乎聖人。《文心雕龍》之論著形式多取諸於子學傳統，而關懷角度從傳統子家之「道」轉為「文」。若依照《文心雕龍》之論點，既然「文」即為「道」，二者不過道與器之差異，則立言以求不朽，不必賴於撰寫子、史，撰寫文章即可原道、不朽。因此在劉勰的觀念中，文的地位應當是與子、史平行的，若就「宗經」與否這一點來看，承襲經典的文章可能還比背離經典的諸子來得更有價值。[16]

這種入道見志、自成體系的子書特徵，或許也正是子書文論尚質輕文的因素之一。上述子書之作者，亦多能文。徐幹「以賦、論標美」[17]、今尚可輯有〈齊都〉、〈西征〉、〈序征〉、〈哀別〉等賦，存有詩九首；葛洪少年時，亦多作「細碎小文」；蕭繹更是強調「余六歲解為詩」[18]，說明自己有文章上的才華。但就該時文壇狀況而言，此數人雖皆從事文章創作，卻難以躋身第一流之作家之中，反倒是在論述上能更顯才華。是以在子書尚質輕文，一方面固然可視為時代風氣使然，但子書作家本身多不以文章擅場之因素，也須列入考量。上列子書作者之中，桓範所存文獻最少，所留篇什亦僅為書、表等應用文字，非辭人美麗之文。而桓範對於文章的評價也最為激烈，此或許亦和桓範不善為文有關。

三　子書文論的致用傾向

魏晉時人對於子書之重視，亦表現於子書題目之訂定。如曹丕《典論》取經典不可刊修之意；徐幹《中論》則謂不偏不倚之意；王肅《正論》、杜恕《體論》，則有取正體、棄偏末之意。但這些定題更重要的意義可能在於：暗示自己乃是以聖人的角度撰寫子書，方能達到經典之不刊、聖人之中庸、道體之至正體大的境界。以撰寫子書承繼聖人之業，雖然在六朝期間並未有人明確提及，但似乎仍隱微地潛藏於子書文句之中。《金樓子·立言上》：

> 周公沒五百年有孔子，孔子沒五百年有太史公。五百年運，余何敢讓焉？[19]

---

15 《文心雕龍注》，卷1，〈辨騷〉，頁48。

16 關於劉勰以文為子、視《文心雕龍》為子書，可參姚道生：〈《文心雕龍·諸子》探賾〉，《中國文化研究所學報》2011年52期，頁141-144。

17 《文心雕龍注》，卷10，〈才略〉，頁700。

18 許逸民：《金樓子校箋》，卷6，〈自序〉，頁1345。

19 許逸民：《金樓子校箋》，卷4，〈立言上〉，頁798。

蕭繹以帝子之尊而出此言，無怪乎《四庫題要》批之「儼然上比孔子，尤為不經。」[20]
然而曹丕《典論‧論文》：「夫人善於自見，而文非一體，鮮能備善。」然能不囿於自
見，超越器之所限、能由一體擴為通體者，曹丕自謂「免於斯累」，除聖人之外誰能為
之。葛洪雖未明言自己是否承襲聖人之業，但於《抱朴子‧尚博》：「正經為道義之淵
海，子書為增深之川流」、「故通人總原本以括流末，操綱領而得一致焉。」[21]此些言
論，皆試圖間接以撰寫子書聯繫聖人之業。[22]

　　既然撰寫子書多以經世致用為出發點，傳統子書涉及論文時，多會承沿先秦兩漢之
傳統論調：一方面作者自身創作辭人美麗之文，一方面卻又規範文章應有益於世俗。實
際上，子書文論對於文章之認識與評價，或可視為六朝文質觀念辨析之一環，而傳統子
學強調致用之特色，亦使子書文論容易趨向尚「質」輕「文」。[23]從今日純文學的角度
來看，子書文論往往偏於保守，但這種近似保守的論調，實則傳載了傳統子書尚質輕文
之特色、同時也是子書作者針對當時之文章流弊所提出之解救方法，未必適以今日之價
值評斷保守與否。例如子書中，普遍強調文章治世教化之用。徐幹以為有用之文，當為
「闡弘大義、敷散道教、上求聖人之中、下救流俗之昏者。」[24]桓範亦持相似意見：
「乃欲闡弘大道，述明聖教，推演事義，盡極情類，記是貶非，以為法式。」[25]又葛洪

---

20 （清）紀昀：《四庫全書總目》臺北：藝文印書館，1989年，卷117，〈子部‧雜家類〉所錄《金樓
　　子》，頁2348。

21 分見《文選》，卷52〈論二〉所錄曹丕：《典論‧論文》，頁734。楊明照：《抱朴子外編校箋》，卷
　　32，〈尚博〉，頁98。

22 強調本業與聖人之關聯，似乎興起於魏晉之後，尤其表現在文論之中。《抱朴子》：「世人以人所尤
　　長，眾所不及者，便謂之聖。故善圍棋之無比者則謂之棋聖……善史書之絕時者則謂之書聖……善
　　刻削之尤巧者則謂之木聖……吾試演而論之，則聖非一事。……聖者人事之極號，也不獨於文學而
　　已。」張融謂「丈夫當刪《詩》、《書》，制禮樂，何至因循寄人籬下。」其說可能本於《論語‧子
　　張》：「夫子之牆數仞，不得其門而入，不見宗廟之美、百官之富。」劉勰論文乃是源於「夜夢執丹
　　漆之禮器，隨仲尼而南行」。江淹作〈雜體詩〉三十首本諸《老子》「三十幅之一轂」，批評時人
　　「各滯所迷」、「貴遠賤近」、「重耳輕目」，亦是以聖人的角度品評時人，語氣與曹丕《典論‧論
　　文》十分相似。子學之聖人與文學之聖人，未必有直接關聯。文中舉《典論‧論文》例，曹丕本意
　　亦在論文，而非論子。然而上舉曹丕、張融、劉勰三例，其文論介乎子學與文學之間，而作者以通
　　人自喻的思維究竟是由子學入文學、抑或是由文學入子學，尚有可討論之空間。分見王明：《抱朴
　　子內編校箋》北京：中華書局，1996年，卷12，〈辨問〉，頁225。（梁）蕭子顯：《南齊書》北京：
　　中華書局，1972年2月，卷41，〈張融傳〉，頁729。（清）劉寶楠：《論語正義》北京：中華書局，
　　1990年3月，卷22，〈子張〉，頁750-751。《文心雕龍注》，卷10，〈序志〉，頁725。

23 六朝時期因時代風尚不同而導致文、質偏尚差異的問題，詳可參看顏崑陽：〈論魏晉南北朝文質觀
　　念及其所衍生諸問題〉，《六朝文學觀念論叢》臺北：正中書局，1993年，頁20-47。

24 案：〈中論序〉並非徐幹所作，作者於今亦不可考，然既為《中論》作序，當與徐幹理念契合。為
　　閱讀方便，此處暫將序語掛名於徐幹之下。

25 分見《中論解詁》，附錄一無名氏，〈徐幹中論序〉，頁395；《全上古三代秦漢三國六朝文》，《全三
　　國文》，卷37所錄桓範：《世要論‧序作》，頁1263。

《抱朴子・應嘲》：「立言者貴於助教，而不以偶俗集譽為高。」同書〈辭義〉：

> 不能拯風俗之流遁，世途之凌夷，通疑者之路，賑貧者之乏，何異春華不為肴糧
> 之用，茝蕙不救冰寒之急。古詩刺過失，故有益而貴；今詩純虛譽，故有損而賤
> 也。[26]

此處應當著意的是，徐幹發此言論，乃出於「辭人美麗之文竝時而作」；桓範則是針對俗人尚「辭麗」、好「巧慧」，「而務泛溢之言，不存有益之義」；葛洪則是批評當時「以偶俗集譽為高」。是以三者強調文章致用說之動機，皆是因應當時文章流於辭麗、以文干名之風氣，而不得不被動地提出補救措施。此亦可見傳統子學致用之特色，因應時代風氣不同而討論問題亦會因時而異。文藝創作本非先秦等傳統子學所論重點，但文章既成為風氣、進而造成的社會弊病，子書不得不針對其問題提出建言，甚而論及文章文質之問題。從這方面來看，子書自然會受到當代文章觀念之影響。

然而文章致用之思想，是否為子書撰寫中必要之套語，猶如顏之推所批評「理重事複，遞相模斅」，未必能如實反映子書作者的文學思想？蕭繹《金樓子・立言》：

> 諸子興於戰國，文集盛於兩漢。至家家有制、人人有集。其美者足以敘情志、敦
> 風俗。其弊者只以繁簡牘、累後生。……或昔之所重今反輕，今之所重，古之所
> 賤。[27]

其論與前述子書並無差異，強調文章應當敘情志、敦風俗。但若細檢《金樓子》之文論，實不難發現蕭繹有些文章觀極其保守，與其所作詩文頗有矛盾。[28]如蕭繹強調學重於才[29]、作家之典範應為身兼文儒學的鴻儒[30]、三不朽中仍以立德立功勝過立言[31]。這

---

26 分見楊明照：《抱朴子外編校箋》，卷43，〈應嘲〉，頁411；卷40，〈辭義〉，頁398-399。

27 許逸民：《金樓子校箋》，卷4，〈立言〉，頁852。

28 蕭繹文論與創作之矛盾，詳參曹道衡：《蘭陵蕭氏與南朝文學》北京：中華書局，2004年，頁205-227。

29 《金樓子・立言下》：「曹子建、陸士衡，皆文士也，觀其辭致側密，事語堅明，意匠有序，遺言無失。雖不以儒者命家，此亦悉通其義也。遍觀文士，略盡知之。至於謝元暉，始見貧小，然而天才命世，過足以補尤。」許逸民：《金樓子校箋》，卷4，〈立言〉，頁966。

30 《金樓子・立言下》：「王仲任言：夫說一經者為儒生，博古今者為通人，上書奏事者為文人，能精思著文連篇章為鴻儒，若劉向揚雄之列是也。蓋儒生轉通人，通人為文人，文人轉鴻儒也。」許逸民：《金樓子》，卷4，〈立言〉，頁983。

31 《北窗瑣言》：「昔梁元帝為湘東王時……常記錄忠臣、義士及文章之美者。筆有三品：或以金銀雕飾，或用斑竹為管。忠孝全者用金管書之，德行清粹者用銀筆書之，文章贍麗者以斑竹書之。」（宋）李昉等編：《太平廣記》北京：中華書局，1986年，卷200，〈文章類三・韓定辭〉，頁1502。關於蕭繹文學觀的保守傾向，可參朱曉海：〈蕭繹文學觀試探〉，復旦大學古代文學研究中心編，《中國文學研究》2012年第19輯，頁54-74。

些觀念皆上承傳統觀念，不似蕭統、蕭綱在文論上有所創新。但若單就文章創作來看，蕭繹詩作頗染宮體濃豔之氣，文賦亦多駢麗，與其兄蕭綱頗為相近。《隋書・文學傳論》：「梁自大同之後，雅道淪缺，漸乖典則，爭馳新巧。簡文湘東，啟其淫放，徐陵庾信，分路揚鑣。」[32]以蕭綱、蕭繹詩風並為一派，遂多為後世論者接受。蕭繹本身便是一位人格思想極其複雜的人物，曹道衡以為其文論、作品中所展現之矛盾，可歸結於其人格之複雜，實為確論。但若考量到《金樓子》作為一部子書，受限其因循之子書傳統，不得不扳起臉孔說教條話，那麼蕭繹創作與文論之矛盾，或許可從子書傳統重於致用的角度重新認識。

　　然而《金樓子》的性質別於前代子書，除了承襲傳統子書重視政教的致用傾向外，在內容上又因應時風有所開拓，正符合陳宏怡《六朝子學之變質》曾指出：「六朝諸子之興治精神衰退的同時，子家們新增了他們所感興趣的新議題到子書之中。政治性減少了，多的是偏向文藝的、學術的討論；由對外在社會的分析評論，轉而成為個人化的抒情雜感。」[33]若僅聚焦於南朝文學風尚這一點，則可發現南朝文章意識的轉變，亦反映於子書撰寫上。前人論及《金樓子》，往往看重〈立言下〉第四十八條涉及文、筆之辨的一段論述：

> 筆，退則非謂成篇，進則不云取義，神其巧慧，筆端而已。至如文者，唯須綺縠紛披，宮徵靡曼，唇吻遒會，情靈搖蕩。[34]

乍看之下，蕭繹以「情靈搖蕩」界定文章本質，似乎與蕭綱〈與湘東王書〉「吟詠性情」互為表裡，但若細細爬梳〈與湘東王書〉的撰寫背景，則知蕭繹早期與蕭綱文學觀念、文學群體背道而馳。[35]〈與湘東王書〉之撰寫並非無的放矢，而是站在主動出擊的立場，抨擊蕭繹代表的「京師文體」。然而到了後期撰寫《金樓子》時，蕭繹以形文（綺縠紛披）、聲文（宮徵靡曼）、情文（情靈搖蕩）來解釋文學，已與蕭綱之想法頗為契合。[36]而《金樓子・立言上》亦曾論及文學創作的「內外相感」，亦觸及文學活動之

32　（唐）魏徵等：《隋書》北京：中華書局，1973年，卷76，〈文學傳論〉，頁1730。

33　陳宏怡：《六朝子學之變質：以《金樓子》為探討主軸》臺北：臺灣大學中國文學研究所碩士論文，2007年，頁260。

34　許逸民：《金樓子校箋》，卷4，〈立言〉，頁966。

35　〈金樓子序〉自道：「裴幾原、劉嗣芳、蕭光侯、張簡憲，余之知己也。」《梁書・元帝紀》亦謂：「（世祖）與裴子野、劉顯、蕭子雲、張纘及當時才秀為布衣之交。」這一交往情形正呈現蕭繹早期的文學傾向，是偏向古體派。分見許逸民：《金樓子校箋》，〈金樓子序〉，頁1。（唐）姚思廉：《梁書》北京：中華書局，1972年3月，卷5，〈元帝本紀〉，頁136。

36　鍾仕倫則直接指出：《金樓子》的撰寫目的之一，便是自視為文壇領袖，試圖調和梁代文壇古今文體之爭。詳參鍾仕倫：《《金樓子》研究》北京：中華書局，2004年12月，頁230-238。

本質，跳脫出古體派的保守思維。[37]此一方面得見蕭繹濡染時風，《金樓子》務須針對當時的文學風潮作出回應，另一方面從《金樓子》前後文學評論複雜、甚至矛盾的現象，也揭示出《金樓子》編纂之混雜。[38]這種駁雜矛盾的情形，正歸因於《金樓子》以子書自立，卻又不得不照應當代文學問題所致。及至顏之推《顏氏家訓》仍搖擺於子書傳統與文學風尚之間，〈文章〉：

> 朝廷憲章，軍旅誓誥，敷顯仁義，發明功德，牧民建國，施用多途。至於陶冶性靈，從容諷諫，入其滋味，亦樂事也。[39]

作為一本家訓與子書之著作，顏之推雖仍認為彰仁義、明功德為文章的本質所在，但已逐漸承認文章「陶冶性靈」的特色。六朝文論自阮瑀、應瑒〈文質論〉始，便不斷在辨析文章之教化作用與聲色娛樂的互涉問題。直至蕭綱，終於提出「立身之道與文章異。立身先須謹重，文章且須放蕩」[40]的極端說法，將文章與立身經典一分而二，自此文章的美麗、娛樂特質方得獨立彰顯。《顏氏家訓》之家訓性質，一方面須為子孫著想，首要灌輸傳統之處世價值，但另一方面，復因為家訓之私密性，得以載錄些許心底話。這便使得《顏氏家訓》於子學傳統外有了些許彈性，得以兼顧普世價值與私人想法。《顏氏家訓》於文章致用之外，認同其美麗娛樂之特質，就內涵而言固然是受到梁朝文學風氣之影響。但就撰寫形式的層面而言，從傳統子學過渡到私家家訓，使作者得以自抒心得，未嘗不是《顏氏家訓》文論別於前代子書的原因之一。

四　結論

南朝文論，尤其蕭梁一朝，愈加注重文章的美感。強調文章乃出於性情、而非天下大事：「是以沉吟短翰，補綴庸音。寓目寫心，因事而作。」[41]並且刻意切割文章與經典之關聯，打破了兩漢以來文章為經典附庸之思維：「未聞吟詠性情，反擬內則之篇；操筆寫志，更摹酒誥之作。」[42]蕭統〈文選序〉明確將《詩經》排除於選取標準之外，

---

37 關於《金樓子》的文學思想，詳參張蓓蓓：〈《金樓子》榷論〉，《中國學術思想論叢：何佑森先生紀念論文集》臺北：大安出版社，2003年，頁112-113。

38 此蓋劉咸炘《舊書別錄·金樓子》提及：「統觀全體，竟是書抄文集，陳言累累，絕少胸中之造，為之纂言可耳，何謂立乎。」劉咸炘：《舊書別錄》，收於黃曙輝編校：《劉咸炘學術論集·子學編》桂林：廣西師範大學出版社，2007年7月，頁458。

39 王利器：《顏氏家訓集解》北京：中華書局，1996年，卷4，〈文章〉，頁237。

40 《藝文類聚》，卷23，〈人部七·鑒誡〉所錄蕭綱：〈誡當陽公書〉，頁424。

41 《藝文類聚》，卷58，〈雜文部四·書〉所錄蕭綱：〈答張纘謝示集〉，頁1042。

42 《梁書》，卷58，〈庾肩吾傳〉，頁690。

也在婉轉申明：《詩經》不是文學。[43]相較之下，今所見子書所載之文論，受限於子書的撰書宗旨與傳統論調，普遍強調致用與融會傳統。難以表現出如謝靈運〈擬魏太子鄴中集詩八首序〉、江淹〈雜體詩序〉、沈約〈謝靈運傳論〉、蕭子顯〈文學傳論〉[44]等，對於文章的鮮明態度與個人傾向。另一方面，子書作者視撰作子書為承繼聖人之業，強調在立言之中，撰寫子、史的地位高於詩賦。其言論基礎固然出於魏晉的時代風氣，但子書作家多數不以文章擅場、難以文章達到不朽等因素，可能也會左右作家評判子書、詩賦地位高低。

43　〈文選序〉將《詩經》歸諸古、質，以別於當代對於文學作品的範疇，詳參朱曉海：〈讀《文選‧序》〉，《古代文學理論研究》2003年第21期，頁112-113。

44　沈約〈謝靈運傳論〉、蕭子顯〈文學傳論〉出於史書，卻並未表現出子書對於文章之致用立場，反倒寄託了更多史家自身想法，也更切合當時文學風潮。箇中原因可能與魏晉以降私人撰史風氣大盛之後，史家對於撰史觀點的改變有關。沈約《宋書》、蕭子顯《南齊書》時常於史臣論中，論贊內容無涉傳主生平，而用以寄託史家想法。如《宋書》〈范曄傳〉，史臣論全然不提范曄。《宋書》王華、王曇首、殷景仁、沈演之合傳，史臣論僅涉及王華，並僅針對一點論之。又如《南齊書》王融、謝朓合傳，史臣論則僅述王融不論謝朓。以傳論不涉傳主，《文選》五臣注可能已有所察覺，是以李周翰注〈謝靈運傳論〉：「約脩宋書，至謝靈運傳，嘉其文章，因為此傳論於下，以敘文章利害是非焉。」恐怕意在解釋何以本篇名為〈謝靈運傳論〉，卻通篇不言謝靈運事。子書與史書同出於古代「文學」，但對於文章之認識卻差異頗大，此亦可見子書文論別於史家、文家之態度。（梁）蕭統編，（唐）李善等六臣注：《六臣注文選》北京：中華書局，1987年，卷50〈史論下〉所錄沈約：〈謝靈運傳論〉，頁944。

情景書寫背後的莊騷精神
——柳宗元騷體賦與山水遊記比較論

王欣悅

北京師範大學文學院

　　柳宗元貶謫永、柳二州時期，近於屈原放逐之地，「既罹竄逐，涉履蠻瘴，崎嶇堙厄，蘊騷人之鬱悼」[1]。此種騷怨情結因得「山水之助」，廣泛地蘊涵於其詩、賦、騷、記、書等各類文體中。細繹柳集可以發現，這種騷怨情結及其書寫方式，在柳宗元的不同文體創作中表現出不同程度的差異性，而對騷體賦、山水遊記兩種文體而言，這種「差異性」尤有趣味。柳集的六篇騷體賦[2]全部作於永貞元年（西元 805 年）至元和十年（西元 815 年）謫居永州期間，絕大部分山水遊記、甚至大部分含有山水紀遊描寫的記體文[3]亦創作於此，顯示了永州集中承載柳宗元騷怨情結的文化意義，這同一時期、同一地點的山水環境在兩種不同文體所呈現的不同描摹形態、思想情感的不同書寫方式，也就更具可相對讀的深層意味。臺灣許東海先生已經通過這種對讀，深刻挖掘了永州八記風景書寫背後的「羈囚身影及其精神焦慮」[4]，在此基礎上我們進一步探尋這種文本差異背後的文體形態因素及其蘊含的思想、審美淵源。

1　（後晉）劉昫等：《舊唐書》北京：中華書局，1975年5月，頁4214。

2　即：〈佩韋賦〉、〈解祟賦〉、〈懲咎賦〉、〈閔生賦〉、〈夢歸賦〉、〈囚山賦〉。另〈瓶賦〉、〈牛賦〉雖多被前人稱為「騷」，且〈瓶賦〉見錄於晁補之〈變離騷〉，但其實屬於馬積高《賦史》所言「以四言韻語作基本句式」的「詩體賦」上海：上海古籍出版社，1987年，頁5-6，而非文體意義上的騷體賦。

3　若按照王立群《中國古代山水遊記研究》北京：中國社會科學出版社，2008年5月，頁125、126。一書較為嚴格的文體判定，柳宗元的記體文包括公署廳壁記、樓臺亭閣記、山水遊記，其中山水遊記主要指「永州八記」及其前後的〈遊黃溪記〉、〈柳州山水近可治可遊者記〉，另〈愚溪詩序〉亦可視為山水遊記，共十一篇。此外，記體文中含有較多山水紀遊描寫的篇目大約有：〈潭州楊中丞作東池戴氏堂記〉、〈桂州裴中丞作訾家洲亭記〉、〈邕州柳中丞作馬退山茅亭記〉、〈永州韋使君新堂記〉、〈永州崔中丞萬石亭記〉、〈零陵三亭記〉、〈連山郡復乳穴記〉、〈永州龍興寺東丘記〉、〈永州法華寺新作西亭記〉、〈柳州東亭記〉。本文的研究對象以前一類嚴格意義上的山水遊記為主，同時適當涉及含有山水遊記描寫的記體文。

4　許東海：〈風景與焦慮：柳宗元永州所撰山水遊記與辭賦之對讀〉，收入許東海：《風景・夢幻・困境：辭賦書寫新視界》臺北：里仁書局，2008年5月，頁149-204。

一　騷體賦與山水遊記的情景書寫

對讀柳宗元的騷體賦和山水遊記，二者的直觀差異首先表現在情景書寫中，包括永州環境的描摹形態與思想感情的創作傾向。

首先，在景物描繪方面，柳宗元的騷賦、遊記呈現出不同的描摹形態。在騷體賦創作中，柳宗元突出環境之險惡幽昧、蕭瑟肅殺，如〈懲咎賦〉描寫自己前往永州貶所途中的自然環境：「飄風擊以揚波兮，舟摧抑而回邅。日霾曀以昧幽兮，黝雲湧而上屯。暮屑窣以淫雨兮，聽嗷嗷之哀猿。眾鳥萃而啾號兮，沸洲渚以連山。漂遙逐其詎止兮，逝莫屬余之形魂。攢巒奔以紆委兮，束洶湧之崩湍。畔尺進而尋退兮，蕩洄洄乎淪漣。際窮冬而止居兮，轜纍夢以縈纏。」[5]「飄風」為「擊」，突出狂風力度之強勁，激起「洶湧之崩湍」，彷彿也激蕩了柳子的心緒；日色為「霾曀」「昧幽」，雲非白色而成「黝」，「黝雲湧而上屯」則給人以「黑雲壓城城欲摧」的沉重壓迫感，突出了柳子內心的抑鬱黯淡。這種環境特徵及其描摹方式，與〈九章·涉江〉所寫屈子流放途中環境之險惡如出一轍：「船容與而不進兮，淹回水而疑滯」，「深林杳以冥冥兮，猿狖之所居。山峻高目蔽日兮，下幽晦以多雨。霰雪紛其無垠兮，雲霏霏而承宇。」[6]都有舟船顛簸、江水洶湧、氣候幽昧、猿鳥哀鳴。柳宗元的筆觸更加細緻，所寫景物環境之蕭瑟程度也更加觸目驚心，成了籠罩在他心頭的精神陰霾。永州等南方地區在中唐仍被認為是蠻夷荒癘、未經開發的偏遠之地，〈閔生賦〉、〈囚山賦〉兩文更是突出了南方濕熱多雨的瘴氣環境，這從某種程度上來自於作者對南方的恐怖認知和對謫居生活的焦慮情緒：一方面是瘴毒蒸熱的氣候體驗，「壞汙潦以墳迦兮，蒸沸熱而恆昏」[7]（〈閔生賦〉），「杳雲雨而漬厚土兮，蒸鬱勃其腥臊。陽不舒以擁隔兮，群陰洰而為曹」[8]（〈囚山賦〉）；另一方面也有凶猛野獸出沒，「雄虺蓄形於木杪兮，短狐伺景於深淵」[9]（〈閔生賦〉），「攢林麓以為叢兮，虎豹咆哮代猨猱之吠噑」[10]（〈囚山賦〉）。這增加了柳子對貶謫命運的孤獨感與未知感，使其不禁發出「塊窮老以淪放兮，匪魑魅吾誰鄰？」[11]（〈閔生賦〉）的感歎。

相比之下，山水遊記所寫的永州環境則呈現出一片清新幽奇的山清水秀之態。正如〈遊黃溪記〉開宗明義地交代地理環境：「北之晉，西適豳，東極吳，南至楚越之交，

5　（唐）柳宗元撰，尹占華、韓文奇校注：《柳宗元集校注》北京：中華書局，2013年，頁139。

6　（宋）洪興祖撰，白化文、許德楠、李如鸞、方進點校：《楚辭補注》北京：中華書局，1983年3月，頁130。

7　（唐）柳宗元撰，尹占華、韓文奇校注：《柳宗元集校注》，頁152。

8　（唐）柳宗元撰，尹占華、韓文奇校注：《柳宗元集校注》，頁171。

9　（唐）柳宗元撰，尹占華、韓文奇校注：《柳宗元集校注》，頁152。

10　（唐）柳宗元撰，尹占華、韓文奇校注：《柳宗元集校注》，頁171。

11　（唐）柳宗元撰，尹占華、韓文奇校注：《柳宗元集校注》，頁151。

其間名山水而州者以百數，永最善。」[12]「永最善」這一整體評價可以作為以下永州諸記的總綱，黃溪、西山、鈷鉧潭、袁家渴諸地均就自然之「善」鋪寫開來。〈袁家渴記〉開篇亦曰：「水行至蕪江，可取者三，莫若袁家渴。皆永中幽麗其處也。」[13]若說永州八記中最為人稱道的〈至小丘西小石潭記〉突出一個「清」字，那麼〈袁家渴記〉則重點在「幽麗」之「麗」：溪澗之色是「平者深黑，峻者沸白」；樹木之色是「上生青叢，冬夏常蔚然」，單單「楓柟石楠，楩櫧樟柚」這些名稱就給人以蓊鬱盎然之感；花草之色是「紛紅駭綠，蓊葧香氣」，每當風聲吹拂又有「衝濤旋瀨，退貯谿谷，搖颺葳蕤，與時推移」的動靜相宜之態，均帶有強烈的視覺美感體驗。[14]又如作者筆下的嶙峋怪石，多以四字排比的博喻手法寫山石姿態，毫無恐怖險惡之態，與〈囚山賦〉「紛對迴合仰伏以離迆兮，若重壤之相襄。爭生角逐上軼旁出兮，其下圻裂而為壕」[15]的凶狠境地大異其趣。清奇、峭麗、精朗是這些山水景物的自然形態，也是作者行文的整體風格，與魏晉山水散文雄奇一派「古秀在骨」[16]的意境相仿。清人儲欣就提出了這類山水遊記與「賦」在景物描摹方面的差異：「或謂似賦，由熟精〈文選〉而得之，余曰非也。賦家多浮誇，先生諸記，一一天地真景。」[17]「山地真景」即是此種源於自然而高於自然原型的藝術美，不同於「賦」的誇張、鋪陳。

其次，在思想、情感內涵方面，柳宗元的騷賦和遊記也呈現出不同的書寫指向。受中唐貶謫文化的影響，柳宗元的騷體賦也以政治怨訴為思想主題，抒寫謫居的苦悶心態。如〈懲咎賦〉：「進與退吾無歸兮，甘脂潤乎鼎鑊」，「惶惶夜寤而晝駭兮，類麞麠之不息」[18]，這種進退維谷的無奈心理使後人對「悔咎」有了不同角度的解讀。〈囚山賦〉通過展現四面山逼如湧、瘴癘肆虐的險惡環境，層層鋪張渲染，自「胡井眢以管視兮」以下，更是直泄悲憤，結尾直指「誰使吾山之囚吾兮滔滔」的極度憤懣。「囚」字實乃一篇之文眼，體現了以山林為牢獄、為陷阱的壓抑感、挫敗感。一般而言，古代士人往往身在朝市而心慕山林，而柳子筆下卻表現出視自然為牢籠的特異傾向，宋代晁補之指出：「《語》云，仁者樂山。自昔達人，有以朝市為樊籠者矣，未聞以山林為樊籠也。宗元謫南海久，厭山不可得而出，懷朝市不可得而復，丘壑草木之可愛，皆陷穽也，故賦〈囚山〉。淮南小山之詞，亦言山中不可以久留，以謂賢人遠伏，非所宜爾，

---

12 （唐）柳宗元撰，尹占華、韓文奇校注：《柳宗元集校注》，頁1879。

13 （唐）柳宗元撰，尹占華、韓文奇校注：《柳宗元集校注》，頁1918。

14 （唐）柳宗元撰，尹占華、韓文奇校注：《柳宗元集校注》，頁1918。

15 （唐）柳宗元撰，尹占華、韓文奇校注：《柳宗元集校注》，頁170-171。

16 清代彭兆蓀評鮑照〈登大雷岸與妹書〉：「古秀在骨。士龍〈答車茂安書〉、吳均〈與朱元思書〉均不逮也。能彷彿其造句者，〈水經注〉而外，惟柳州小記近之。」（清）彭兆蓀：《南北朝文鈔》卷上，《叢書集成初編（影印本）》北京：中華書局，2011年，冊412，頁542。

17 （清）儲欣：《河東先生全集錄》卷四評〈袁家渴記〉，清康熙年間刻本。

18 （唐）柳宗元撰，尹占華、韓文奇校注：《柳宗元集校注》，頁138、139。

何至以幽獨為狴牢，不可一日居哉？」[19]表面上他憎惡的是瘴癘山林，實則指向整個朝廷的傾軋黑暗和顛倒黑白：「聖日以理兮，賢日以進，誰使吾山之囚吾兮滔滔？」[20]章士釗說：「補之謂其意近招隱，招隱上毋乃脫一反字？」[21]所謂「反招隱」，正揭開柳子內心的隱秘：他不願被荒山僻壤所拘束，憤懣激越的文字背後隱藏著他心繫朝廷、心繫故鄉的渴盼。

　　至於山水遊記，雖然以往常強調其「淒神寒骨，悄愴幽邃」、悲情沉潛的一面，其實，且不說這些遊記直接抒情議論的成分遠遠少於景物描繪，文中所涉及的情感也並非濃郁難化的悲哀，而是「澹然自若」（〈零陵三亭記〉）、怡然自得的愉悅之情。柳宗元〈永州龍興寺東丘記〉一文曾提出「曠如」、「奧如」兩種「遊之適」，這兩種自適的觀遊心境，正是這些山水遊記的整體意境。[22]〈始得西山宴遊記〉開頭點明作者因得「山水之助」而淡化「惴慄」心境的過程：「其隙也，則施施而行，漫漫而游，日與其徒上高山，入深林，窮迴溪，幽泉怪石，無遠不到。到則披草而坐，傾壺而醉。醉則更相枕以臥，臥而夢，意有所極，夢亦同趣。覺而起，起而歸。」[23]作為永州八記之首，這種醉臥幽夢的描述為以下諸記奠定了恬淡、閒適的基調。柳子常在優哉游哉之時抒發山水之樂，如〈鈷鉧潭記〉中，潭水清幽、天高氣迥的舒適感使作者感歎「樂居夷而忘故土」[24]。〈至小丘西小石潭記〉中，先是「聞水聲，如鳴佩環，心樂之」，又有游魚「似與游者相樂」[25]，古人評曰：「寫魚樂處，於壕梁外又出一奇。」[26]讓人聯想到莊子與惠施觀濠水之魚樂。〈石澗記〉中，枕石聽水，細數澗中「其間可樂者數焉」，有言：「古之人其有樂乎此耶？後之來者有能追予之踐履耶？」[27]此種山水之樂，後人有「襟抱偶然一露，是謂神到」[28]之評，洵是確論。同時，在短暫的遊樂背後，文中隱隱貫注著一股寂寥氣氛，渲染全文樂而生悲、哀樂並至的基調，使人於意會中領悟作者的情感指

19　（唐）柳宗元撰、（宋）韓醇詁訓：《詁訓柳先生文集》卷二引晁補之語，《欽定四庫全書》臺北：臺灣商務印書館，1986年，冊1076，頁25。

20　（唐）柳宗元撰，尹占華、韓文奇校注：《柳宗元集校注》，頁171。

21　章士釗：《柳文指要》北京：中華書局，1971年，頁76。

22　（清）浦起龍《古文眉詮》卷53：「曠如奧如，品題佳勝，可作諸小記提綱。」清光緒二十四年（1898）廣州良產書屋刻本。（清）乾隆敕纂《御選唐宋文醇》卷17引儲欣曰：「曠如奧如，至今猶奉為品題名勝之祖。」清光緒三年（1877）浙江書局刻本。

23　（唐）柳宗元撰，尹占華、韓文奇校注：《柳宗元集校注》，頁1890。

24　（唐）柳宗元撰，尹占華、韓文奇校注：《柳宗元集校注》，頁1899。

25　（唐）柳宗元撰，尹占華、韓文奇校注：《柳宗元集校注》，頁1912。

26　（清）常安：《古文披金》，吳文治編：《柳宗元資料彙編》北京：中華書局，1964年，頁387。

27　（唐）柳宗元撰，尹占華、韓文奇校注：《柳宗元集校注》，頁1930。

28　高步瀛選注：《唐宋文舉要》甲編卷四引吳汝綸之評，《唐宋文舉要》上海：上海古籍出版社，1982年，頁511。

向。〈至小丘西小石潭記〉結尾對「寂寥無人，淒神寒骨，悄愴幽邃」[29]的渲染，就浸潤著淡淡的悲哀：「前言心樂，中言潭中魚與游者相樂，後『淒神寒骨』，理似相反，然樂而生悲，游者常情。」[30]〈鈷鉧潭記〉結尾「樂居夷而忘故土」的逍遙心境，後人也讀出了被貶者的哀怨心態：「結語哀怨之音，反用一樂字托出，在諸記中，尤令人淚隨聲下。」[31]

可見，柳宗元的騷體賦和山水遊記在情景書寫的方式上有著「表現」與「再現」之異，騷體賦無論直抒胸臆還是借景抒情，都是直接將政治上的怨憤與牢騷之氣和盤托出，而山水遊記則採用情少景多、情隱景顯的表現方式，含蓄蘊藉，是尚永亮先生所謂的「間接表現性」[32]，呈現出澹然自若、怡然自樂而又將寂寥沉潛於內的風格。

二　柳宗元貶謫書寫的文體選擇與文體意識

一者險惡幽昧，一者清幽秀美；一為政治怨訴、謫居苦悶，一為澹然自若、哀樂並至。柳宗元騷賦和遊記在情景書寫方面的上述差異，前人早已發現並提出疑問，如宋人《邵氏聞見後錄》側重永州環境、景物之描摹形態的差異：

> 柳子厚云：「北之晉，西適豳，東極吳，南至楚、越之交，其間名山水而州者以百數，永最善。」以妙語起其可游者，讀之令人翛然有出世外之意。然子厚別云：「永州於楚為最南，狀與越相似。僕悶則出游，游復多恐，涉野則有蝮虺大蜂，仰空視地，寸步勞倦，近水則畏射工沙虱，含怒竊發，動成瘡疣。」子厚前所記黃溪、西山、鈷鉧潭、袁家渴果可樂乎？何言之不同也？[33]

章士釗先生則側重情感內涵，以〈囚山賦〉為例，指出騷賦、遊記兩種文體創作的「感情之向背」：

> 將〈永州八記〉與〈囚山賦〉對讀，同一地也，而所處者感情之向背，如此其風馬牛不相及，可見人心為一相斫場，矛盾息息向外轟發，誠有使人類之理想難於了解者，嘻！亦奇已。

29　（唐）柳宗元撰，尹占華、韓文奇校注：《柳宗元集校注》，頁1912。

30　（清）陳衍：《石遺室論文》，轉引自《柳宗元集校注》，頁1916。

31　高步瀛選注：《唐宋文舉要》甲編卷四引徐幼錚之評，頁501。

32　尚永亮《唐五代逐臣與貶謫文學研究》：「所謂間接表現性，蓋指主體情志不以直接抒發的方式加以表露，而是在自覺選擇並真實描摹對象物的前提下，以隱蔽的方式融注其中。更確切地說，這是表現性和再現性兩種藝術方法的結合體。」武漢：武漢大學出版社，2007年，頁414。

33　（宋）邵博撰，劉德權、李劍雄點校：《邵氏聞見後錄》北京：中華書局，2017年，頁126。

讀八記而樂山顯，讀此賦而囚山成。[34]

　　章氏此言在柳宗元研究中影響頗著，認為這兩種文體的內在抒情指向截然不同，「如此其風馬牛不相及」，一是「囚山」，一是「樂山」。暫且不論這兩種文體的抒情指向、情感本質是否真的截然對立，上述騷賦、遊記情景書寫方面的直觀差異，其實與兩者的文體形態密切相關。換言之，柳宗元騷體賦以政治怨訴為思想主題，抒發貶謫的悲憤，而山水遊記呈現「澹然自若」、哀樂並至，很大程度上根源於它們不同的文體形態，是作者以明確的文體意識而做出的理性的文體選擇。根據郭英德教授提出的體制、語體、體式、體性四個由外而內的基本文體層次，可以揭示騷賦和遊記文體形態的基本差異，從而發現柳宗元這一文體選擇與書寫方式的客觀原因。需要說明的是，騷體賦雖是「賦」，卻是借鑒了「騷」的很多傳統特徵的一種特殊的賦體，因此不如從「騷」的角度考察；山水遊記遲至中唐韓、柳才確立和成熟，其前身是漫長的六朝山水散文傳統，因此考察柳宗元何以選擇山水遊記，其實是考察六朝至初盛唐的山水散文傳統中有哪些值得他選擇的文體特徵。

　　體制方面，騷體賦最突出的特徵就是「兮」字句的標誌性地位，不僅兼具有多種虛詞的文法功能、衍生句式的造句功能，還構成了文本的抒情節奏，使騷體具備強烈的詠歎抒情色彩。[35]不同於騷體賦在句式上相對規整劃一，山水散文完全是散體，行文自如，不受形式拘束。倡導散文文體文風改革的柳宗元又汲取駢文優長，用整齊有力的四字句夾雜在散體文句之間，特別是〈始得西山宴遊記〉、〈至小丘西小石潭記〉、〈袁家渴記〉、〈石澗記〉中林泉、嘉樹、怪石等的景物描摹，長短錯落有致，音調鏗鏘。清人陳衍曰：「〈零陵三亭記〉篇中幾於全用四字句，所謂學詞賦也。然而讀之絕不似賦者，力避叶韻，多奇少偶，亦時出三字五字六字句以間之。」[36]就是柳宗元遊記在句式上不類騷賦的體制特徵。語體方面，原初騷體的「書楚語，作楚聲，紀楚地，名楚物」等地方性特徵，在東漢以後的騷體文學中逐漸減弱，語體範圍擴展到《楚辭》典故、湘楚地域色彩的文學意象，以及抒情強烈、感激怨懟的〈離騷〉體語言風格或者情致搖曳、清麗流美的〈九歌〉體語言風格，柳宗元騷體賦的語言風格自然屬於前者。而無論是六朝山水散文還是唐代山水遊記，語言風格都趨於流美、淡泊、閒適。體式方面，騷體賦是典型的抒情體，有時還會借鑒屈騷「香草美人」的比興象徵手法，甚至形成善惡美醜對立的意象群作為比興譬喻。〈解祟賦〉「赤舌燒城，猶眾口鑠金之意」，隱喻「無端造謊誣衊正人」[37]，即是一例。山水散文以景物描寫為主，又夾雜著抒情、敘事，柳宗元則進

34　章士釗：《柳文指要》，頁75、76。

35　郭建勳：〈略論楚辭的「兮」字句〉，《中國文學研究》1998年第3期，頁31。

36　（清）陳衍：《石遺室論文》，轉引自《柳宗元集校注》，頁1953。

37　章士釗：《柳文指要》，頁59。

一步發展了其中的抒情性並熔鑄了抒情的個人色彩。

　　體性是文體的表現對象和審美精神，由文體所賴以生成和確立的現實性或現實性的審美需要構成。[38]因而兩種文體的體性特徵也就是考察柳宗元文體選擇的重點。漢代以降的騷體賦作為屈騷之源的流變，遵循〈離騷〉以抒洩騷怨情感為中心的創作方式。經歷過某些政治挫折的歷代作家，或以屈子口吻代其抒憤，或將自身遭際直抒胸臆，因此，懷才不遇的憤懣與牢騷、九死不悔的悲壯與怨望，成為騷體文學最經典的思想內容與情感內涵。張表臣《珊瑚鉤詩話》曰：「幽憂憤悱，寓之比興謂之騷。」[39]「幽憂憤悱」一詞更全面地概括了騷體文學的情感內涵與情感強度兩個維度，後來朱熹的〈楚辭後語序〉說騷體文學「必其出於幽憂窮戚怨慕淒涼之意」[40]，其實更偏於內在的沉抑悲哀、舒緩纏綿之情，只是「幽憂」的一面，不如張氏之語概括得準確全面。柳宗元騷體賦中情感近於「幽憂」的，如〈閔生賦〉：「閔吾生之險阨兮，紛喪志以逢尤。氣沉鬱以杳眇兮，涕浪浪而常流」，「心沉抑以不舒兮，形低摧而自惑」[41]；〈夢歸賦〉：「夕予寐於荒陬兮，心慊慊而莫違。質舒解以自恣兮，息愔翳而愈微。」[42]「憤悱」則偏於憤懣、激越、怨怒的一面，是一種層次更深、強度更大的心理體驗，柳騷中以〈囚山賦〉、〈解祟賦〉、〈懲咎賦〉為代表，其中〈懲咎賦〉、〈閔生賦〉則「幽憂」「憤悱」兼而有之。此外，騷體標誌性的「兮」字句更是增加了行文的強烈節奏和回環往復之感，「經過長時間的歷史積澱，『兮』字已經成為了騷體人文精神的象徵」[43]，形成了騷體的文體形式與表現對象之間強烈的內在統一性，這一體制又進一步增強了文本的情感強度。晚清林紓曰：「柳州諸賦，摹楚聲，親騷體，為唐文巨擘。」[44]此言專為騷體賦而發，正指出柳賦以「騷體」蘊含「騷怨」的獨特性。

　　上文已提及，唐代遊記文學的審美基調與情感基調，來自魏晉時期山水審美意識的發展以及山水描寫在詩賦、書札、詩序、地記等文體中的共同出現。[45]魏晉時期的山水賞玩與文學逐漸脫離應用性、強調娛情悅性的審美意識密切相關，山清水秀的視覺體驗增加了以文學娛情悅性的審美情致，宗炳的山水「暢神」說，雖是為佛學、畫學而發，但正揭示了這種怡情山水、高雅志趣的雙重意義。誠然，此處並非說遊記都是閒適小

38　郭英德：《中國古代文體學論稿》北京：北京大學出版社，2005年9月，頁17-18。

39　（宋）張表臣：《珊瑚鉤詩話》，（清）何文煥輯：《歷代詩話》北京：中華書局，1981年4月，頁475。

40　（宋）朱熹：《楚辭集注》上海：上海古籍出版社，1979年，頁9。

41　（唐）柳宗元撰，尹占華、韓文奇校注：《柳宗元集校注》，頁151。

42　（唐）柳宗元撰，尹占華、韓文奇校注：《柳宗元集校注》，頁160。

43　李金善、崔志博、趙險峰、李冠楠、馮倩：《宋代騷體文學的嬗變》保定：河北大學出版社，2013年10月，頁11。

44　林紓：《韓柳文研究法・柳文研究法》上海：上海商務印書館，1933年，頁65。

45　參王立群：《中國古代山水遊記研究》，頁47。

品，歷代遊記中不乏韻味深長的人生感觸和世事之思，但是一方面，這種感情基調自然不是騷體難以平息的「幽憂憤悱」，另一方面在遊記中進行大量議論、抒發世事感慨的寫法乃宋代的開拓，柳宗元之前含有山水描寫的諸種文體仍然有著徜徉山水之樂的基調。正如學者所言：「柳宗元借助於遊覽活動和遊記創作為自己重構了一個和諧優美、平移親近的理想自然，並以此把真正的自然擋在了意識的外圍。」[46]此處所謂「真正的自然」，即是騷體賦所描繪的蠻夷荒癘，柳宗元將其留在必須用「幽憂憤悱」驅之而行、否則「失其所以為騷」[47]的騷體文學中，而將自己意欲超脫的心理寄託在山水遊記中，寄託在自己重構的理想的山水自然中。柳宗元正是敏銳地抓住騷賦和遊記的文體之異，將自己內心「憂與樂」這兩股相反相成的情感潮流分別寄之以恰當的文體中，方成為兩種文體的審美形態。

　　從柳宗元對於騷賦、遊記的文體選擇，可以看到他有著比較自覺的文體辨析意識，儘管這種文體意識尚未明確形成理論。其〈答韋中立論師道書〉有一段著名的話：「本之《書》以求其質，本之《詩》以求其恆，本之《禮》以求其宜，本之《春秋》以求其斷，本之《易》以求其動，此吾所以取道之原也。參之穀梁氏以厲其氣，參之《孟》、《荀》以暢其支，參之《莊》、《老》以肆其端，參之《國語》以博其趣，參之〈離騷〉以致其幽，參之太史公以著其潔，此吾所以旁推交通而以為之文也。」[48]以前學界多從他博覽群書、兼容百家的自覺創作意識進行闡釋，若從文體的角度，也能夠說明他把握先秦典籍各種文體特徵、特別是體性特徵的自覺性和準確性。〈離騷〉之「幽」無疑是深邃強烈的情感內涵，《莊》之「肆」固然指其「無端崖」的行文方式，而行文方式也不無反映其超曠自由的體性。柳宗元貶謫書寫對於騷賦、遊記的文體選擇，就是這種文體意識的恰當例證。

三　騷體賦與山水遊記的莊騷精神書寫

　　從思想藝術淵源來看，屈騷的孤憤精神、楚地的文化氛圍，都只能加深、而無助於柳宗元擺脫這種悽楚悲涼的心境，復出無望，時常借助釋道兩家來自我撫慰。他認為佛教使人「樂山水而嗜閑安」[49]（〈送僧浩初序〉），其詩文與佛教的關係學界已研究頗多，其實，他也常借《莊子》的意境來抒發自己投跡山水、尋求撫慰的情懷。劉師培〈南北學派不同論〉說：「子厚與昌黎齊名，然棲身湘、粵，偶有所作，咸則莊、騷，

46　梅新林、俞樟華主編：《中國遊記文學史》上海：學林出版社，2004年12月，頁101。

47　章士釗《柳文指要》：「然騷之為騷，非以怨誹驅之而行，即失其所以為騷。」《柳文指要》，頁492。

48　（唐）柳宗元撰，尹占華、韓文奇校注：《柳宗元集校注》，頁2178。

49　（唐）柳宗元撰，尹占華、韓文奇校注：《柳宗元集校注》，頁1680。

謂非土地使然與？」[50]指出了柳宗元南貶文學與莊騷精神的關聯。騷體賦和山水遊記體現出的抑鬱悲哀、憤懣激越與澹然自若、哀樂並至之「憂樂」心態，正是出於「處屈子之窮愁者，則每每以莊子之志自解」[51]的貶謫心態，反映了《莊》、〈騷〉在相通之中又含對立互補的精神內涵。

柳宗元繼承屈騷之「幽憂憤悱」，從《舊唐書》「蘊騷人之鬱悼」、「為騷文十數篇」的評價開始，得到歷代的認同。田雯〈柳州題辭〉：「無如造物忌才，蹇嶇多故，竄逐蠻荒，行吟山澤，作〈離騷〉數十篇，讀者悲焉。猶夫屈原言愁而托之湘君、帝子、蘭秀、菊芳，呻呻其詈詞也。至於〈貞符〉傷心，〈懲咎〉掩泣，雖江潭憔悴，情思纏綿，不是過矣。以播易柳，同調深憐，瘴鄉講學，名流負笈，亦莫可如何耳。」[52]上文所分析的騷體賦情景書寫中，均在很大程度上表現出有意仿騷、紹騷的傾向，除此之外，還表現在柳賦悲亢、往復、纏綿的抒情方式，正是〈閔生賦〉「屈子之悁微兮，抗危辭以赴淵。古固有此極憤兮，矧吾生之菱艱」[53]。〈閔生賦〉多化用《楚辭》語典表達內心激憤，如「指斗極以自陳」一句出自〈離騷〉「指九天以為正兮，夫唯靈修之故也」[54]和〈九章・惜誦〉「所非忠而言之兮，指蒼天以為正」[55]，「自陳者，以心跡質九閽也」[56]，表達了柳子自陳心跡、指天為誓的激烈壯懷。「宜觸禍以阽身」一句出自〈離騷〉「阽余身而危死兮」[57]，表現了柳子身陷讒禍的危險狀態和擔憂心理，「故觸禍阽身，斗然叫起『知徒善而革非兮，又何懼乎今之人。』此一語生氣滿紙，似把以上過失，一洗而空。魄力壯健，筆亦特舉」[58]，強烈的正義感使文勢也隨之上揚。劉熙載認為：「〈離騷〉是回抱法。」[59]又曰「極開闔抑揚之變」[60]、「頓挫莫善於〈離騷〉」[61]，所謂「回抱法」就指〈離騷〉擅於開闔、抑揚、頓挫的變化之法，其痛苦之情「前後訴述，不過此語，而一訴再訴。蓋不再訴不足以盡其痛也」[62]，在文勢的強烈轉折層進中

50 劉師培：〈南北文學不同論〉，劉師培著、劉躍進講評：《中國中古文學史講義》南京：鳳凰出版社，2011年，頁262。

51 蔡覺敏：《莊、騷比較論》天津：南開大學出版社，2015年1月，頁2。下文引文亦有參考該書者。

52 （清）田雯：〈柳州題辭〉，《古歡堂集》，《景印文淵閣四庫全書》臺北：臺灣商務印書館，1986年，冊1324，頁299。

53 （唐）柳宗元撰，尹占華、韓文奇校注：《柳宗元集校注》，頁151。

54 （宋）洪興祖撰，白化文、許德楠、李如鸞、方進點校：《楚辭補注》，頁9。

55 （宋）洪興祖撰，白化文、許德楠、李如鸞、方進點校：《楚辭補注》，頁121。

56 林紓：《韓柳文研究法・柳文研究法》，頁68。

57 （宋）洪興祖撰，白化文、許德楠、李如鸞、方進點校：《楚辭補注》，頁24。

58 林紓：《韓柳文研究法・柳文研究法》，頁69。

59 （清）劉熙載撰、袁津琥校注：《藝概注稿》北京：中華書局，2009年5月，頁45。

60 （清）劉熙載撰、袁津琥校注：《藝概注稿》，頁418。

61 （清）劉熙載撰、袁津琥校注：《藝概注稿》，頁420。

62 （清）錢澄之：《莊屈合詁》，清同治二年（1863）刻本。

一層深入一層。正是在這一抒情方式上，李調元《賦話》謂柳賦「騷學獨擅」：「淒清哀旨，自怨自悔，雖其人不足言，其志大可悼也。故〈懲咎〉、〈閔生〉，足勝昌黎〈復志〉、〈閔己〉。」[63]雖然〈解崇賦〉、〈夢歸賦〉在思想上有一定的道家傾向，但其托寓政治經歷的思想內容和回環往復、纏綿激蕩的抒情方式仍未脫離騷體賦的範疇。

　　山水遊記在屈騷精神的底蘊下，主要表現出與道家、特別是與《莊子》相契合的精神氣質：莊子「逍遙遊」的精神，主張以逍遙無欲、欣然自得的心境觀照山水，柳宗元正是在寄意山水中產生與自然萬物冥合、逍遙自適的深刻感受。沈德潛評〈小石城山記〉曰：「洸洋恣肆之文，善學《莊子》，故是借題寫意。」[64]柳氏的山水遊記均是如此，「借題寫意」即是借能夠體現老莊思想、精神與意境的某些語詞或意象，安放自己暫時忘卻貶謫悲苦的虛靜之心，令人讀之怦然心動。〈零陵三亭記〉開篇：「夫氣煩則慮亂，視壅則志滯，君子必有游息之物，高明之具，使之清寧平夷，恆若有餘，然後理達而事成。」[65]作家在這裡摒除世間塵滓、舒氣游息，彷彿老子「滌除玄鑒」的境界，也為下文摒除了勞慮雜念，奠定了逍遙無欲、澹然自若的精神基調。又如〈始得西山宴遊記〉：「悠悠乎與灝氣俱，而莫得其涯，洋洋乎與造物者游，而不知其所窮。」、「心凝形釋，與萬化冥合。」[66]這種意境出自《莊子·大宗師》：「彼方且與造物者為人，而游乎天地之一氣。」[67]在靜默深沉的觀照中，參自然之造化，神飛天涯，「與萬化冥合」即是人的本體與自然的本體相融為一，也正是《莊子》「物化」的清明境界。〈鈷鉧潭西小丘記〉：「枕席而臥，則清泠之狀與目謀，瀯瀯之聲與耳謀，悠然而虛者與神謀，淵然而靜者與心謀。」[68]「虛」、「神」、「淵」、「靜」等字眼也是出自《莊子》，郭注曰：「淵者，靜默之謂耳。」[69]又《莊子·天道》云：「夫虛靜恬淡寂漠無為者，萬物之本也。」[70]彷彿是《莊子》「心齋」、「坐忘」的虛靜心境和澡雪精神，前人評〈至小丘西小石潭記〉所謂「亦極悄愴幽邃，塵勞中讀之，可以滌煩襟而釋躁念，此古文所謂一卷冰雪文也」[71]，移此似乎更為確當。〈愚溪詩序〉：「以愚辭歌愚溪，則茫然而不違，昏然而同歸，超鴻蒙，混希夷，寂寥而莫我知也。」[72]「茫然」、「昏然」、「鴻蒙」、「希夷」、「寂寥」等詞亦與《莊子》希夷妙境、六氣合精的表意有相通之處。這些深契莊子

63　（清）李調元：《賦話》，王冠輯：《賦話廣聚》北京：北京圖書館出版社，2006年，冊3，頁224。

64　（清）沈德潛：《唐宋八大家讀本》，民國上海著易堂鉛印本。

65　（唐）柳宗元撰，尹占華、韓文奇校注：《柳宗元集校注》，頁1821。

66　（唐）柳宗元撰，尹占華、韓文奇校注：《柳宗元集校注》，頁1891。

67　（清）郭慶藩：《莊子集釋》北京：中華書局，2004年，頁268。

68　（唐）柳宗元撰，尹占華、韓文奇校注：《柳宗元集校注》，頁1905。

69　（唐）柳宗元撰，尹占華、韓文奇校注：《柳宗元集校注》，頁303。

70　（唐）柳宗元撰，尹占華、韓文奇校注：《柳宗元集校注》，頁457。

71　高步瀛選注：《唐宋文舉要》甲編卷四引李剛己之評，頁505。

72　（唐）柳宗元撰，尹占華、韓文奇校注：《柳宗元集校注》，頁1607。

「天地與我並生，而萬物與我為一」[73]的神遊塵外之境界，也即「天人合一」的體道境界。上文曾說這種山水遊記「把真正的自然擋在了意識的外圍」，從描寫方式而言，「真正的自然」其實相對趨於客觀，南楚之地的險惡蠻荒在唐代文人筆下有著共同的呈現，而「天人合一」則趨於主觀色彩的投射，是創作主體以虛靜狀態摒除煩襟之後的境界；從人與自然關係而言，前者是謫人與蠻荒環境的對立和矛盾，後者則是以虛靜之道為生命範式來對待自然，外物與自我不再是純粹的主客關係，而通過矛盾的調和走向人與自然的共存、共生與和諧。可以說，兩種表述其實並不矛盾，道家心態下的「天人合一」理想也是柳宗元處理貶謫困境的最高境界。

　　誠然，柳宗元騷賦之「騷情」與遊記之「莊意」並非絕對的劃分，騷體賦也偶有「莊意」，山水遊記更是沉潛「騷情」的底蘊。例如騷體賦中的〈夢歸賦〉，前半部分魂入夢境，有如莊子的深廣飄然、無所憑依，結尾處則曰：「偉仲尼之聖德兮，謂九夷之可居。惟道大而無所入兮，猶流游乎曠野。老聃遁而適戎兮，指淳茫以縱步。蒙莊之恢怪兮，寓大鵬之遠去。」[74]直接引仲尼居九夷自慰，又引老聃之適戎、蒙莊之遠去，表達離國遁世之意。騷體賦中引入「莊意」，《楚辭・遠遊》就有類似表述：「漠虛靜以恬愉兮，澹無為而自得。」「道可受兮，不可傳；其小無內兮，其大無垠；無滑而魂兮，彼將自然；壹氣孔神兮，於中夜存；虛以待之兮，無為之先；庶類以成兮，此德之門。」[75]其中「虛靜」、「無為」、「自然」等字眼顯然是道家之言。〈解祟賦〉結尾處亦有借《太玄》以求解脫之意：「於是釋然自得，以泠風濯熱，以清源滌瑕。履仁之實，去盜之誇。冠太清之玄冕，佩至道之瑤華。鋪沖虛以為席，駕恬泊以為車。瀏乎以游於萬物者始，彼狙雌倏施，而以祟為利者，夫何為邪？」[76]即是心懷老莊之「沖虛」「恬泊」，不以小人重口讒言為意。不過此種「莊意」在柳騷中只是偶爾為之，不會沖淡騷體抒情回環往復的文體特徵，也不能代替其他騷體賦「幽憂憤悱」的情感內涵。

　　相較而言，山水遊記則在莊子精神之下將屈騷精神沉潛於內，含有一層騷怨的底蘊。上文曾以山水遊記中的怪石說明柳文清新幽奇的特徵，但其實也有騷情的某種隱喻：「其高下之勢，岈然洼然，若垤若穴，尺寸千里，攢蹙累積，莫得遁隱」[77]（〈始得西山宴遊記〉），「突怒偃蹇，負土而出爭為奇狀者，殆不可數。其嶔然相累而下者，若牛馬之飲於溪；其衝然角列而上者，若熊羆之登於山」[78]（〈鈷鉧潭西小丘記〉），「怪石

73　（清）郭慶藩：《莊子集釋》，頁79。

74　（唐）柳宗元撰，尹占華、韓文奇校注：《柳宗元集校注》，頁161。

75　（宋）洪興祖撰，白化文、許德楠、李如鸞、方進點校：《楚辭補注》，頁164、165。

76　（唐）柳宗元撰，尹占華、韓文奇校注：《柳宗元集校注》，頁130-131。

77　（唐）柳宗元撰，尹占華、韓文奇校注：《柳宗元集校注》，頁1891。

78　（唐）柳宗元撰，尹占華、韓文奇校注：《柳宗元集校注》，頁1904。

森然，周於四隅，或列或跪，或立或撲，竅穴透邃，堆阜突怒」[79]（〈永州韋使君新堂記〉），「皆大石林立，渙若奔雲，錯若置棋，怒者虎鬥，企者鳥厲。抉其穴則鼻口相呀，搜其根則蹄股交峙，環行卒愕，疑若搏噬」[80]（〈永州崔中丞萬石亭記〉）。「突怒」、「偃蹇」、「奇狀」、「森然」，甚至比喻為猛獸，使柳宗元筆下的山石呈現出怪異、崎嶇、嶙峋、詭譎的色彩，這種書寫方式其實可視為作者對〈離騷〉瑰瑋詭譎文風的借鑒，暗含自己的格格不入與心中不平之感，從而凸顯「淒神寒骨，悄愴幽邃」的意境。

其次，山水遊記的騷怨底蘊還體現在柳子借遭人忽視、為世所棄的美麗山水，所表現的「被棄」命運。如〈鈷鉧潭西小丘記〉對「唐氏之棄地」、「貨而不售」的憐憫，是作者淪為客囚、懷才不遇的象徵，宋人曾曰：「但鈷鉧復埋沒不可識。士之處世，遇與不遇，其亦如是哉！」[81]諸文中對荒山野地整治和開發的描述，也暗含著柳子內心的「被棄感」和「擇惡而取美」的人生取向：「遂命僕人過湘江，緣染溪，斫榛莽，焚茅茷，窮山之高而止」[82]（〈始得西山宴遊記〉），「即更取器用，鏟刈穢草，伐去惡木，烈火而焚之」[83]（〈鈷鉧潭西小丘記〉），「攬去翳朽，決疏土石，既崇而焚，既釃而盈」[84]（〈石渠記〉），「於是刳辟朽壤，翦焚榛薉，決澮溝，導伏流，散為疏林，洄為清池。」[85]（〈永州崔中丞萬石亭記〉）「乃發牆藩，驅群畜，決疏沮洳，搜剔山麓，萬石如林，積坳為池」[86]（〈零陵三亭記〉），這一系列動詞真實展現了柳宗元為擺脫環境困擾所做的努力，一方面說明逍遙曠達的「莊意」只是這種努力之後的狀態，牢騷之情原本存在，另一方面也用「美不自美，因人而彰」[87]（〈邕州柳中丞作馬退山茅亭記〉），暗含對君臣遇合的企盼。

可見，柳宗元騷體賦、山水遊記的情感內涵含有豐富的莊騷精神書寫。騷體賦的情感指向以屈騷為主，而偶有莊意，山水遊記則近於《莊子》，而沉潛騷情。騷體賦的抑鬱悲哀、憤懣激越之情，山水遊記的澹然自若、哀樂並至之美，客觀上是由兩種文體的文體形態差異、特別是其體性差異所呈現，從作者的主觀心態而言，則是他在創作中灌注了貶謫的身世感慨，汲取了莊騷的美學精神。

79　（唐）柳宗元撰，尹占華、韓文奇校注：《柳宗元集校注》，頁1805。

80　（唐）柳宗元撰，尹占華、韓文奇校注：《柳宗元集校注》，頁1813。

81　（宋）洪邁撰、孔凡禮點校：《容齋隨筆·三筆》北京：中華書局，2005年，頁530。

82　（唐）柳宗元撰，尹占華、韓文奇校注：《柳宗元集校注》，頁1891。

83　（唐）柳宗元撰，尹占華、韓文奇校注：《柳宗元集校注》，頁1904。

84　（唐）柳宗元撰，尹占華、韓文奇校注：《柳宗元集校注》，頁1926。

85　（唐）柳宗元撰，尹占華、韓文奇校注：《柳宗元集校注》，頁1813。

86　（唐）柳宗元撰，尹占華、韓文奇校注：《柳宗元集校注》，頁1822。

87　（唐）柳宗元撰，尹占華、韓文奇校注：《柳宗元集校注》，頁1795。

四　莊騷精神淵源與柳宗元「哀樂」心態的內在指向

　　上文已經說明，「騷情」與「莊意」在柳宗元筆下不是絕對的劃分，而是互有聯絡和滲透。聯想到上述章士釗先生「所處者感情之向背，如此其風馬牛不相及」之言，若說兩種文體的外在景物書寫乍讀確有差異，然細繹之卻有疑問：看似的「感情之向背」是否也有相通之處？永州八記大體作於元和四年（西元 809 年）、元和七年（西元 812 年），而抒情最強烈的〈囚山賦〉則作於謫居十年後的元和九年（西元 814 年），那麼〈囚山賦〉這種視自然為囚牢的精神困境究竟是前後始終如一，還是長期積鬱的最終發洩？許東海先生從〈囚山賦〉中提煉出「囚」這一關鍵字，並將柳宗元的全部貶謫經歷概括為「囚獄天地」、「羈囚身份」、「囚謫焦慮」。因此，查檢柳宗元在永州的全部詩文，其自述「囚」意的篇章語句大致如下：

創作時間	詩文
元和二年（西元 807 年）	〈先太夫人河東縣太君歸祔志〉：「孤囚窮縶，魄逝心壞。」[88]
元和三年（西元 808 年）	〈懲咎賦〉：「為孤囚以終世兮，長拘攣而轗軻。」[89]
元和四年（西元 809 年）	〈與李翰林建書〉：「譬如囚拘圜土，一遇和景出，負牆搔摩，伸展支體。」[90]
	〈上揚州李吉甫相公獻所著文啟〉：「而某又以此時去表著之位，受放逐之罰，薦仍囚錮，視日請命。」「縲囚而干丞相，大罪也。」[91]
	〈遊朝陽岩遂登西亭二十韻〉：「囚居固其宜，厚羞久已包。」[92]
	〈冉溪〉：「風波一跌逝萬里，壯心瓦解空縲囚。縲囚終老無餘事，願卜湘西冉溪地。」[93]
元和五年（西元 810 年）	〈閔生賦〉：「余囚楚越之交極兮，邈離絕乎中原。」[94]
元和九年（西元 814 年）	〈囚山賦〉：「聖日以理兮，賢日以進，誰使吾山之囚吾兮滔滔？」

88　（唐）柳宗元撰，尹占華、韓文奇校注：《柳宗元集校注》，頁827。
89　（唐）柳宗元撰，尹占華、韓文奇校注：《柳宗元集校注》，頁139。
90　（唐）柳宗元撰，尹占華、韓文奇校注：《柳宗元集校注》，頁2008。
91　（唐）柳宗元撰，尹占華、韓文奇校注：《柳宗元集校注》，頁2287、2288。
92　（唐）柳宗元撰，尹占華、韓文奇校注：《柳宗元集校注》，頁2897。
93　（唐）柳宗元撰，尹占華、韓文奇校注：《柳宗元集校注》，頁2997。
94　（唐）柳宗元撰，尹占華、韓文奇校注：《柳宗元集校注》，頁152。

創作時間	詩文
元和十年（西元 815 年）	〈界圍岩水簾〉：「我今始北旋，新詔釋縲囚。」[95]
作於永州具體年代不詳者	〈答問〉：「吾縲囚也，逃山林入江海無路，其何以容吾軀乎？」[96]
	〈首春逢耕者〉：「農事誠素務，羈囚阻平生。」[97]
	〈放鷓鴣詞〉：「二子得意猶念此，況我萬里為孤囚。」[98]

　　從文中反覆出現的「羈囚」、「孤囚」、「縲囚」等字眼，可知柳宗元從被貶之始，「罪囚」的身份意識已然重壓心頭，並逐漸演變為一種「囚拘」的精神困境；從時間而言，則貫穿了整個貶謫永州時期，包括永州八記的創作時期。儘管他在柳州的創作數量有所減少，依然有〈祭楊憑詹事文〉、〈上門下李夷簡相公陳情書〉二文將「長恨囚拘」、「廢為孤囚」的孤憤驗諸文字。這種「囚」意在柳宗元筆下表現如此之深刻，以至於後代還出現了張嵲〈續囚山賦序〉、陳造〈後囚山賦〉等效仿之文。柳氏〈與許京兆孟容書〉、〈與楊京兆憑書〉等其他詩文中也有對其謫居心態的集中描述，正是「沉埋全死地，流落半生涯」[99]（〈同劉二十八院長述舊言懷感時書事奉寄澧州張員外使君五十二韻之作因其韻增至八十通贈二君子〉），「嘻笑之怒，甚乎裂眥，長歌之哀，過乎慟哭。庸詎知吾之浩浩非戚戚之尤者乎」[100]（〈對賀者〉）。〈始得西山宴遊記〉開篇說：「自余為僇人，居是州，恆惴慄。」[101]雖然這種「惴慄」之情在下文中被山水之美所沖淡，但在開篇提出，可視為作者整個貶謫時期的深層心理。因此，騷賦、遊記表面上的抒情差異，若視為「感情之向背」的絕對矛盾，也有偏頗之處。這不獨是後世讀者的閱讀感受，柳宗元本人早有清楚的意識：

　　　　時到幽樹好石，暫得一笑，已復不樂。何者？譬如囚拘圜土，一遇和景出，負牆搔摩，伸展支體，當此之時，亦以為適，然顧地窺天，不過尋丈，終不得出，豈復能久為舒暢哉？明時百姓，皆獲歡樂，僕士人，頗識古今理道，獨惽惽如此。[102]
　　　　（〈與李翰林建書〉）

　　合觀柳宗元兩種文體的抒情指向，恰是此種「暫得一笑，已復不樂」的生動詮釋。

95　（唐）柳宗元撰，尹占華、韓文奇校注：《柳宗元集校注》，頁2748。
96　（唐）柳宗元撰，尹占華、韓文奇校注：《柳宗元集校注》，頁1073。
97　（唐）柳宗元撰，尹占華、韓文奇校注：《柳宗元集校注》，頁2966。
98　（唐）柳宗元撰，尹占華、韓文奇校注：《柳宗元集校注》，頁3070。
99　（唐）柳宗元撰，尹占華、韓文奇校注：《柳宗元集校注》，頁2676。
100　（唐）柳宗元撰，尹占華、韓文奇校注：《柳宗元集校注》，頁910。
101　（唐）柳宗元撰，尹占華、韓文奇校注：《柳宗元集校注》，頁1890。
102　（唐）柳宗元撰，尹占華、韓文奇校注：《柳宗元集校注》，頁2008。

這在柳詩中也時有體現，如蘇軾評〈南澗〉詩：「憂中有樂，樂中有憂，蓋絕妙古今矣。」[103]清代賀裳亦云：「〈南澗〉詩從樂而說至憂，〈覺衰〉詩從憂而說至樂，其胸中鬱結則一也。」[104]葉嘉瑩先生也曾以〈與崔策登西山〉為例，闡述了柳宗元引《莊》典入詩，在悲愁抑鬱中借山水故作曠達歡娛的抒情方式。[105]這種「暫得一笑，已復不樂」的糾結，《莊子・知北遊》早有過類似的書寫：「山林與！皋壤與！使我欣欣然而樂與！樂未畢也，哀又繼之。哀樂之來，吾不能御，其去弗能止。悲夫，世人直為物逆旅耳！」[106]或許正是偶得山水之樂而又無法真正排解痛苦的相似經歷，柳宗元才選擇了莊子「哀樂並至」的境界來表現自己的真實心境。因此在柳文中，屈子之「幽憂憤悱」「纏綿往復」是固有的、內在的，莊子之「逍遙」「曠達」則是暫時的、表面的。「自然山水局部的美與整體的惡，貶謫詩人暫時的樂與永久的憂」[107]，看似矛盾，實則揭示出這種「哀樂」心態的內在指向與情感實質。

柳宗元對於屈原「信而見疑，忠而被謗」的遭遇感同身受，無法自解之時又從山水自然中尋求莊子式的精神超脫，正如《四庫全書總目》評錢澄之《莊屈合詁》曰：「以〈離騷〉寓其幽憂，而以《莊子》寓其解脫。」[108]林雲銘〈楚辭燈自序〉對於這種「幽憂」、「解脫」的情感指向差異有著更形象的表述：「每當讀騷，輒廢書痛哭，失聲僕地。因取蒙莊『齊得喪』、『忘是非』之旨，以抑哀憤。」[109]而後世讀者之所以能獲得「幽憂」和「解脫」的閱讀感受，說明《莊》、〈騷〉本身在「哀樂」情感表現方面的差異性，表面的對立之中又存在某種相通和互補。明清學者對此也多有闡釋，如陳繼儒《狂夫之言》卷四：

> 古今文章無首尾者獨《莊》、〈騷〉兩家。蓋屈原、莊周，皆哀樂過人者也。哀者毗於陰，故〈離騷〉孤沉而深往；樂者毗於陽，故南華奔放而飄飛。哀樂之極，笑啼無端。笑啼之極，語言無端。[110]

從「哀樂過人」比較《莊》、〈騷〉的精神內涵，似乎一者是樂之極端，一者是哀之極

103 （宋）胡仔纂集、廖德明校點：《苕溪漁隱叢話》北京：人民文學出版社，1962年，頁123。

104 （清）賀裳：《載酒園詩話》，郭紹虞編選、富壽蓀校點：《清詩話續編》上海：上海古籍出版社，1983年，頁346。

105 葉嘉瑩：〈從元遺山論詩絕句談謝靈運與柳宗元的詩與人〉，收入葉嘉瑩：《迦陵論詩叢稿（修訂本）》石家莊：河北教育出版社，1997年7月，頁175-176。

106 （清）郭慶藩：《莊子集釋》，頁765。

107 尚永亮：《唐五代逐臣與貶謫文學研究》，頁413。

108 （清）永瑢等撰：《四庫全書總目・莊屈合詁》提要》北京：中華書局，1965年，頁1139。

109 （清）林雲銘撰、彭丹華點校：《楚辭燈》武漢：華中師範大學出版社，2012年6月，頁2。

110 （明）陳繼儒：《狂夫之言》，《叢書集成初編（影印本）》北京：中華書局，1985年，冊587，頁527。

端，看似相對的「樂」與「哀」正是《莊》〈騷〉給人的直觀感受，陳子龍稱之為「忘情」與「不能忘情」之別：

> 戰國時楚有莊子、屈子，皆賢人也，而跡其所為絕相反。莊子游天地之表，卻諸侯之聘，自托於不鳴之禽、不材之木，此無意當世者也；而屈子則自以宗臣受知遇，傷王之不明而國之削弱，悲傷鬱陶，沉淵以沒，斯甚不能忘情者也。[111]

在前人論述的「哀樂」情感之外，繆鉞先生曾從宏觀上古人之詩「或出於《莊》，或出於〈騷〉」，也是源於《莊》之「超曠」和〈騷〉之「纏綿」兩種不同的抒情方式；後世文人「或偏近於莊，或偏近於屈」，或兼而有之，遂生髮出不同的文學審美形態：

> 謂吾國古人之詩，或出於《莊》，或出於〈騷〉，出於〈騷〉者為正，出於《莊》者為變，……一為入而能出，一為往而不返，入而能出者超曠，往而不返者纏綿，莊子與屈原恰好為此兩種詩人之代表。

> 惟莊子雖深於哀樂，而不滯於哀樂，雖善感而又能自遣。屈原則不然，其用情專一，沉綿深曲，生平忠君愛國，當遭讒被放之後，猶悱惻思君，潺湲流涕，憂傷悼痛，不能自已。

> 蓋莊子之用情，如蜻蜓點水，旋點旋飛；屈原之用情，則如春蠶作繭，愈縛愈緊。[112]

　　從外在表現上看，屈子之深於悲傷鬱陶而不能自遣、不能忘情，莊子之樂而生悲、故作曠達，正是《莊》〈騷〉處理人生困局與精神困境的兩種方式，在後世的文學創作中也就表現為或是致力於主觀痛苦的表現，或是通過山水自然來寄託、平衡內心的哀痛。這兩種典型的表現方式實為柳宗元在不同程度上所兼備，並通過不同的文體選擇表現出來。然而，正如上述繆鉞先生所論：「莊子雖深於哀樂，而不滯於哀樂，雖善感而又能自遣。」已經觸及到了莊子「哀樂」表現的背後，「悲哀」仍是其情感指向的本質。清代在莊騷合論的背景下論之最確者，似是章學誠《文史通義》。章氏指出了屈、莊均相似的「狂狷」個性，二人外在行為、外在文風差異背後，則有著相近的、根本的「悲哀」心態：

> 莊周、屈原，其著述之狂狷乎？屈原不能以身之察察，受物之汶汶，不屑不潔之

111　（明）陳子龍：〈譚子莊騷二學序〉，《安雅堂稿》，《續修四庫全書》上海：上海古籍出版社，2002年4月，冊1387，頁720。

112　繆鉞：〈論李義山詩〉，收入繆鉞：《詩詞散論》西安：陝西師範大學出版社，2008年5月，頁22-23。

狷也。莊周獨與天地精神相往來，而不傲倪於萬物，進取之狂也。昔人謂莊、屈之書，哀樂過人。蓋言性不可見，而情之奇至如莊、屈，狂狷之所以不朽也。……大約樂至沉酣，而惜光景，必轉生悲；而憂患既深，知其無可如何，則反為曠達。屈原憂極，故有輕舉遠游餐霞飲瀣之賦；莊周樂至，故有後人不見天地之純、古人大體之悲；此亦倚伏之至理也。若夫毗於陰者，妄自期許，感慨橫生，賊夫騷者也。毗於陽者，倡狂無主，動稱自然，賊夫莊者也。然而亦且循環未有已矣。[113]

觀之柳宗元的山水遊記，亦不是純然的「樂」，而是「哀樂並至」，參照其騷賦則更能感受到其中騷怨的精神底蘊，與文學傳統中的「莊騷」異同可相類比。明乎此，也就更能說明柳宗元貶謫書寫對莊騷審美精神的融通。

值得說明的是，文學史上的「莊騷」並稱，正是由中唐韓愈在一系列詩文中提出，並將其共同納入文學審美視角而成為二元互補的審美範式，不僅揭示了「莊騷」命題的合理性與深刻性，也反映了韓愈在儒林、文壇的巨大影響力和中唐雜文學觀念的流行。[114]柳宗元雖沒有專門並稱「莊騷」的文字表述，但是〈答韋中立論師道書〉一文曾將《莊》、《老》、〈離騷〉等典籍歸納進與「道」相對的「文」的序列中，認為其均具有「文」的特性，實際上也是對「莊騷」審美共性的某種體認。更重要的是，他既和韓愈共同倡導中唐古文革新，說明兩人的文學觀念存在某些相近之處，對《莊》、〈騷〉文學經典範式的高度認可和效法就是例證之一。若說韓愈「莊騷」並稱的功績主要是理論層面的倡導，那麼柳宗元包括騷體賦在內的騷體文學和山水遊記，則是大約在這一觀念提出的前後，就將其理論內涵融注進文學創作實踐中，並取得了巨大的成功，儘管他可能本無意於這一文學觀念的傳播，而是純粹出於貶謫精神困境的契合。也正是此種莊騷精神的契合和文學審美範式的實踐，使柳宗元的貶謫文學不是單純的悲哀情調，而呈現出豐富的審美意味。若說韓愈詩文對《莊子》的借鑒主要是以醜為美、以奇為美、以文為戲的怪誕恣肆文風，那麼柳宗元的熔鑄莊騷，則更多出於從個人身世之感而獲得對莊騷精神的思想認識，使莊騷精神成為他心靈內部的文化基因。也正因為「莊騷」的相通首先表現在「內在精神」、即「人格精神、悲劇意蘊的相通」[115]，柳宗元貶謫書寫中的莊騷精神才顯示出更加豐富的思想價值。

總之，騷體賦和山水遊記在情景書寫上的差異性，有著柳宗元理性的文體意識和文體選擇，在文體的體性層面內在熔鑄了屈騷的「幽憂憤悱」和莊子的「哀樂並至」。柳

113　（清）章學誠著、葉瑛校注：《文史通義校注》北京：中華書局，2014年，頁486。

114　吳戩：〈韓愈與《莊》、〈騷〉並稱及其審美範式化之實現〉，《文藝理論研究》2011年第3期，頁55。

115　李生龍：〈論莊、騷的融通與影響〉，《中國文學研究》2004年第2期，頁25。

宗元貶謫時期的整體心境和文學創作，似可用清人所謂「莊騷兩靈鬼，盤踞肝腸深」[116]
一語來形容。來自莊騷的深刻精神淵源和雙重意境，才構成柳宗元其人的人格精神和其
文的審美意蘊。

---

116 （清）龔自珍：〈自春徂秋偶有所觸拉雜書之漫不詮次得十五首〉其三，（清）龔自珍著，劉逸
　　生、周錫馥校注：《龔自珍詩集編年校注》上海：上海古籍出版社，2013年12月，頁348。

施鴻保《讀杜詩說》研究

俞凡

中國人民大學國學院

一　施鴻保與《讀杜詩說》概述

（一）施鴻保其人及著述

　　施鴻保其人，由於其著作多已經遺佚，今對其生平了解主要來自《讀杜詩說》書首自序（以下簡稱〈自序〉），以及他的另一部著作《閩雜記》所附的〈施可齋先生傳〉。二文互相參照，可對施鴻保生平略有了解。

　　施鴻保，字可齋，浙江錢塘人。〈自序〉「嘉慶甲戌，余年十一」[1]，嘉慶甲戌即嘉慶十九年（1814），以此推之，施鴻保當生於嘉慶九年（1804），得年六十八。然〈施可齋先生傳〉「同治辛未三月，自泉州晉省，以疾歿于旅邸，年七十餘」[2]，同治辛未即同治十年（1871），以此推之，則其當生於乾嘉之際，必早於嘉慶九年。如此則二說互相矛盾，因材料不足，今且從〈自序〉。施鴻保自幼聰穎，工於詩古文，而尤精通考證之學。林則徐在杭嘉湖時，得施鴻保卷，十分賞識以為第一，並撰楹帖手書贈之。施鴻保曾和沈祖懋、陳元鼎、馮培元等於西湖論文角藝。然其科舉考試殊為不順，連續十四次應鄉試未中，自此對科舉灰心，轉而從事幕府，出遊江西、福建等地，以山川、人物、風俗等發之於詩歌，見者稱其為未曾有。平生無其他愛好，惟勤學不倦。曾經借住於福州陳恭甫太史家，見到所藏書板，手摩口誦，以至於頭面俱黑，被人傳笑，而不以為然。同治辛未三月，施鴻保因病逝於福州的旅邸。[3]

　　著述方面，施鴻保於群經皆有論說，然多散佚，惟《閩雜記》存於王華齋處，得會稽朱堉摘錄整理出版而得以流傳。[4]關於杜詩著述，〈施可齋先生傳〉只有八卷《讀杜隨筆》，或疑此即為《讀杜詩說》，但二者卷數不符。因其書已散佚，故此只有存疑。據〈自序〉，本書是對《杜詩詳注》的補充更正。但是事實上本書除了對仇注進行糾繆之

1　施鴻保：〈自序〉，施鴻保著，張慧劍校：《讀杜詩說》上海：上海古籍出版社，1983年，頁1。

2　〈施可齋先生傳〉施鴻保著，來新夏校點：《閩小記閩雜記》福州：福建人民出版社，1985年，頁5。

3　〈施可齋先生傳〉施鴻保著，來新夏校點：《閩小記閩雜記》福州：福建人民出版社，1985年，頁3-5。

4　朱堉：〈敘〉，施鴻保著，來新夏校點：《閩小記閩雜記》福州：福建人民出版社，1985年，頁1-2。

外，還有作者自身對杜詩的研究，因此可以看作其之讀杜心得。書本為全本，由於滲水黴爛，本欲重新甄錄，刪去其中瑣屑錯誤之處[5]，但二十四卷只錄出上卷，施即病逝，下卷只殘存部分篇目。《讀杜詩說》手稿是張慧劍在杭州一家書肆發現的，後整理出版。[6]現在的版本，仍遵從原稿分為二十四卷，僅第二十四卷原有題目，其餘題目是校者從前二十三卷手稿中摘出的。前二十三卷共收錄杜詩四七八首（組詩算一），並且另於卷二十一、二十三各附詩一首他人之詩以作考證。

（二）〈施可齋先生傳〉作者考

〈施可齋先生傳〉附於《閩雜記》，作者不明。傳末「余初未識先生，嘗就華齋詢其行誼，輒慨然想見其人，爰撅梗概，而為之傳」[7]，則本傳固非施鴻保本人所作。孫微《清代杜詩學史》「生平詳陳壽祺〈施可齋先生傳〉」[8]，即傳者為陳壽祺。傳中確有施鴻保與陳壽祺交往之事，「嘗寓福州陳恭甫太史家」[9]，然既稱陳壽祺為「福州陳恭甫太史」，則本傳當非陳壽祺所作；且傳末既書「余初未識先生，嘗就華齋詢其行誼，輒慨然想見其人」，可見作傳者未嘗見施鴻保其人，而陳壽祺既與施鴻保有交往，固不可能如此。並且根據傳末本文明顯作於施鴻保去世之後，而陳壽祺道光十四年（1834）即已逝世，先於施鴻保，不可能於施去世之後再為其作傳。故本傳非陳壽祺著可知也。孫微所說當有誤，不知其所據為何。

又現出版的《閩雜記》於傳文後附〈贈詩〉一首，署名「宜黃符兆綸雪樵」。按清代有詞人符兆綸，字雪樵，江西宜黃人，嘉慶十年（1805）生，同治四年（1865）逝世，與施鴻保同時，當是此人。詩中有自注「去歲相晤光澤幕中，即席得讀大箸」，「君旋以鄉試返浙，及予冬暮重抵光澤，君報罷，猶未還也」[10]，光澤是福建地名，施鴻保乃浙江人，又多次參加鄉試，故此詩當是贈於施鴻保。但是既從注中可見二人已有交往，則與傳文「余初未識先生」不符，且符兆綸亦先於施鴻保逝世，此傳當非符兆綸所作。

《閩雜記》是存於王華齋處並由朱塽整理出版，若附於其中傳文為朱塽所作，則與

5　施鴻保：〈自序〉，施鴻保著，張慧劍校：《讀杜詩說》上海：上海古籍出版社，1983年，頁1。

6　張慧劍：〈關於《讀杜詩說》〉，施鴻保著，張慧劍校：《讀杜詩說》上海：上海古籍出版社，1983年，頁1。

7　〈施可齋先生傳〉施鴻保著，來新夏校點：《閩小記閩雜記》福州：福建人民出版社，1985年，頁5。

8　孫微：《清代杜詩學史》濟南：齊魯書社，2004年10月，頁352-353。

9　〈施可齋先生傳〉施鴻保著，來新夏校點：《閩小記閩雜記》福州：福建人民出版社，1985年，頁4。

10　〈贈詩〉施鴻保著，來新夏校點：《閩小記閩雜記》福州：福建人民出版社，1985年，頁5。

情理、內容皆相合，但缺乏相關證據，尚待進一步考證。

（三）《讀杜詩說》成書背景

　　清代學術興盛，主要表現在對前代學術的歸納和整理。詩學研究成果十分豐富，杜詩學亦是碩果累累。現存清代杜詩注本逾百種。清初，經歷前朝積累，杜詩學迎來了爆發，不同的杜詩注本大量湧現。錢謙益《錢注杜詩》「以詩證史」，朱鶴齡《杜工部詩集輯注》在繼承前代方法的基礎上，善於名物、典故考證。仇兆鰲《杜詩詳注》援引豐富，可謂集諸家之大成。浦起龍《讀杜心解》則參考諸本，分析簡明扼要，別具特色。乾嘉時期，楊倫《杜詩鏡銓》以精簡著稱，《四庫全書》對杜詩學發展也起了積極作用。道光之後，杜詩學才稍稍式微。[11]施鴻保生於嘉慶年間，其對杜詩的研讀特別是對《杜詩詳注》的研究主要是在道光至同治年間。其在幼時已接觸到錢箋和朱注，及長又得仇注，因此清代乾嘉之前的杜詩學研究，不僅為其提供了基礎和範本，也是他研究的一個重要契機。

　　除此之外，清代注杜風格對施鴻保有示範和引領作用。清代杜詩學特徵如下：第一是研究範圍的拓展。不僅延續了宋代以來校勘、版本、闡釋等方面，還拓展了經學、史學、音韻學等新的領域，如在傳統的按韻編排外，還有注家開始專攻音韻，如《杜詩雙聲疊韻譜括略》。第二是研究深度的增加、研究更加細緻。或是在前人學術成果基礎之上繼續有發現，或是對前人未有關注的問題有新發現。如賈開宗的《秋興八首偶論》。又如對於杜詩「律細」的問題，李因篤、仇兆鰲、袁枚、蔣瑞藻等人相繼有爭論，並進行了廣泛而深入的討論。[12]這些新的杜詩研究取向和成果，為施鴻保的杜詩解讀提供了基本的方向和素材。在《讀杜詩說》中，施鴻保注重從音韻的角度闡釋杜詩，對相關事實和文字的鑽研亦更加細緻和深入。這一點，下文將詳細論述。

二　《讀杜詩說》的注杜內容

　　《讀杜詩說》一書雖然是以仇注為基礎，但是在內容選擇和撰寫上，體現了施鴻保鮮明的個人風格。書中不僅包含對仇注的闡釋或批評，還有他個人的讀杜心得。

　　（1）對杜詩真偽有獨到見解。施鴻保對杜詩真偽的認定比較嚴苛，除了已被多數人認定偽詩的〈哭長孫侍卿〉、〈虢國夫人〉等，〈題鄭十八著作丈故居〉、〈釋悶〉、〈狂歌行贈四兄〉、〈清明二首〉等有所爭議的詩歌，施鴻保也表達了自己的見解。如〈題鄭

---

11 參見孫微：《清代杜詩學史》濟南：齊魯書社，2004年10月，頁1-7。
12 參見孫微：《清代杜詩學史》濟南：齊魯書社，2004年10月，頁7-17。

十八著作丈故居〉條，施鴻保從寫作風格、用事、用典、格律的角度作判斷，「今按此詩，惟起處稍似公詩本色，然『亂後故人雙別淚』句，已覺俚晦，至酒酣懶舞以下，尤為粗率；第五橋東二句，明用同游何將軍山林詩，公與鄭交最久，醉時歌：『得錢即相覓，沽酒不復疑』，其同游飲宴，豈止此二處乎？此偽跡之顯露者。又賈生、蘇武、爾衡、方朔，句首疊用四古人，公古詩或有之，律詩必無是也。且據新唐書鄭虔傳，初有告其私撰國史者，坐謫十年，與賈生為傳事不合，醉時歌、簡鄭廣文、八哀詩等，又皆未及，拉雜引用，殊屬無謂。末：『案頭乾死讀書螢。』注謂出語不韻，則亦有不滿意矣。此詩必非公作，朱瀚歷辨集中偽詩，獨不及此，豈誤為非律耶」[13]，施鴻保認為此詩筆法粗率，非杜詩一貫風格，用典形式非類杜律，與史亦不相合，必為偽詩。辯語可謂詳實，惟末朱瀚不曾論及此，查《杜詩七言律解意·七言排律辨偽》，其中明言此詩當偽[14]，慮其成書倉促，可能是偶爾失檢，有所誤記。現存的唐人唐詩選本，如《唐人選唐詩》，少有選杜詩者。杜詩是宋代才聲名鵲起，不可避免存在散佚之處，兼有好事者因其地位聲名妄自附會，真偽辨別之功實為必要。施鴻保論偽，有從風格、用典、格律等方面綜合判斷，結論較為可信，但有些則多類讀書隨記，理由不甚充分，難以讓人信服。

（2）善於從格律角度研究杜詩。這部分集中見於第二十四卷並於前節各有論說。在卷二十四，施鴻保對各注家關於杜詩格律的看法集中做了考證和回應，包括五律拗句、七律拗句、七律上尾字、重韻、扇對、排律詩對起、借對、四聲通用諸問題。如〈重韻〉條，顧炎武《日知錄》杜詩重韻有數處，而施認為杜詩中雖然偶有失檢，但同字不同義或同字不同音，則不能算作重字，如《寄狄明府詩》有兩「不」字，但「不見十年官濟濟」中為上聲，「濁河終不汙清濟」中為去聲，則非重字。《四聲通用》條列舉杜詩中四聲通用例並稱「重」字尤多，「如王竟攜酒詩：『攜酒重相看』，懷錦水居止詩：『柴門豈重過』，奉濟驛重送嚴公詩：『幾時杯重把』，有歎詩：『蒼生豈重攀』，課小豎鋤斫果林詩：『吟詩重回首』，寒雨朝行視園樹詩：『葉蒂辭枝不重蘇』，皆讀從仄，義從平也」。前二十三卷中施鴻保也多用格律闡釋具體詩句，如〈悲陳陶〉條，施鴻保引〈重過何氏五首〉和仇注說明此詩有四聲通讀。[15]書中，施鴻保對杜詩格律較為關注，分析之時往往也從格律入手，且時有不同於前人的新觀點。杜詩在格律方面的考究，在杜甫之前的詩人是未曾有的。可以說，杜甫完善了格律詩的寫作範式。因此，格律這一角度，對於研究杜詩用字、唐代語音等都有相當重要的意義。

（3）重視對杜詩用典的考證。卷二十四〈誤用事〉、〈用本朝事〉等皆論用典。注

13 施鴻保著，張慧劍校：《讀杜詩說》上海：上海古籍出版社，1983年，頁55-56。

14 蕭滌非主編：《杜甫全集校注》北京：人民文學出版社，2014年，頁1108-1109。

15 施鴻保著，張慧劍校《讀杜詩說》上海：上海古籍出版社，1983年，頁38、238。

釋具體詩歌時，對用典的考證也較多。〈登樓〉條中認為杜甫用「梁甫吟」典乃因為諸葛亮好為，則諸葛亮必自有作，而不是僅僅取古人之詞而吟誦，且所作必非一時偶然，僅此一篇；〈卜居〉條辨「昔人迷」用〈桃花源記〉劉子驥事，而非仇注劉晨阮肇。對神仙志怪之說，施鴻保並不相信，對於注釋也認為不必詳析，〈崔駙馬山亭宴集〉條「志怪之說，殊可不引」，又〈滕王亭子二首〉條「今按詩第引用神仙傳語，事之有無，詩不為之辨也。公詩此類甚多，似可不必駁正」。[16]此外，施鴻保對用典的注解，不僅是對其來源的直接考證，而且非常注重時間因素對杜詩用典的影響，即所用典故的時間，若距離杜甫時間較近，則當考慮到杜甫是否已知或者已用。如〈前出塞九首〉條「雄劍四五動，彼軍為我奔」，施鴻保認為「此宋青春事既隱僻，且近在開元時，未必即已傳聞，公遂用入詩也」，又〈崔駙馬山亭宴集〉條「詩成得繡袍」句，施「則天事去公不遠，未必即用入詩」。[17]時間和傳播的因素十分普遍和現實，不容忽視，而以往注家皆但論時間是否有先後之分，而考慮到當時條件的論證則並不多見，施鴻保能考慮到這一點，十分可貴。但由於當時資料不足的局限，若是能有具體的數字說明，以今之論述標準而言，當更能讓人信服。

　　（4）著重對杜詩用字的考察。第二十四卷中論述了重字、字義重複、省字、顛倒用字、方言、避本朝諱等問題。〈哭王彭州掄〉條施鴻保引〈漢書〉認為「籌」本為虛義，而此處認為是代「箸」字，作實用；〈哀江頭〉條對「同輦隨君侍君側」中「同」、「隨」、「侍」辨析以明此非重複，「同則同處，隨則隨游，侍則侍側也，合解則同輦隨遊，而仍侍側，不敢並君也」。[18]由於杜詩年代已久，異文較多，因此免不了對字的考證，〈晨雨〉、〈園人送瓜〉等多處都是對異文的考證和取捨。除此之外，施鴻保還注重對杜詩詩題的考證，尤其是官職、姓名等方面。如卷二十四〈題字錯誤〉、〈送別詩但題別字〉、〈題紀日月〉等條，又如〈夜宿西閣呈元二十一曹長〉條「曹長」，〈大覺高僧蘭若〉條「蘭若」，〈將別巫峽贈南卿兄瀼西果園四十畝〉條「南卿」等，施鴻保皆有考證。

　　通觀全書，施鴻保在杜詩真偽、用典、格律、用字等方面傾注了較大的心力，在內容上別具一格，而且提出了一些新的不同於前人的觀點。但是，這些角度，對清代乾嘉考據之風一以貫之，基本是從小學的角度研究杜詩，未能跳出清代學術研究精細有餘而疏於整體的藩籬。但是儘管有此不足，本書在內容上仍是瑕不掩瑜，施鴻保對杜詩獨到和深入的見解，仍然值得我們借鑒。

---

16 施鴻保著，張慧劍校《讀杜詩說》上海：上海古籍出版社，1983年，頁26、123、128、180。

17 施鴻保著，張慧劍校《讀杜詩說》上海：上海古籍出版社，1983年，頁12、26。

18 施鴻保著，張慧劍校《讀杜詩說》上海：上海古籍出版社，1983年，頁171、39。

三　《讀杜詩說》的注杜特色

本書是在仇兆鼇《杜詩詳注》的基礎上對杜詩進行考證和發明，飽含施鴻保個人讀杜心得的一部著作。無論是引杜詩解杜詩，反對穿鑿曲解，抑或是字句訓釋力求具體，都有其鮮明特色。

（一）引杜解杜，注重聯繫

施鴻保注杜詩一個十分鮮明的特點就是引杜解杜，一是在解釋具有聯繫的詩歌時，注意詩歌之間的意思聯繫或者邏輯關係，二善於引杜詩解杜詩，特別是針對詩詞的訓釋，往往引用其他的詩歌中的例證，來解釋問題、證明觀點。

在注重詩歌之間的內在聯繫方面，如對〈渼陂行〉解釋時：「詩意與下渼陂西南臺『錯磨終南翠』正同」，這是考慮在同一地點所作詩歌有意思上聯繫的可能性；〈渼陂西南臺〉條注釋「苦」時，言「苦，猶劇也，言劇便習於靜也；如此方與上『外物慕張邴』，下『況資菱芡足』等句意合，亦與上句待官字對」，這是從詩歌內部句意的銜接來推測字句意。[19] 這種做法在本書中多次運用，考慮到了詩歌創作的一致性和內部的邏輯性，往往能夠較好地理解詩意。

而且，施鴻保在注釋時善於引杜詩解杜詩，這一點在注釋字詞時表現尤為明顯。如〈奉贈王中允維〉條引多首杜詩解「白頭吟」，謂之與卓文君「願得一心人」句意不同，「白頭字當微讀，不連吟字，即夜歸詩『白頭老罷舞復歌』之意，言維窮愁作詩，頭必早白，故欲得其詩而誦之也」，引用〈夜歸〉證明此處「白頭」非卓文君之「白頭」；又〈垂老別〉條引多首杜詩解「埶」當作「熟」字；〈廢畦〉條對杜詩中出現的多處「以爾汝稱物」進行列舉，以表明仇注引毛詩作解之做法拘泥。[20] 引杜詩解杜詩特別是字句，可以結合該字句出現的多種語境，從而最大限度推測杜甫用詞的意思，有助於對字句的理解。〈戲為六絕句〉條「王楊盧駱當時體，輕薄為文哂未休」句「輕薄」二字，向來眾說紛紜，有曰指文體，有曰指人，指人者又分三種：一說後生自為輕薄之文，一說杜甫譏哂四子文體輕薄，一說後生譏哂四子為文輕薄。[21] 施鴻保結合杜詩和其他文獻論當為人之輕薄：「輕薄字，始見西京雜記，茂陵輕薄者化之，言人之輕薄也。絕句漫興：『輕薄桃花逐水流』，贈王侍御契：『洗眼看輕薄』，貧交行：『紛紛輕薄何須數』，皆是此意。此詩謂後生輕薄之人，譏笑前輩為文也」[22]。施鴻保此說較當，若杜

---

19 施鴻保著，張慧劍校：《讀杜詩說》上海：上海古籍出版社，1983年，頁21-22。

20 施鴻保著，張慧劍校：《讀杜詩說》上海：上海古籍出版社，1983年，頁52、62-63、68-69。

21 蕭滌非主編：《杜甫全集校注》北京：人民文學出版社，2014年4月，頁2505。

22 施鴻保著，張慧劍校：《讀杜詩說》上海：上海古籍出版社，1983年，頁101。

甫為之或者後生自為，則與詩意相距較遠。借助他處杜甫詩句，可以印證這一觀點，使觀點具有更強可信度。

　　但是在訓釋字詞時也需十分注意分寸，稍有不慎便會偏離詩意，造成誤解。字詞的多義性，導致除了少數的專有名詞之外，一般的字詞都不僅有一個意思，因此引用杜詩解杜詩存在以此義作彼義的風險，而如何規避這種風險多只能依賴相關文獻以及注者的主觀感受。這一點施鴻保在引用杜詩時已經察覺，〈秋笛〉條「他日傷心極」句「他日」二字，施鴻保在注釋時就歸納包括「往日」、「異日」、「別一日」三種意思，並言此句中當取第一義。[23] 而關於此句，歷來諸家亦有差別，「將來」與「往昔」皆有論述者，而以後論者稍多。[24] 再者，即使所引詩中字恰與注解詩中同義，然而在斷定所引詩之意時事實上已經預先進行了主觀判斷，這種主觀判斷並不完全可靠。因此，在引杜詩解杜時，需要注意結合其他文獻綜合判斷，單純地依靠此進行解釋往往含有較大的風險。可見引杜詩作注亦含有較大的風險，仍需結合其他文獻作綜合判斷。

　　即使如此，能考慮到詩歌的內部聯繫和創作的關聯對杜詩進行注釋，且在注釋時十分敏感，能夠找到合適的杜詩進行注釋，非對杜詩了熟於心者不可為之。而這種方法若運用得當，也確實會有相當強的說服力。

（二）反對穿鑿，主張適度

　　施鴻保講究注釋適如其分，反對穿鑿附會，過多冗贅。這一點在〈自序〉中已經明確提出，並在正文注釋又以此為準則，不斷運用和強調。

　　以〈呀鶻行〉條為例，中有「鷮神非復皂雕前，俊才早在蒼鷹上」句，其中「非一作迷」，施鴻保同意仇注的觀點，認為若「非」為「迷」字，則句意不可解，並進一步闡發了自己的主張：「公詩注者，每因前人言無一字無來歷，即常用虛字，遇有可證，輒不顧詞理，以為當從。如此迷字，注尚以避上複字，故定作非，其實公律詩複字尚多，況此本古體耶」。[25]「無一字無來處」自黃庭堅提後，一直被一些杜詩注家所推崇，亦是將杜詩推向神壇的表現之一。施鴻保此說，是對明末清初時期釋杜「一飯不忘君」思想批判的延續和繼承，主張實事求是地解釋杜詩。類似做法在本書多處均有，如〈閣夜〉條中「五更鼓角聲悲壯，三峽星河影動搖」句，施鴻保認為下句或是用典但上句則未必，且批評「杜說殆因附會下句，故牽和上句，說公詩者，每有此弊」。且本書也不盡是批評前注附會，亦有注以為他說附會，施鴻保卻以為正解，如〈成都府〉條

---

23 施鴻保著，張慧劍校：《讀杜詩說》上海：上海古籍出版社，1983年，頁69。

24 蕭滌非主編：《杜甫全集校注》北京：人民文學出版社，2014年4月，頁1569。

25 施鴻保著，張慧劍校：《讀杜詩說》上海：上海古籍出版社，1983年，頁217。

「初月出不高，眾星尚爭光」句，朱鶴齡批杜田說認為「初月」指肅宗，「眾星」謂安史為曲解，施鴻保則同意杜說：「公詩說者固多附會，此說似尚不然」。[26]

　　上述諸例可見施鴻保注杜的基本立場，即對杜詩的闡釋講究適如其分，不是一味從淺顯處理解，拋棄杜詩的深刻內涵，也不是過分講究「無一字無來處」，追求句句用典。作為杜詩學者，能夠不被當時盲目尊杜、崇杜的學術風氣所禁錮，保持清醒和理智，在當時的背景下尤顯得難能可貴。

（三）否定曲解，力遵事實

　　施鴻保反對過度美化杜詩，不贊成因回護杜詩而曲解詩意。這一觀點又可分為兩點：

　　首先，施鴻保反對以「纖巧」說杜。〈贈田九判官〉條有明確論述，施鴻保批評朱瀚「今按此等說，皆近纖巧，公當日絕不有意，後人偶爾悟出耳；然或有意效之，詩必不工」。相似的觀點在本書中出現多次，如〈奉和賈至舍人早朝詩〉條，施鴻保認為楊升庵說乃「後人悟出，公詩不故作此等格，致落纖巧」，〈客舊館〉條曰「公詩決不用此等字……且此等瑣屑之格，乃晚唐及南宋時人所說，公未必知，即知亦必不效為之也」。[27]

　　其次，施鴻保反對因回護杜甫而曲解詩意的做法。〈覽鏡呈柏中丞〉條「鏡中衰謝色，萬一故人憐」句，杜臆認為杜甫與中丞素相熟，只是自陳苦情，而非乞憐語[28]。施則以為此說是「為公回護耳」，認為杜甫與中丞並非十分相熟：「詩故人，乃是泛稱，然至夔後，定交既久，則亦可稱也」，「人當貧困無依之時，得一人暖眼相待，而其人又非小人，何妨求其拯濟，不必遂因此失品也」，又舉孔子和杜甫他詩為證，指出王嗣奭欲回護杜甫而作此說反顯得自欺欺人。〈玉華宮〉條認為「朱說（按：指朱鶴齡）亦推公太過，不欲謂真昧耳。其實此等皆無足輕重，不必曲為之說」，〈收京三首〉條同意朱說認為該詩有上下文無關合的現象。[29]可見施鴻保是將杜甫當作平常人，因此認同其「七情六欲」並不以為「恥」。這種反對過度美化杜詩的觀點，與反對穿鑿附會的觀點一脈相承，但是又更進一步，反對穿鑿涉及的主要是用典、訓詁考證等方面，而反對過度美化杜詩更多的是詩意理解方面的內容。施鴻保認識到了杜甫是凡人，有喜怒哀樂，這是對神化杜詩更大、更有力的反對。

　　但是這並非否定杜甫，從某種程度上說，施鴻保亦是以一種更巧妙的方式對杜甫進

---

26 施鴻保著，張慧劍校：《讀杜詩說》上海：上海古籍出版社，1983年，頁79-80、175。

27 施鴻保著，張慧劍校：《讀杜詩說》上海：上海古籍出版社，1983年，頁22、48、115。

28 但筆者翻閱上海古籍出版社1983年版《杜臆》，未見此詩及此語，或仇兆鰲所見與今本有異。

29 施鴻保著，張慧劍校：《讀杜詩說》上海：上海古籍出版社，1983年，頁45、47、178。

行回護。這特別體現於上述第二點，並在〈七歌〉條中表現明顯：朱熹批此詩「至其末章歎老嗟卑，則志亦陋矣」，施鴻保辯稱「今按朱子此說，蓋以君子居易行法言也；然人誠如杜陵之才之學，許身稷契，欲置君于唐虞，而使之終老不遇，既卑且貧，至於饑寒流落，白首無依，如此七章所述，則感慨亦自不免。子路聖門高弟，尚有君子亦窮之慍，況非子路者乎？必以未聞道少之，則托言安貧樂賤一流，豈皆聖賢之徒歟？朱子特未遭此境耳」。[30]施鴻保之反對回護杜甫，事實上並非認為杜甫有些詩作粗俗，而是將這些詩作也當作杜甫美好人格的一部分，因而無需特意回護以至於曲解詩意。

（四）訓釋具體，以詞通意

施鴻保對字詞訓釋力求具體，認為訓釋籠統不清晰會影響對詩意的理解。

如〈病後過王倚飲〉條「酷見凍餒不足恥」句，注以「酷見」為「慘逢」[31]，施認為應釋為「甚知」：「酷，猶甚也，暑曰酷暑，好曰酷好，皆是甚詞。……見猶知，若曰甚知凍餒不足恥也」；又「兼求畜豪且割鮮」句，注引《山海經》以「畜豪」為「豪豬」[32]，施以為豪豬不可畜，故當為「豕之肥大者」：「豪豬……然未聞有畜之者。寧化縣誌：生得之數日即死。則並不可畜也。後送韋評事充同谷判官詩：『羌父豪豬靴』，亦是，惟明言豪豬。此言畜豪，疑只謂畜豕之肥大者。漢書田儋傳：召豪吏子弟。注：豪，長也。即此豪字。湯東靈湫詩：『曾祝沉豪牛』，亦是牛之肥大者，非別有一種豪牛也」。又如〈魏將軍歌〉條「星纏寶鉸金盤陀」中「盤陀」詞，施解釋為「今人以馬額當中籠鎖縚結為盤頭結，或飾以金，或飾以銅，疑古謂之盤陀，與蔡邕獨斷所言鉸是當顱刻金為之者近是。詩星纏，蓋當顱突起，日光射之，灼爍如星也，以證鮑詩，於飾字義亦合」。[33]

可見，施鴻保對於具體字詞的訓釋，力求準確細緻，將字詞分解成易於理解的最小單元，不僅通過對字詞的音義演變的考證，還結合其他文獻，力求最大限度增強字詞訓釋的準確度和可信度，以有益於詩意解釋。

（五）釋意簡明，意義為上

施鴻保主張杜詩注釋意義為上務求簡明。具體而言，即施鴻保注釋杜詩沒有特定體例，而是根據表意需要，自由運用。這與《杜詩詳注》差異頗大。仇兆鰲在注釋杜詩

---

30 施鴻保著，張慧劍校：《讀杜詩說》上海：上海古籍出版社，1983年，頁78。
31 仇兆鰲：《杜詩詳注》北京：中華書局，2015年，頁171。
32 仇兆鰲：《杜詩詳注》北京：中華書局，2015年，頁172。
33 施鴻保著，張慧劍校：《讀杜詩說》上海：上海古籍出版社，1983年，頁24、32。

時，往往先解題，考證系年、題意、交遊、官職等，短詩則不分段，長詩則劃定段落，各段均著提要，然後再考證典故，末尾輯錄注家評論或考證資料，再附自說。體例不可謂不詳備。然施鴻保於每詩則直接針對問題進行闡述，對仇注字句解釋不滿就直接考證字句，對用典有疑問就引證諸說證明自己觀點，其餘則並不多言。這一方面與本書性質有關，本書是針對仇注糾繆而著，因此直接針對問題考證，更能切合題意。但是本書也有一些是施鴻保自己的見解，仍是完全以內容為主，雖然不免有兼顧本書整體性的顧慮，但是從中仍能看出施鴻保對於體例的傾向。

以上特色雖然很多並非施鴻保獨有，但是施鴻保在闡釋時充滿強烈個人風格從而能夠做到特色鮮明。特別是引杜詩解杜詩、字句的訓釋力求具體等特點，施鴻保不僅充分運用，而且有一種向極致發展的趨勢。而反對穿鑿、過度美化杜詩等主張，也有別於注杜傳統中將杜詩供奉於神壇的傾向，轉而追求詩歌的本來面貌，做到實事求是。

四　《讀杜詩說》的不足之處

本書僅為手稿未及成書，書中不免有如誤引全文，顛倒次序、題誤，以此注家為彼注家等的訛誤，如〈奉送郭中丞兼太僕寺卿〉條仇注「引爾雅疏榆木無疵病，亦名無疵」[34]，但仇注引《爾雅》只有「榆，木名，梗屬，似豫章」[35]，無上句。但這些錯誤對於理解整書並未有太大的影響。而其他方面的不足，則與施鴻保本人的理解有關，影響到杜詩詩意的注釋。

（一）杜詩考證偶失主觀

施鴻保對杜詩的考證理解，雖大多都能做到切合題意，但是偶爾失之主觀，缺乏有力的論據。

第一是對於杜詩用字，杜詩流傳至清，已逾千年，版本有別，異文較多。施鴻保在對異文進行考證時，有時僅憑藉自己的理解改字，論據並不充足，顯得較為主觀。如〈樂遊園歌〉條中有句「數莖白髮那拋得？百罰深杯辭不辭。聖朝亦知賤士醜，一物自荷皇天慈」，「辭不辭」一本作「亦不辭」，施鴻保以為「辭不辭」，「既與上句不對，意亦迂曲，蓋因下句亦字避復也」，至此本無甚問題，然隨後卻直接改字，認為「其實亦字，亦當從別本作已；一物句但字，亦當從別本作自。上下四句，皆以虛實斡旋，故極靈動」，直接改動其中兩字，而其依據僅僅是「虛實斡旋」，不免顯得較為主觀。這樣的

34 施鴻保著，張慧劍校：《讀杜詩說》上海：上海古籍出版社，1983年，頁43。
35 仇兆鰲：《杜詩詳注》北京：中華書局，2015年，頁314。

例子在文中出現數次，如〈奉送郭中丞兼太僕寺卿〉條改「檜」為「楹」；〈苦雨奉寄隴西公兼呈王徵事〉條「劃見公子面」中「公子」一本作「君子」，施鴻保雖以為「君子」當是，然仍疑為「王子」為佳。[36] 偏離文獻作字詞的考證，所據不足，論述亦不充足，主觀因素較強。

　　第二，是對杜詩字、句順序的主觀調換。施鴻保對於杜詩字、句的順序經常以格律等原因進行調換，顯得主觀有餘而理由不足。如〈兵車行〉條，認為「君不聞」、「君不見」二句「聞」與「見」應當互換位置[37]，原因是「村落荊杞當見，不當聞；鬼哭啾啾當聞，不當見也」，這種論述較為主觀難以成立，若如此改，則「古來白骨無人收」又豈只用「聞」而得知？又〈彭衙行〉條有句「暖湯濯我足，翦紙招我魂。從此出妻孥，相視涕闌干。眾雛爛熳睡，喚起沾盤飧。誓將與夫子，永結為弟昆」，施鴻保認為詩句順序傳抄有訛誤，「竊意下二句，當在魂字韻下，『喚起沾盤飧』下，當接肝字韻二句，再接此誓將二句，如此則詞意自順，夫子是公稱孫宰，不致扞格矣。蓋昏暮投人，必己先獨見，濯足招魂，當只言孫宰之待己也；既知挈妻子同來，乃空堂相奉，偕攜入居；及主人為具盤餐，而眾雛行倦，已睡去堂內矣，故喚起共食；因而自念艱難之際，誰能豁達相待如此者，感激之深，前此雖與相好，自今更欲永結為弟昆也」。[38] 按施鴻保所改則四句順序當為「暖湯濯我足，翦紙招我魂。眾雛爛熳睡，喚起沾盤飧。從此出妻孥，相視涕闌干。誓將與夫子，永結為弟昆」，但其論述則與原文詩句順序相合，而與其自身所改的順序相異，如此則是自為矛盾。且從行文上看，其修改的憑據並不充足。

　　雖然施鴻保對杜詩有多年研究，但是有時較為主觀，以至於在沒有其他證據的情況下，僅憑主觀理解就判斷杜詩文本有訛誤，未免有過於草率之嫌。

（二）字詞訓釋略顯僵化

　　施鴻保在字詞訓釋上的突出特點是務求詳實清晰，但是對字詞訓釋過於講究，有時反而落入俗套，以致不能理解杜詩的精妙之處。如〈大雲寺贊公房四首〉條有「心清聞妙香」，張遠認為「此首以聞見作骨。上句『燈影照無睡』，燈影，見也。此句妙香，聞也。下句逐句分貼」，施鴻保則從「聞」字訓釋：「聞是耳聞，此句聞字非耳聞，香從鼻入，本但曰嗅，後來亦曰聞者，鼻與耳皆以竅受也。張說似尚未晰」。[39] 施鴻保必求從文字本義入手，考證其字義演變，不放過一點不同，如此解釋則顯得過於死板，杜詩此句將感官進行巧妙轉換，更顯「妙香」，若如施解則此句的精妙之處不可見矣。又如

---

36 施鴻保著，張慧劍校：《讀杜詩說》上海：上海古籍出版社，1983年，頁9-10、27-28、43。

37 施鴻保著，張慧劍校：《讀杜詩說》上海：上海古籍出版社，1983年，頁11。

38 施鴻保著，張慧劍校：《讀杜詩說》上海：上海古籍出版社，1983年，頁47。

39 施鴻保著，張慧劍校：《讀杜詩說》上海：上海古籍出版社，1983年，頁40。

〈一百五日對月〉條「有淚如金波」，仇注「月映波中，如金光閃爍，故曰金波」，並引漢郊祀歌「月穆穆以金波」，施則認為，詩只比喻月之光彩，而無說月映波中，「金波」借漢歌乃淚之多。此則過於淺顯，此句黃生釋曰「古詩多以淚比水，此因對月，故用『金波』，遂成千古奇句」[40]，雖評價不至於如此誇張，但此句杜甫將「淚」與「金波」兩種有共同點的物象結合，又借典以點出「月」，正與題合，可謂巧妙。施鴻保的解釋則完全沒有看到這一層，以至於忽略了詩人本意。字詞的訓釋更加具體本可以幫助詩意理解，但是一味拘泥於此，反而會陷入僵化的境地。施鴻保本意是為了更好地理解詩意，為此借助字詞的訓釋，但是有時卻自我局限，沉溺於字詞的訓釋反而忽略了整體的詩意。這一點也是乾嘉考據之風的一大弊端，本是為了理解詩意和文本而進行字詞的訓釋，力求精確，但在實踐中有時用力過猛以至於一葉障目。

（三）反對穿鑿過猶不及

過於反對附會導致對詩意的理解不夠。如前論述，施鴻保注杜時反對穿鑿附會，這固然有一定優點，但是過猶不及，有時反對穿鑿卻導致不能夠領會前注家於杜詩所作的合理深刻的理解，詩意一味從淺顯處入手，削弱了杜詩的深刻性。如〈蕃劍〉條，施鴻保認為「通首喻言，必實有其人……少陵當日流落風塵，亦必有魁奇磊落之士，與時不偶，而獨為其所刮目者」[41]，此則距詩意太遠，「每夜吐光芒」、「虎氣必騰踔」、「持汝奉明王」等句，明如仇注所「不忘用世也」[42]，夏立恕亦此「借蕃劍以喻賢才之隱於僻遠者也，後四語忒煞分明」[43]。杜甫在秦州時期有多篇詠物詩如〈廢畦〉、〈病馬〉、〈銅瓶〉等，皆托物言志有所寄託，若如施之說則過於淺顯拘泥，反而失杜詩真意。又如〈九日〉條，仇注認為「酒闌」句歎明皇「荒遊無度」，最後並「推原禍本」[44]，施則表示杜甫僅僅是思及十年安史之亂，而不涉及「追思盛事」和「推原禍本」，這就削弱了本詩的內涵，反令詩意變淺。[45]當如顏廷榘「腸斷於十年間之事，則明皇與貴妃驪山華清之宴遊，而荒淫致寇為恨也」[46]。施鴻保反對附會本是由於前人注家附會太多，失杜詩本意，但若演變成一味從淺顯處求解，則杜詩之意味盡失。因此在二者間找到平衡點就顯得尤為重要，使杜詩回歸真實，既不穿鑿，亦不淺薄。

---

40 蕭滌非主編：《杜甫全集校注》北京：人民文學出版社，2014年4月，頁789-790。

41 施鴻保著，張慧劍校：《讀杜詩說》上海：上海古籍出版社，1983年，頁70。

42 仇兆鰲：《杜詩詳注》北京：中華書局，2015年，頁519。

43 蕭滌非主編：《杜甫全集校注》北京：人民文學出版社，2014年4月，頁1579。

44 仇兆鰲：《杜詩詳注》北京：中華書局，2015年，頁855。

45 施鴻保著，張慧劍校：《讀杜詩說》上海：上海古籍出版社，1983年，頁116。

46 蕭滌非主編：《杜甫全集校注》北京：人民文學出版社，2014年4月，頁2916。

以上可見，雖然施鴻保有一些缺點，但是無論是字詞訓釋還是反對附會方面，這種缺點都與施鴻保的注杜特色密切相關，確切地說，是由於對某些主張的過度發揮而導致的缺點。雖然施鴻保不贊成因回護杜甫而曲解杜詩，但是卻因此對杜詩內涵認識不深刻；過於追求字句的訓釋，也導致對有些詩句理解過於死板。這種過猶不及的現象在歷代注家中較為常見，如何恰到好處地把握注釋的度，亦值得深入探討。

五　結語

施鴻保在〈自序〉批評仇注：「讀之既久，乃覺穿鑿附會，冗贅處甚多。且分章畫句，務仿朱子注詩經之例，裁配雖勻，而渾灝流轉之氣轉致扞格；訓釋字句，又多儱侗不晰語，詩意並為之晦。間附評論，亦未盡允，甚有若全未解者。蓋先生本工時文，殆以說時文之法說杜詩也」[47]。這段話有一定道理，《杜詩詳注》雖然在杜詩注釋上可謂集大成之作，但也不乏有附會冗贅等問題。施鴻保在注杜時能注意避免這一問題，因此其注解常能讓人感覺耳目一新。注釋時以意為上力求簡潔明瞭，在字句的訓釋上也盡力做到清晰詳盡，反對穿鑿附會，力求實事求是等，都是其注杜的特色。然而事皆有過猶不及，施鴻保的注杜在某些地方因為過於反對穿鑿附會，只從詩句的字面意思入手，不深入求解，以至於不能理解杜詩的深刻內涵。過於注重字句注釋也導致對某些字句只看到單個的訓釋而不能從整體理解杜詩之精妙。但就整體而言，施鴻保《讀杜詩說》一書，能夠對杜詩深入了解，堅持己見，有所發明，雖然仍不免有諸多缺點，卻仍不失為一部茲有可鑒的注本。

自黃庭堅提出杜詩「無一字無來歷」，迄宋至清，多數杜詩學研究都對此十分推崇，杜甫被奉上神壇。一些杜詩注解穿鑿附會，必為杜詩「用典」尋找出處，對杜甫干謁詩或艱難之際向友人求助之詩，往往因為回護杜甫而曲解詩意，這些做法未能從實際出發，反而違背了杜詩的本意。清代杜詩學發展十分興盛，也有很多豐富的成果，但是上述問題仍然或多或少地存在，施鴻保能夠跳出藩籬，從實際出發，做到反對穿鑿附會，不故意曲解詩意，實屬難得。本文力求通過對《讀杜詩說》的研讀，為杜詩學提供一些借鑒，有益進學。

---

47 施鴻保：〈自序〉施鴻保著，張慧劍校：《讀杜詩說》上海：上海古籍出版社，1983年，頁1。

參考文獻

施鴻保著　張慧劍校　《讀杜詩說》　上海　上海古籍出版社　1983 年

施鴻保著　來新夏校點　《閩小記閩雜記》　福州　福建人民出版社　1985 年

蕭滌非主編　《杜甫全集校注》　北京　人民文學出版社　2014 年 4 月

仇兆鰲　《杜詩詳注》　北京　中華書局　2015 年

王嗣奭　《杜臆》　上海　上海古籍出版社　1983 年

錢謙益　《錢注杜詩》　上海　上海古籍出版社　2009 年

楊倫　《杜詩鏡銓》　上海　上海古籍出版社　1998 年

浦起龍　《讀杜心解》　北京　中華書局　1961 年

周采泉　《杜集書錄》　上海　上海古籍出版社　1986 年

梁啟超　《清代學術概論》　北京　中華書局　2011 年

梁啟超　《中國近三百年學術史（新校本）》　北京　北京商務印書館　2011 年

孫微　《清代杜詩學史》　濟南　齊魯書社　2004 年 10 月

蔣寅　《清代詩學史（第一卷）》　北京　中國社會科學出版社　2012 年 4 月

北宋士人政治文化考察
──以范仲淹慶曆新政對科舉的改革為例

王志浩
臺灣政治大學中國文學研究所博士生

一　前言

　　范仲淹（西元 989-1052 年），字希文，為唐朝宰相范履冰之後人，看似顯赫的家世，至范仲淹之時早已衰微。其父早逝，因家境不寬裕，故母親選擇改嫁，他亦隨母易姓朱，後來才復宗姓范。[1] 學術思想方面，《宋元學案》特為之立案，[2] 列於著名教育家胡瑗（西元 993-1059 年）和孫復（西元 992-1057 年）之後，表彰其對宋代學術影響之功。且於卷首〈宋元學案序錄〉更特別提及「晦翁推原學術，安定、泰山而外，高平范魏公其一也。高平一生粹然無疵，而導橫渠以入聖人之室，尤為有功。」[3] 可以看出《宋元學案》編纂者對范仲淹的推崇極高。[4] 政治制度方面，宋仁宗慶曆年間，由范仲淹等人主導的新政一事，雖然碰上種種原因而急遽落幕，終宣告失敗，但此事仍足以讓其名載史冊。

　　史載范仲淹「汎通《六經》，長於《易》，學者多從質問，為執經講解，亡所倦。嘗推其奉以食四方遊士，諸子至易衣而出，仲淹晏如也。每感激論天下事，奮不顧身，一時士大夫屬尚風節，自仲淹倡之。」[5] 可以看出其為人高潔，且有推動士人風氣轉變之

1　范仲淹的生平，參看（元）脫脫撰：《新校本宋史并附編三種》臺北：鼎文書局，1980年，第13冊，卷314，頁10267-10276。

2　（清）黃宗羲原著；（清）全祖望補修；陳金生，梁運華點校：〈高平學案〉，《宋元學案》北京：中華書局，1986年12月，卷3，頁131-178。

3　（清）黃宗羲原著；（清）全祖望補修；陳金生，梁運華點校：〈宋學儒學案序錄〉，《宋元學案》，卷首，頁1。

4　《宋元學案》雖為黃宗羲原著，但其尚未完成即逝世，後來經過全祖望等人，在不同時期接續完成增補工作。因此，本文不言「作者」，而言「編纂者」。夏長樸曾探討過全祖望增補《宋元學案》的學術史意義，參看夏長樸：〈「發六百年來儒林所不及知者」──全祖望續補《宋元學案》的學術史意義〉，《臺大中文學報》第34期，2011年6月，頁305-348。另外，《宋元學案》的增補過程，以及版本考察，可參看葛昌倫：《《宋元學案》成書與編纂研究》臺北：花木蘭出版社，2007年。由於《宋元學案》並非本文論述重心，故不再針對此處進行探討。

5　（元）脫脫撰：《新校本宋史并附編三種》，第13冊，卷314，頁10267-10268。

功，[6]亦可從史冊言其「以天下為己任」的精神，[7]窺見一些端倪。在斯人的領導之下，宋朝似乎將會有所轉變，迎向新氣象。然而，事與願違的是，隨著慶曆五年（1045）正月「乙酉，范仲淹、富弼罷」，[8]新政草草落幕。

檢視學界論及慶曆新政期間的相關研究，依筆者所見，前輩學者立論側重，大致可略分三條研究進路：第一，涉及新政的失敗原因，例如錢穆認為，慶曆新政曇花一現的原因，在於范仲淹所上的〈答手詔條陳十事〉，試圖推翻過去宋朝給予士大夫的特有權利，故招致舉國反彈。[9]而鄧廣銘從不同角度，主張慶曆新政之所以失敗，乃是范仲淹、歐陽修、韓琦等人，牴觸宋太祖嚴禁朋黨的家法之故。[10]另外，劉子健指出，范仲淹乃是有抱負的理想主義者，此個人抱負會和不同主張的官僚（集團）甚至君主產生衝突。[11]這三位學者的立論重心和新政失敗原因有較大關係。第二，乃是著重討論新政的改革內容，例如陶晉生〈北宋慶曆改革前後的外交政策〉一文，便是從北宋與遼、西夏的衝突乃至和議方面立論。[12]而范國強自教育改革問題著手，亦值得注意。[13]第三，則是述及新政所帶來的影響，例如李強認為范仲淹在慶曆新政前後展現的風骨，帶來士人風氣的昂揚；[14]馮志弘則從文學的角度切入，主張范仲淹的文學理念，加以在慶曆年間

---

6 有關「士」、「士人」或「士大夫」的定義，學界討論甚多，況且在不同時代之中，「士」的身份、內涵亦有差異。近人談論最多的，當屬余英時。不過，由於本文所要探討的是官僚和時代的具體互動關係，較不著重於個人的精神世界，故採用的是李弘祺的定義，其認為「由國家體制透過政治地位及法律的保障，使得在考試中式（或中舉人）的人逐漸形成一個具統治力量的群體，這便是士人。」參看李弘祺：〈中譯本導論〉，《宋代官學教育與科舉》臺北：聯經出版事業公司，1993年，頁15-16。有個地方必須指出，李弘祺在文中特意區分「士人」和「士大夫」，但筆者並不認為就官僚來說，有必要特別強調兩者差異，因為宋人常常是兩個概念混用不分的。另外，有關余英時對「士」、「士大夫」的不同意見，參見余英時：《士與中國文化》上海：人民出版社，1987年，尤其是第二章〈政統與道統之間——中國知識份子的原始型態〉部分。

7 《宋史》兩度提到范仲淹「以天下為己任」，此評價可以說是其標幟，亦是帶動士人風氣轉變的重要因素。參看（元）脫脫撰：《新校本宋史并附編三種》，第13冊，分別於：卷312，頁10223；以及卷314，頁10275。

8 （元）脫脫撰：《新校本宋史并附編三種》，第1冊，卷11，頁219。

9 參看錢穆：〈士大夫的自覺與政治革新運動〉，《國史大綱（下）》，收錄在《錢賓四先生全集》臺北：聯經出版事業公司，1998年，第28冊，頁629-632。

10 參看鄧廣銘：〈宋朝的家法和北宋的政治改革運動〉，《宋史十講》北京：中華書局，2008年12月，頁62-64。

11 劉子健所言之北宋政治衝突，又可分作兩個層次來看待：其一是與君主的衝突，其二是與其他官僚之間的衝突。參看劉子健著；劉紉尼譯：〈宋初改革家——范仲淹〉，收錄於劉紉尼等譯：《中國思想與制度論集》臺北：聯經出版事業公司，1976年9月，頁123-161。

12 參看陶晉生：〈北宋慶曆改革前後的外交政策〉，《中央研究院歷史語言研究所集刊》1975年12月，47本1分，頁53-73。

13 參看范國強：〈范仲淹文化教育改革的基本思想與方略〉，《貴州社會科學》總245期，2010年5月，頁94-98。

14 參看李強：《北宋慶曆士風與文學研究》上海：上海書店出版社，2011年1月。

推動的政策，與太學體的興起有密切關係，其勢之大，足以扭轉一代文風。[15]上述三點為筆者略舉幾家，簡單分疏其論述主旨，並不代表各項之間毫無瓜葛、互不干涉，事實上還是可以在這些文章中找到共通處。

　　相較歷來對慶曆新政的討論，筆者試圖將焦點鎖定在學者較為忽略的士大夫出身的重要管道：科舉制度，以此著手考察慶曆新政的改革成效，並藉此考察北宋士人的政治互動。范仲淹試圖改革彼時科舉制度的想法，展現在其於慶曆新政期間所呈〈答手詔條陳十事〉中，特別舉出「精貢舉」一項、並且和歐陽修、宋祁等人合奏上書、詳定貢舉條制等等。此不僅是肇因於當時科舉考試有諸多弊病，待其處理；更深層的理由，乃是科舉制度是帝國統治時期，官僚出身的重要管道，肩負著選賢舉能、報效國家的重要職責。此部分亦和范仲淹本為寒士出身有莫大關聯，故有深入研究之必要。基於一項重要改革的歷史意義，往往需要放在時代脈絡上觀察才能較清楚展現，若與政治制度、時代環境相互結合，更能顯現出其具體意義。

　　職是之故，欲正本清源釐清問題，勢必得回顧慶曆新政之前，即宋朝開國以來的情況，或是溯及宋代承繼前代的流風遺俗，準此，我們首先以宏觀的方式，透過范仲淹的歷史世界，探討他得以從貧寒之士躋身廟堂的原因，以及日後推行慶曆新政時又可能會碰上哪些問題。其次，從微觀的角度，叩問范仲淹所處的時代，士人及其得以為士的起點——科舉制度，和過去的察舉制度相較，科舉取才可能會衍生出甚麼弊端，朝廷又是如何因應。最後，考察主導慶曆新政的士人集團所提出的改革方案，及其對後來國家發展有何影響。我們相信，藉由這幾點討論，可以從士大夫之間的互動關係，突顯北宋士人政治文化特色，亦能彰顯慶曆新政的歷史意義。

二　范仲淹的歷史世界——修文偃武祖宗家法

　　宋仁宗慶曆三年（1043）四月，朝廷面臨內政外敵問題之時，宋仁宗選擇起用范仲淹等人，揭開慶曆新政的序幕：

> 甲辰，以韓琦、范仲淹並為樞密副使。知永興軍鄭戩為陝西四路馬步車都部署兼經略安撫招討等使，駐軍涇州。琦、仲淹凡五讓，不許，乃就道。[16]

在面對西夏戰役慘敗後，仁宗決意要有所作為，隨後，被視為保守勢力的呂夷簡罷去，除掉改革之路上的一大阻礙。同年八月，更「以樞密副使范仲淹為參知政事，資政殿學

---

15 參看馮志弘：〈范仲淹文學觀與「太學體」主導思想的形成〉，《清華學報》2008年3月，卷38，頁85-115。

16 （清）畢沅撰：《新校續資治通鑑》臺北：世界書局，2010年10月，第2冊，卷45，頁1084。

士富弼為樞密副使」，[17]讓范仲淹等人主導國家運作，不難看出仁宗對其寄予厚望。值得我們深思的是：出身貧賤的范仲淹何以能躋身朝廷，居廟堂之高？此外，行新政時，可能會碰上甚麼阻礙？這些纏繞的問題，牽引出宋代兩條重要的「祖宗家法」[18]：崇尚文治和嚴禁朋黨。此亦是構成范仲淹的歷史世界之重要核心。

（一）偃武修文

宋太祖雖起於介胄之中，得以踐九五之位，[19]但他對於讀書出身的士人，仍是以較為寬容的態度對待，畢竟文官比起武將，難以有「黃袍加身」的機會，因此，其所奠定宋代重視文官的傳統，成為日後范仲淹得以從一介貧士崛起的契機。我們可從趙匡胤於建隆元年採取的一連串政策中看出其對文學的重視：

> 是月，視學。詔增葺祠宇，塑繪先聖、先賢像，自為贊，書於孔、顏座端，令文臣分撰餘贊，屢臨視焉。嘗謂侍臣曰：「朕欲盡令武臣讀書，知為治之道。」於是臣庶始貴文學。[20]

宋太祖不僅下詔修葺先聖祠堂，而且還重製先聖先賢像，更自作贊語，以示尊重。在在顯示出其欲令一國尚文的心態。而趙匡胤的出發點為何，我們可從史冊的描述，覷見其奠定日後國家崇尚文吏之理由：

> 自古創業垂統之君，即其一時之好尚，而一代之規橅，可以豫知矣。藝祖革命，首用文吏而奪武臣之權，宋之尚文，端本乎此。太宗、真宗其在藩邸，已有好學之名，作其即位，彌文日增。自時厥後，子孫相承，上之為人君者，無不典學；下之為人臣者，自宰相以至令錄，無不擢科，海內文士彬彬輩出焉。[21]

---

17 （清）畢沅撰：《新校續資治通鑑》，第2冊，卷45，頁1094。

18 有關「祖宗家法」（或言「祖宗之法」）的定義，本文採鄧小南的界定。其認為「宋代的『祖宗知法』是時代的產物，是當時的社會文化傳統與政治、制度交滙作用的結晶。作為『祖宗之法』的核心內容，所謂『防弊之政』，出發點著眼於防範弊端，主要目標在於保證政治格局與社會秩序的穩定。」參看鄧小南：〈「祖宗之法」與官僚政治制度——宋〉，收錄於吳宗國主編：《中國古代官僚政治制度研究》北京：北京大學出版社，2004年11月，頁226。事實上，除了祖宗家法的考察之外，亦有學者以「寶訓」為研究進路，例如呂夷簡等人上《三朝寶訓》三十卷，受到諸多賞賜，據學者考察，寶訓修成之後，必定擇日進呈，儀式十分正式。我們或可從中察覺宋代君主對祖宗遺留的寶貴家法或訓示，是十分重視的。參看王德毅：〈宋代的聖政和寶訓之研究〉，《宋史研究集》臺北：國立編譯館，2000年，第30輯，頁1-26。

19 （元）脫脫撰：《新校本宋史并附編三種》，第1冊，卷3，頁51。

20 （明）陳邦瞻：《宋史紀事本末》上海：上海古籍出版社，1994年，卷7，頁14。

21 （元）脫脫撰：《新校本宋史并附編三種》，第16冊，卷439，頁12997。

〈文苑傳〉透露宋太祖崇尚文吏的目的，乃是為奪武臣之權，以防止內部叛亂再度發生，此和當時的亂世背景有莫大關係。不過，這也促成宋代自太祖以來「尚文」傳統的建立。文官置身其中，似乎是能如魚得水，有一展長才的機會。其中，最為關鍵處，端在宋太祖特意奠定一項「不殺大臣及言事官者」的家法，給予宋代士人一定程度的保障：

> ……又諭勛：「見康王第言有清中原之策，悉舉行之，毋以我為念。」又言「藝祖有誓約藏之太廟，不殺大臣及言事官，違者不祥。」[22]

徽宗諭曹勛之言，可謂宋太祖賦予士人的保命符。然而，這並不表示宋代官員的權力漫無邊際，事實上，若是與前朝相較，士人的某些權力是有滑落的。可以從君臣的應對儀節改變看出端倪：

> 先是，宰相見天子議大政事，必命坐面議之，從容賜茶而退，唐及五代猶遵此制。及質等憚帝英睿，每事輒具劄子進呈，具言曰：「如此庶盡稟承之方，免妄庸之失。」帝從之。由是奏御寖多，始廢坐論之禮。[23]

藉由范質與太祖面議的儀節變化，可以看到宋初居百官之首的宰相，其權力可說是受到剝奪。但不可否認的是，從皇帝不任意剝奪大臣的性命來看，宋代官員確實得到皇室較大的尊重，因此，才有大臣言「前代多深於用刑，大者誅戮，小者遠竄。惟本朝用法最輕，臣下有罪，止於罷黜，此寬仁之法。」[24]其說有理據，不可看作是大臣的恭維之辭。

在趙匡胤修文息武的情況下，宋朝依科舉選定人才的數量遠邁前代，可從杜佑《通典》記載國子監祭酒楊瑒不滿唐代科舉取士名額過少一事，略窺唐代取士數量：

> 十七年三月，國子監祭酒楊瑒上言：「伏聞承前之例，每年應舉常有千數，及第兩監不過一二十人。……今監司課試，十已退其八九，考功及第，十又不收一二，長以此為限，恐儒風漸墜，小道將興。」[25]

藉由楊瑒不滿唐代進士、明經取士數量過少一事，我們可以得知唐代科舉進士、明經科的錄取名額確實不多。準此，馬端臨（1254-1323）在《文獻通考》曾針對此現象有過討論，在與宋代的進士錄取人數相比較，指出：

22　（元）脫脫撰：《新校本宋史并附編三種》，第15冊，卷379，頁11700。

23　（元）脫脫撰：《新校本宋史并附編三種》，第11冊，卷249，頁8795。

24　（元）脫脫撰：《新校本宋史并附編三種》，第13冊，卷340，頁10843。

25　（唐）杜佑著；（日）長澤規矩也、（日）尾崎康校；韓昇譯：〈雜議論中〉，《北宋版通典》上海：上海人民出版社，2007年，第1冊，卷17，頁445-446。

今考唐每歲及第者，極盛之時不能五十人。姑以五十人為率，則三歲所放不過百五十人。而宋自中興以後，每科進士及第動以四五百計，蓋倍於唐有餘矣。又唐之及第者，未能便解褐衣入仕，尚有試吏部一關。……而宋則一登第之後，即為入仕之期。[26]

馬端臨以唐代取士最盛時期，與宋代中興之後取士的數量，兩相比較之下，宋代進士錄取名額，增加的額度著實驚人。我們知道，北宋建國初期，許多制度常是延續前代，劇烈變動情況不多。自宋太宗以來，由於科舉制度的大幅改變，使得錄用人數遠邁前朝，或可說是宋代「尚文」家法下的特殊產物。[27]然而，這群科舉出身的士人，是否真能回應朝廷對他們的期許，對社會盡一份心力？另外，尚未取得功名以前的讀書人，對於朝廷獎掖文士的政策，又是如何思量？這些都是值得我們進一步追問的。

（二）嚴禁朋黨

從上述可見，我們看到宋太祖以來，對於讀書風氣的提倡，使得科舉取士的道路較以往寬闊得多。加以宋太祖「不殺大臣及言事官者」的家法，讓之後繼位的君王不會因為臣僚諫言，任意剝奪其性命。然而，於帝國體制裡，在政統籠罩力強盛的情況下，君王當然不可能放任臣僚肆無忌憚做事，一定程度上仍會對官員採取一定程度的限制，宋朝最明顯的，就是嚴禁士人私自結黨。目的是避免不同派系間因意氣之爭，致使國家運作空轉。[28]雖然北宋中期之後，黨爭情況因新舊黨關係愈趨激化，但至少宋代君王是明言禁止朋黨的，而嚴禁朋黨亦是趙匡胤以來的祖宗家法。兩道不同家法參照之下，展現了宋代君主有懷柔亦有高壓的統治策略。

宋太祖建隆三年（西元 962 年）九月，頒布詔令言明「及第舉人不得呼知舉官為恩門、師門及自稱門生」，[29]此舉意不讓座主門生日後沆瀣一氣。再如開寶六年（西元 973

26　（宋）馬端臨著；上海師範大學古籍研究所、華東師範大學古籍研究所點校：〈選舉考〉，《文獻通考》北京：中華書局，2011年9月，第2冊，卷29，頁862。

27　必須要澄清的一點是，宋代科舉劇烈的增員幅度止於北宋前期，之後錄取人數相較之下穩定許多，但整體數量方面是前朝難以企及的。有關宋代科舉錄用人數，以及宋代官僚是如何產生的，可參看（美）賈志揚：《宋代科舉》臺北：東大發行，1995年，尤其是第二章〈錄用人員的結構〉部分，頁29-67。。

28　宋朝因為黨爭，影響國家運作，最為明顯的例子，當是王安石熙寧變法以降，所造成的新舊黨爭。於黨爭之下的宋朝，政策擺盪在新法、舊法兩端，致使國家運作面臨空轉的情形。可見諸橋轍次之論，其對宋代朋黨歷史有過深入考察。參看（日）諸橋轍次著；唐卓羣譯：《儒學之目的與宋儒慶曆至慶元百六十年間之活動》南京：首都女子學術研究會，1937年，第3編第1章，頁519-555。

29　（宋）李燾著；（清）黃以周等輯補：《續資治通鑑長編附拾補》上海：上海古籍出版社，1986年，第1冊，卷3，頁27上半葉。此事同為畢沅所載，見（清）畢沅撰：《新校續資治通鑑》，第1冊，卷2，頁48。

年）六月，發生了因為宰相涉及結黨，而遭罷免相位的大事。史載「癸卯，雷有鄰告宰相趙普黨堂吏胡贊等不法，贊及李可度並杖、籍沒」，[30] 此處《宋史》的記錄較為簡略，李燾《續資治通鑑長編》有詳細記載，這件罷相大事發生的始末：

> 初，雷德驤責商州司戶參軍，刺史以德驤舊為尚書郎，頗賓禮之。及奚嶼至州，希宰相意，則倨受庭參，德驤不能堪，出怨言。嶼聞之，怒。有言德驤嘗為文訕謗朝廷，嶼因召德驤與語，潛遣吏紿德驤家人取得之，即械繫德驤，具事以聞。上貸其罪，削籍徙靈武。德驤子有鄰，意趙普實擠排之，日夜求所以報普者。於是，堂後官胡贊、李可度在職歲久，或稱其多請託受賕。……時又有詔，應攝官三任解由全者，許投牒有司，即得引試錄用。有鄰素與前攝上蔡主簿劉偉交遊，知偉雖經三攝，而一任失其解由。偉兄前進士偲，為偉造偽印得送銓。遂上章告其事，并言宗正丞趙孚，乾德中授西川官，稱疾不之任，皆宰相庇之。上怒，悉下御史獄鞫實，上始有疑普意矣。[31]

此事大致始末為：奚嶼不滿雷德驤，故得到宰相授意後，暗中派人取得雷德驤曾撰文誹謗朝廷一事之證據，終借宋太祖之手懲治雷氏。雷德驤之子雷有鄰，揣度此事應有宰相在暗中介入，便想方設法尋求報復機會。因此，在掌握趙普黨羽胡贊接受賄賂，以及張洞、劉偲劉偉兄弟和趙孚等人在趙普包庇下，所行的違法情事一併上呈給皇帝，趙匡胤一怒之下，對這群人嚴加處置。事情至此尚未結束，同年八月，「甲辰，左僕射兼門下侍郎、平章事趙普，罷為河陽三城節度使、同平章事。」[32] 據李燾所考，趙普平時為政過專，不受臣僚歡迎，皇帝內心也有些不滿。而官吏結黨互相包庇、私下受賄一案爆發，正好觸犯龍顏，給趙匡胤一個機會，免去趙普的宰相職位。我們可從中看出，即使貴為宰相，若涉及朋黨，即使自身沒有索賄，亦難辭觸犯結黨禁令之責，連帶也會受到處分，可見趙匡胤對於官僚涉及朋黨情事，是抱持著從嚴處置的態度。

日後，宋仁宗親政時，一方面與士大夫共治天下，提拔、獎掖文官；另一方面則是恪守太祖以降嚴禁朋黨的家法，對官吏私自結黨有高度警惕，三番兩次告誡官吏不可朋黨營私。其繼位不久，於天聖七年（1029）三月，「癸未，詔百官轉對，極言時政闕失如舊儀，在外者實封以聞。既而謂輔臣曰：『所下詔宜增朋黨之戒。』」[33]

無獨有偶，在北宋士人主政的情況下，范仲淹本人亦曾涉入朋黨爭議，最為人所知的便是其與宰相呂夷簡的不合情事。據李燾《續資治通鑑長編》記載，宋仁宗景祐三年

30　（元）脫脫撰：《新校本宋史并附編三種》，第1冊，卷3，頁40。

31　（宋）李燾著；（清）黃以周等輯補：《續資治通鑑長編附拾補》，第1冊，卷14，頁116上半葉。

32　（宋）李燾著；（清）黃以周等輯補：《續資治通鑑長編附拾補》，第1冊，卷14，頁117。

33　（宋）李燾著；（清）黃以周等輯補：《續資治通鑑長編附拾補》，第1冊，卷107，頁962上半葉。

（1036）五月丙戌：

> 時呂夷簡執政，進者往往出其門。仲淹言官人之法，人主當知其遲速升降之序，
> 其進退近臣不宜全委宰相。……夷簡滋不悅。帝嘗以遷都事訪諸夷簡，夷簡曰：
> 「仲淹迂闊，務名無實。」仲淹聞之，為四論以獻。……夷簡大怒，以仲淹語辨
> 於帝前，且訴仲淹越職言事，薦引朋黨，離間君臣。仲淹亦交章對訴，辭愈切，
> 由是降黜。侍御史韓瀆希夷簡意，請以仲淹朋黨牓朝堂，戒百官越職言事。從
> 之。[34]

呂夷簡任相職期間，所用多為親信，儼然形成一股強大的勢力。旁人眼見如此，多半敢
怒而不敢言，唯有范仲淹切直毫無所避，不惜越職言事，直陳宰相用人之弊病，此也引
發兩造的爭端。值得注意的是，仁宗選擇接受侍御史「以仲淹朋黨牓朝堂，戒百官越職
言事」的提議，代表彼時朝廷上有兩股勢力：一為宰相呂夷簡為首的執政團隊，一為和
范仲淹同一陣線的集團。而仁宗判斷范仲淹是集團的核心人物，且將此爭端定調為朋黨
所引發的。日後寶元元年（1038）十月，「丙寅，詔戒百官朋黨」，[35]亦是接續兩個集團
爭端而發的：

> 初，呂夷簡逐范仲淹等，既踰年，夷簡亦罷相，由是朋黨之論興。士大夫為仲淹
> 言者不已，於是內降劄子曰：「向貶范仲淹，蓋以密請建立皇太弟姪，非但詆毀
> 大臣。今中外臣僚屢有稱薦仲淹者，事涉朋黨，宜戒諭之，故復下此詔。」[36]

朝廷官吏意見分歧實屬稀鬆平常，范仲淹與呂夷簡具不同的想法以及處事原則亦是合
理。故有大臣表示意見，為之緩頰，認為「近歲風俗惡薄，專以朋黨污善良。蓋君子小
人各有類，今一以朋黨目之，恐正臣無以自立」，[37]仁宗雖同意其看法，但仍沒有其他
行動。由此見得，一旦官吏涉及朋黨情事，皇帝可說是採取十分謹慎的態度面對。這也
顯示仁宗是以嚴格的目光審視臣僚關係，故若有官吏選擇同進同退，更容易被貼上朋黨
的標籤。為杜絕官員結黨，宋仁宗慶曆三年（1043）九月丁丑，范仲淹主導新政其間，
仁宗乃下詔「執政大臣非假修，不許私第接見賓客」，[38]便是要防止官員勾結、公私不
分。隔年，慶曆四年（1044）十一月丁卯亦頒布類似內容的詔書，語氣顯得更為嚴厲：

> ……而承平之敝，澆競相蒙，人務交遊，家為激訐，更相附離，以沽聲譽，至陰

34　（宋）李燾著；（清）黃以周等輯補：《續資治通鑑長編附拾補》，第1冊，卷118，頁1067。
35　（清）畢沅撰：《新校續資治通鑑》，第2冊，卷41，頁973。
36　（清）畢沅撰：《新校續資治通鑑》，第2冊，卷41，頁973。
37　（清）畢沅撰：《新校續資治通鑑》，第2冊，卷41，頁973。
38　（清）畢沅撰：《新校續資治通鑑》，第2冊，卷46，頁1097。

招賄賂，陽托薦賢。又，按察將命者，悉為苛刻，構織罪端，奏鞫縱橫，以重多辟。[39]

詔書直斥彼時私下收受賄賂的官場惡習，更指名中書、門下、御史臺留意，務必終止朋黨所帶來的互相攻訐、羅織罪狀等情況。面對君王好猜忌的性格，彼時主持新政的范仲淹自覺受辱，上表乞罷參知政事職務，而仁宗反倒採取懷柔態度，不許其辭去，予以慰留。

　　宋代皇帝偃武修文提拔人材，以及對官吏朋黨有深懷戒心，這兩條治國的大方向，皆可上溯自宋太祖以來的種種政策。雖然歷任皇帝對國家制度多會因時制宜，有所調整；但由於皇帝是政治權力的核心，而開國君主更擁有特殊權威，故「祖宗家法」在嚴格限定下仍然是有其效力。[40]恪守此法的仁宗，更是小心謹慎，提防底下臣僚結黨，其態度間接影響范仲淹慶曆新政的成敗，成為一股不可忽略的潛在力量。[41]這也是為甚麼尋求大力改革的仁宗，在慶曆變法期間採取兩面手法：一方面對范仲淹等人禮遇有加，營造君臣共治天下的聖君賢相圖像；另一方面，卻又再一次詔戒官吏朋黨的緣由。這兩條自太祖以降的祖宗家法，如同一把雙面刃，一邊為往後慶曆新政披荊斬棘開路，另一邊卻成為新政推行的潛在阻力。

三　德行與才智之間──科舉取士衍生的問題

　　宋太祖以來建立的尚文傳統，和禁止朋黨之祖宗家法，為北宋士人政治生活中必然遭遇的情境，這些情境同樣呈現於范仲淹一生，連帶影響其慶曆變革的成敗。在討論慶曆變革以前，必然會觸及科舉制度，一方面是范仲淹等北宋高層士人，絕大多數是通過科舉制度而來；另一方面則是范仲淹的慶曆新政，改革的一大關鍵正是針對科舉制度。這不禁讓人疑惑：宋代的科舉制度究竟產生那些弊端，才會激起日後的改革浪潮？透過科舉取士的方式，是否真能選拔出德行與才智皆優異的人才？最後，科舉的根源問題究竟為何？

---

39 （清）畢沅撰：《新校續資治通鑑》，第2冊，卷47，頁1132。

40 參看余英時：〈宋代「士」的政治地位〉，《朱熹的歷史世界：宋代士大夫政治文化的研究》臺北：允晨文化事業公司，2003年，頁272。

41 鄧廣銘將慶曆新政的失敗，歸咎於范仲淹、韓琦、歐陽修等人的朋黨，本文同意朋黨與否，的確會影響仁宗改革的決心，但不該過於簡單化約為單一因果關係，故認為朋黨應看作是一股潛在的阻礙力量，而非根源的理由。鄧廣銘所論，參看鄧廣銘：〈宋朝的家法和北宋的政治改革運動〉，《宋史十講》，頁62-64。

（一）科舉制度下的弊端

　　自隋唐以來，科舉制度發展漸臻成熟，[42]錄取方式或有調整，不變的是，讀書人無不冀望擠進仕途的窄門。由於宋朝對文人較寬厚，增加科舉拔擢人材數量的情況，亦屬預料中的事。宋太宗就曾經說過：「朕欲博求俊彥於科場中，非敢望拔十得五，止得一二，亦可為致治之具矣。」[43]宋太宗對人材的重視並非虛言，而是有實際行動的，其種種增員錄取的舉措，亦是往後宋代取士激增的重要起點，宋人葉氏曾言：

> 國初取進士，循唐故事，每歲多不過三十人。太宗初即位，天下已定，有意於修文，嘗語宰相薛文惠公治道長久之術，因曰：「莫若參用文武之士。」是歲御試題，以「訓兵練將」為賦，「主聖臣賢」為詩，蓋示以參用之意。特取一百九人，自唐以來未之有也。[44]

科考取士的數量遠邁前朝的部分，於上一章亦有描述，此不再贅述。雖然朝廷立意良善，期望達到「庶使田野無遺逸，而朝廷多君子爾」[45]的理想境界；但是，在這樣的制度底下，部分投機群眾以得名為要的心態更加明顯，造成諸多本末倒置的荒謬鬧劇。[46]科舉制度下所產生的問題，歷來研究科舉的學者已多有指出，不再一一列舉。[47]此處簡略提及宋代幾例場屋之中幾項弊病，從這些弊病中，一方面可以看到讀書人為能上榜的醜態，另一方面則可明白士人和科舉之間的緊密關係。這種緊密關係之下，所衍生的種種問題，正是本節關注的焦點之一。

　　宋太宗時，曾直斥當時部分考生「口誦周孔之言，身為桀跖之言（疑當作「行」），乃至臨蒞多觸憲章」[48]，也拈出考生為達到中舉目的，不擇手段的做法和心態：

---

42 科舉起於隋或起於唐代，並非本文所要探討的，不過一般人所理解的，讀書人注重進士、明經、制舉等科目，以求進身的心態，是要到唐代才告興盛。詳見傅璇琮：《唐代科舉與文學》西安：陝西人民出版社，2007年9月。尤其是〈明經〉、〈制舉〉、〈進士考試與及第〉部分。

43 （宋）馬端臨著；上海師範大學古籍研究所、華東師範大學古籍研究所點校：〈選舉考〉，《文獻通考》，第2冊，卷30，頁879。

44 見（宋）馬端臨著；上海師範大學古籍研究所、華東師範大學古籍研究所點校：〈選舉考〉，《文獻通考》，第2冊，卷30，頁879-880

45 （元）脫脫撰：《新校本宋史并附編三種》，第5冊，卷155，頁3608，宋太宗之語。

46 事實上，考生以得名為要，可說是唐代科舉以來的積習，「馳騁於才氣，不務於德行」之弊屢見不鮮。唐代宗時，楊綰更激進地提出停止明經、進士等考試，此提案實際上即是廢除科舉，恢復兩漢以來的察舉制度。參看傅璇琮：〈唐人論進士試的弊病及改革〉，《唐代科舉與文學》，頁382-403。

47 宋代科舉下衍生的弊端，賈志揚、祝尚書等人皆有深入研究。參看祝尚書：〈宋代科場的作弊與革弊〉，《宋代科舉與文學》北京：中華書局，2008年12月，頁350-371。賈志揚著作見前引。

48 （清）徐松輯；宋會要編印委員會編：〈選舉三〉，《宋會要輯稿》北平：北平圖書館，1936年，第5冊，頁4263，下半葉。

> ……或假手以於名，或挾書而就試，漸成澆薄，宜用澄清。……近年舉人動盈萬
> 計，奸偽之跡，朋結相連。或丐於他人，或傳以相授，紛然雜亂，無以辨明，考
> 覈既難，妄冒滋甚，宜令知舉官專察之。[49]

此則材料顯現當時舞弊的方式有「假手」、「挾書」、「相授」等方式，假手是指借助他人力量，代為應考；挾書即為挾帶筆記、小抄入內參試；相授則是在考試期間，私底下偷偷請求旁人或給予他人幫助。此作弊的方式亦見於他處：

> ……至有屬詞未識於師資，專經不曉于章句，攘竊古人之作，懷藏所習之書，假
> 手成文，遙口授義。[50]

場屋之弊，歷歷在目，猶如荒謬的「科場現行記」。朝廷也注意到科舉衍生出的諸多弊端，故宋真宗時，採取防範措施，並對作弊者嚴加懲治：

> 初，貢士踵唐制，猶用公卷，然多假他人文字，或倩人書之。景德中，嘗限舉人
> 於試紙前親書家狀，如公卷及後所試書體不同，並駁放；其假手文字，辨之得實，
> 即斥去，永不得赴舉。賈昌朝言：「自唐以來，禮部采名譽，觀素學，故預投公
> 卷；今有封彌、謄錄法，一切考諸試篇，則公卷可罷。」自是不復有公卷。[51]

為避免考生作弊，宋代開始採用彌封以及謄錄，隨之廢除原先延續唐代以來的公投行卷，考試的公正程度和前朝相較是有進步的。當然，隨著江山代有人材輩出，後出者轉精，投機取巧的方式也與日俱進，防弊有時亦是徒勞，防不勝防。[52]

事實上，除了學子舞弊以外，官吏行弊的實例亦是層出不窮。宋代考官與學子交相作弊，試圖欺瞞國家的醜態可說屢見不鮮，儼然形成一股爭名奪利的風氣，考科取士的原初精神早已被遺忘，加上道德淪喪的官吏亦不在少數，此風不減，至南宋仍然存在。

范仲淹便是在這樣的時代環境下，憑著驚人的毅力「晝夜不息，冬月憊甚，以水沃面；食不給，至以麋粥繼之」，[53]不假他人之手，終得償所願，舉進士第，並迎其母歸養。往後任官的日子，范仲淹除了有「以天下為己任」的胸襟，直言不諱，甚至一度率

49　（清）徐松輯；宋會要編印委員會編：〈選舉三〉，《宋會要輯稿》，第5冊，頁4263下半葉至頁4264
　　上半葉。

50　（清）徐松輯；宋會要編印委員會編：〈選舉一〉，《宋會要輯稿》，第5冊，頁4234上半葉。

51　（元）脫脫撰：《新校本宋史并附編三種》，第5冊，卷155，頁3612。

52　據劉子健考察，宋代考場弊端可說是五花八門，主要有：考前買通人情關節、冒籍頂替、入場時夾
　　帶小抄、傳抄代筆換卷、在閱卷時舞弊、考官不暇細看、胥吏和書舖的舞弊、考生破壞考場秩序
　　等。參看劉子健：〈宋代考場弊端──兼論士風問題〉，《宋史研究集》臺北：臺灣書局，1970年，
　　第5輯，頁237-256。

53　（元）脫脫撰：《新校本宋史并附編三種》，第13冊，卷73，頁10267。

領諫官、御史伏閣力爭，此事可謂前所未聞。之所以能保住性命，全身而退，有部分原因端賴宋朝君主多能恪守「不殺大臣及言事官者」的家法，此亦可視為後來慶曆新政的潛在推動暗潮。而其對科考取士的改革，也是因為自身有過實際經驗，知悉科舉制度會對讀書人產生莫大影響，能使得原先是周孔之信徒的學子，轉而行桀跖之事。

（二）科考取士的弊病根源問題

科舉制度是宋代重要的任官管道之一，意即能成為官吏的方式，還可透過推薦、買官，以及蔭補等，可說是相當多元。[54] 但若是沒有任何家庭背景，科舉則是唯一能「投牒自進」的管道。此外，即使本身是官宦世家，若是要長期保有家族的優勢，參與科考亦是有其必要的，更遑論尚未崛起的地方家族。[55] 換句話說，即使科舉所帶來的大量社會流動的命題難以成立，[56] 亦不得不承認宋代統治階層中的大家族，仍舊必須參與科考，以獲取仕途所附加的龐大利益。[57] 加上從科考「正途出身」者，位居要職機會較大，因此，場屋之試可說是讀書人必爭之地。

上述已指出科舉所引起的弊端，此處另外要提出的是：為甚麼學子手捧經典書，誦讀聖賢語，卻抵抗不了利祿誘惑，竟會選擇鋌而走險，甘冒作弊所必須面臨的懲罰？其背後的根源問題為何？和科舉制度的關係又是如何？這一連串的問題，正是范仲淹面對的時代課題，也是其之後慶曆新政的改革核心。

隋唐行科舉以前，讀書人要能進入朝廷為官，除了依靠本身世族身份庇蔭，或是透過朝臣推薦；另外的方法，則是要到漢代之後，開始實行的察舉制度，意即透過出身的鄉里推薦，得以踏上仕途。而鄉里推薦的準則，即以賢良、孝廉是瞻，在這種情況下，讀書人在平時需有孝名或是有良好德行。受到鄉里推薦之後，在朝為官時，仍需兢兢業業，以不負鄉里期待。此刻的讀書人與鄉里的關係是緊密的，正如王德權所指出的：

---

54 參看（美）賈志揚：〈導言〉，《宋代科舉》，頁5。

55 據陶晉生研究，北宋有不少家族，為能享受仕途所帶來的利益，可說是傾全力支持子弟參與科考。甚至還有寡婦主持家務時，特意栽培家族中某些資質聰穎子弟，以備日後科考。參看陶晉生：《北宋士族：家族・婚姻・生活》臺北：中央研究院，2001年2月。

56 李弘祺曾撰文指出，科舉雖具人人平等應試的資格，但是在當時農業社會之中，真正有機會受教育、參加科考的人數，事實上並不多。即使考試制度改良地再公正、嚴謹，亦無法改變社會本身不具公平的現象。參看李弘祺：〈宋代教育與科舉的幾個問題〉，《宋代教育散論》臺北：東昇出版事業，1980年4月，頁35-72。

57 科考的利益並非是成為正式官吏才能享有，舉進士考試為例，唐末時候的文人，只要經過禮部考試及第，即使尚未通過吏部考試、正式取得官職，其可免除稅賦傜役，享有政治和經濟的特權。不難想見，在這樣子的利誘之下，科舉對讀書人的影響有多大。參看傅璇琮：〈進士試與社會風氣〉，《唐代科舉與文學》，頁435-465。

……漢代士人入仕，其行為與成就非止關乎一身，更與其鄉里息息相關；士人入仕過程裡的鄉里，固不止於士人故鄉的社會史意義，也是「朝廷—鄉里」關係下與朝廷直接聯結的單位，依憑於鄉里是理解古代官僚制性質的前提。[58]

在「朝廷—鄉里」的結構下，士人被鑲嵌於其中，和鄉里的關係密切，此自然是不言而喻。因此對於漢代士人的懲罰，除了結束其生命的死刑，和發配邊陲的流刑以外，最令士人感到羞辱的，莫過於免其官爵為庶人，讓其回歸故郡。因為士人是藉由鄉里推薦出來任官，若是被處以「還故郡」的懲罰，蒙羞的不僅止己身，整個鄉里連帶受到嚴重羞辱，在這樣的情況下，不少士人犯錯或是政爭失敗，遭受遣歸故郡的處置，路途中深感無顏面見家鄉父老，而選擇自我了斷生命。[59]

因此，在察舉制度之下，士人為免遭遣歸故郡的處分，在朝為政多是抱持著謹肅恐懼的認真態度。這也是為甚麼科舉制度以前的士人，和之後士人相比，較少談論道德修養的問題，並非當時的人不具備、不涵養道德——而是個人的道德修養早已時時刻刻發用於日常生活。[60]科舉實施之後，讀書人要考取功名，得離鄉背井進京趕考。踏出鄉里的漂泊士人，[61]獲得官職的方式變成由中央政府決定，與鄉里的關係也漸趨疏離。當智力取代德行成為新的評判標準，以往「士人—鄉里」結構斷裂，繼以代之的是「朝廷—士人」的新關係，士人失去過往無形的鄉里期待下，鏈結的制約和規範，轉向有外慕利祿之心，失顧盼鄉里之情。如同杜佑在《通典》指出的「隋氏罷中正，舉選不本鄉曲，故里閭無豪族，井邑無衣冠，人不土著，萃處京畿，士不飾行，人弱而愚」，[62]土著意指人民與土地關係緊密，不隨意遷徙，故在察舉制度下，讀書人若想要入朝廷任職，修飾己身以達到孝廉標準是必要的。然而，推行科舉之後，人不受鄉里推薦，亦有入仕機會，接連而來弊端的便是放縱無紀者，憑著才智聰敏便可任官。進德修業不再是入仕唯一選項，諸多背棄道德、貪贓枉法之思，在幽微之中化為實際行動。

科舉造成部分讀書人「人不土著」、「士不飾行」的現象，即是上一節所描述的，讀

---

58 王德權：〈序論：士人、鄉里與國家——古代中國國家型態下士人性質的思考〉，《為士之道——中唐士人的自省風氣》臺北：政大出版社，2012年9月，頁31-32。

59 參看王德權：〈士人、鄉里與國家——古代中國國家型態下士人性質的思考〉，頁29-30。

60 當然，筆者並非全盤否定科舉制度之中的士人，或是主張察舉制度是完整無瑕，這樣不免失之公允。在察舉底下試圖鑽漏洞的「偽善」、「假孝廉」者亦不在少數。余英時曾以「君臣關係的危機」、「家族倫理的危機」、「名教危機」三個面向，論述魏晉士風的演變，其中「家庭倫理的危機」，便是肇因於魏晉時人為了能受察舉所用，想方設法「偽孝廉」之醜態。參見余英時：〈名教危機與魏晉士風的演變〉，《中國知識階層史論》臺北：聯經出版事業公司，1984年，頁337-346。

61 「漂泊的士人」為王德權所指出，意即科舉制度實施後，士人與鄉里斷裂後的狀態。參看王德權：〈結論——漂泊的士人〉，《為士之道——中唐士人的自省風氣》，頁365-386。

62 （唐）杜佑著；（日）長澤規矩也、（日）尾崎康校；韓昇譯：〈雜議論中〉，《北宋版通典》，第1冊，卷17，頁448。

書人與官吏皆能口誦周孔聖言，卻暗地勾結、行不法之事的根本原因。這也難怪宋太宗會下此詔書：

> 進士以德行為基，文章為業，苟容欺詐，何稱科名？近年多有詐他人之述作，竊
> 自己之聲光，用此面欺，將為身計。宜加條約，以誡輕浮。今後如有倩人撰述文
> 字應舉者，許人告言，送本處色役，永不得仕進。[63]

對舉子不以德行為基，卻以欺瞞為要，宋太宗不滿的意見滿溢文字，故決定對違法之徒從嚴處置。科舉為經典閱讀帶來龐大的利祿價值，誘惑著寒窗下苦讀的莘莘學子，以致種種犯險之事層出不窮，官吏和學子聯手欺瞞等亂象橫生。這種情況到南宋朱熹時仍舊存在，其處於此環境中，感觸尤為深刻：

> 專做時文底人，他說底都是聖賢說話。且如說廉，他且會說得好；說義，他也會
> 說得好。待他身做處，只自不廉，只自不義，緣他將許多話只是就紙上說。廉，
> 是題目上合說廉；義，是題目上合說義，都不關自家身己些子事。[64]

當讀書人閱讀聖賢經典的初衷，不再是「以天下為己任」作為安身立命的準則；而是先衡量自己能從中獲得多少名利，所寫出來的文章即使句句仁義，若是和實際言行舉止相較，將會顯得無比空洞。皇帝又如何能寄望這群不修德行且心口不一的官僚，肩負國事運作的重大職責？因此，後來的宋仁宗在面臨國家弊病橫生、外患強敵環伺的窘況下，起用范仲淹等人展開新政，期望能為國家改頭換面，迎向嶄新的一頁。

四　從慶曆新政到熙寧變法──慶曆新政對科舉的改革及歷史意義

　　宋仁宗慶曆三年（1043）九月，宋仁宗為范仲淹等人開天章閣，召對賜坐，可以說是其政治生涯的最高點：

> 既擢范仲淹、韓琦、富弼等，每進見，必以太平責之，數令條奏當世務。仲淹語
> 人曰：「上用我至矣，然有後先，且革弊於久安，非朝夕可能也。」上再賜手詔
> 促曰：「比以中外人望，不次用卿等，今琦暫往陝西，仲淹、弼宜與宰臣章得象
> 盡心國事，毋或有所顧避。其當世急務有可建明者，悉為朕陳之。」既又開天章

63　（清）徐松輯；宋會要編印委員會編：〈選舉三〉，《宋會要輯稿》，第5冊，頁4263上半葉。

64　（宋）黎靖德編；王星賢點校：〈學七・力行〉，《朱子語類》北京：中華書局，1986年，卷13，頁
　　244。

> 閣，召對賜坐，給筆札使疏於前。仲淹、弼皆皇恐避席。[65]

范仲淹原先認為，國家目前所面臨的種種弊端，是長久以來積習的結果，一時半刻無法全面清除，需要漸次處理。不過，仁宗卻抱持著改革的熱忱，以禮相待，既開天章閣，又賜之對坐，展現莫大誠意。此刻的范仲淹再無遲疑，接到手詔後，呈上〈答手詔條陳十事〉，此十個項目，簡言之：一曰明黜陟；二曰抑僥倖；三曰精貢舉；四曰擇官長；五曰均公田；六曰厚農桑；七曰修武備；八曰減徭役；九曰覃聖恩；十曰重命令。[66]這十項新政的內容，所要處理的問題，包括政治、科舉、經濟、國防等。第一、二、四、九、十項為政治議題；第三項為科舉議題；第五、六、八項為經濟議題；第七項為國防議題。[67]涵蓋的層面可說是非常廣泛。換個角度來看，我們可以明白為甚麼宋仁宗急切地想進行改革，因為許多的難題於他在位的時候，已經面臨迫在眉睫、亟需解決的窘況。

　　科舉制度衍生的種種弊病，已是不得不盡速解決的棘手問題，然而，科舉又牽涉士人出身及日後任官的高低，背後牽扯的利益、勢力等問題龐大，稍有不甚更有可能讓人陷入萬劫不復。故錢穆在《國史大綱》指出，范仲淹〈答手詔條陳十事〉中的「精貢舉」，是「最為根本之事，一時難見成效」，[68]之所以言最為根本，端在科舉制度是官僚產生的重要管道，是帝國得以持續運作的重大環節，因此不可不謹慎以對。職是之故，范仲淹在奏書中，先點出彼時科舉弊病：

> 三曰精貢舉。臣謹按《周禮》卿大夫之職，各教其所治，三年一大比，考其德行道藝，乃獻賢能之書于王。……卿大夫之職，廢既久矣。今諸道學校，如得明師，尚可教人六經，傳治國治人之道。而國家乃專以辭賦取進士，以墨義取諸科，士皆捨大方而趨小道，雖濟濟盈庭，求有才有識者十無一二。[69]

范仲淹在內文的「乃獻賢能之書于王」底下，自註「賢為有德行，能為有道藝」，即是《周禮》所陳述的，古時卿大夫察舉賢才的標準。這暗示著彼時科舉出身的人，在「國家乃專以辭賦取進士，以墨義取諸科」之下，賢能的程度無法和《周禮》時代選出的人材比肩。換句話說，范仲淹認為當前科舉取士是無法選出理想的官吏，因此有改革之必

65　（宋）李燾著；（清）黃以周等輯補：《續資治通鑑長編附拾補》，第2冊，卷143，頁1311上半葉。

66　（宋）李燾著；（清）黃以周等輯補：《續資治通鑑長編附拾補》，第2冊，卷143，頁1311下半葉，至1317上半葉。

67　慶曆革新牽涉議題過廣，為避免離題散焦，本文之焦點僅著重在科舉議題上，亦即「精貢舉」一項，其餘部分可參看前輩學者的研究成果。例如漆俠就曾針對其中的「明黜陟」、「抑僥倖」、「擇官長」等政治議題有過討論，參看漆俠：〈以范仲淹為領導的慶曆新政與宋學的形成〉，《宋學的發展與演變》北京：人民出版社，2011年，頁261-263。

68　錢穆：《國史大綱（下）》，收錄於《錢賓四先生全集》，第28冊，頁631。

69　（宋）范仲淹著；李勇先，王蓉貴校點：〈答手詔條陳十事〉，《范仲淹全集》成都：四川大學出版社，2002年，中冊，頁528-529。

要。此亦表明，如果繼續維持當前的應試內容，則前一節呈現的，讀書人為求功名不擇手段的醜態，將於未來宋朝的歷史舞臺一再搬演。然而，宋朝的科舉改革早已行之有年，例如彌封、謄錄、廢除公卷、舉行殿試等等。職是之故，我們要繼續追問的是：何以范仲淹在此又「老調重彈」，將這個問題再次提出？他面對的是甚麼樣的科舉弊端？最後，要怎麼解決這些弊端？

何忠禮曾經將北宋的科舉改革分為兩個階段，其言：

> 第一階段，自太祖朝起到真宗朝止。重點是嚴格科舉制度，改革考校程式，提倡公平競爭，杜絕場屋弊端，保證取士權牢牢掌握在皇帝手中。第二階段，自仁宗朝起到徽宗朝止。重點是改革考試內容和取士科目，糾正士人「所習非所用，所用非所習」的流弊。[70]

如此看來，似乎可以明白范仲淹再次提倡改革科舉的理由，端在曩昔的改革方針是強化考試過程的「公正性」，也就是讓過程更趨嚴謹，和形式關聯較大；而范仲淹〈答手詔條陳十事〉所致力改變的是考試內容和取士科目，著眼處不再是過去的程序問題，而是叩問整個科舉制度的基源問題，[71]亦即當前考試能否確實達到「唯才是舉」的目的。兩者是不同層面的意義。總地來說，對於范仲淹而言，問題核心並非是整個科舉制度，而是在科舉制度下，國家所行的應試內容需要變更。

準此，慶曆四年（1044）三月，范仲淹與宋祁、王拱辰、張方平、歐陽修等八人，合奏曰：

> 夫取士當求其實，用人當盡其才。今教不本於學校，士不察於鄉里，則不能覈名實；有司束以聲病，學者專以記誦，則不足盡人材，此獻議者有其以為言也。[72]

范仲淹等人指出彼時科舉的兩大弊端：一是「教不本於學校，士不察於鄉里」，二是「有司束以聲病，學者專以記誦」。前者乃是針對整個科舉制度而發，言明科舉無法考覈舉子的品德是否良善，是否適合為官；後者乃是針對當前科舉內容而論，主張以文采優劣、經典背誦來作為應試科目，無法選出真正的適合治理國家的人材。歐陽修亦說：

70　何忠禮：〈科舉制度與宋代文化〉，《科舉與宋代社會》北京：商務印書館，2006年12月，頁69。

71　勞思光在其《新編中國哲學史》一書，提出「基源問題研究法」，主張在整理哲學文獻的時候，需要有一個基本了解，即「一切個人或學派的思想理論，根本上必是對某一問題的答覆或解答」。準此，筆者認為，一項制度的提出或形成，亦是對某一問題的答覆或解答，故在此將基源問題研究法加以擴充運用，而不僅限於哲學史／哲學家的範圍。有關基源問題研究法的相關論述，參看勞思光：《新編中國哲學史（一）》臺北：三民書局，1984年，頁14-17。

72　（宋）李燾著；（清）黃以周等輯補：《續資治通鑑長編附拾補》，第2冊，卷147，頁1360上半葉。

今貢舉之失者，患在有司取人先詩賦而後策論，使學者不根經術，不本道理，但能誦詩賦，節抄《六帖》、《初學記》之類者，便可剽盜偶儷，以應試格。而童年、新學、全不曉事之人，往往幸而中選。此舉子之弊也。[73]

至此，可以明白主張改革科舉制度者，如范仲淹、歐陽修、孫復、石介等人，覷見彼時著重詩賦取士的文風弊病，故起而提倡策論之文，此乃是基於宋儒相信策論之文方能看出讀書人經世致用、本乎道理的胸懷，此即為儒家真正內涵，[74]而不是體現在詩賦之文的形式聲律。在此必需要說明的是，雖然范仲淹等人提倡策論之文，但其乃是在科舉取士標準的脈絡下而言，並非全然否定文學的形式聲律或美感。[75]

然而，以范仲淹為首的新政集團是如何改革科舉弊端？他們提出兩條改革方案：

謹參考眾說，擇其便於今者，莫若使士皆土著，而教之於學校，然後州縣察其履行，則學者修飾矣。故為設立學舍保明舉送之法。夫上之所好，下之所趨也。今先策論，則文詞者留心於治亂矣；簡程式，則宏博者得以馳騁矣；問大義，則執經者不專於記誦矣。……故為先策論、次簡詩賦考式，問諸科大義之法，此數者其大要也。[76]

此語不僅點出科舉制度下「人不土著」、「士不飾行」的讀書人醜態，亦針對科舉弊端，提出具體的改革方案：其一為「興學校」，其二為「先策論，後詩賦」。興建官學、保明舉送之法的意見提出，一方面可以了解范仲淹透過政治力量的介入，目的是為了培養兼具德行與才智的官吏；另一方面亦可明白范仲淹和前人不同處，在於他不主張要廢除科舉、恢復察舉，[77]而是在現有的科舉制度上，著手改良工作。另外提出先策論、後詩賦

73　（宋）歐陽修著；李逸安點校：〈論更改貢舉事件劄子〉，《歐陽修全集》北京：中華書局，2001年3月，第4冊，卷104，頁1590。

74　諸橋轍次指出，講求實際是宋代儒者的特色，並言：「故讀當時經解，則可知當年儒家從事學問之實際化，而求適用於時事，謀儒學本來目的之實現，而宋代儒學亦正以此傾向唯一大特質。」（日）諸橋轍次著；唐卓羣譯：《儒學之目的與宋儒慶曆至慶元百六十年間之活動》，第2編第1章第1節，頁197-217。

75　何寄澎指出，范仲淹的文學觀點是綜攝了形式和內涵，其重視文學的實用層面，亦不忽略文章的格調層面。參看何寄澎：〈范仲淹的文學觀及其時代意義〉，《唐宋古文新探》臺北：大安出版社，1990年5月，頁97-120。

76　（宋）李燾著；（清）黃以周等輯補：《續資治通鑑長編附拾補》，第2冊，卷147，頁1360上半葉。

77　杜佑《通典》紀載：「寶應二年六月，禮部侍郎楊綰奏，諸州每歲貢人，依鄉舉里選，察秀才、孝廉。敕旨：『州縣每歲察孝廉，取在鄉閭有孝悌、廉恥之行薦焉。委有司以禮待之，試其所通之學。五經之內，精通一經，兼能對策，達於理體者，並量行業授官。其明經、進士、道舉，並停。』旋復故矣。」和楊綰主張廢除科舉的激進理念相較，范仲淹等人提倡的改良做法，顯得溫和得多。參看（唐）杜佑著；（日）長澤規矩也、（日）尾崎康校；韓昇譯：〈歷代制下〉，《北宋版通典》，第1冊，卷15，頁397-398。

的意見，涉及「文」的問題，此問題放置在科舉的脈絡下，便是討論策論之文和詩賦之文，哪一種較適合作為取士的首要篩選標準。除了文體以外，翰林學士宋祁等人詳定的貢舉條制更規定：

> 詩、賦、論於九經諸子內出題，其策題即通問歷代書史及時務，並不得於偏僻小處文字。

藉由出題的方式，將文章內容導向經世致用，企圖扭轉過去讀書人過於注重字句琢磨，而和現實有所脫離。之所以如此，端在過去主考官對於考生的篩選，重心多放在講求雕琢、聲病、對偶的詩賦之文，引起部分士人不滿，認為這股「以賦聲病、偶切之類，立為考試式。舉人程式，一字偶犯，便遭降等，至使才學博識之士，臨文拘忌，俯就規檢，美辭善意，鬱而不伸」[78]的制度，容易讓一些有能力抱負的讀書人無法中選。故孫復、石介、陳襄、歐陽修等人，皆有針對此發表不滿意見，乃是基於科舉考試過於注重詩賦之文，導致讀書人對儒家學說真正內涵的忽視。[79]換句話說，慶曆新政的主持者及跟隨者，認為科舉制度應該採用、作為首要篩選標準的「文」，當為能彰顯儒家學說真正內涵的策論之文，而不是以往的詩賦之文。[80]

范仲淹、富弼等人主導的新政，隨著慶曆五年（1045）正月主事者罷去，此和第二章提出的仁宗嚴禁朋黨有密切關係。此後，新政的推行受到阻礙，「時言初令不便者甚眾，以為詩、賦聲病易考，而策、論汗漫難知，祖宗以來，莫之有改，得人嘗多。乃詔一依舊條。」[81]過去的制度又再次回到檯面。然而，改革朝政的想法早已深植人心，即便主事者離去，推動變革的腳步亦絲毫不止息。

宋神宗熙寧二年（1069）二月，「庚子，以翰林學士王安石為右諫議大夫、參知政事」，[82]奏響日後熙寧變法的序章，范仲淹以降，士人的改革火炬，此刻傳遞到王安石

---

78 （清）徐松輯；宋會要編印委員會編：〈選舉三〉，《宋會要輯稿》，第5冊，頁4275上半葉。

79 林岩更進一步推論，認為這股著重於詩賦取士的風氣，「對於試圖按照儒家學說重建社會─秩序的學者和官員來說是很危險的。」筆者同意林岩的部分觀點，彼時科考重詩賦的風氣，是有可能會因此而忽略儒家學說的內涵。然而，是否當時的學者和官員，皆試圖按照儒家學說來重建社會─秩序，筆者採保留態度，認為還需要有更多文獻佐證。參看林岩：〈北宋前期（960-1071）進士科考試與文學〉，《北宋科舉考試與文學》上海：上海古籍出版社，2006年12月，頁55-95。

80 論者指出，范仲淹對於「文」的想法，和石介、歐陽修等人應當有所區別，此部分自有其道理。不過，本文著重的地方在於對科舉的改革意見及措施，廣義而言，范仲淹、石介、歐陽修都是主張改革者，至於改革理念的激烈或溫和，與其人的文學、文統觀，並非論述焦點。有關北宋文人對文學、文統想法，參看何寄澎：〈唐宋古文運動中的文統觀〉，《唐宋古文新探》，頁251-286。

81 （宋）馬端臨著；上海師範大學古籍研究所、華東師範大學古籍研究所點校：〈選舉考〉，《文獻通考》，第2冊，卷31，頁900。

82 （清）畢沅撰：《新校續資治通鑑》，第3冊，卷66，頁1634。

的手上。神宗熙寧三年（1070）三月，殿試罷詩賦、採策問，[83]從此之後，至宋亡下接明清，殿試都是採行對策。[84]熙寧四年（1071）二月，更定貢舉法，新制內容為：

> 古之取士，皆本於學校，故道德一於上，習俗成於下，其人材皆足以有達於世。自先王之澤竭，教養之法無所本，士雖有美材而無學校師友以成之，此議者之所患也。今欲追復古制以革其弊，則患於無漸。宜先除去聲病偶對之文，使學者得以專意經義，以俟朝廷興建學校，然後講求三代所以教育選舉之法，施於天下，則庶幾可復古矣。……今定貢舉新制，進士罷詩賦、帖經、墨義，各占治《詩》、《書》、《周禮》、《禮記》一經，兼以《論語》、《孟子》。[85]

王安石秉持著恢復古代士人風氣的態度，改革貢舉法，雖有許多學者認為，罷詩賦、採策論並非王安石力爭而來，而是當時的朝廷共識，但最起碼和蘇軾等人的反對意見相較而言，王安石支持改革的作為是有目共睹的。可以發現，其對科舉制度的想法，例如興建學校、主張不以詩賦取士等，並沒有和范仲淹有太大背離之處，更可以說兩者的做法是若合符節的。

　　事實上，已經有一些學者指出，范仲淹的慶曆新政和王安石的熙寧變法之間，是有內在理路可循的。例如鄧廣銘在論慶曆新政和熙寧變法時，指出「『慶曆新政』是失敗了，嚴重的階級矛盾並未稍得緩和。在這樣的情況下，王安石於嘉祐四年（1059）上書給宋仁宗，要求他對現行法度大加改革」[86]，點出王安石日後改革的原因，部分在於彼時的社會問題尚未得到解決；宋晞亦言「『慶曆新政』的早天，使北宋社會危機依然存在並繼續發展。在二十多年後，就有『熙寧變法』的繼起，兩個相隔不遠的政治改良運動是有聯繫的」[87]，學者所指出的地方是，范仲淹和王安石，兩者的出發點都是面對宋朝政局弊病而發的，這點是毫無疑問，而兩者的關聯，端在王安石變法以前，宋朝還未清理過去時政弊病。準此，錢穆便指出：

> 荊公用事，仲淹已卒，然韓、富、歐陽諸賢猶在也。此諸賢者，固已襄贊慶曆之變政於前，而又牴牾熙寧之新法於後者，夫亦荊公之措施，固自與仲淹異乎？今

---

83 宋神宗顧執政曰：「對策亦何足以實盡人材？然愈於以詩賦取人爾。」詳見（清）徐松輯；宋會要編印委員會編：〈選舉七〉，《宋會要輯稿》，第5冊，頁4365上半葉。

84 祝尚書更指出，對策到這個地步，儼然成為中國科舉考試的「門面」。參看祝尚書：〈宋代的科舉時文：策論〉，《宋代科舉與文學》，頁288。

85 （宋）李燾著；（清）黃以周等輯補：《續資治通鑑長編附拾補》，第2冊，卷220，頁2041下半葉。

86 鄧廣銘：《中國史綱要・五代十國宋遼金元》，收錄於《鄧廣銘全集》石家莊：河北教育出版社，2003年4月，第6卷，頁400。

87 宋晞：〈異論相攪——北宋的變法及其紛爭〉，《宋史研究論文集》臺北：蘭臺出版社，2002年，第31輯，頁126。

考荊公新法，大抵主於富強，特仲淹所陳十事之第五以下耳。吾法雖美，使推行吾法者而非其人，將若何？[88]

錢穆首先指出王安石的新法，著重的乃是范仲淹所呈〈答手詔條陳十事〉中「均公田」以下政策。其次更進一步言「吾法」，錢穆顯然認為，對於富弼等人來說，王安石的變法，事實上內容仍不超出其與范仲淹慶曆期間共同主導的新政範圍。我們站在錢穆的立場，藉由王安石的貢舉法和范仲淹的「精貢舉」相比較，可以更進一步地說，王安石熙寧變法內容，除了「均公田」以下的法制外和范仲淹慶曆新政無甚差別外，還可以再補上一條「精貢舉」，兩造的理念在這方面是有繼承關係的。如此而言，可以明白的是，即便過去和范仲淹站在同一陣線的士大夫，於熙寧變法時期，因主事者的性格而轉向反對立場，但這也不代表變法內容和過去慶曆新政內容如雲泥之別。[89]

上述幾位學者不約而同地表示，慶曆新政和熙寧變法之間，具有緊密關係，兩造並非斷為兩橛。如此來看，從范仲淹所呈的十事，可見其格局之寬廣，眼光之犀利，不僅能夠洞察時局弊病處，也讓我們明白後來王安石所陳的變法內容，實受范仲淹的影響甚深。不過，為避免失焦，本章節僅討論范仲淹與王安石改革科舉取士的改革內容，考察兩造之間是具有延續與繼承關係，其餘議題並非本論文所關注的。職是之故，在此節僅討論科舉從詩賦之文到策論之文的轉變過程。藉由點出慶曆新政到熙寧變法，是有改革火炬傳遞的可能，或可益加彰顯慶曆新政的歷史意義。

五　結論

余英時在其《朱熹的歷史世界：宋代士大夫政治文化的研究》一書，將宋朝士大夫政治文化分為三個發展階段：首先，是仁宗之世的建立期，以范仲淹等人為主導；其次，為熙寧變法的定型期，以神宗和王安石「共治天下」為主；最後，則是朱熹的時代，稱為轉型期。[90]並以王安石變法為全書主軸，認為其「幽靈」依附在後來許多士大夫身上作祟，使得朱熹的時代成為「後王安石的時代」。[91]不可否認地，王安石熙寧變法的確是宋朝歷史的重大事件，放在整個中國史脈絡亦不容小覷。然而，余英時過度強

---

88 錢穆：〈論慶曆熙寧之兩次變政〉，《中國思想史論叢》，收錄於《錢賓四先生全集》，第20冊，頁57。

89 朱熹曾指出：「新法之行，諸公實共謀之，雖明道先生不以為不是，蓋那時也是合變時節。但後來人情洶洶，明道始勸之不可做逆人情底事。及王氏排眾議行之甚力，而諸公始退散。」其說和後來錢穆的判斷，是可以產生對話的。參看（宋）黎靖德編；王星賢點校：〈本朝四〉，《朱子語類》，卷130，頁3097。

90 余英時：《朱熹的歷史世界：宋代士大夫政治文化的研究》，頁18-26。

91 余英時：《朱熹的歷史世界：宋代士大夫政治文化的研究》，頁19。

調王安石的影響力，卻忽略了在他前面「大屬名節，振作士氣，故振作士大夫之功為多」[92]的范仲淹，以致整部書並沒有留給這群主導慶曆新政的士大夫集團太多空間，這部分是較為可惜的。

　　本文以范仲淹為討論重心，正好可藉此填補當前學界對於北宋士人政治文化研究之遺漏。筆者從祖宗家法出發，拈出自宋太祖以降，影響士大夫政治文化的兩道家法：偃武修文和嚴禁朋黨。前者是范仲淹得以從貧寒之士崛起，進而躋身朝廷、任參知政事主導新政的主要理由，可說是宋代君主與士大夫共治天下的具體實踐；後者則是宋代官僚政治的一大問題，亦為日後慶曆新政失敗的一道伏流。這兩道家法，剛柔並施，像是音樂的五線譜符號，士大夫的改革想法再如何自由奔放，亦不能超出符號的範圍。換句話說，即便是想大力變革，也難以逾越祖宗家法這道藩籬。

　　在宏觀地闡述范仲淹慶曆新政起落背後的歷史緣由之後，本文接著以微觀的方式，檢視新政對於科舉問題的反省以及改革措施。隋唐廢鄉官、行科舉以來，讀書人和鄉里的關係日趨疏離，以往鄉里輿論力量的消失，使得讀書人不再保持兢兢業業的態度，之後為官亦不修飾己行。舉子為了考取功名，不惜行桀跖之事；在朝為官的士大夫，往往不能學以致用，「教不本於學校，士不察於鄉里」、「有司束以聲病，學者專以記誦」這兩個科舉所衍生的弊端，是范仲淹等人力求改革科舉的主因。於是，范仲淹乃於慶曆三年九月上呈〈答手詔條陳十事〉，其中「精貢舉」一項，認為國家以詩賦取士，容易讓舉子忽略聖賢經義。隔年又與宋祁、歐陽修等八人合奏，主張考科先策論、次詩賦。此乃是基於主導新政的集團認為，策論之文比詩賦之文更能儒家學說經世致用的內涵。

　　新政雖在仁宗慶曆五年，因主事者罷去，政策的推行受到阻礙。然而，改革朝政的想法早已深植人心。神宗熙寧年間，王安石得君行道，把握千載難逢的機會，展開變法，其中多項改革條目，事實上與先前范仲淹所列相去不遠。而其所支持的貢舉法新制，其中主張罷詩賦、採策論，可視作是范仲淹等人提案的激進版本。而其提出興建官學的意見，在范仲淹主政時期早有先例，兩者皆試圖以官學取代以往的鄉里，讓「漂泊」的讀書人，在官學體制下先培養德行，再推舉其中較為賢良者，日後為官方能恪守吏道。

　　從慶曆新政到熙寧變法，改革的火炬自范仲淹傳遞到了王安石手上，象徵著士大夫精神的延續，準此，我們不能輕忽范仲淹及其新政所帶來的影響力，理當在整個宋代士大夫政治文化為其保留一席之地。

92　（宋）黎靖德編；王星賢點校：〈本朝四〉，《朱子語類》，卷130，頁3086。此語為朱熹所發。

吾妻重二之周敦頤研究評議

田智忠

北京師範大學哲學學院副教授

　　提及對於周敦頤及《太極圖》[1]研究，就必然要提及吾妻重二先生的巨大貢獻。吾妻先生嘗試從人脈、政治和思想多個角度來揭示周敦頤思想的複雜性，並認為雖然說《太極圖》之圖像直接源自佛老的觀點實為杜撰，但《太極圖》之作確有借鑒道教內丹術中重視坎離二卦的一面，這對於推進對《太極圖》源流問題的研究，功不可沒。近日，吾妻先生的大作《朱子學的新研究》[2]一書由吳震先生首次譯為中文出版，這也使得吾妻先生的相關成果得以完整的呈現在漢語世界的面前。因此，對吾妻先生的成果做出回應，也是我們進一步推進周敦頤研究進程中的應有之舉。

一

　　個人以為，吾妻先生在周敦頤及《太極圖》研究上的首要貢獻，在於其對周敦頤整體形象的刻畫——不是僅拘泥於《通書》和《太極圖說》，而是從周的人脈、政治和思想多個角度入手，以更為開闊的視野、更為豐富的材料來揭示周敦頤思想的複雜性。多年來，儒者多將周敦頤塑造為醇儒的形象，無視其與佛老思想的關聯，也無視其與蜀黨的關聯；而明清之際的學者則力證周敦頤思想與佛老的關聯，而無視《通書》和《太極圖說》對於儒家思想的繼承性，確實各有所偏。

　　理學陣營中，甚至在朱子之前，就有學者認為周敦頤無愧於道學宗主的地位，而周敦頤與二程之間的傳承，也是理學道統中的重要一環。甚至有學者強調，周敦頤將《太極圖》惟一傳授給二程，這是周程之間道統傳授的一大見證。朱子不但大力弘揚周敦頤「道學宗主」的地位，也在借助整理周著作的機會，努力把周敦頤塑造為醇儒的形象：朱子對於林栗所刊刻的「九江本通書」極度不滿，決心重新編訂周敦頤的著作。但是據林栗在為此次所刊「九江本通書」所作的說明看，林所刊刻的圖書乃由周的後人提供，林栗並未對其做出任何的改動，因此朱子對林的指責根據明顯不足。據朱子後來編訂和

---

1 本文中，使用「太極圖」僅指周所畫的圖像，而使用《太極圖》，則一併包含「太極圖」和《太極圖說》在內。

2 吾妻重二著，吳震等譯：《朱子學的新研究——近世士大夫思想的展開》北京：商務印書館，2017年3月版，下同。

刊刻系列《通書》的歷程來看，朱子的不滿之處包括：其一，林栗所刊本全文收錄了蒲宗孟的〈濂溪先生墓碣銘〉（下文中簡稱為「蒲文」），並將「蒲文」置於潘興嗣的〈濂溪先生墓誌銘〉（下文中簡稱為「潘文」）之前（周後人的這一安排，可能是因為蒲與周敦頤的親屬關係），而「蒲文」對於周濂溪形象的刻畫近於佛老隱士、酷吏，不如「潘文」的刻畫較為儒者化；其二，朱子認為林栗所刊本中所收錄的「銘、碣、詩、文」，無益於「有所發明于先生之道」[3]。由此，朱子在後來編訂周敦頤著作時，就相應的抬高「潘文」（依據「潘文」而「置圖篇端」）而貶低「蒲文」（刪除「蒲文」的部分文字），進而刪除周藏舊本中的「銘、碣、詩、文」（保留了「潘文」），「一以程氏及其門人之言為正」[4]。朱子的上述措施淡化了周敦頤思想的複雜性，有違背史料學的基本原則之嫌。與之相對，明清之際諸儒力證「太極圖」源自道教，卻很少提到其與《易傳》甚至漢代象數易學的密切關係。在無視對自己不利材料這一點上，理學陣營和明清之際諸儒之偏是一致的。

　　吾妻先生對於周敦頤的研究，試圖從人脈、政治和思想的多個角度來揭示周敦頤思想的複雜性。據吾妻先生的自序言，中文版《朱子學的新研究》中所收錄的關於周敦頤的文章有三：完成於一九九四年的〈《太極圖》之形成——圍繞儒道佛三教的再檢討〉，完成於一九九五年的〈《太極圖·圖說》之展開與變容〉和完成於二〇〇九年的〈論周敦頤——人脈、政治、思想〉一文。其中，〈論周敦頤——人脈、政治、思想〉與前兩篇文章的間隔較長，頗能反映出他在周敦頤研究上的新見解。吾妻先生直言，目前學界對於周敦頤的研究，「大都是圍繞包含《太極圖》在內的《太極圖說》及《通書》而展開的」[5]。這種情況有其理所當然的一面，因為《太極圖說》及《通書》的確是周敦頤最重要的作品。但是，若從全面和深入了解周敦頤其人的角度講，那麼單單研究此二書，就顯得遠遠不夠了。由此，吾妻先生才嘗試從周敦頤的生活背景中，發掘出周敦頤思想的豐富性。

　　事實上，吾妻先生對於周敦頤的政治圈和人脈圈揭示是具有顛覆性的。吾妻先生強調，「在怎樣的人際關係中生活，會影響到他的思想傾向」[6]。吾妻先生搜集到周敦頤在政治領域的人脈包括血緣關係和家族關係在內共十一人。其中，明確與二程有關者僅有二程之父程珦一人，而李初平或也與二程見過面，但關係一般。其餘諸人：呂陶，為蜀黨重要人物；趙抃，為著名政治家及詩人，其〈神道碑〉出自蘇軾之手，可知二者關係非同一般；蒲宗孟，周敦頤的妻兄，積極推行新法，其為周所做的〈墓碣銘〉，因揭露了

3　朱熹：《晦庵先生朱文公文集》卷76，〈周子太極通書後序〉，朱傑人等編：《朱子全書》上海：上海　　古籍出版社；合肥：安徽教育出版社，2002版，第24冊，頁3629。

4　朱熹：《晦庵先生朱文公文集》卷76，〈周子太極通書後序〉。

5　《朱子學的新研究——近世士大夫思想的展開》，頁3。

6　《朱子學的新研究——近世士大夫思想的展開》，頁14。

周近於酷吏和隱士的形象，而招致朱子的極度不滿。而在周敦頤的文學交遊圈中，彭思永與二程關係密切；潘興嗣為當時著名的隱者，並且極為溺佛。吾妻先生認為，「潘興嗣是周敦頤最知心的親友，他的生活方式在考察周敦頤思想時也有重要的參考價值」[7]；此外，孔延之、孔文仲、孔武仲、孔平仲父子四人，為孔子後裔。孔氏諸人均為蜀黨之中堅。此外，作為蜀黨首領的蘇軾和蜀黨中堅的黃庭堅都有詩作來讚美周敦頤[8]，且蘇、黃二人與周敦頤的兒子周壽和周燾之間交往甚密。我們有理由相信，周敦頤與蜀黨中人和有歸隱之志者關係極為緊密。這一點，足以對認為周敦頤與二程之間存在道統之傳的說法帶來挑戰。

其次，吾妻先生對於周敦頤的考察，還指出了周「兼具作為行政官的風範與作為隱逸者的風範」[9]的複雜形象。我們知道，作為「道學宗主」形象的周敦頤，經過朱子等人的推崇而逐漸深入人心；而作為隱逸者形象的周敦頤，則隨著相關記載資料被朱子所刪削而為人所忽略。吾妻先生則強調，雖然周也與王安石陣營中的幾人有過交往，但僅據目前材料卻很難認定周本人就屬於王安石陣營的一份子。因此，對於周敦頤研究，「我們沒有必要將後來的黨派觀點牽涉進去」[10]。不過，「周敦頤在作為行政官努力從事政務的同時，很憧憬悠閒瀟灑的生活」[11]。這一點，既為「蒲文」所證明，也為周本人的部分詩文所印證，同時也為他的部分交遊圈所印證。吾妻先生列舉周自己的詩文以及呂陶、趙抃等人與周的詩文，力證周敦頤的詩文中所體現出的隱逸山林的風範（「瀟落」），而這恰恰是周敦頤的個人風格氣象異於那些道學酸腐氣的表現。

再者，對於周敦頤與二程的關係問題，吾妻先生則通過細緻的考證強調，雖然二程在成年後沒有與周敦頤見面的記錄，但其與周敦頤的關係並沒有中斷，因為連接他們之間的人物不在少數[12]，而且兩者的人脈圈也是相互重疊的。不過，周敦頤在中晚年時與蜀黨的重要人物交往密切，這勢必會影響周與二程之間的關係，導致程頤對於周的冷落。而在思想層面上，吾妻先生認為，「關於周敦頤的思想，二程沒有繼承其《太極圖說》的存在論」。吾妻先生對此給出的解釋是，二程的關懷強烈偏向於人倫世界，沒有走向運用陰陽五行來解釋自然世界的系統結構[13]。似乎可以這樣說，周、張、邵的思想邏輯還離不開「推天道以明人事」、法天道以立人極的思路，而二程則更加強調「天人本無二，不必言合」，基本擺脫了從天道再講到人理的模式。可以說，二程在少年時期

7　《朱子學的新研究——近世士大夫思想的展開》，頁20。

8　朱子對於蘇軾所做的《故周茂叔先生濂溪》頗為不滿，認為蘇軾是在攻擊周。但其實此詩更像是在善意的調侃周的名字。

9　《朱子學的新研究——近世士大夫思想的展開》，頁23。

10　《朱子學的新研究——近世士大夫思想的展開》，頁26。

11　《朱子學的新研究——近世士大夫思想的展開》，頁26。

12　《朱子學的新研究——近世士大夫思想的展開》，頁32。

13　《朱子學的新研究——近世士大夫思想的展開》，頁39。

所受周的影響極深，但二程後來的思想則超越了周的思想，經由自家體貼而提出了「天理」的概念，從而表現出與周的思想有所不同[14]。

　　吾妻先生先生認為，我們在討論周敦頤與二程的關係時，要注意二程兄弟對於周敦頤的態度似有不同：程顥受周的影響更大，也沒有批評周的言辭，而程頤則留下了批評周的一些話語。應該說，明道思想更為包容開放，為人渾如一團春風和氣，這頗與周的氣象相近；而伊川則更具衛道之心，鋒芒畢露，多有抨擊佛老的言論，與周的思想差異更為明顯。由此，二人在對待周的態度上有所差異，是必然的。

　　不過，吾妻先生在論證程頤對於周的學術很冷淡時，提及下述材料：「某接人多矣，不雜者三人，張子厚、邵堯夫、司馬君實」。吾妻先生認為，這條材料中的「雜」，是指摻雜佛教、道教等異端思想。這條材料顯然認為，周不在「不雜」者之列，體現出了程頤對於周的批評態度（吾妻先生也不確定這一條材料究竟出於二程中哪位先生）。吾妻先生此處的分析或可商榷，因為二程批評這三人摻雜佛老思想的材料，並不比其批評周的材料要少（比如其批評張的「清虛一大」思想是大輪迴，而批評司馬光的《潛虛》與道家思想的關係，再如其批評邵雍思想摻雜佛老，這已為許多學者所提及。此不贅述）。因此，此條材料中「雜」字的確切含義，還值得我們進一步分析。

　　總之，吾妻先生對於周敦頤形象的全面揭示表明，較之於後世那些主張嚴辨儒家與佛老異同的思想家而言，周敦頤的思想更具開放性和複雜性。這一點，不獨在其人脈與政治圈上有所體現，也體現在其對於《太極圖》思想的詮釋上，有可能借鑒了道教的思想。

二

　　吾妻先生論周敦頤的一個非常重要的關注點，是對《太極圖》來源問題的考察。吾妻先生在此問題上觀點有三：其一，《太極圖說》之文字與《易傳》確有關聯，體現出明顯的儒學血統；其二，就「太極圖」之圖像本身而言，絕非直接源自於佛、道兩教，毋寧說，反倒是此圖後來不斷被佛道教所吸收，創造出很多新圖；其三，在思想層面，「太極圖」確與道教思想有關。以下分別予以討論。

　　第一個問題，就《太極圖》思想之由來論，吾妻先生強調，《太極圖》本為解《易》之作，其原形就是《周易・繫辭傳》和《正義》。《周易・繫辭傳》之「易有太極，是生兩儀。兩儀生四象，四象生八卦」，自然是《太極圖》的原形，而《正義》則以「土則分王四季」說將《繫詞傳》中的四象說導向了五行說，「因此，《繫辭傳》的生

---

[14]《朱子學的新研究——近世士大夫思想的展開》，頁39。

成論，根據《正義》就是太極──陰陽──五行──八卦的順序」[15]。由此，表面上看，《太極圖》為解《易》之作，但其實卻是吸收了《禮記・月令》、《呂氏春秋》乃至漢代易學的思想。吾妻先生認為，「如此，《太極圖》的基本主旨就是《周易・繫辭傳》以及《正義》，再加上從古而來的五行說，便可說《太極圖》之構想大體上已經完成。我們在考察《太極圖》的思想由來的時候，無論如何都有必要把這件事情放在心上」[16]。吾妻先生的論斷令人信服，《太極圖》首先當為解《易》之作[17]。更為重要的是，《太極圖說》體現出了推天道以明人事、以天道為人道立極的思路，也體現出以明德為先的儒學特質。不過，吾妻先生並不認為《太極圖》對於漢代易學「土則分王四季」說的借用，會影響其本為解《易》之作的定性。他似乎認為，這類的「五行說」從古而來，只是被漢易學者明確說出來而已。但是吾妻先生的這一判斷，會在其對於《太極圖》在使用坎離二卦來表示兩儀的定性上遇到麻煩。這一點，我會在下文中加以討論。

　　第二個問題，「太極圖」之圖像的具體來源問題。吾妻先生認為，到目前為止的所有證據，都難以有確切的證據證明「太極圖」之圖像源出於道教或者佛教的文獻之中，而反倒是後來的佛道教文獻在不斷的抄襲「太極圖」之圖像。吾妻先生的這一觀點，同樣得到了李申先生的《易圖考》以及楊柱才先生的《道學宗主》等一批新研究成果的進一步印證，其論證也頗具說服力。不過，吾妻先生的某些具體考證，尚有值得商榷之處。

　　吾妻先生在對於「有關圖像之由來──道教」的考辨中，又具體討論了三個問題。第一個問題，《道藏》中所收錄的《上方大洞真元妙經圖》中的《太極先天之圖》，是否早於「太極圖」且為「太極圖」所本？吾妻先生借用了今井氏及李申先生的考證成果，指出此圖實際完成年代在南宋之後，反而是受到了「太極圖」之圖像的影響，此考辨當無異議。

　　第二個問題，毛奇齡認為，「太極圖」之圖像參照了《周易參同契》中的《水火匡廓圖》和《三五至精圖》。吾妻先生認為這一說法完全屬於毛的臆斷，因為道藏中所收錄各種版本的《周易參同契》中，都沒有出現過《三五至精圖》。因此，即使毛奇齡真的見到過帶有此圖的《周易參同契》注本，「那麼這些圖可以認為是道教受到《太極圖》的影響後，在後世添加編入《周易參同契》之內的東西」[18]。就此問題，筆者曾有專文予以論述。簡言之，毛奇齡認為《三五至精圖》體現出了「分五行為三五」的思

15　《朱子學的新研究──近世士大夫思想的展開》，頁60。

16　《朱子學的新研究──近世士大夫思想的展開》，頁61。

17　《太極圖》原名《太極圖・易說》，其結尾為「故聖人與天地合其德，日月合其明，四時合其序，鬼神合其吉凶。君子修之吉，小人悖之凶。故曰：『立天之道曰陰與陽；立地之道曰柔與剛；立人之道曰仁與義』。又曰『原始反終，故知死生之說』。大哉易也，斯其至矣」。這足以表明，《太極圖》本為解《易》之作。

18　《朱子學的新研究──近世士大夫思想的展開》，頁53。

想，這是《周易參同契》的本有思想，而為「太極圖」所本。據筆者考辨，毛奇齡認為
「太極圖」之圖像中暗含《周易參同契》之「分五行為三五」的思想，但毛奇齡所提及
的「分五行為三五」，實為宋人張伯端之《悟真篇》書中的觀點，《周易參同契》中雖然
也有對於「三五」的表述，卻與毛奇齡和《悟真篇》的表述有很大的差異[19]。因此，與
其說《三五至精圖》體現的是《周易參同契》的思想，不如說體現的是與周敦頤同時代
的《悟真篇》的思想。因此，毛奇齡的觀點出於杜撰的成分居多。

　　第三個問題，吾妻先生針對黃宗炎在《易學辨惑》中提出的如下觀點做了重點的考
辨：

> 黃宗炎認為，描繪道教內丹過程的《無極圖》或者《陳圖南本圖》（圖南是陳摶
> 之字）是自古傳來，周敦頤對此進行了儒教式的改造，由此而產生了《太極
> 圖》……《無極圖》（《陳圖南本圖》）中寫有「自下而上，逆則成丹」，表示從下
> 往上來追溯的「逆」的過程，而周敦頤則將此變為「自上而下，順則成人」，也
> 就是表示「順」的過程。通過這樣的改讀而做成了《太極圖》。然而，在仔細調
> 查資料後發現，黃宗炎之說似有相當大的杜撰成分。黃宗炎提出這樣一個圖的系
> 譜說：《無極圖》是從河上公開始、魏伯陽得到之後著述《周易參同契》，接著經
> 過鍾離權、呂洞賓，而後傳到陳摶手中，附會上來歷不明的河上公，以及魏伯
> 陽、鍾離權、呂洞賓等傳說式的人物，將此當做彷彿是事實一般來宣揚其傳授的
> 系譜說，這本身就是荒唐無稽的[20]。

　　誠如吾妻先生所言，除了《易學辨惑》之外，再沒有任何文獻中提及從河上公經由
魏伯陽等人傳授陳摶《無極圖》的記載。而上述諸賢多為傳說中的人物，且除《老子河
上公章句》（書中未提及《無極圖》）和《周易參同契》外，其並無確切的著作傳世[21]，
因此說黃宗炎所構建的系譜說杜撰的成分居多，這一點當無爭議。再者，雖然道教丹道
學中早有顛倒、返還之說，如《周易參同契》中已經提到過「九還七返，八歸六居」、
五行合一、徑入虛無等等說法，不過到目前為止，並沒有任何的直接材料能夠落實《太
極圖》是對《無極圖》的改讀而成這一結論，而且我們目前還沒有從任何傳世文獻中找
到所謂《陳圖南本圖》的原始出處。這更能說明黃宗炎的觀點確有杜撰的成分。需要說

---

19 田智忠：〈再論《太極圖》與《周易參同契》「三五至精」思想之關係〉，《周易研究》2015年第2
　　期，頁46。

20 《朱子學的新研究——近世士大夫思想的展開》，頁51。

21 筆者就此曾請教過張廣保老師，宋代廣為流傳的《沁園春丹詞》等文獻和《鍾呂傳道集》、《靈寶畢
　　法》等書，雖題名為鍾、呂所著，但其作者也難以確定，而陳摶本人雖然著述頗多，卻並無文獻傳
　　世。再者，上述諸書中也都沒有提及《無極圖》。

明的是，黃宗炎基本上不具備對於傳世文獻進行辨偽的自覺性[22]，因此也很容易將一些傳說與史實混為一談、將他所知道的明清之際的內丹理論和唐宋之際的內丹理論混為一談，甚至有將後人託名前人所偽造的圖書（如明清之際流行的《呂祖全書》），歸到前人的名下的可能性。前文提到的毛奇齡，也可能會將後人對於《周易參同契》的箋注與《周易參同契》的本文或彭曉的注文混為一談。

　　吾妻先生在分析黃宗炎觀點時，還提出：「據黃宗炎所言，《無極圖》從下而上，經歷下面五個階段：（1）玄牝之門、（2）煉精化氣‧煉氣化神、（3）五氣朝元、（4）取坎填離（水火交媾）、（5）煉神還虛‧復歸無極……問題是，這樣的五階段內丹理論在周敦頤的時代是否確實存在呢？」吾妻先生在細緻考證了周敦頤稍前與同時代的眾多內丹典籍之後，得出結論：「這樣看來，黃宗炎所說的內丹理論在北宋時期是不存在的，這基本是毋庸置疑的事實了」[23]。吾妻先生的判斷是準確的，主張「取坎填離」在前而「五氣朝元」在後，這屬於內丹學中的共識。另外值得注意的是，在內丹法中，「取坎填離」過程也就是「煉精化氣‧煉氣化神」的過程，而非在此過程之外、之後，還有一個「取坎填離」的過程[24]。顯然，黃宗炎所提出的《無極圖》中的五階段丹法理論，完全出於個人臆造。黃宗炎之所以提出如此的表述，無非就是要虛構出所謂《無極圖》與《太極圖》一為逆、一為順的一一對應關係，卻不小心違背了內丹術的基本修煉順序，誠可謂欲蓋彌彰。

　　吾妻先生考察「太極圖」來源問題的第三個問題，是在承認「太極圖」之圖像並非直接來自於道教文獻的前提下，進而承認在思想層面，「太極圖」確與道教思想有關。或者說，周敦頤在創作「太極圖」之時，確實參考了道教的某些思想。對此問題，吾妻先生集中討論了一點，即「太極圖」的「第二位的白黑三重圖」（即毛奇齡所稱的「坎離匡廓圖」）與道教內丹學的關聯性。他指出，「如果這是『兩儀』就是陰陽的話，那麼畫一條陰爻和一條陽爻組合即可，完全沒有必要是三重的」[25]。其結論就是，「這應當說是受到了道教內丹說『坎離造化論』的影響」[26]。吾妻先生強調，從唐末到宋，人們認為坎離而非陰陽才是造化萬物的基本要素，這種構想在內丹術中得到了非常強烈的體

22 這裡所提到的辨偽，是指對於某文獻作者的真實情況，文獻的形成年代、其文本的流傳演變情況的必要考察。

23 《朱子學的新研究──近世士大夫思想的展開》，頁53。

24 內丹法，以身為鼎器，以精氣神為藥物。其中，坎位藏精氣，離位藏神。因此，「取坎填離」的過程也即是煉精化氣、煉氣化神的過程。《悟真篇》云「取將坎位中心實，點化離宮腹裡陰」，即是此意。《悟真篇》有時也將此實踐過程表述為「依他坤位生成體，種在乾家交感宮」，這是對唐代文獻《崔公入藥鏡》中「產在坤，種在乾。但至誠，法自然」這一說法的繼承。其實質，都是對於煉精化氣、煉氣化神實踐的表述。

25 《朱子學的新研究──近世士大夫思想的展開》，頁62。

26 《朱子學的新研究──近世士大夫思想的展開》，頁62。

現，可以看作是「太極圖」深受道教內丹思想影響的一個體現。

　　吾妻先生的此論斷有值得商榷之處。其一，他強調「坎離造化論」為唐宋內丹學的特色，卻忽視了漢代丹學著作《周易參同契》對此理論的開創之功。吾妻先生似乎並不認為《周易參同契》屬於內丹學的著作，但卻忽視了此書在唐宋內丹學理論構建中的巨大影響力。唐宋內丹學家很自覺的尊《周易參同契》為「萬古丹經王」，並借鑒其名詞術語、類比其理論結構來構建內丹學的基本理論體系。實際上，唐宋內丹學對於坎離的重視，既是其主張「坎離藥物說」的直接後果，也與《周易參同契》提出日月（坎離）為易的觀點是分不開的。顯然，吾妻先生缺少對於「坎離造化論」與《周易參同契》的關係的進一步說明。其二，吾妻先生在細緻強調唐宋內丹學對於坎離的重視之餘，也指出「坎離二卦從現行本《易》的成立之初開始，就被賦予了非常特殊的意義。《說卦傳》將坎離配日月以及南北，就是對此的暗示」。此外他還強調，「《易》八卦對於坎離兩卦真正重視，是從漢代象數易學開始的……」[27]。問題是，「太極圖」引入坎離，究竟是受到漢代象數易學的影響，還是受唐宋內丹學的影響，亦或是受《易傳》的影響？吾妻先生更傾向於是受到唐宋內丹學影響。而筆者想要指出的是，唐宋內丹學重視坎離，究竟是自身原創性的理論，還是對於漢代象數易學、丹學理論的因襲？對這一點的討論非常有必要。因為吾妻先生既然可以把「太極圖」對於漢代易學「土王四季說」的借用，視為「太極圖」為解《易》之作的證明，那麼自然也可以從「太極圖」對於漢代易學「四正卦說」的借用中得出同樣的結論，即如果「太極圖」之「第二位的白黑三重圖」僅僅是借用了漢代易學的「四正卦說」的話，那我們更應該從中得出《太極圖》本為解《易》之作的結論，而不是「太極圖」借鑒了內丹學的結論。

　　這裡有必要指出兩點：其一，漢代象數易學中對於「四正卦」的表述很多，但是只有《周易參同契》持以「乾坤坎離」為四正的觀點。因此其說籠統的說《太極圖》之重視坎離是受到了漢代象數易學的影響，不如更明確的說《太極圖》是受到了《周易參同契》的影響。這裡，我們不妨引朱伯崑先生的研究成果以為例證：朱先生曾據《新唐書》所收錄的唐僧人一行之《卦議》中對孟喜卦氣說的引用，提到孟喜的四正卦說為：「坎、離、震、兌，二十四氣」，即「此四卦，稱為四正卦，各主管二十四節氣中的六個節氣」[28]，以此來表徵一年間的陰陽變化消息。此說完全以《易傳‧說卦傳》為本，且其中坎離震兌四卦地位完全均等，看不出以坎離二卦為造化之主的意味。此後，京房在《京房易傳》中，則提出「乾坤者陰陽之根本，坎離者陰陽之性命，分四營而成易」的觀點[29]，體現出以乾坤與坎離為體用關係的傾向。不過朱伯崑先生也強調，京房仍然

27　《朱子學的新研究──近世士大夫思想的展開》，頁66。
28　朱伯崑：《易學哲學史》北京：華夏出版社，1994年版，第1冊，頁117。
29　轉引自《易學哲學史》，第1冊，頁151。

沿襲了孟喜以坎離震兌為四正卦的說法，並不主張以乾坤坎離為四正。總的說來，漢代象數易學基本上都是以坎離震兌為四正，這也和當時頗為流行的後天八卦與五行說想呼應，也為虞翻、揚雄、鄭玄等人所採納。與之相對，只有《周易參同契》明確主張以「乾坤坎離」為四正。

　　其二，是否早在漢代的《周易參同契》中，基於內丹學的「坎離造化論」已經成形？此問題很難形成定論。但不妨說，《周易參同契》所提出的某些理論，也是後來內丹學「坎離造化論」的立論基礎。對此，我們需要詳加辨析。

　　從某種意義上說，《周易參同契》一書融丹道、大易和黃老為一爐，並非是純粹的象數易學著作，而其對於坎離的重視，更多是從丹道的角度立論的。丹道理論的基本要素，是鼎器、藥物和火候。《周易參同契》開篇即云：「乾坤者易之門戶，眾卦之父母，坎離匡郭，運轂正軸……天地設位，而易行乎其中矣。天地者，乾坤也。設位者，列陰陽配合之位也。易，謂坎離。坎離者，乾坤二用。二用無爻位，周流行六虛，往來既不定，上下亦無常……坎戊月精，離己日光。日月為易，剛柔相當」[30]，這顯然是將乾坤與坎離之間，視為是子母關係、體用關係，並明確提出了「日月（坎離）為易」的觀點。這裡，所謂天地設位而易行乎其間，即是後來內丹理論中所說的以乾坤為鼎器；而文中提到的坎離匡郭，即是後來內丹理論中的坎離藥物說；這是漢代易學著作中絕無僅有的以「乾坤坎離」為四正的表述。這也是《周易參同契》基於丹道立場之上的原創理論。而《周易參同契》則以剩餘的六十卦，以月體納甲的形式來模擬煉丹時的火候。筆者需要指出，在《周易參同契》中，乾坤與坎離之間，是一隱一顯的體用關係，這不能不讓我們聯想到《太極圖說》中的表述：「無極而太極。太極動而生陽，動極而靜；靜極而生陰，靜極複動，一動一靜，互為其根，分陰分陽，兩儀立焉」。顯然，《太極圖》中太極之因動靜而有兩儀，太極之與陰陽之間，恰好就是母子、體用的關係。再者，《周易參同契》中明確強調，「坎男為月，離女為日。日以施德，月以舒光。月受日化，體不虧傷。陽失其契，陰侵其明。晦朔薄蝕，掩冒相傾。陽消其形，陰淩災生。男女相胥，含土以滋。雌雄錯雜，以類相求」[31]，這是比較明顯的以坎離指代日月，以坎離指代陰陽的例子。這表明，《周易參同契》本就有以坎離來表達陰陽兩儀的說法。

　　另一方面，唐宋內丹學之強調「坎離造化論」，與把坎離視為煉丹之藥物的說法是分不開的，而這恰恰是對《周易參同契》說法的繼承。內丹學中所說的藥物，無疑就是指精氣神三寶，但是多數內丹典籍都會使用隱語諸如坎離、鉛汞、烏兔、日月、金公木母、嬰兒姹女等來指代內丹中的藥物。若上溯其源頭，我們顯然可以在《周易參同契》

30 彭曉：《周易參同契分章通真義》，張繼禹主編，《中華道藏》第16冊，北京：華夏出版社，2004年1月版，頁83、84。

31 彭曉：《周易參同契分章通真義》，張繼禹主編，《中華道藏》第16冊，頁105。

中發現其源頭，而唐宋內丹學也都持這一看法。如，《朱子語類》中就明確強調：「參同以坎離為藥，餘者以為火候……《參同契》亦以乾坤坎離為四正，故其言曰『運轂正軸』」[32]、「《參同契》所言坎離、水火、龍虎、鉛汞之屬，只是互換其名，其實只是精氣二者而已」[33]。由此，與其說「太極圖」使用坎離二卦來表示兩儀是受唐宋內丹學的影響，不如說是受到了《周易參同契》之丹法理論的影響更為準確。

最後回到吾妻先生的疑問，問題是，「太極圖」為甚麼選擇用坎離二卦，而非簡單的陰爻和陽爻來表示兩儀？其中比較大的可能是，簡單的陰爻和陽爻相對，只能表示兩儀靜態的對待關係，而無法體現出二者之間的動態的、流行的關係（互為其根），而以坎離二卦標示之，既可以體現出兩儀之間你中有我、水乳交融的關係，更可以揭示出二者在動靜之間相互轉化的關係，以及兩儀與太極之間的體用關係。可以說，「太極圖」選取坎離兩卦來表示兩儀之關係是有意而為之，且極有可能是受到了《周易參同契》的啟發。

結論

吾妻先生在周敦頤研究上的貢獻，首先是以翔實的資料論證了周敦頤交遊人脈與思想的複雜性，而在周敦頤與二程的關係上，既要看到二者之間極為密切的關係，但也要注意到周敦頤與二程政敵極為密切的關聯，看到程頤對於周的「冷淡」。因此，我們既不能過低的估計二者之間的關係，無視二程從周哪裡接受了關乎思想之根本的重要影響，但也要注意到周與二程之間在思想成熟階段上的相對獨立性。其次，吾妻先生在討論《太極圖》上，注意將「太極圖」圖像之來源和《太極圖》的思想來源問題區分開來，既以翔實的資料證明現有的各種認為「太極圖」之圖像來自佛道的材料不足為信；同時，又較有說服力的找出了「太極圖」在思想層面與道教思想的關聯性，其結論有其合理性。總之，吾妻先生關於周敦頤的研究，以材料為依據，不尚空言，在諸多方面確有創見，足以成一家之言。

---

32 黎靖德編：《朱子語類》，卷65，《易一》北京：中華書局，1986年版，頁1618。

33 《朱子語類》，卷125，《老氏》，頁3002。

潛魯語之大訓，明孔門之心梓*
——胡寅《論語詳說》發微

許家星

北京師範大學價值與文化研究中心

一　朱、張對胡寅《論語詳說》之抑揚

　　胡寅（1098-1156），字明仲，號致堂，胡安國之侄，過繼胡安國為子，並由其撫養成人。胡寅與弟胡宏受家學影響，「篤信程氏之學，寅尤以氣節著」，朱子嘗見之，稱其「議論英發，人物偉然」。胡氏父子三人治學各有側重：胡安國以《春秋》之學、胡宏以《知言》性理之學名世，胡寅則在歷史、政治、闢佛老方面取得突出成就，《讀史管見》、《崇正辨》、《斐然集》皆為有影響之著作。胡寅晚年所著《論語詳說》，尤為精深，堪稱湖湘學派經學之巨擘，其對朱子《論語》思想之形成發展，影響甚為深刻。

　　《論語詳說》雖佚，但胡寅《崇正辯》之〈魯語詳說序〉一文對該書寫作緣由、動機、經過、命名、用意等皆有介紹。該書完成於紹興甲戌（1154）胡寅謫居新州之時，距其去世僅兩年。胡寅生前該書並未刊出，最初命名為《魯語詳說》，湖湘學者約於淳熙二年（1175）後刊行該書時改為今名，沿用至今。胡寅認為，夫子以仁為道，《論語》乃「仁道樞管」，因而「欲記所見聞指趣，附於章句之下」。雖發心很早，著述過程卻甚漫長，直到貶斥至荒涼新州，方才專力完成此書。胡寅在洛學遭禁時堅持學習二程、楊時、謝良佐等《論語》著作，批判王安石以強制推廣其經學所帶來的禍害，「內揆淺疏，久而未果，髮禿齒豁，恐負初志矣。適有天幸，投畀炎壤，結廬地偏……觀過宅心，自是始篤，乃得就稿」。該書得名取自《孟子‧離婁》「博學而詳說之，將以反說約也」。謙稱該書僅堪學童發蒙之用，既不敢作為孔學之指南，亦未能如《孟子》般辟除邪說。「遺諸童卯，博學而詳說之，將以反說約焉。若夫推己及人，指南洙泗之路，放淫詎波，分北荊舒之旅，非愚所能也。」

　　據此〈序〉文可知胡寅對該書實極為看重，然而繼承胡宏學術的湖湘學派新一代領袖張栻則向來推崇胡宏，貶抑胡寅，受胡宏影響，認為該書雖偶有可取，然總體品質不高，並諮詢朱子對該書看法。「胡明仲《論語詳說》，雖未能的當，然其間辯說似亦有益

*　本文為國家社科重大課題「中國四書學史」（13&ZD060）階段性研究成果，中組部萬人計劃青年拔尖人才項目。

於學者也。有欲板行者，於兄意如何？」[1]朱子態度恰恰相反，對胡寅及《論語詳說》評價甚高，屢屢替胡寅打抱不平，批評張栻眼中只有胡宏，卻對胡寅帶有偏見。肯定胡寅所得處，胡安國、胡宏亦有不及。《論語集注》對胡氏說引用甚多，高居所有引用者第六位，正表明朱子對胡寅說之認同。[2]「問《語解》胡氏為誰，曰：胡明仲也。向見張敬夫殊不取其說。某以為不然。他雖有未至處，若是說得是者，豈可廢。」輔廣。「先生又曰：「南軒只說五峰說底是，致堂說底皆不是，安可如此！致堂多有說得好處，或有文定五峰說不到處。」蓋卿。朱子批評張栻對胡寅之成見、貶抑，認為應公正對待胡寅，五峰、致堂各有長短優劣，須自家用心公平，加以辨別吸取，而不是斤斤然徒守個人偏好。「定夫又云：『南軒云致堂之說未的確。』曰：『便是南軒主胡五峰而抑致堂，某以為不必如此。致堂亦自有好處。』」震。朱子指出胡寅之說雖不乏毛病，然病在太過，不似而今學者病在不及。「胡致堂之說雖未能無病，然大抵皆太過，不會不及。如今學者皆是不及。」學蒙。在將二胡比較時，朱子屢屢稱讚胡寅，認為胡宏雖才氣過人，但言之浮誇隨意，不如胡寅平正篤實明白。此中亦透露出胡氏兄弟關係存在裂痕，胡宏看不上胡寅學問，甚至欲焚燒其著作，而胡寅則對胡宏頗為敬畏。這注定了胡寅在整個湖湘學中的弱勢地位。但朱子對胡寅所著三書，則皆有佳評，稱道胡寅《崇正辯》闢佛較胡宏《皇王大紀》更為犀利透闢；贊其《讀史管見》議論剛勁得體，這優於偏於優柔文弱的范祖禹《唐鑒》。

> 仁仲當時無有能當之者，故恣其言說出來，然今觀明仲說，較平正。

> 明仲嘗畏五峰議論精確，五峰亦嘗不有其兄，嘗欲焚其《論語解》並《讀史管見》。以今觀之，殊不然。如《論語》、《管見》中雖有粗處，亦多明白。至五峰議論，反似好高之過，得一說便說，其實與這物事都不相干涉，便說得無著落。」

> 《崇正辨》亦好。……胡明仲做此書說得明白，若五峰說話中辨釋氏處卻糊塗，辟他不倒，《皇王大紀》中亦有數段，亦不分曉。螢。」

> 致堂《管見》方是議論，《唐鑒》議論弱，又有不相應處，前面說一項事末，又說別處去。

1　朱子於淳熙二年除秘書郎，可知該書刊行當在之後。

2　詳參拙稿〈《論語集注》引用胡寅《論語詳說》考辨〉，《國學研究》第31卷，2013年。全祖望亦認為胡寅兄弟在學術上存在差異，五峰不滿致堂之學，故當五峰之學大盛之後，致堂之學湮沒不彰。但全氏亦特別提出胡寅在闢佛上卓有貢獻，故朱子多有所取。其實，朱子固然稱讚胡寅之闢佛，但所取者乃在其《論語》之學而非闢佛。「武夷諸子，致堂、五峰最著，而其學又分為二。五峰不滿其兄之學，故致堂之傳不廣，然當洛學陷入異端之日，致堂獨巋然不染，亦已賢哉！故朱子亦多取焉。」《衡麓學案》，《宋元學案》卷41，北京：中華書局，1986年，頁1341。

　　南軒恰與朱子相反，評價《讀史管見》「病敗不可言」，朱子對此的反應是「盡有好處，但好惡不相掩爾。」「又問：致堂《管見》初得之甚喜，後見《南軒集》中云病敗不可言，又以為專為檜設，豈有言天下之理而專為一人者。曰：盡有好處，但好惡不相掩爾。」儘管朱子極力表彰胡寅，然而還是張栻之見占了上風，至今仍成為評價胡寅的主流觀點。[3]

　　朱子對胡寅《論語詳說》的重視，充分體現在其《論語》著作中，保留了該書百條以上文字，胡寅說成為《論語集注》之重要來源，《集注》引用居然多達四十三處（似應減去 2 條誤認者）![4] 在所有被引用者中高居第六，僅次於程子、尹氏、范氏、楊氏、謝氏。以胡寅在學術界如此被忽視之地位，此一比例之高，不得不令人大感意料。在《論語或問》中，朱子亦引用胡氏說八十條，其中與《集注》重複十六條，二書引用胡寅《論語詳說》多達一〇七條。此外《崇正辯》、《朱子語類》、《朱文公文集》、《四書通》等書亦散見胡氏論語說解七條，此一一四條足以讓我們一睹《論語詳說》全書之風貌。我們認為，《論語詳說》以二程思想為主旨，體現了胡寅理學造詣和詮釋特點。它從義理上透徹闡發了仁、理、體用等核心概念，駁斥了佛老異端之說；特別突出敬為主宰的為學工夫，著力針砭矯正為學弊病；顯示了淵博精密的文獻實證知識，洞幽燭微的文本考辨能力；詮釋貼切文本而不乏新意，體現出批判反思、闕疑審慎的態度。該書佚文之整理研究，對於增進胡寅理學思想之了解、把握湖湘學派經學之特點，認識朱子《論語》學之構成，豐富宋代《論語》學詮釋，改變對胡寅在湖湘學中地位貢獻之認識，皆不無助益。

二　義理闡發

（一）推崇理學

　　胡寅之學，以二程理學為根本，故對天理、理一分殊、仁、體用、義利、命等諸核心思想皆從理學視角予以深刻論述。如在「獲罪於天」之詮釋中，胡氏以理釋天，主張

3　無論是宋明理學的代表性著作《宋明理學史》，還是近來專著選出的湖湘學研究，均對胡寅或視而不見，或輕描淡寫，幾為若有若無。在諸家看來，湖湘學派的三大宗師胡安國、胡宏、張栻才是頂峰。《張栻與湖湘學派研究》和《湖湘學派源流》二書為湖湘學派作的一個定義是：「南宋時期在湖南地區形成的以胡安國、胡宏、張栻等人為代表的理學學派。」（頁16，2003年出版的《開創時期的湖湘學派》、2007年出版的《本體與工夫：湖湘學派研究》，對胡寅皆無甚論述。更甚者，胡寅不僅未不能與三大宗師並列，且亦無法與三大宗師之眾多門徒相提並論。）

4　陳鐵凡：《四書章句集注考源》（載錢穆等：《論孟研究論集》，臺北：黎明文化事業公司，1982年）提出《論語集注》所收胡寅說三十八條，似有疏漏。如〈學而〉有兩條胡氏說，陳氏僅統計一條。

「天即理也」，認為此理雖無形而高遠，卻落實呈現於人心，昭昭可感，在在皆是，並無神秘可言。「天即理也，理無不在，在人則人心之昭昭者是也。」在「四海之內皆兄弟」中，胡氏指出子夏此說為寬慰司馬牛而發，並以理一分殊之說批評子夏用意雖好，用詞卻有病，違背了儒家「理一分殊」、「愛有差等」之教，並以史實指出子夏雖能言此，在行動上卻未能做到以理應情。「子夏四海皆兄弟之言，特以廣司馬牛之意，意圓而語滯者也，惟聖人則無此病矣。且子夏知此而以哭子喪明，則以蔽於愛而昧於理，是以不能踐其言爾。」胡氏此解深得朱子讚賞，被採入《集注》中。

　　胡氏對仁的理解，突出仁的樞紐地位。認為學就是仁，學的目標是達到仁，學是實現仁之手段。以學解仁突出儒學即是仁學的特質。「蕭定夫說胡致堂云：『學者何，仁也』。」「致堂謂學所以求仁也。」胡氏特別推崇「本心」解仁說。在「十有五而志於學」章中，指出孔子之教雖變化多方，其根本則在於使人不失本心。孔子所學之最後境界，亦是達到本心瑩然、光明通達之境地，至此境地本心即是仁，即是理，即是體。胡氏曰：「聖人之教亦多術，然其要使人不失其本心而已。欲得此心者，惟志乎聖人所示之學，循其序而進焉。至於一疵不存、萬理明盡之後，則其日用之間，本心瑩然，隨所意欲，莫非至理。蓋心即體，欲即用，體即道，用即義，聲為律而身為度矣。」胡寅在與他人論學時亦常提及仁之本心說，「本心言仁」可謂胡氏對仁之根本認識。「仁者，人之本心也」。胡氏還繼承程子以公言仁說，在「苟志於仁矣無惡也」章中，指出仁包含了公，公是仁的基本特質之一，批評謝良佐仁者無惡之解不合仁之意。「謝氏以志仁為知仁，以去聲讀『惡』字，則又誤矣。……今曰『無惡』，然則謂其獨有所好，可乎？故胡氏力排其說，以為『貪無惡之美名，失仁人之公道，非知仁者』。蓋得之矣。」

　　胡寅非常重視體用這一對理學範疇，將之貫注於經文詮釋中。在「子張問十世可」章中，胡氏從體用角度闡發了禮的內在而超越意義，指出禮不僅是表面外在之人倫規範、社會準則，更是降自於天內在於心的先天本有之物，此乃穩固持久、永恆不變的禮之本。作為禮之用的制度文為，則因時損益與時相宜，其更改變化絲毫無損於禮之本體，不可因此否定禮的超越性永恆性。此說關鍵在於突出了禮的本體不變意義，深得朱子讚賞。「至近世吳才老、胡致堂始得其說，最為精當。」朱子認為唯有在肯定本體永恆相因的前提下，方能真切把握禮之損益變化之用。故《集注》採用胡氏說。「子張之問，蓋欲知來，而聖人言其既往者以明之也。夫自修身以至於為天下，不可一日而無禮。天敘天秩，人所共由，禮之本也。商不能改乎夏，周不能改乎商，所謂天地之常經也。若乃制度文為，或太過則當損，或不足則當益，益之損之。與時宜之，而所因者不壞，是古今之通義也。因往推來，雖百世之遠，不過如此而已矣。」

（二）駁斥異端

胡寅不僅從正面闡發理學思想，而且極為注重批判理學的對立面——佛老異端之說。闢佛這一胡氏最鮮明的學術風格，同樣烙印於《論語》詮釋中。他在「曾子有疾」章指出，曾子將生死視為極自然平常之事，好比晝夜之自然交替，不值得絲毫驚異。批評佛教徒過於看重生死，以種種怪誕虛幻之說渲染此事。告誡學者應當盡心曾子之教誨，方能不惑於佛教之說。「當是時也，氣息奄奄僅在，而聲為律，身為度，心即理，理即心。其視死生猶晝夜然。夫豈異教坐亡幻語、不誠不敬者所可彷彿。學者誠能盡心於此，則可以不惑於彼也。」對「回也其庶乎屢空」之解，何晏以老莊之說釋之，認為「屢空」是「虛中受道」之義，伊洛學者皆從此說，胡寅則批評此說隱晦偏頗，非聖人之言，「屢」表明為道之心仍然有差失有間斷，當其處於心靈差失不空狀態時，與常人並無差異，可見屢空並不能理解為受道。「以屢空為虛中受道，聖人之言，未嘗如是之僻而晦也。屢而有間，是頻複耳，方其不空之時，與庸人亦奚遠哉。」

三　工夫指點

（一）立為學之方

胡寅《論語詳說》在弘揚理學思想、批駁佛老異端之時，極為注重為學工夫的指點，確立了主敬、立志、慎獨的工夫要領地位。在「道千乘之國」注釋中，胡氏提出「敬」為工夫根本，信、節用、愛人、使民皆當以敬為主宰，敬貫穿於一切德性之中，為所有工夫之基。「凡此數者，又皆以敬為主。」胡氏對敬的意義、方法作出了深刻闡發，在闡述「修己以敬」章時指出敬是樹立百善之根本，消除百邪之良藥，是存心檢身切要之法。持敬方法在於主一無適，嚴肅謹慎、心志專一，戰戰兢兢，不可有絲毫懈怠。「可願莫如善，敬立則百善從；宜遠莫如邪，敬立則百邪息。敬也者，存心之要法，檢身之切務歟！欲持敬者奈何？曰：君子有言，主一之謂敬，無適之謂一，如執大圭，如捧盤水，如雷霆之在上也。如淵谷之在下也，如師保之在前也，如鬼神之在左右也，是則持敬之道也。」胡氏指出「君子泰而不驕」在於君子之心以敬為主宰，不因外物而產生分別變化，故能安泰不驕。「然君子之心，一主於敬，不以彼之眾寡小大而二其心，則其自處未嘗不安，而何驕之有。」

胡氏認為，立志對為學具有極重要的意義，在「鄙夫可與事君」章中，他指出志的高低決定了道德成就的大小，學者應當以修道成德為志向，如此方能超越功名、富貴的束縛。所志越低下，則人格越卑微。「許昌靳裁之有言曰：『士之品大概有三：志於道德者，功名不足以累其心；志於功名者，富貴不足以累其心；志於富貴而已者，則亦無所

不至矣。」志於富貴，即孔子所謂鄙夫也。」在「君子食無求飽」章中，胡氏指出一個真正有志於學的人，必不追求物質生活之安逸，反之，一個貪圖物質享受的人，必是違道甚遠之人。「食期飽，居期安，人之情也。而聖人之言如此，豈反人之情而強其所難。亦曰有志於學，則不當以此為念耳。食必求飽，居必求安，役役焉惟口體之奉而無所不至焉。其去於道也，不亦遠乎！」

胡氏對慎獨、自強不息、反求諸己等工夫亦頗為看重。認為孔子對顏子之評價，乃是強調慎獨功夫之重要。「而必曰退而省其私之云者，所以見其非無證之空言，且以明進德之功，必由內外相符，隱顯一致，欲學者之慎其獨也。」「見賢思齊」的意義在於告誡學者當反求諸己，不能自暴自棄，應當自我反省檢點。「見人之善惡不同，而無不反諸身者，則不徒羨人而甘自棄，不徒責人而忘自責矣。」胡氏認為，為學之進止皆取決於主體意志，他人無法幫助、干涉，故君子應自強不息。「其進其止，皆非他人所能與，此君子所以自強不息也。」

（二）砭為學之病

胡氏《論語》詮釋不僅正面樹立為學之方，而且從反面來針砭為學弊病，這是胡氏《論語詳說》的一大特色。胡氏敏銳感到《論語》「因材施教」的特點，並將之提煉為「藥病救失」的工夫指點，《集注》於此多取之。此種詮釋多為對文本義言外義之闡發，目的在於通過針砭以樹立正確的為學之方。在「君子謀道不謀食」、「子夏之門人小子」章中，胡氏指出聖人之教，因人之資稟差異而發，故其言各有不同。「聖人之教，小以成小，大以成大，各因其材而發達之。」「人之資稟不同，故夫子引而進之之術不一。」在「好德如好色者」章中，胡氏提出「知病而藥」說，告誡學者應該知道自身病痛所在，並由此著力用功，以消除病痛對德性之傷害，達到志氣清明之境地。「知其病而痛藥之，不使稂莠得害嘉穀，則志氣清明而獨立乎萬物之表矣。」他在《論語》詮釋中多處運用此一詮釋原則。如「吾十有五而志於學」章指出為學工夫應「優游涵泳，日就月將」，批評「躐等而進」、「半途而廢」兩大為學弊病。「聖人言此，一以示學者當優遊涵泳，不可躐等而進；二以示學者當日就月將，不可半途而廢也。」在「子游問孝」、「宰予晝寢」章，胡氏提出「警告」說，指出夫子對愛而不敬、怠惰之氣、言行不一的警示具有普遍深刻意義。

> 世俗事親，能養足矣。狎恩恃愛，而不知其漸流於不敬，則非小失也。子游聖門高弟，未必至此，聖人直恐其愛踰於敬，故以是深警發之也。

宰予不能以志帥氣，居然而倦。是宴安之氣勝，儆戒之志惰也。古之聖賢未嘗不以懈惰荒寧為懼，勤勵不息自強，此孔子所以深責宰予也。聽言觀行，聖人不待是而後能，

亦非緣此而盡疑學者。特因此立教，以警群弟子，使謹於言而敏於行耳。

四　知識考證

（一）文獻考辨

　　胡寅具有淵博的文獻歷史知識和敏銳的判斷，對《論語》所涉及知禮儀制度、人物、地理、史實等多有考辨，通過對文本相關背景的闡發以疏通文義，訓解義理，為理解經文掃除障礙，體現了篤實平易的詮釋風格，頗得朱子讚賞。胡氏的考辨主要涉及禮制、史實、名稱等方面。

　　胡氏對古代禮制極為熟悉和重視，對《論語》有關禮制之處多有詳考。如「哀公問社於宰我」章，胡氏引經據典，詳盡闡發了「祀天於郊，祭地於社」的祭祀禮儀及其中所包含的義理，批評後世立社、立郊違禮背義。「古者祭地於社，猶祀天於郊也。故〈泰誓〉曰『郊社不修』，而周公祀於新邑，亦先用二牛於郊，後用太牢於社也。《記》曰：『天子將出，類於上帝，宜於社。』又曰：『郊，所以明天道，社所以神地道。』《周禮》以禋祀祀昊天上帝，以血祭祭社稷，而別無地示之位。兩圭有邸舞《雲門》以祀天，兩圭有邸舞《咸池》以祀地，而別無祭社之說，則以郊對社可知矣。後世既立社，又立北郊，失之矣。」胡氏認為，對禮的理解不可脫離義，禮義一體，緊密不分。夫子不許顏路之請，乃是居於客觀情況、禮制之考慮，孔子行事本於誠心、直道，而不是個人恩怨。孔子之用財，根據道義而非有無，此對聖人用心之闡發甚為合理。「孔子遇舊館人之喪，嘗脫驂以賻之矣。今乃不許顏路之請，何邪？葬可以無槨，驂可以脫而復求，大夫不可以徒行，命車不可以與人而鬻諸市也。且為所識窮乏者得我，而勉強以副其意，豈誠心與直道哉？或者以為君子行禮，視吾之有無而已。夫君子之用財，視義之可否，豈獨視有無而已哉？在〈鄉黨〉篇，胡氏多次引用禮書對其中禮儀予以闡明，深為朱子認可。以下略引數條：胡氏以為「若〈聘禮〉所記，孔子所行者正也。當時大夫僭於邦君，於是有庭實旅百，如享禮然，則非正矣。故《記》曰：『庭實旅百，何為乎諸侯之庭』。」「惟胡氏以為〈王制〉所謂『五穀未成，果實未熟』，《漢詔》所謂『穿掘萌芽，鬱養強熟』之類，最為得之。」「負版為喪服之在背者，此蓋記者釋上文式凶服為必重服，有負版者，乃式之也。」

　　胡氏具有非常淵博的歷史知識，在《論語詳說》中善於引用歷史事實來詮釋文意，進而加以評判，這種列舉事實再結合評析的做法簡明易懂，大大加深了學者對文義的認識。如「不在其位，不謀其政」章，胡氏引東漢杜密、王昱之事以說明何謂不位不謀。「東漢季年，黨錮禍起，潁川杜密去官家居，每謁守令，多所請託。而同郡劉勝亦自蜀還，閉戶掃軌。太守王昱見杜密，獨稱季陵清高以箴之。密謂昱曰：『劉勝位為大夫，

見禮上賓，知善不薦，見惡不論，隱情惜己，自同寒蟬，乃罪人也。今密舉志義力行之賢，糾違道失節之士，使明府賞罰得中，令聞休暢，不亦萬之一乎？』昱乃慚服。以愚觀之。昱從善服義，固不可訾。若密之為，是代昱行事也。不在其位而謀其政者，大概如此。黨錮諸賢，多陷此失，可不戒哉。」這種手法為《論語詳說》一書所常用，略示數例如下：在解釋「惟酒無量不及亂」時，胡氏引王導勸晉元帝戒酒之事，指出無論從修身工夫還是政治事業的角度，皆應戒酒。「亂者，內昏其心志，外喪其威儀，甚則班伯所謂『淫亂之原，皆在於酒』。聖人飲無定量，亦無亂態。蓋從心所欲而不踰矩，是以如此。學者未能，然則如晉元帝永嘉初鎮江東，以酒廢事，王導以為言，帝命酌引觴而覆之，於此遂絕。」[5] 在「子適衛冉有僕」章，胡氏引漢唐史實，闡發庶、富、教之義，言帶針砭，顯示出教化優先的政治立場，及經史合一的學術素養。「天生斯民，立之司牧，而寄以三事。然自三代之後，能舉此職者，百無一二。漢之文明，唐之太宗，亦云庶且富矣，西京之教無聞焉。明帝尊師重傅，臨雍拜老，宗戚子弟莫不受學；唐太宗大召名儒，增廣生員，教亦至矣，然而未知所以教也。三代之教，天子公卿躬行於上，言行政事皆可師法，彼二君者其能然乎？」其他如「三分天下有其二」、「季康子問政於孔子」、「苟有用我者」等章皆引用史實釋之。

胡氏極其擅長對人物生平、來歷、地名等的考辨，在考辨基礎上進而述其思想，真正做到「知人論世」，切於文義，便於接受。胡氏所考辨人物涉及孔子所論人物、孔門弟子，有子產、子賤、楊朱、子桑伯子、孟之反、公伯寮等。不少考辨為《集注》所取。如胡氏據《家語》指出子賤之年齡、成就及在孔門地位。「《家語》云子賤少孔子四十九歲，有才智仁愛，為單父宰，民不忍欺。以年計之，孔子卒時，子賤方年二十餘歲，意其進師夫子，退從諸弟子游，而切磋以成其德者，故夫子歎之如此。」據公伯寮之行為判定公伯寮乃季氏同黨而非孔門弟子。「胡氏以為寮非孔子弟子，特季氏之黨耳。若游於孔門，則豈至於陷其朋友哉。」就莊子之說證實《論語》所涉人物。「子桑伯子，魯人，胡氏以為疑即莊周所稱子桑戶者是也。」「反即莊周所稱孟子反者是也。」胡氏有時將人名與地名考證相結合，如「子欲居九夷」章基於班固之說，認為「九夷」是遼東九夷，「君子」指箕子。「而胡氏亦曰：「君子指箕子也。箕子居於遼東九夷之地，其教條風俗至漢猶存，夫子之時，又當純固。」

（二）文本考校

胡氏不僅於具體事實有所考辨，且眼光敏銳，用心周到而善於思考，於《論語》文

5　據《晉書・元帝本紀》，「王導以為言」當為「王導深以為言」。此處斷句值得商榷：似為：「學者未能，然則如晉元帝，永嘉初鎮江東，以酒廢事，王導以為言，帝命酌，引觴而覆之，於此遂絕。」

本之考校頗有心得，指出文本存在復出、散佚、衍、奪、錯簡等情況，考察了文本之著者、言者、先後、用語、出處等多種情況，《集注》頗有所取。

關於文本復出，指出〈里仁〉「子曰三年無改於父之道可謂孝矣」已見於〈學而〉，此處乃是復出而散其半。「已見首篇，此蓋復出而逸其半也。」文本衍奪。指出「宰予晝寢」章第二處「子曰」是衍文，否則難以解釋上下文義之關聯。「子曰：朽木不可雕也，糞土之牆不可杇也，於予與何誅。」「子曰：始吾於人也，聽其言而信其行。」胡氏曰：「『子曰』疑衍文，不然，則非一日之言也。」胡氏還據文意推測「柳下惠為士師」章文義未完，定有夫子對柳下惠評論之語，當有奪文。「直道而事人，焉往而不三黜？枉道而事人，何必去父母之邦。」胡氏曰：「此必有孔子斷之之言而亡之矣。」錯簡。胡氏指出第十二篇『誠不以富，亦只以異』乃錯簡，應在「其斯之謂與」之上，而不是程子所主張的本章之首，《集注》贊成胡氏說。「齊景公有馬千駟，死之日，民無德而稱焉。伯夷、叔齊餓於首陽之下，民到於今稱之。其斯之謂與？」胡氏曰：「程子以為第十二篇錯簡『誠不以富，亦只以異』，當在此章之首。今詳文勢，似當在此句之上。言人之所稱，不在於富，而在於異也。」愚謂此說近是。

篇章作者。胡氏根據文本內容、稱呼，推斷〈公冶長〉作者為子貢門人，〈先進〉作者為閔子騫門徒，〈憲問〉為原憲所記，〈里仁〉「自吾道一貫」至「君子欲訥於言」十章乃曾子門人所記。「（〈公冶長〉）胡氏以為疑多子貢之徒所記云。」「此篇（〈先進〉）記閔子騫言行者四，而其一直稱閔子，疑閔氏門人所記也。」「此篇（〈憲問〉）疑原憲所記。」「自吾道一貫至此十章，疑皆曾子門人所記也。」文句言者。胡氏不僅善於推斷各篇作者，而且積極判定具體文句的言說者，極有見地，其說對把握文本之義頗有意義。如「子路問成人」章，胡氏據子路好勇之性格，推出「今之成人」以下文字，皆子路之說而非夫子之言。「今之成人以下，乃子路之言。蓋不復聞斯行之之勇，而有終身誦之之固矣。未詳是否？」[6]「公西華侍坐」章「唯求則非邦也與」、「唯赤則非邦也與」乃曾點之問，而「安見方六七十如五六十而非邦也者」「宗廟會同，非諸侯而何？赤也為之小，孰能為之大」則是夫子之答。文本先後。胡氏對《論語》所涉及孔門弟子之說，往往據其文句意義，弟子為學境地，推測各章先後關係。如在，指出「啟予足！啟予手」章最先，「曾子有疾，孟敬子問之」章其次，而《禮記》所記「易簀之事」則最後，此三者先後合乎曾子進學所達境界。「愚嘗考其事之先後，竊意此章最先，前章次之，而易簀之事最在其後。」如胡氏據子路「君子尚勇」之問，判定此乃子路初見孔子之時。「疑此子路初見孔子時答也。」《論語》中「樊遲問仁」三次，胡氏據問答內容不同，斷定「居處恭執事敬」之答最先，「先難後獲」其次，「仁者愛人」最後。這種先後判斷有助於把握人物思想的變化，突出文本的焦點所在。「樊遲問仁者

6　《集注》所引「未詳是否」顯然為朱子之評語，當置於引號外。

三：此最先，先難次之，愛人其最後乎？」此外，胡氏還推測「孺悲欲見孔子」當在問學〈士喪禮〉於孔子之前，推測「子路使門人為臣」必定在「夫子失司寇之後，未致其事之前也。」

　　語例、出處。胡氏還據文本用例來判定用語得失。如指出「季康子問而孔子對曰」之說不合「記言之例」，「孔子之對」只應出現應對「君問」之時。「記言之例，君問，則稱孔子以對，尊君也。大夫之問亦然，則非禮矣，盍稱氏以異乎？門人而去對，以降於國君者乎！」[7]胡氏據用例斷定此處乃問答之辭。「且他書之例，其若此者尤多，是以晁、洪、胡氏皆以為問答之辭，而今從之也。」胡氏還通過對《論語》用語來源之考察，指出其中所蘊含的思想意義。如指出「崇德辨惑」是古語，或當世通用之說，而夫子提出之，故子張、樊遲皆問及此。胡氏以為「或古有是言，或世有是名而聖人標而出之，使諸弟子隨其所欲，知思其所未達，以為入道之門戶也。」指出周公謂魯公「君子不施其親」之說乃周公告誡伯禽之詞，為魯國所傳誦，故夫子或與弟子言及於此。胡氏曰：「此伯禽受封之國，周公訓戒之辭。魯人傳誦，久而不忘也。其或夫子嘗與門弟子言之歟？」

五　詮釋特點

（一）立足字義而切合大旨

　　胡氏之解非常重視對文本的解讀，緊貼文本，簡潔切要。如「修慝」之解，從「慝」的字形構造上解釋語義，形象透徹，《集注》取之。「慝之字從心從匿，蓋惡之匿於心者。」如對「切切、偲偲、怡怡如也」之解，胡氏在詳盡剖析此三對詞語基本語義基礎上，自然引申出此章主旨在於針砭子路為學弊病。「切切，懇到也。偲偲，詳勉也。怡怡，和悅也。皆子路所不足，故告之。又恐其混於所施，則兄弟有賊恩之禍，朋友有善柔之損，故又別而言之。」《集注》對胡氏說之認可，有相當部分即為此類切合文義之解。如「孝哉閔子騫」章，《或問》稱讚胡氏獨得文義，「諸說善矣而於文義皆有未協者，惟胡氏為可通耳。」《集注》徵引其文，「胡氏曰：父母兄弟稱其孝友，人皆信之無異辭者，蓋其孝友之實，有以積於中而著於外，故夫子歎而美之。」胡氏此類之說往往簡潔而切要，常為《集注》所引。如「闕黨童子將命」章，胡氏提出此章本旨在於「抑而教之」，《或問》認為「得其旨矣」，《集注》徵引之。

7　此處後句點斷殊不可解，似為：大夫之問亦然，則非禮矣，盍稱氏以異乎門人，而去「對」以降於國君者乎！

（二）有理有據而別出新解

　　胡氏之解不僅切於文義，且常能別出新意，自成一說。雖非本文正意，卻能啟人思路，益人神思。如胡氏將「里仁」釋為「居仁如里，安仁者也」，不同於程門諸家之說，朱子認為「胡氏又自為一說，義皆可通，但恐或非本文之意耳。」「三年學不至於穀」章，胡氏主張「穀」應解釋為「善」，並引古書及方言為證，「穀，善也，成也。《爾雅》曰：『信善為穀』。言善之成實也。」今世方言亦以物之成實者為穀。朱子雖不取，卻仍稱讚之，因其有理有據也。在「甚矣吾衰也」章，胡氏詳細闡發了對夢的認識，涉及夢的普遍性、起源、變化、聖、賢、眾人夢之別等，強調夢有邪正，乃是個人白晝行為之反映，故學者應謹慎其言行。「胡氏曰：心為萬物之至靈，非但藏往，固能知來。凡天地古今之所有，無一外乎此者。無明晦、古今、遠邇、通塞之間。此人之所以有夢，夢之所以多變也。然聖人誠存，賢人存誠，則其夢治。若夫思慮紛擾，神情不定，則所夢雜亂。或正或邪，亦與旦晝之所為等爾。善學者既謹其言動，而又必驗諸夢寐之間。」

（三）勇於批判而謹慎闕疑

　　胡氏之詮釋，既具有強烈批判意識，同時又不妄加解說，秉持闕疑待解之謹慎態度。胡氏勇於批判前輩之說不合義理處，其批判鋒芒非常銳利，涉及佛老之說、功利主義、人格修養、風俗弊病、禮制偏失等。如在「貧而無諂」章，指出夫子對子貢之教導啟發，已達極其高明之境地，批評蘇軾「未至」之說乃佛、老餘緒。「夫蘇氏之意，豈以為將有忘乎貧富者，然後為至耶？此老佛之餘而非孔子之意矣。故胡氏非之曰：「貧而樂，非顏子不能，富而好禮，非周公不能。夫子所以誘掖子貢者高矣，猶以為未至，則孰可以為至者耶？」其說當矣。在「殷有三仁」章，批判蘇氏之解從功利角度論仁，計較嫌疑利害，偏離仁的本意。「如此是避嫌疑，度利害也。以此論仁，不亦遠乎？」「陽貨欲見孔子」章批判揚雄身、道分離之說，由此指出揚雄攀附王莽、劉歆，並作《法言》、《太玄》模仿《論語》、《周易》，自比於夫子，非常荒謬。「揚雄謂孔子於陽貨為詘身以伸道，雄之意蓋以身與道為二物也。是以其自為也，䀨勉莽、歆之間而擬《論語》、《周易》，以自附於夫子，豈不謬哉！」「子謂公冶長」章由聖人對婚嫁之態度，批判現實中因富貴、急難、媒妁、意氣等因素而締結婚姻的不良現象，倡導婚姻締結因以性行相配為主，反對錢色婚姻觀，強調女德、擇女的重要。「胡氏所論後世婚姻之失，尤為有補。胡氏曰：『聖人之於婚姻，參度彼已，如是之審，所以能保終而無敝也。後世或以富貴結，或以急難合，或憑媒妁兩美之言，或因意氣一時之諾。初未嘗深知二人之性行也。雖然，壻猶易見，女最難知。人多謹於擇壻，不能慎於擇女。逮德下衰，又

惟財色是迷而不思家之隆替，自內助始也。可勝歎哉！』」「禱爾於上下神祇」章批評禱告之禮不正，而且其中淫祀多端，由此推論後世祭祀典禮，太多不合乎禮義之處。「禱之為禮，非正禮也。而忠臣孝子切至之情，有不可廢者。故聖人之立制，猶盟詛之類爾。然君子不自為也，惟君父則可，而又必於其鬼焉。若非其鬼，則是淫祀而已，又安取福乎？子路所謂『上下神祇者』，殆非大夫之所得禱也。以此推之，後世祀典之失，又豈可勝言哉！」胡氏對經典詮釋保持一份存疑態度，於其中難解之處，不強為之解，而是以闕疑處之。此闕疑做法深得朱子讚賞。「吾猶及史之闕文也」章胡氏提出：「此章義疑，不可強解。」朱子《或問》認為此章文義難解，恐有闕文，稱讚胡氏不強行妄解的存疑態度更為可取，《集注》即引其文。

　　《論語詳說》之不幸佚失，無疑影響了學界對胡氏思想成就的認識，加之以胡宏、張栻為主的湖湘學主流對其不認同，導致胡寅在湖湘學派中長期被虛無化、邊緣化。目前學界關於胡寅之研究，多集中於其闢佛、史論、詩文方面，無法深入到胡氏極有成就之經學理學一面，實為憾事，本文之作，試圖稍彌此缺憾。胡寅《論語詳說》作為貫注其平生心血之作，具有深刻的思想內涵和獨特詮釋風格。它緊緊圍繞弘揚理學思想，指點為學工夫這一中心展開，同時又緊扣文本，注重對具體知識的考證和文本之考校，著眼於文本語義之闡發，既勇於批判，又謹慎闕疑，非常貼切的將義理、工夫、文本、知識結合起來，在繼承中體現出創新，實為《論語》詮釋之力作。該書無論在具體結論，還是在詮釋手法、詮釋態度方面，皆給予了作為晚輩的朱子深刻影響。《論語詳說》雖佚，但朱子《論語集注》在內容、形式上皆帶有《論語詳說》之痕跡，從這個意義上說，它並沒有散佚，而是通過《集注》在不斷的影響後人。故切實理會《論語詳說》之佚文，不僅為認識、評價胡寅，為推動湖湘學派研究所必需，而且對研究朱子《論語》學以至於宋代《論語》學皆具有重要的補充意義。

參考文獻

張栻　《南軒集》　《四庫全書》　第198冊　臺北　臺灣商務印書館　1986年

胡寅　《崇正辯斐然集》　北京　中華書局　1983年

黎靖德編　《朱子語類》　《朱子全書》　第14-18冊　上海　上海古籍出版社　合肥　安徽教育出版社　2002年

朱熹　《四書或問》　《朱子全書》　第6冊　上海　上海古籍出版社　合肥　安徽教育出版社　2002年

朱熹　《四書章句集注》　北京　中華書局　1983年

朱熹　《朱文公文集》　《朱子全書》　第23冊　上海　上海古籍出版社　合肥　安徽教育出版社　2002年

朱熹　《延平答問》　《朱子全書》　第13冊　上海　上海古籍出版社　合肥　安徽教
　　　育出版社　2002年

布袋彌勒文化中的人和理念與實踐意義

釋智蓮

泰國摩訶朱拉隆宮佛教大學，佛學研究院

一　前言

佛教傳入中國有一個中國化的過程，彌勒的中國化就是其中一個較為典型的代表。彌勒在五代後梁時化現為布袋和尚，就是一個典型的例證。其最初的原型是唐末明州奉化縣的契此和尚，五代後梁時期在江浙開始出現以契此和尚為原型塑成的笑容可掬的大肚比丘，以普通人形象出現的布袋和尚，並成為長期流傳和廣受歡迎、信奉的歡喜彌勒佛。

從現存佛教經典而言，彌勒對於後世之影響極為深遠。兩晉以迄民國，彌勒信仰深受無數大德高僧、文人、學者及信眾之推崇。在近代，彌勒信仰被太虛大師構建為「慈宗」，風靡一時。延綿千餘年，一直流傳至今的彌勒信仰，儘管他的文化內涵多種多樣，但是真正貫穿其中的只有一個核心，那就是彌勒精神：慈悲、忍辱、寬容與達觀，對於淨化人心，構建人間淨土、和諧社會具有重要的現實意義。

二　彌勒觀念的出現與布袋彌勒

彌勒菩薩（梵文：Maitreya；巴利文：Metteyya），漢譯為慈氏，是釋迦牟尼佛的繼任者，將在未來五十六億七千萬年之後在娑婆世界成佛，也可以說是娑婆世界的下一尊佛，在賢劫千佛中將是第五尊佛，常被尊稱為當來下生彌勒尊佛。

關於彌勒的記載最初出現在印度佛教典籍《阿含經》中，在《中阿含經》卷十三《說本經》、《長阿含經》卷六《轉輪聖王經》、《增一阿含經》卷十一《善知識品》等經書中都可以看到有關釋迦牟尼佛授記彌勒未來將降臨人世成佛的內容。

據彌勒經典所言：彌勒出生於古印度波羅捺國劫波利村波婆利大婆羅門家庭，名阿逸多。與釋迦是同時代人，後來隨釋迦出家，成為佛的弟子，他在釋迦入滅之前先行去世。[1] 據說，釋迦曾預言，他離開此世間後，將上生兜率天宮，為諸天演說佛法，直到釋迦滅度五十六億七千萬年以後，才從兜率天宮下生人間成佛，將在華林園龍華樹下三次說法，繼續弘揚佛法和廣度眾生。這一預言在《彌勒下生成佛經》有非常詳細的記

1　（宋）居士沮渠京聲譯：《佛說觀彌勒上生兜率天經》，《大正藏》第14冊，頁419。

載：「爾時彌勒佛於華林園。其園縱廣一百由旬。大眾滿中。初會說法。九十六億人得阿羅漢。第二大會說法。九十四億人得阿羅漢。第三大會說法。九十二億人得阿羅漢。彌勒佛既轉法輪度天人已。」[2]

佛經中言：若皈依彌勒，並稱念其名號者，死後往生於此天。彌勒是現在的菩薩，未來的佛，所以彌勒造像中有菩薩、佛不同形象的造型。[3]

為甚麼彌勒菩薩要以「彌勒」作為自己的名稱呢？佛經記載了其中緣由：

第一，是因其姓而稱名，因為彌勒是菩薩的姓，所以稱其為彌勒菩薩。如《注維摩詰經》曰：「什曰：彌勒，菩薩姓也。阿逸多，字也。南天竺婆羅門子。」又如在《佛說觀彌勒菩薩上生兜率天經》中，優婆離問佛：「此阿逸多具凡夫身，未斷諸漏，此人命終當生何處？其人今者雖復出家，不修禪定，不斷煩惱。佛記此人成佛無疑。此人命終生何國土。佛告優波離。諦聽諦聽善思念之。如來應正遍知。今於此眾說彌勒菩薩摩訶薩阿耨多羅三藐三菩提記。此人從今十二年後命終。必得往生兜率陀天上……」與諸天子各坐花座。晝夜六時常說不退轉地法輪之行。經一時中成就五百億天子。令不退轉於阿耨多羅三藐三菩提。如是處兜率陀天晝夜恆說此法。度諸天子。閻浮提歲數五十六億萬歲。爾乃下生於閻浮提……今此天主名曰彌勒。汝當歸依。應聲即禮禮已。諦觀眉間白毫相光。即得超越九十億劫生死之罪。是時菩薩隨其宿緣為說妙法。令其堅固不退轉於無上道心。如是等眾生若淨諸業行六事法。必定無疑當得生於兜率天上值遇彌勒亦隨彌勒下閻浮提第一聞法於未來世值遇賢劫一切諸佛於星宿劫亦得值遇諸佛世尊於諸佛前受菩提記……。[4] 在此經中釋迦牟尼佛亦稱彌勒菩薩為彌勒。

第二，是因為他修「慈心三昧」而獲得無上慈心而得彌勒之名的。如《賢愚因緣經》云：「何因緣故，得彌勒字？佛答：『過去久遠，於閻浮提中，有一佛出世，名曰弗沙佛。彼時有國王，名曇摩留枝。往佛所時，見一比丘入慈心三昧，形身安靜，放大光明。王見則問佛，此比丘入何三昧，光明乃爾？佛答王云：此比丘入慈心三昧。王聞此語，信增欽仰言：此慈心定巍巍乃爾，我亦修習此慈心三昧。爾時，曇摩留枝王，今彌勒是。於世則發此慈心，自此以來，常字彌勒。久習性故，至成佛時，猶名慈氏。』」

第三，是因為他有發慈悲大願的殊勝因緣而被稱為彌勒。所以《法華嘉祥疏二》說：「彌勒，此云慈氏也。過去值彌勒佛發願名彌勒也。」

《大乘本生心地觀經》也云：「彌勒菩薩法王子，從初發心不食肉，以是因緣名慈氏，為欲成熟諸眾生，處於第四兜率天，四十九重如意殿，晝夜恆說不退法，無數方便度人天，八功德水妙華池，諸有緣者悉同生。」可見，彌勒名稱之由來與其修「慈心三

2　鳩摩羅什譯：《佛說彌下生成佛經》，《大正藏》第14冊，頁425上。

3　《彌勒上生經》。

4　《佛說觀彌勒菩薩上生兜率天經》，（宋）居士沮渠京聲譯：《大正藏》，第14冊，頁418下。

昧」和發慈悲大願是密切相關的。[5]

但在上座部佛教《小部・經集》的「彼岸道品」（波羅延品）中記載，帝須彌勒（Tissa-metteyya）與阿耆多（Ajita，又譯為阿逸多）是佛陀的兩位弟子。[6]《中阿含經》記載佛陀授記他們兩位，一位成佛，一位成為轉輪聖王[7]。這兩部經典記載彌勒與阿逸多都是佛的弟子，且為完全不同的兩個人。

由以上內容來看，不僅釋迦牟尼佛是歷史上真實的人物，就是緊接著釋迦佛的未來佛彌勒，查閱關於彌勒身世的諸多記載，彌勒作為真實的歷史人物形象是相當清晰的。彌勒在成為神格化與作為崇拜對象之前，基本上是一個真實的歷史人物，是婆羅門之子，還受到釋迦佛的授記，是先於釋迦牟尼佛滅度的佛弟子，在後來的佛教發展中逐步被神格化。未來佛彌勒觀念的出現以及彌勒信仰的經典與圖像都反映出彌勒真實身份的相關訊息。[8]

未來佛彌勒觀念的出現在釋迦牟尼佛在世時就已經出現，以釋迦對於彌勒的授記為標誌，確立了佛弟子彌勒未來成佛的資格。真實的彌勒形象就這樣變成了未來佛，未來佛彌勒的觀念由此出現。未來佛彌勒觀念所包含的意義是：彌勒是釋迦佛授記的承繼者，未來佛彌勒是釋迦佛正法延續與流布的象徵，也將是未來佛弟子皈依的對象。從未來佛彌勒的觀念轉變為未來佛彌勒的信仰與崇拜是在釋迦佛滅後一百年左右發展與形成的。[9]

印度學者 Inchang Kim 認為作為未來佛的彌勒信仰在釋迦牟尼佛涅槃後就已出現，這與佛教在時間序列上的多佛觀念有關，在最早期經典《大史》、《尼迦耶科》、《阿含經》、《大菩提樹史》中都記載了佛教「過去佛信仰」這一佛教的重要觀念，與過去佛相對的、合乎邏輯的就一定有未來佛觀念的存在。因此 Inchang Kim 認為彌勒概念的出現可以追溯到佛陀在世的時代，未來佛的基本思想在佛滅後即已發展。[10]

彌勒在印度被大小乘佛教崇拜的事實以及阿含經中關於彌勒的種種記載，都顯示出彌勒信仰內涵的多樣性和不斷豐富的階段性。王雪梅老師認為，彌勒的信仰在印度經歷

5　黃誠，試論彌勒菩薩的慈悲精神，http://www.fjnet.com/fjlw/200808/t20080826_80363.htm。

6　在上座部佛教《小部・經集》的「彼岸道品」（波羅延品）中，帝須彌勒（Tissa-metteyya）與阿耆多（Ajita，又譯為阿逸多）是佛陀的兩位弟子。

7　《中阿含經》卷13：「尊者阿夷哆在眾中坐，於是，尊者阿夷哆即從坐起，偏袒著衣，叉手向佛，白曰：世尊，我於未來久遠人壽八萬歲時，可得作王，號名曰螺，為轉輪王。……爾時，尊者彌勒在彼眾中，即從坐起，偏袒著衣，叉手向佛，白曰：世尊，我於未來久遠，人壽八萬歲時，可得成佛，名彌勒如來。」阿夷哆即阿逸多的另譯。漢傳《雜阿含經》、《中阿含經》皆屬於上座系分裂出的說一切有部，而南傳《尼柯耶》則是上座系分別說部，同屬於上座部傳統。(《中阿含經》卷13，《大正藏》第1冊，頁509下-511頁中。)

8　王雪梅：《彌勒信仰研究》上海：上海古籍出版社，2016年10月，頁40。

9　王雪梅：《彌勒信仰研究》上海：上海古籍出版社，2016年10月，頁46。

10　Inchang Kim, The Future Buddha Maitreya, New Delhi:D.K.Printworld(P)Ltd.,1997,p.243.

了三個階段：最初的彌勒信仰形態就是對承繼過去佛、現在佛的未來佛彌勒（現在的彌勒菩薩）的崇拜。因為對彌勒未來成佛的期待，於是產生了彌勒下生信仰，這是第二種也是第二階段的彌勒信仰形態。因為對未來才成佛現在還是一生補處菩薩的彌勒的歸敬，於是又有了彌勒的上生信仰。這是第三種也是第三階段的彌勒信仰形態。

那麼彌勒信仰的早期形態是否就是彌勒淨土信仰？不是的，依據中國王雪梅著的《彌勒信仰研究》以及日本學者宮治昭《涅槃和彌勒的圖像學》書中提到，古印度彌勒信仰早期圖像是單尊彌勒菩薩像以及許多與過去七佛並列的彌勒菩薩像，與彌勒下生信仰相關的彌勒龍華圖像以及與上生信仰相關的兜率彌勒菩薩等像卻是比較後起的圖像形式。實際上，在印度，從來就沒有出現過作為彼岸世界造型的淨土圖，彌勒圖像也從未發現過淨土型的圖像形式。從古印度流傳的彌勒信仰經典來看，更多的不是要求生到未來彌勒佛的人間淨土或兜率淨土，而是對彌勒決疑或彌勒說法的信仰。

王雪梅老師認為淨土型彌勒信仰只是古印度彌勒信仰後期發展的一個形態。[11]

本文用「彌勒文化」是因「彌勒文化」是對彌勒的信仰以及對彌勒精神的崇尚而形成諸多文化現象的總和。因此，探究彌勒文化首先必須認識彌勒本人以及彌勒所蘊含的精神是甚麼？彌勒佛是中國民間普遍信仰、廣泛尊崇的一尊佛，不但在中國漢地佛教寺院中供奉著他，即便在民間也是普遍供奉的，足見其影響之大。

這裡所說的彌勒文化若從時空上來說包含了印度的彌勒文化、兩晉時期、隋唐到五代的中國彌勒文化、以及五代以來的布袋彌勒文化。

本文探討的彌勒文化是指布袋彌勒文化，出現於唐朝末年五代時期的布袋和尚，是彌勒中國化過程中一個新的變化，作為布袋和尚契此本人而言，也許他的出現帶有幾分偶然，但是，在後來的歷史發展中，中國民眾最終選擇了布袋和尚作為彌勒佛，卻是歷史的必然。布袋和尚的誕生是印度佛教文化與中國本土文化相互融合的結果，他從一位莊嚴肅穆的未來彌勒佛下生人間轉變為笑口常開的布袋和尚走進了普通百姓的生活，其形象展現了慈悲、忍辱、寬容與樂觀等品格與精神，成為佛教人文精神人格化的典型，以致彌勒信仰在社會諸多領域體現出顯著的入世化特色。

關於契此和尚，依據《佛祖歷代通載》卷十七記載，契此和尚係明州奉化縣人（即今寧波奉化縣）。[12] 他是一個遊方僧人，由於契此和尚圓潤豐滿、滿口堆笑，手持布袋，坦胸露腹，圓寂前，曾留下偈頌：「彌勒真彌勒，化身千百億，時時示時人，時人自不識」，因此被認為是彌勒菩薩的化身，所以此後彌勒菩薩的塑像就經常被塑成福態常笑、豁達大度的布袋和尚的慈愛形象，常被稱為笑佛、歡喜佛、大肚彌勒佛。

契此和尚的形象也經歷了一個較為漫長的演化過程，首先他是一個僧人的形象，而

---

11 王雪梅：《彌勒信仰研究》上海：上海古籍出版社，2016年10月，頁37。

12 《佛祖歷代通載》卷十七載：「布袋和尚名契此，又號長汀子，明州奉化人。」

第一次將現實社會中的契此和尚形諸於文字記載的，是宋朝初年的贊寧大師。

　　贊寧大師生於西元九一九年，其幼年出家，生活於杭州一帶，或許早就聽聞過契此和尚的事蹟，也見過契此和尚的畫像；而編撰《宋高僧傳》是從西元九八二年開始的，距契此和尚活動時期約八十年。所以，我們可以推斷，贊寧大師幾乎是較為客觀地實錄了契此和尚的事蹟，但是，此時贊寧大師的身份是大宋朝的副僧錄，又曾經是吳越王的僧統，而且，《宋高僧傳》也是贊寧奉敕編撰，屬於官修，在實錄時可能採取了較為保守的態度，對契此和尚的事蹟及種種神異的傳說材料進行了遴選，沒有過多的種種神異，而是站在採集者的立場上，用極其簡潔的語言予以記錄。這一次對契此和尚的記載，也成為彌勒菩薩在宋代被演繹的一個母本。在宋代的佛教史籍中，記載有布袋和尚傳記的著作除了釋贊寧的《宋高僧傳》、還有釋道原的《景德傳燈錄》、釋普濟的《五燈會元》和釋志磐的《佛祖統紀》等。

　　在《景德傳燈錄》裡，作者直接用了「明州布袋和尚」作標題，而原來的契此僧名也讓位於「自稱名契此」；另外，在此書中契此和尚已經以「布袋和尚」冠名了，這可以看作是布袋和尚的初步的演繹。[13]

　　到了《五燈會元》，變化有兩點，一是「布袋和尚」在民間已定型，二是愈來愈明顯地向禪宗方面演繹，從這裡可以推出，禪宗在江浙一帶的發展狀況。這樣，契此和尚就由一個神異僧人形象，向一個智慧、快樂的禪師演變，而且似乎已成為一代禪宗祖師的形象了。

　　而在宋志磐《佛祖統紀》卷四十二載：契此和尚的形象不僅僅是一個禪宗祖師了，而是活靈活現的古佛化身，是彌勒佛化身，所記載的史實與前面幾種文獻相差很大了，記錄模式也發生了變化。首先是「只履歸西」，其次是「十六群兒戲彌勒」，再次是「師背一眼」等這種極為特殊的事典，唯有佛陀再世或者化現才有可能。另外，原來記錄中的不言其名的人，都變得有名有姓，而且在結尾還增加了「青瓷淨瓶」和「六環錫杖」等法器。這樣，一個完全中國化的「大肚彌勒佛」的形象就被演繹完成了，我們稱之為「布袋彌勒」，由江浙而傳遍全國各地，而東渡扶桑。大致北宋時就已很流行，杭州南山區的煙霞洞內就有北宋造的布袋彌勒，其神情姿態還比較規矩，對胖和笑的特徵還沒有太過分的強調。最有名的布袋彌勒，則是附近的靈隱飛來峰壁上開鑿的那一鋪，據傳也是宋代的作品。這個已成為靈隱造像代表的彌勒，隨意地斜靠著石壁，右手搭一只大大的布袋，遙遙對著通往靈隱的石徑，張口笑迎，眉毛漾開，眼睛幾成兩個月牙，具濃厚的世俗化人情味。[14]

　　其精神內涵正如許多學者所指出的那樣，是和藹、慈悲、忍辱、寬容、達觀和智

---

13 王寶坤：彌勒中國化與布袋彌勒文化的精神內涵，佛教線上網。

14 朱剛：《中土彌勒造像源流及藝術闡述》，佛緣網。

慧，而在現實生活中則體現出簡易、樸素、無欲無求的親切感，還帶有幾分灑脫、自在，即混跡於世俗，又不為世俗所束縛的解脫感。這就是中國化的彌勒佛。[15]

三　布袋彌勒文化中的人和理念

（一）人和理念的內涵

甚麼是人和，如何在現實生活中實踐？星雲大師言：和是普世價值，是世間最可貴的。擁有金錢、財富、感情，如果沒有和，等於沒有一切。和諧，就像人的面孔，五官儘管不同，但和諧就會美麗，五臟六腑不同，和諧就會健康。

星雲大師倡導人生五和，第一個是自心和悅，就是從自己開始做起，所謂家和萬事興、人和萬事通，社會和諧了，自然就能世界和平。[16]

奉化的布袋和尚，之所以能夠成為彌勒未來佛的應化之身，正在於他的慈眉善目、笑口常開、大肚能容、隨遇而安的形象和作為，生動展現了中國人崇尚和樂的精神。和樂、和樂，和諧而歡樂——這正是從古至今，中國百姓對未來最樸實無華的願景；這也正是中國文化仁愛寬厚、圓融和同理念與印度佛教慈悲覺他、平等中道、離苦得樂理念的深度契合。奉化的布袋和尚以他的開心一笑，提升和充實了佛教有關未來的現實內容和人間價值；古印度的彌勒也因之而深入了中國的人心，受到廣泛持久的信奉和喜愛。[17]

布袋和尚所蘊含的和樂精神主要體現在以下幾個方面：慈悲不殺、忍辱寬容、禮讓謙遜、樂觀與知足、隨緣善度、淡泊名利與看破放下。

要將這種和樂精神落實於當下就是要努力建立今天的人間淨土，成就人間佛國。為此必須從現在每個人當下的清淨正行，修習十善福德去成就之。人間淨土也可以說就是和諧社會的理想狀態。構建這種理想狀態，必須先具備慈悲心，以人間凡夫的立場，行菩薩正行，拔除眾生的一切苦難，使眾生都能得到安樂。

（二）人和理念落實於現實生活

1　慈心不殺

彌勒菩薩從因地初發心就慈心不殺不食肉，修「慈心三昧」而獲得無上慈心因而得彌勒之名。

---

15 王寶坤：彌勒中國化與布袋彌勒文化的精神內涵，佛教線上網。

16 選自星雲大師：《人間佛教語錄》上海：上海文化出版社，2013年。

17 齊曉飛：《彌勒笑容的啟示》，佛學研究網。

　　不殺生是佛教戒律中五戒之一，也是十善之一。不殺生是培養我們的仁德慈悲之心。多一分慈悲則少一分暴戾，增一分溫馨，則減一分怨氣；人們則會安於本位，心平氣和，愛惜自己，珍惜含靈；持身處世不但尊重自己、尊重他人，也會尊重一切眾生，以達「普賢禮敬諸佛」之修養，從而與大自然中的有情眾生和睦共處，統籌人與自然的和諧發展，維護自然界的生態平衡。所以不殺生為佛教中第一根本戒條。[18]

　　若從佛教因果角度來說，我們傷害生命，或以打獵為生。雙手沾滿鮮血，從事殺傷之業，殘害有情，當他再獲人生時，因殺生之報，即受短命。若遠離殺戮，放下屠刀，慈悲一切眾生，再獲人生時，因戒殺之報，即得長壽。若我們慣以拳頭、瓦塊、棍棒、刀劍傷害他人，再獲人生時，百病纏身，此乃損傷之報。若我們無害人之習，再獲人生時即得享受健康之樂，此乃無害之報。因此不殺生是培養我們的仁德慈悲之心，由於不殺生現實生活中就可以遠離刀兵劫，廣結善緣。

　　佛陀教導我們要發展慈悲心，過著比較安詳和諧的生活，並藉此幫助他人也過著安詳和諧的生活，因為慈悲心讓我們與所有的人共用內心所發展出來的安詳與和諧。

　　甚麼是慈悲呢？Mijjatisiniyhati' timetta：使人趨向友善的氣質就是慈悲。它是一種善願，期望所有的人都善良與幸福，並遠離惡念。

　　Adoso' timetta：不瞋恨即是慈悲，慈悲的首要特性是一種仁愛的態度，當一個人能認同所有的生物，對所有的生命均懷有同胞感，正是慈悲的最高境界。

　　佛陀說，「在這世上，恨絕不能止恨，唯有慈愛方能止恨；這是永恆的真理。」（法句經 5），這是普遍的自然的法則。[19]

　　只在理論上掌握這種觀念非常容易，但要發展出這種態度，則困難得多。要靠練習才能達到，也因此在南傳佛教裡有慈悲觀的技巧，有系統地培養對待其他生命的善意。為了達到真正的效果，慈悲靜坐必須配合內觀靜坐同時修習。只要是瞋忿之類的負面情緒仍占據心中，就無法發出善念，而徒然成為缺乏內涵的儀式。然而，如果負面情緒經由修習內觀而排除，善意自然會在心中湧現，從自我執著的牢籠中釋放出來，我們便開始關切他人的福祉。

　　但我們僅僅在心裡盼著這種慈悲心是不夠的，一定要先淨化心靈，才能達到這種境界。

　　在修習時，我們發覺這世界與自己本身的基本實相是由時時刻刻的生起滅去所組成的。這種變化的過程不斷進行著，不受我們主宰，也不隨我們所願。漸漸地，我們了解執著於短暫與非實質的一切，會為我們帶來痛苦。我們學著超然，不執著，面對任何經驗均能保持平衡的心境。然後我們開始體驗到真正的快樂；不是欲望的滿足，也不是恐懼的防堵，而是從欲望與恐懼的循環中解脫出來。一旦內在的寧靜得到發展，我們即可

18　中國佛教網 http://www.ebaifo.com/fojiao-144370.html。

19　中國內觀網 http://vipassana.sutta.org/discourse/discourse-17.htm。

清楚看見別人如何陷在痛苦中，也就自然生出如此的願望：「願他們發現我們所發現的：脫離痛苦的方法，與安詳之道。」這就是修習慈悲觀的適當願心。

這種慈愛的態度，使我們在處理人生的浮沉變遷，更有技巧。譬如，遇到有人蓄意傷害他人，一般的反應是自我中心，帶著恐懼與憎恨去回應，這並不能改善狀況，反而會擴大負面；相反的，保持平穩平靜，對即使是行為偏差的人都心存善意，這麼做幫助會更大。這絕不能僅是知性上的理解，或只是粉飾未排解的負面情緒。只有從淨化的心靈中自然流露出的慈悲觀，才會真正有效。[20]

星雲大師在其文集中幸福之門這篇文章裡曾這樣說到：經典中說，有兩種田是我們要勤於耕種的。一是敬田，二是憫恤孤苦貧窮之人的「悲田」。

佛陀告訴弟子：勤於照顧窮苦貧病的人，功德與供養佛陀一樣。因此，律己勤懇精進，待人慈心悲憫，能夠招來祥和的磁場。

《華嚴經‧普賢行願品》云：「菩薩若能隨順眾生，則為隨順供養諸佛；若於眾生尊重承事，則為尊重承事如來；若令眾生歡喜者，則令一切如來歡喜。」彌勒菩薩就是為了隨順眾生，令眾生生起歡喜心，他認為能夠令眾生歡喜就是使諸佛菩薩歡喜。彌勒菩薩之所以這樣做就是對眾生懷有無限的慈悲之心，寧願自己受點嘲諷，也不願讓眾生痛苦。

我們從布袋彌勒身上，讓人真真切切地感受到覺他、利他的無私情懷。他處處為眾生著想，熱情佈施，給眾生予快樂和幸福，這才是慈悲。

2　忍辱寬容

布袋彌勒精神中人和理念最大的特點就是忍辱寬容，也就是布袋彌勒所具有的另一個品格。

明朝儒者王錫爵說：「忠恕為存心之本」。在佛教裡講，恕則是一種放下，當我們拒絕寬恕他人的錯誤，其實受到最大折磨的正是自己。你看，蛤蚌能包容跑進身體的砂粒，才有璀璨晶瑩的珍珠；假如我們也能以寬大的胸襟來包容異己，必定自己內心會先感受到溫柔敦厚的祥和之氣。

孟子說：「仁者無敵」這個「仁」字包含了「包容」的意思。

真正做大事業、有大成就的人，都需要有寬大的胸襟和容人的雅量，你能容人，別人才能容你。而且不但要能包容各種人，還要能容人之長、容人之短、容人之功、容人之過。

一個領導者的氣度愈寬大，才能使眾人歸心，為己盡力。史學家班固說：「上不寬大包容臣下，則不能居聖位。」當年齊桓公不計管仲一箭之仇，反而用他為相，終而成

20　Vipassana 內觀禪修公眾號，vipassanameditation。

就霸業；諫議大夫魏徵曾勸李建成早日殺掉秦王李世民，後來李世民發動玄武門之變當了皇帝後，不計前嫌重用魏徵，因此魏徵為李世民出了不少治國安邦的良策，成就了史上的貞觀之治。可見得身為將相領導者，固然要有知識、能力，但他的胸襟、氣度更為重要，所以說將相的頭頂堪走馬。

　　一個人的氣度、修養，必須經過各種試煉、考驗才慢慢培養出來的，所以縱使受盡天下百般氣，歷盡了各種的委屈，各種的糟蹋，不但不能有怨恨，反而要能包容他，如此器量自然能日夜增長。秦穆公不計恨走失的駿馬被人吃了，反而賜美酒招待。至今「秦穆飲盜馬」仍為後世所傳頌。

　　有一首詩偈說得好：「將相頂頭堪走馬，公侯肚裡好撐船，受盡天下百般氣，養就胸中一段春。」[21]

　　人的心中如果只有自己，在人生的旅途上就會很孤單。人與人、人與物，都是相依相生而存在的，所以，我們的心量越大，人生的境界就越寬廣。可以包容一個家，家就是你的；可以包容一個社會，社會就是你的；可以包容一個世界，整個世界就全是你的。涵容萬物，與萬物和諧相處，包容是最美的情誼，更是人生無比的富貴。而「富貴」是傳統觀念中的五福之一，然而事相上的富貴並非絕對，你有千萬，他人就有億萬，隨逐高低，徒增煩惱；還不如尋常百姓，心地清淨，日日快活自在，此乃真富貴也。一切因緣隨心念轉，真要求富貴，必須從心開始，時時存著好心、善念，修福聚德，自然世代富貴。[22]

　　布袋彌勒在他的一首偈中說到：「是非憎恨世偏多，仔細思量奈我何，寬卻肚皮長忍辱，放開笑聲暗笑磨。若遇知己需依份，縱遇冤家也共和。能使此心無掛礙，自然證得六波羅。」

　　彌勒菩薩的忍辱是常人難以想像的。對於彌勒菩薩的忍辱，在彌勒〈忍辱偈〉中有云：「老拙穿衲襖，淡飯腹中飽。補破好遮寒，萬事隨緣了。有人罵老拙，老拙只說好。有人打老拙，老拙自睡倒。涕唾在面上，隨他自乾了。他也省力氣，我也無煩惱。這樣波羅蜜，便是妙中寶。若這知消息，何愁道不了。」

　　這首偈語不僅表明彌勒菩薩對生活少欲知足，一切隨緣，而且還能夠忍受常人難以承受的奇恥大辱——當有人罵他時，他只說好；有人打他，他自睡倒。有人吐痰在臉上，他也任其自乾。並且心中沒有絲毫嗔恨之心。彌勒這種忍辱之行，對於我們一般凡夫俗子來說，是很難做到的。所以，彌勒菩薩之所以能夠這樣做，就是在告訴我們，對於別人強加給自己的侮辱，我們一定要有難忍能忍，難行能行的忍辱精神，這樣不僅能夠使自己全身遠禍，而且還可提高自己的心性修養。

---

21 星雲大師談人格養成‧容人之量，南京雨花精舍佛光青年公眾號。

22 《大師文集‧富貴的人生》。

彌勒的忍辱寬容精神人人皆知，那種「大肚能容容天下難容之事，慈顏常笑笑世間可笑之人。」的達觀精神千百年來在中國民間一直受到廣泛的尊崇。

3　禮讓謙遜

要想和睦相處，其樂融融，除了忍辱、寬恕、包容，還要禮讓謙遜。所謂「謙受益，滿受損」。有些人時常習慣「意氣之爭」或「據理力爭」，殊不知，你贏了理，卻輸了人情。一個人如果老是想為自己爭一口氣，不讓半步，不肯吃一點虧，必然無法維護良好的人際關係。所以我們要想招感祥和，為人處事就要：多說好話、多一些禮貌、多一些謙虛、多一些讓步。[23]

4　樂觀與知足

彌勒菩薩展現給人的另一種品格是不論身處何境，都保持著樂觀豁達的心態。布袋和尚作為彌勒菩薩的應化身，一直過著「一缽千家飯」般的居無定所的生活。雖然漂泊不定，生活並不富足，但他一直以樂觀的心態來為人處世，所到之處都給人帶來無窮的歡樂。

彌勒菩薩曾經作過一首〈布袋偈〉：「行也布袋，坐也布袋。放下布袋，何等自在。」布袋和尚作為一位出家人，只有一只化緣用的布袋隨身攜帶。所以說，「行也布袋，坐也布袋。」因為他胸懷豁達，無憂無慮，無牽無掛，安貧樂道，所以能夠「放下布袋，何等自在」。

正如星雲大師所言：知足是最大的財富：不能知足的人，即使把地球上所有的財富都給他，他都還是貧窮的，因為內心永遠覺得不夠。不夠就是貧窮，感受不到富足的快樂，所謂「財多愈求，官高愈謀，人心不足，何日夠休」，所以，最大的財富不是我擁有多少黃金、多少不動產、能做多少投資等，而是我很滿足，能有「身安茅屋穩，性定菜根香」的怡然自得。

一個人滿不滿足、快不快樂，並不在於他擁有多少，或是別人如何對待他，關鍵在於自己心裡的感覺，以及看待事情的角度。世間萬法都是由心念所產生的，如果我們能感恩、知足，生活就會滿足。即使已經一無所有，但如果對喝一口水、吃一口飯，甚至呼吸一下空氣，都覺得滿足，認為應該感謝的話，便能天天都活在知足、感恩與快樂的世界裡了。

1　隨緣善度

隨緣善度是一種人生態度，布袋彌勒告訴我們：人生不如意事十之八九。我們應當

23　《大師文集・幸福之門》。

學會隨緣善度。彌勒認為，每個人現世所過的順境逆境都是自己的「業感」所致。當我們過得春風得意時，應當處之淡然，但遇到坎坷不平時應當坦然面對。要有「不以物喜，不以己悲」的心態，不計較恩怨得失，以平常心對待各種波折和磨難。

2 淡泊名利

布袋彌勒殷勤期望眾生都能從名利場中解脫出來，他在詩偈中說：「世人愛榮華，無不爭場面，名利總成空，貪心無足厭。」短短幾句話既指出人性的弱點，也給人們提出了警示。古往今來，很多人被貪嗔癡之心所迷，貪財圖名，不知滿足。在現實生活中，因貪財圖利所引起的禍害無處不在。小則損人利己，大則傷身害命。彌勒指出，世人爭名奪利都是貪嗔癡所致，最終都會成為泡影，他告誡眾生：「萬般帶不去，唯有『業』隨身。」

3 看破放下

很多時候，我們看不破，所以才放不下。彌勒菩薩常常勸人看破放下，認為只有對世事都能看破放下才會以平常心態對待成敗得失，做到功成名就不自大，失意之時不悲觀。偈曰：「金銀積如山，難買無常限，古今多少人，哪個活幾千？」他勸人放下世人難以捨棄的一切。然後回頭認真修行。如果人們對一切都能看破放下了，就不會被名利心所困，也不會被世俗所擾，就能真正做到「心無掛礙」，活得舒心自在。

四　布袋彌勒文化中人和理念的實踐意義

布袋彌勒菩薩形象所展現的慈悲、忍辱、寬容與樂觀等的人文精神和理念，更對當下建設人間淨土、社會風氣的改善仍有莫大的裨益。

將來彌勒菩薩下生人間於華林園龍華樹下三次說法，以五戒十善教化人類。使人類一心向善、慈心不殺、持戒、忍辱、和樂，嚮往和諧、至善至美的人間淨土。在《彌勒下生經》中描述彌勒下生成佛時的理想國度是「土地豐熟，人民熾盛，街巷成行，穀食豐茂，多諸珍寶，村落相近，雞鳴相接，穢惡自消，四時順節，人身無八百之患，人心均平，相見歡悅……」。

這種未來佛彌勒的理想國度落實於當今社會就是要努力建立今天的人間淨土，為此必須從現在每個人當下的清淨正行，修習十善福德去成就之。提高全民道德素養、淨化人心、改善當前的生存環境、改善世風，成就人間佛國。布袋彌勒精神給我們的啟示是人們要心懷包容，淡泊名利，樂觀知足，達觀生活，慈悲和善待人。常懷平常心，凡事隨順因緣，才能自在。不過於計較是非曲直，笑看人世間花開花落。這不正是我們如今所追求與嚮往的理想社會的狀態，人間佛國嗎？

　　因此心中有信仰是最好的品德。我們信仰彌勒精神，心中便有了慈悲、道德，對社會有一份責任感。為了實踐心中的信仰，人就願意奉獻自我，服務大眾，散發生命的光熱，開發真、善、美的品德。這就是信仰的價值，信仰所帶來的富貴。[24]

五　結語

　　從布袋彌勒所蘊含的精神中，我們可以看出彌勒作為未來佛，他的思想核心就是通過對眾生進行正面的教化，培養眾生自己的慈悲心、忍辱、寬容與樂觀的品格，從而應當努力修學佛法，成為一個品格高尚的人。正如太虛大師所言：「仰止唯佛陀，修行在於完善自身人格；人成即佛成，是名真現實。」

　　最終實現和平、和諧、光明、幸福快樂的社會。我想，這也是今天探討布袋彌勒文化的現實意義與實踐意義所在。

參考文獻

（宋）居士沮渠京聲譯　《佛說觀彌勒上生兜率天經》　《大正藏》第 14 冊

鳩摩羅什譯　《佛說彌下生成佛經》　《大正藏》第 14 冊

《大乘本生心地觀經》　《大正藏》第 3 冊

（後秦）僧肇　《注維摩詰經》　《大正藏》第 38 冊

《中阿含經》卷 13　《大正藏》第 1 冊

南京大學宗教與文化研究中心　中共奉化市委統戰部編　《彌勒文化與和諧社會》　寧波　寧波出版社　2008 年 9 月

宋達軍　《彌勒文化的當代價值》　《寧波通訊》　2013 年

星雲大師　《人間佛教語錄》　上海　上海文化出版社　2013 年

王雪梅　《彌勒信仰研究》　上海　上海古籍出版社　2016 年　頁 46

Inchang Kim, The Future Buddha Maitreya, New Delhi: D. K. Printworld(P) Ltd., 1997, p.243.

王殿卿　《佛教戒律與公民道德》　中國佛教網　2001 年 10 月

朱　剛　《中土彌勒造像源流及藝術闡述》　佛緣網

齊曉飛　《彌勒笑容的啟示》　佛學研究網

佛教網　http://www.fjnet.com/fjlw/200808/t20080826_80363.htm

中國佛教網　http://www.ebaifo.com/fojiao-144370.html

---

24 《星雲大師文集・富貴人生》。

中國內觀網　http://vipassana.sutta.org/discourse/discourse-17.htm

中國內觀網　http://vipassana.sutta.org/discourse/discourse-17.htm

彌勒線上　http://www.mile.ccoo.cn/bendi/info-69997.html

Study on the Garden Writing of Lu You's Poems in His Late Life[*]
陸游晚年詩的庭園書寫

Ma Dong-yao, Zhou Pei
馬東瑤、周沛

School of Chinese Language and Literature, Beijing Normal University
北京師範大學文學院

Lu You returned Shanyin and built a villa at Sanshan of Mirror Lake in 1166[1]. Since then, Sanshan not only became the main residence of Lu You in his late life but also the spatial dimension of his poetry writing, though he had also gone out to be an official sometimes. As a typical literati garden[2], the villa in Sanshan and the living period about nearly half a century provide space and time for Lu You's later poetry writing. This space-time expression not only presents Lu You's personal characteristics, which can help to make a deeper understanding of Lu You rather than the simple cognition of "patriotic poet", but also shows the general characters of the retired literati in Song Dynasty[3] and provides a typical case for

---

* This paper is the stage result of Youth Project of National Social Science Fund "Chinese Ancient Literati Garden and Literary Writing" (Project No. 11CZW051) and the Central University Basic Scientific Research Fund Project " the Inheritance of Ancient Literary Classics and the Establishment of Chinese Humanistic Spirit" (Project No. SKZZB2015030).

1 According to the self-annotation of Lu You's poem "Live Away from Society", he "chose Sanshan for building his residence since 1166." All the poems cited in this paper are from Lu You & Qian Zhonglian. *Collation and Annotation of LuYou's Collected Poetry*. Shanghai: Shanghai Classics Publishing House, 2005.

2 "Literati garden" refers to the gardens and the residences of literati. It is different to the meaning in the architecture field, which emphasizes on the feature of the garden in physical space, whereas, the cultural significance of semiotic, symbolic and imagery of the gardens are stressed and highlighted in understanding the meaning of "Literati garden", which has more correlation with literary writing, though it still has aesthetic pursuit on architecture and landscape. In reference to Ma Dongyao & Wang Runying.(2013). The Garden of Literati and the Literati's Poetry of Garden: To focus on Yang Wanli's Poems on his Dongyuan Garden. *Journal of Beijing Normal University(Social Sciences)*,(1),88-95.

3 The retreat from the official position of literati in Song Dynasty includes resignation, retirement and sinecure. To understand this problem, please in reference to Lin Yan. (2016). Lu You's Country Life and

understanding a large number of such poems.

I Outside the Hengmen are Fields and Country

Lu You built his villa on the side of the beautiful Mirror Lake, ten miles away from the urban area, enjoying both the convenience of the traffic and the tranquility of the countryside. Compared to the literati gardens of the same period, Lu You's garden is not as luxury as Zhang Zi's South Lake Garden, or as elegant as Fan Chengda's ShihuVilla, but it also has its own plain charm with several rooms and a garden of five acres, in which there are herbary and vegetable patch, planted with bamboo, plum, begonia, palm, peony, and so on everywhere. It is quite similar to Yang Wanli's Dongyuan Garden, but it is still different in that Lu You repeatedly called his residence "Hengmen" in his writing, which seems to be meaningful.

As well known, "Hengmen" is a word from the "Book of Songs" that "Beneath my door made of cross pieces of wood, I can rest at my leisure"[4], refers to rough and shabby shelters and extends in meaning of "the residence of a hermit". So what is the meaning of "Hengmen" in Lu You's Poetry? Above all is certainly the acceptance of the classics, just as the poetry "Feeble and Sick" says "living under the door made of cross pieces of wood reflects the spirit of the hermit, and clothed in sackcloth is the style of the ancients", in which Lu You emphasizes the relationship between the door and the hermit. But most of the time, Lu You does not directly relate "Hengmen" to seclusion, but takes it as an important symbol of his life in Sanshan, and gives it more connotation than "Seclusion".

"Hengmen" sometimes directly refers to the villa in Sanshan, or just used in a general sense of simple and primitive habitat, such as the poem "Hengmen" says "gathering and living away from the society in the beautiful rural scenery", and "Inscribed Poem Casually on Post-house Wall" says "urns are filled with wine in each family and people living in Hengmen are farmers". But more often, "Hengmen" exactly refers to the gate of the villa in Sanshan that is an entity can be opened and closed, and can be relied on. Meanwhile, it also has a strong symbolic meaning that inside Hengmen is Lu You's living place and spirit home, whereas outside it is correlated with natural landscape, farmers and fishermen, and also with the society, government, Central Plains and country, thus showing the two different worlds in Lu You's

---

Self-consciousness in His Old Age—The Embodiment of "Retired Literati-Official" in Southern Song Dynasty. *Journal of South China Normal University(Social Science Edition)*, (1), 29-42.

4　Cheng Junying& Jiang Jianyuan.Annotation of the Book of Songs. Beijing: Zhonghua Book Company, 1999:367.

poetry.

Lu You always said he stand leaning against the door in his poems, such as the poem "Riding to Village Shiyan in a Palanquin" says "got home and leaning against the door for a long time makes me become aware of the long day in spring", looking afar beside the Hengmen, Lu You sensed the seasons, and enjoyed the natural scenery of green mountains and rivers. Many other poems are directly titled in Hengmen, such as "Hengmen", "Lean against Hengmen", "Look Afar at dusk at Hengmen", and "Recollection at Hengmen". The poet described the peaceful and beautiful pastoral scenery as the upward smoke, hovering birds, white river, green fields and glory maple trees. With the changing of seasons, the scene is different from drizzling to sunset, all of which comfort the poet who is indifferent to the society affairs. Leaning on Hengmen and looking afar, the poet cannot help remembering the history after Song Dynasty moved southward. As his saying in the poem of "Recollection at Hengmen" that he was "the only one left in more than a hundred persons in his family", the family history is undoubtedly also the country's history in the changeable situation, however the poet did not write all these things into a long piece, like Du Fu did, but only ended the whole poetry with all sorts of feelings, saying that he "was fortune enough to get food from farming and will speak no more", among which is the satisfaction of returning to the hometown, and more about complicated and subtle moods cannot described in words.

All the above poems are poet's pondering and meditating when leaning on and overlooking at the door, while in many other poems, which are not directly titled in "Hengmen" but also written about it, the relationship between the author and other people are becoming the point, for example, the poem "Stand Alone" says "at sunset I was standing alone outside the door made of cross pieces of wood and staring village children learning fishing", and "Living in the Countryside" says "at sunset I was talking with the farmers and woodmen at the door". Although the poet is still "stand alone at Hengmen", but the object of his view is no longer natural scene, but the "fishing children". That image and the farmers and fishermen are also usually presented in Wang Wei's Pastoral Poetry, such as "Farm Houses around the Wei River" saying "the farmer concerned about the shepherd boy and waited at the wooden door on crutches" and "ploughmen shouldering the hoe met and warmly talked so that they were reluctant to part each other". However, there are different spiritual interests behind the similar description. The representation of Wang Wei on farmers is different from that of the natural landscape and scenery, which is in a subject view rather than an integration of subjectivity and objectivity reflected in the latter one. The farmers' returning home is just a symbol of Wang Wei's spiritual pursuit. The "conversation at theHengmen" that Lu You shown is not between the farmers or fishermen, but between them and the poet,as the poem "Expression of Feeling at Night" says that "both my son and I like inferior meals and always make friends with farmers and fishermen", in which the fond of inferior meals laying a foundation to his equal communication with the farmers and fishermen. In the poetry of "Fine Weather in Day Jiazi", the author further called himself "farmer", and joyously described the scene of "sheep scattered village, Hengmen is below the clear and bright sky", and at that time he celebrated harvest with the villager. This kind of description cannot be found not only in Wang Wei or MengHaoran's poetry from the view of aristocrat, but also cannot be seen in contemporary poets Fan Chengda or Yang Wanli's writing. Fan Chengda is famous for pastoral poems, and Yang Wanli also lived in countryside as Lu You, but their description of farmers is also from the onlooker's perspective. The difference may be related to Lu You's clear family concept of "cultivation and reading" so that no matter holding an official position or farming are just the ways of surviving in his point of view. The poem "Grow Old" describes that "the footprints of the livestock left on the mean streets, and birds are singing on the door. It's lucky I'm still healthy in New Year so I intend to engage in farming this spring". In this kind of poems, "Hengmen" is a symbol of the peaceful and simple rural life.

However, there is another world outside the "Hengmen". The natural scenery and the farmers and fishermen give the poet peace and tranquility, whereas, on the contrary, the other world which is boundless and consists of Central Plains and country, always blows up tremendous emotional storm. The poem "North of the House" describes that "In autumn days, paths wind through the plain and under the sunset is my shabby house. Smoke disappeared at the mountainside and the streams rose up to connect with Hengpu River. The advancing age cannot mask as the hair at temples is thinning, and the poverty is an inescapable fact as the worn clothes shown. Singing loudly, I am contented and enjoy myself, and leave all the worries behind the seclusion. The poet expressed his worries in the description of the bleak and desolate sight. What are the "worries" exactly? The answer is clear in the poem "Summer Chants" that "at the wooden door is a bald-headed old man who is remembering the old days, but all the past things have turned into emptiness and gone away, including his desire to defeat the enemy is also soon in vain, only left the weeping rain." The ambition to overcome the enemy is relieved by the image of bald-headed old man at "Hengmen". The disappointment is so strongly that the description of the comfortable rain at summer duskis like cold autumn rain in Lu You's writing, which echoes the will on seclusion implied by "Hengmen". Though seclusion is not Lu You's true intention, the poet had no choice but to accept it.

II Inside the Hengmen are Garden and Study

Inside the Hengmen is Lu You's habitat where he entertains himself by reading, drinking and enjoying flowers. There are hall, study, garden and other buildings in the villa. What's the area of the garden? Sometimes Lu You said it is one mu (a unit of area equals to 0.0667 hectares) in his poem, sometimes three or five mu, perhaps this garden continues to expand, or there are multiple gardens disconnected with each other. Lu You's meticulous in construction of the garden, which can be seen in his dozens of poems writing about it, but it seems that he does not want to give the garden a more "cultural" name. Since SimaGuang built Dule Garden and named all the buildings in it[5], those who built gardens later often follow him, such as Zhu Changwen's Lepu Garden, Zhang Zi's South Lake Garden, even Yang Wanli's Dongyuan Garden. Though Yang's garden is only three mu, all the buildings were plotted according to the plan and have their own names, for example the flower garden has a magnificent name called "Valley with Innumerable Flowers". Whereas, Lu You always calls them "the small garden", for example, the poem "My Villa in Sanshan is on the Mirror Lake. Recently I Made a Garden on the East of House, Planted Dozens of Flowers, Called It 'Small Garden' and Wrote This Poem with Pleasure." The title of the poem shows that this is a small garden with an area of one mu. In another poem directly named "small garden", Lu You says that "there are only three mu in the garden that just can plant pine trees and chrysanthemums, so it is far-fetched to call it a garden." This garden's area is several times larger than before, so pine trees were planted in addition to the flowers. Other poems written about the "small garden" say "the vines were taken to cover the door of my new garden", "my new garden was expanded to more than a half mu", "cutting the brushes in my garden with an area of five mu made me feel happy to away from society" and "the mulberries and Cudrania tricuspidata are flourishing in my garden with an area of five mu, and the leaves of Zizaniala tifolia are shining around the houses". It can be seen from those poems that Lu You constantly constructed the small garden, and what's always invariably is the simple name "small garden".

In the process of building, Lu You's garden boasted pines, bamboos, plums, begonias, palms, peony, rockery, pond, pavilion and so no gradually, which reflect Lu You's taste and also distinguish him from the farmers. For example, the poem "Take a Walk in the Backyard

---

5　Sima Guang has poems to chant Dule Garden's buildings of reading house, fishing hut, herbary, mountain view house, water view bower, lodge with bamboo and pavilion with flowers. Sima Guang & Li Zhiliang. Chronological Annotation of Collected Works of Sima Guang. Chengdu: Sichuan Bashu Book Society. 2009:244-251.

after Rain" says that "In the watery region, it is still warm in autumn and trees are also luxuriant, which add my enjoyment to my residence. The shiny green palm leaves are suitable for writing, so I play the cursive style calligraphy at the window before darkness". At the end of the poem, an allusion of Huai Su, a famous calligrapher in Tang Dynasty, who always practices cursive writing on palm leaves, is used in saying "the lovely shiny green palm leaves suitable for writing", so that the poet's writing at the window and the palms outside the window are in a perfect harmony. As for pine, bamboo and plum, which are always the writing targets of literati in Song Dynasty, Lu You also produced countless poems without exception. He especially adores plum, such as "how can I get billions of doppelgangers to be with every plum", which can be seen as the deepest confession to the plum. There are not a few poems writing about plum, such as "Red Plum", "Light Yellow Plum", and "Plum", the author's affection to plum fully shown by the description of appreciation, enjoyment and cherishment to plum. Lu You's another poem "A Branch of Plum Blossom in Bamboo in the Small Garden" says:

> The old man with white hair at the riverside of Ruoye Brook drifted around in his whole life. Nowadays he is not afraid of the blame of peaches and plums, and furthermore got a friend of plum through bamboos. It is unhappy to live outside in a strange place and will feel more desolate when having a drink. The shadow of branches sway gently under the bright moonlight, and my hands are with fragrance after wearing the flowers upon my head. In the late years, the friendship has been more indestructible, and the moral integrity has become more durable. I am contented with the life in the remote regions without valuable furnishings. I cannot dream about butterfly like Zhuang Zhou, and do not put my thoughts to the willow like Zhang Xu. The sound of war-horns reverberated on the high walls of the city, and only the flowers of plum were dancing for congratulating on my birthday tentatively.

There are kinds of plants clustered in the little garden, but in Lu You's point of view, only plum can be friend of bamboo, and be appreciated each other, just because both of them have great durability and moral integrity. In the description of bamboo and plum, the poet obviously expresses his self-feelings. The space representation of this poem from Ruoye Brook where the poet is, to Yizhou in Sichuan province changed by using an allusion of "Zhang Xu in the Southern Qi Dynasty and willow", and back to the ramparts of Shaoxing in the sound of war-horn, which is from present to miles away, implied his persistence in his ideal.

The peony in the small garden directly touches the sensitive nerve of Lu You. Chen Yuyi's famous poem "Peony" says that "it has been years the Central Plains cannot be reached since the Northern barbarian's invasion. As a decrepit old man, I cannot help remembering when I saw the peony at the sides of Qingdun Brook, so I stood alone for a long time in east wind." The peony in Luoyang is well-known around the world, but in the Southern Song Dynasty Luoyang has been occupied, so the peony in Luoyang has become a symbol of former capital and native land. Lu You's poem "Enjoy Peony in My Small Garden" says that "the peony in Luoyang has bigger flower and those in Fuzhi is higher than in other places, both of which are rare things of the world. It is regretful for me that I have not seen them because I lived in the region south of Changjiang River from childhood. I am not like narrow-minded people who believe what they could not see won't exist. The former capitals of Zhou and Han Dynasty are not far away from here, how we can snatch up whips and drive the enemy out of our country." (Here is a self-annotation saying that there are three thousand and forty li(a Chinese unit of length) from Shanyin to Chang'an, and Two Thousand and ninety li to Luoyang). In different to other poems expressing the fond of the plum, this peony poem is unique. From the beginning to the end, the peony the poet saw in the small garden is absent. The poem starts with the imagination of peony in Luoyang and Fuzhi, focusing on the tall and big of the peony which is different from that in the region south of Changjiang River, and results in the memory and desire of recovering the lost territories. The self-annotation at the end of the poem is quite meaningful that the author marks out the exact distance between Shanyin and Chang'an, Luoyang, in an intuitive representation of space, echoes the sentence of "the former capitals of Zhou and Han Dynasty are not far away from here", setting off by contrast the physical distance of "far" and the psychological feeling of "not far".

However, recovery is just a dream, so at most of time, Lu You had to kill time in the garden. All of the following three poems are titled in "Small Garden", and are taken the style of eight-line poem with seven characters to a line and a strict pattern and rhyme scheme:

With narrow wooden door and short fence, the residences in village also have gardens and ponds. Guest took wine to advise me and monk wrote poems as gathering for composing poems. I saw dewy flowers blooming slowly every morning, and the shade of trees moving in the sunset. (Here is a self-annotation saying that these two things only can be found at leisure.) Living in seclusion, I was busy doing all these thing, the fun of which is almost unknown by Tao Yuanming.

The plants in the small garden were cultivated by myself, pavilions and terraces with a height of several chi (a unit of length, equals to 1/3 metre) were established on the small pond. Lean against the walls with crutches when tired, and have a drink after the wine is made. Deer were fascinated by the lush spring grass and not willing to leave and orioles came to singing in the dense leaves in summer. What is interesting is that in ashamed of doing nothing, the replete children in the village went around telling everyone the bloom of flowers.

I do not know why I'm always worried and depressed, however I should not unhappy because there are ponds and pavilions in my small garden. Both the clear spring and white stone are friends of mine, and the colorful plums were planted by myself. The pond herons are floating up and down in the rain and the squirrels are close to and not afraid of people. I was in self-pity that I still nimble-footed to go to the garden everyday without the assistance of my son.

Those three poems were written in different periods, whereas the last two are in the same of using rhyme and some rhyming words, and the season shown in both poems are spring and summer correspondingly, they are similar in the meaning and scenery performance, which is related to the writing habit of Lu You's "writing one poem a day", and of course, it is also originated from the almost unchanged rural life. The self-annotation of the first poem is quite meaningful. The sentence writes about that the poet saw dewy flowers blooming every morning, and the shade of trees moving in the sunset. The "blooming of the flower" and "the moving of the shade" are almost imperceptible, which "only can be found at leisure", just as the poet said, and the time representation from "morning" to "sunset" also implies the passing of time and the leisure of the poet.

On the contrary to the casually name of the garden, Lu You names his study diligently. In 1167, Lu You named his study "KeZhai", and wrote a poem to make the explanation about the name that "the secret of calmly accepting fortune and misfortune and keeping equanimity to life is to do what you believe is right and accept the consequences." However, this name of the study is less famous than Lao Xue'an. In 1195, Lu You wrote the poem "Lao Xue'an" saying that "the day time is short and in hurry in winter, however time seems to pass more slowly when reading in my study 'Lao Xue'an'. Chasing fame and reputation is not as good as pursuing inner peace. Rhetoric and diction are in violation of Tao. My mind is as broad as universe, whereas narrow-minded scholars indulge themselves in trifles. My children and I have been in agreement with each other that not waste time on trivial matters." Under the topic, the self-annotation says that "I named my study with Shi Kuang's words that learning when getting old like walking with a candle at night." This allusion is from the Liu Xiang's "Shuoyuan" (Stories) and Yan Zhitui's "Admonitions for the Yan clan", showing that the author would like to learn though he's getting old. Then Lu You always call himself "Lao Xue'an" in prefaces and postscripts, and wrote the book called "Lao Xue'an Notes", so the name is widely-known by others. The meaning of the poem is continuation of "to do what you believe is right" in the poem of "Ke Zhai", stressing on not led by the crowd and follow one's own heart. The expressions of "rhetoric and diction in violation of Tao" and "broad mind" show a trace of Neo-Confucianism. In consideration of the intimate relationship between Lu You and Zhu Xi, it is much more likely that Lu You's poem is a tribute to Zhu Xi. In fact, according to Zhu Xi's "Letter to Gong Zhongzhi"[6], Lu You had asked Zhu Xi to write an inscription for his study "Lao Xue'an", but was refused by Zhu Xi in the harsh political environment at that time in order not to involve Lu You in the political struggle. And it is meaningful that Lu You, who has a sympathized understanding to Zhu Xi, wrote such a poem about "learning" at that time. And it is significant to think about what is he willing to study and what's the criticism about the narrow-minded scholars. However, from the artistic point of view, Lu You used word "self" three times, and "heart" two times casually in a strict style poem, that is interesting since perhaps Lu You only focus on the expression of meaning and neglect to seek the right word, but more likely it is because Lu You's emphasis is just on the meaning of "self" and "heart".

Lu You has also written about many poems on the topic of "Lao Xue'an", such as "Self-regulation in Lao Xue'an Study" and "Feelings and Thoughts in Lao Xue'an Study at Night". The poem "Lao Xue'an" says that "lived in shabby huts, I cannot deceive myself when I am writing. Closed the door, books are my teacher and I was reading and remembering in silence. High moral principle only can be seen in disasters and the true intention in dreams. Fortunately, I am living under a ruler of intelligence and benevolence as King Yao and Shun." The beginning of the poem indicates the spatial relationship of the study "Lao Xue'an" and the door "Hengmen", and also implies the spirit pursuit of willing to study in neglecting of age and the contenting with poverty. The middle sentences indicate what the author learned is not only the knowledge from books, but also has moral and political pursuits which are closely related to reality. The spiritual connotation of the set of seven poems "Writing in Diverse Subjects at North Window in Lao Xue'an" also deserves attention. Taking the first and fifth poems as example, as they saying "I failed to reach my original intention to practice Taoism and became a poet in mid-life, hence I have to go fishing in rivers and lakes since it has been late to make pills of immortality and cultivate vital energy", and "Making friends with fish and birds, and sitting in the grass pavilion at riverside alone, I free from my role in the world. Though short of money, I am still happy that the Taoist Huangting Classic is on my table", in

6　Zhu Xi. *Collected Works of Zhu Xi*. Shanghai: Shanghai Classics Publishing House & Hefei: Anhui Education Press, 2002:3094.

which "practicing Taoism", "pills of immortality" and "Taoist Huangting Classic" reflect Taoist characteristics. Behind the sign of "became a poet in mid-life" and "short of money", is the helplessness and sadness that his Confucianism ideal cannot be realized, and the author's turned to Taoism has the ideological basis of "practicing Taoist" originally, and moreover it's also the self consolation to the political frustration. Besides the study, which is a very important space, there is another space worth of concern when Lu You lived in the villa in Sanshan in his late life, which is the "chamber for practicing Taoism". Compared with the ubiquitous description of studies in Song Dynasty, it is rare to build a Taoism chamber as Lu You did and repeatedly wrote it in his poems. In this kind of poems, some are purely representation of Taoist practice, which often lack of poetic flavor, some take the implication of estranged from society of Taoism with the poet's imagination, therefore showing peaceful and elegant artistic conception, for example the second poem of "Four Poems for the Chamber in Practicing Taoism" says that "I have heard that a fishing boat tossing on the mist lake with flying gull, which is what I would like to find and follow, however it has gone away in a light whistle, and where can I get it? Another kind is to express the complex mood of going into and coming out of the society by Taoism performance, such as "Writing out of Inspiration in Chamber for Practicing Taoism", "Writing in Diverse Subjects of Chamber for Practicing Taoism" and "Practicing Writing in Chamber for Practicing Taoism", which finally cannot forget the wars in the Central Plains, though the poet made pills, read Taoist Classics, sat in mediation and expected to live in casual, pleasure life and to go fishing on the rivers in the previous-mentioned poetry. To Lu You, Taoism only boasts the common characteristics as a self-cultivation method in cultural level rather than religious conversion in belief. Lu You has also named his study as "Turtle Room". Though he wrote many poems on topic of "Turtle Room", but the meaning is generally in the category of the poems writing about "Lao Xue'an".

What are notable are the poems written on the walls. The most famous case of the relationship between Lu You and the wall-scribed literature is aci poem written on the wall of Shen's Garden, although there's no conclusion whether it is "Chai TouFeng" (Phoenix Hairpin) or not, according to Lu You's self-narration, he wrote a ci poem on the garden's wall undoubtedly[7]. Regarding on the poems written in the period of living in Sanshan, there are more than forty wall-scribed poems, most of which are written on the walls of the study while

---

[7] Lu You has a poem titled in "Shen's garden is on the south of Yuji Temple. I have written a ci poem on the wall of the garden forty years ago. Nowadays, the garden has changed hands, I occasionally came here, read the poem engraved on stone and felt lost in a deep reverie. "

few on other rooms' walls. The studies on the literature written on the walls have got great achievements, such as Wu Chengxue's "The study on wall-scribed poems and their forms of production and transmission" (*Literary Heritage*, 1994(4): 4-13) and Wang ZhaoPeng's "The 'network' of Song Dynasty: the study on the transmission characteristics of the wall-scribed poems in Song Dynasty" (*Literary Heritage*, 2010(1): 56-67). Academia has thus got some consensus on the wall-scribed literature, in which an important key word is communication. Wall-scribed poetry is a kind of typical public writing, generally inscribed on the walls of crowded restaurants, hostels, and temples, that is to say, different from the private writing, the author knows he is writing for uncertain group of readers. Lu You also like to write on the walls, for example, his poem "Writing in Diverse Subjects after Returning" says "I inscribed poems on the walls of all the restaurants and temples in the past eighty years." And in the "Seventy-nine Years Old", he writes about he still adores writing poetry on walls at almost eighty years old, saying "I was crazy in writing poetry and inscribing them on the walls of the temple by using large brush with dark ink." But it is worth noting that both the restaurant and temple are our familiar important places the wall poetry produced, which meet the characters of public writing. Then, how to understand the more than forty wall-scribed poems written by Lu You in his private villa in Sanshan?

First, they are unlike in the function to the wall poetry written on the walls of public space. The poetry written on the walls of public space is hard to avoid disguising and their emotions expressed out are often stronger unconsciously because of the existing potential readers. The "crazy" mentioned before in Lu You's poem maybe relates to this reason. Lu You wrote the poem "Inscribing on the Wall Wayside" in 1207 that "elder people cannot stand the passing of time when they see the flower blossom again in the valley. Don't refuse to have more drink in the restaurant, cause Li Bai maybe come here by donkey", expressing his own interest and spirit by using the allusion of drunk Li Bai passed Mountain Hua by donkey. When he was compiling history in capital Lin'an in 1203, Lu You wrote down a poem "Inscribing on the Wall of Historiographers' Office" in saying that "it has been years I am not in an honored official position, so I am afraid I cannot reach the expectation of the emperor. And I am tired of worldly hustle and bustle, so would like to follow the tired horse to seek immortality without worry about the separation of rivers and mountains. Accommodation with outstanding literati, and surrounded by books and classics, will make me feel ashamed even if I returns to my hometown." The poet expressed his tiring to the official by inscribing poem on the wall of the office, which is actually a public declaration. Actually, two months later, Lu You left Lin'an and went back Shanyin, where he lived until his death.

There are no potential readers to the poems written on the wall of private space, except the gathering place of literati like Wang Shen's Xiyuan Garden and Zhang Zi's South Lake Garden. While living in Sanshan, Lu You only communicate with less friends, such as Zhu Xi and Fan Chengda, by sending and receiving letters and poems. Most of the other people connected with Lu You are farmers and fishermen having no communication with him in spirit level. It can be found from Lu You's poems, those who visit his study are just some "guest" in vague terms, such as "practice writing poems by seizing the moment after the guests had gone", "no guests came to my remote residence", or even "no one came to visit me so it is in silence all the year round in front of my house." From this point of view, Lu You's wall-scribed poems are different with those written on the walls of public space. Without considering the readers' acceptance and the dissemination, the author's mentality and expression method may also be different.

Besides, another feature of the wall-scribed poems is that the expression of the content and emotion of those poetry often have certain relevance with the place of writing, such as the following poems of Lu You, saying "the ferry separates the villages and the post house is the boundary of the counties" ("Inscribing on the Wall of the Hostel"), "it took me a long time to find the hostel in desolate village and it is cold to cross the river since there's no bridge on it" ("Inscribing on the Wall of the Village Hostel"), and "I was living in the temple like a plain and ingenuous monk after practicing meditation trying to understanding of Chan" ("Inscribing on the Wall of the Temple"). The content of those poems are not related to the hostel or the temple shown in the topics. And the poems written on the walls of the villa also have the same characteristics. First of all is in the spatial representation. In the poems titled in "Inscribing on the Walls of My Residence", Lu You says "there are only a few rooms in my residence, less than ten li away from the outer walls of the city", "I was studying hard in the early years of Shaoxing period, and now built a shabby shelter on the western of Mirror Lake", "the rooms are established on the edge of the lake with low thatch-eaves and beautiful bamboo windows", and "it has been more than twenty years since I built the residence here and those I communicate with are gardeners and person living in mountains". In general, all of the poems begin with the establishing residence on the edge of Mirror Lake, and then make a presentation of Lu You's life:

> Open a book to read in the morning and have a drink at dusk. ("Inscribing on the Walls of the Study")

> Prepare breakfast with two litres of grain and read at night with a pine oil lamp. ("Inscribing on

the Walls of the Study")

Go home to get sleep with a nice dream in the morning and practice writing poems by seizing the moment after the guests had gone. ("Inscribing on the Walls of the Study")

Mist and smoke is curling upward as someone's making a fire deep in mountains and ripples quivered across the surface of the Ink-stone Pool by the breeze. ("Inscribing on the Walls of the Study")

Filter the wine with enjoyment, and collate and note on the books by using red and yellow ink at night. ("Inscribing on the Walls of the Study")

Spend days by reading books of ancient and present, and time flies with the alternation of day and night. ("Inscribing on the Walls of Lao Xue'an")

Although the scenery inside and outside the house was also shown by Lu You in his wall-scribed poems, what's expressed more is still his life in the study as reading, writing and drinking. Is there any difference between this kind of wall-scribed poems and poems directly titled in "study", "Lao Xue'an" or "Turtle Room"? In general, because the poems written on the walls of private space do not have the characteristics such as openness and dissemination, they are not different to those of self-expression. On the practical level, according to the limited area of Lu You's residence in Sanshan, Lao Xue'an should be an ordinary-sized study. How can he write those thirty or forty poems on the walls? Therefore, we can assume that the so-called wall-scribed poems written in the private space perhaps just a naming approach or poetry writing style. It seems that those wall-scribed poems have formed a certain pattern: using the style of poems of eight lines, each containing five or seven characters, with a strict tonal pattern and rhyme scheme, and with beginning in the narration of establishing the residence at the side of Mirror Lake, then representing the life in the study or in the residence, and finally ended up with the expression of scenery or all sorts of life feelings. The feelings are also varied, some advised himself to set his mind on the seclusion, as "looking at the noisy world, I came to believe we are immortals living in the society" ("Inscribing on the Walls of the Study"), some highlights the topic of "reading", as "don't laugh at my seriously senility since I have never been lazy on reading and thinking about the classics" ("Inscribing on the Walls of the Study"), others hope to go beyond the depressed reality, as "the piper at riverside is not ordinary, and I would like to know whether he'd like to going along with me in the loneliness" ("Inscribing on the Walls of the Study"), still others cannot forget the society and affairs of human life, as "don't say there are nothing to do after cultivation since the old capitals are still in ruins" ("Inscribing on the Walls of the Residence").

III "Seclusion" in the Perspective of Space

The impression of Tao Yuanming, He Zhizhang, Wang Wei, Meng Haoran and Su Shi are always found in Lu You's poems written in the period of living in Sanshan, which produces much more implication on Lu You's garden writing, especially Tao Yuanming. It is not a new topic in academic research that Lu You's country poetry written in his later years was influenced by Tao Yuanming, such as the diary poems[8]. Only a small amount of poems of Tao Yuanming still exists, quite a few of which are marked with exact time, such as "Write to Cousin Jingyuan in December in the Year of Guimao", "Two Poems About Suffering from Wind at Guilin in May in the Year of Gengzi", "Fire Disaster in June in the Year of Wushen", "September 9th in the Year of Yiyou", "Reaping the Early Ripening Rice in the Western Field in September in the Year of Gengxu", "Harvesting in the low-lying Paddy Field in August in the Year of Bingchen". Although they are less marked on the specific date, it is still an inspiration to Lu You in the writing style. Lu You often shows a direct pursuit of Tao Yuanming in his poems, for example, the poem "Pondering Spring in the Small Garden" says "radix and hemerocallis have just germinated, whereas the yellow plums have been in full blossom. Don't say I disfigure the scenery as a hermit, because I will also lie in east fence after I got drunk." The self-annotation of this poem says "East Fence" is the name of Lu You's small garden. As mentioned earlier, Lu You seldom gave name to his small garden hence "East Fence" indicates his pursuit to Tao Yuanming. His poem "Small Garden" also says that "the grass of my small garden spread out to my neighborhood, and under the shade of mulberries and Cudrania tricuspidata a path winds its way. It is light rain and I was lying and have not finished reading Tao Yuanming's poetry; however I must seize the opportunity of drizzling to go to plant melon." "Reading Tao Yuanming's poetry" has become a part of Lu You's idyllic life in Sanshan. And what did he get from Tao's poetry? The poem "Reading Tao Yuanming's Poetry" provides the answer clearly in saying that "I admire Tao Yuanming and learned how to write poems from him, but it is to be regretted that I can't reach his subtle level. It is already late for going home, so I might as well take a drink. After rain, I weeded the ridges and sat on

---

8　Diary poems refer to the poems mark the date in the title, note and preface. In reference to Ma Dongyao. (2018). The Study on Diary Poems in Song Dynasty. *Literary Heritage*,(3).

the rock projecting over the water for angling in moonlight. There is no such man like Tao Yuanming for thousands of years, so who can I go along with." He said he made cultivation, drunk and sat in the moonlight in his fields and garden like Tao Yuanming did, so for thousands of years, only Tao Yuan Ming can be his like-minded souls.

As mentioned earlier, although Lu You is also influenced by Wang Wei and Meng Haoran, such as "Ten Poems Using Meng Haoran's Boating on the Ye Creek Poem as Rhythm" and "Going Home by Boat at Night and Using the Same Rhyme Sequence of Meng Haoran's Poem of 'Bounding for Lumen Mountain at Night'", showing admiration for Meng Haoran. But in the spirit, Lu You is not the same as lofty and elegant as Wang Wei's "sitting in the Bamboo forest, playing the instrument and singing", or Meng Haoran's "few people except the hermit go to the caves by the paths wind through pine forest" and he is much more like Tao Yuanming, both of them personally cultivating in their fields. Although Wang Wei and Meng Haoran live in idyllic ways for many years, they observe and show the farmers that are not their peers from the aspect of outsiders, so in their poetry, the image of the farmers are always the ideal type expressing their own thought beyond the material society, rather than the real image in the life. In the poem "Met with Taoist Priest Father Yun in the Mountains"of Meng Haoran, he says "in late spring, grass and trees are growing thickly and strongly, and all the fields and gardens are planted. I am drinking for self-discouragement because the farmers cannot be communicated with." In spring, farmers are busy farming in the fields, however the poet is drinking alone at home since no friend can understand him, which obviously shows that "farmers" are not the like-minded friend of Meng Haoran. It makes striking contrast to Tao Yuanming's joyfully working together with farmers in the field, and drinking with neighbors after the sunset. However that is in this point, Lu You is more similar to Tao Yuanming. His poems "The Instructions to the Descendants" say that "over the past two hundred years, generations of our family member hold an official position just for escaping poverty and after they resigned and retired, they also farmed in the plots", and "generations of our family are engaged in farming, so they devote themselves to cultivating once resigned from their official", which show his attachment to farming so that his cultivation provides fundamentally affection enjoyment and spirituous delight. In this section, the great amount of poems written about seclusion in the period of living in Sanshan will be discussed to make further understanding to the similarities and differences between Tao Yuanming and Lu You.

Tao Yuanming used the word "TianJu" (living in the fields) to show his life of cultivation, mainly takes the set of poems "Returning to My Farm" as the example; whereas Lu You repeatedly used "seclusion" in the poems written in Sanshan period. According to rough statistics, more than one hundred poems of this period use "seclusion" in the title. The word "seclusion" is from the section "Confucian Literati Practice" of "the Book of Rites" that "Confucians never stop learning, aren't tired of practice, do not self-indulged in seclusion and are not worried about lacking of morals as an official to be understood by the emperor"[9]. According to Kong Yingda's note, seclusion means living alone and refusing to be an official[10]. The book "History of the Latter-Han Dynasty" describes the living state of the Hermit by using that word, saying Fa Zhen "lived in seclusion and was so happy as to forget worries"[11]. However, seclusion also has the meaning of living indoors, such as in "The Old Book of Tang History" that "living indoors and do not let any other people see"[12]. In this sense, Tao Yuanming's "Tianju" highlights the returning to his farm, whereas Lu You pays more attention on living a sequestered life.

In fact, who wrote "seclusion" earlier in the poem is Tao Yuanming. He called himself "hermit" in the poem "Reply to Staff Pang" and says that "actually I live in seclusion and do not want to work for government."[13] And the poem "Write to Cousin Jingyuan in December in the Year of Guimao" says "I was living beneath the door made of cross pieces of wood, away from the society and always closed my wooden gate by day to cut off the connections with outside world." The phrase and expressions of "living under the door made of cross pieces of wood", "closing the wooden gate", and "cutting off the connections with outside world" are also used by Lu You in describing his seclusion life. There is no doubt that Lu You inherits the spirit of Tao Yuanming. But Tao Yuanming wrote "seclusion" only in this one poem, but wrote "TianJu" in his famous set of poems. Why does Lu You vigorously write about "seclusion" instead of "TianJu"? There is great relation between the writer's state of mind and the issue of being an official or living in seclusion. Tao Yuanming is a real hermit, so what he cares about is how to get an explanation on the life value from farming, therefore when he wrote about harvesting the early season rice, he said "life has its meaning that clothes and food are the very beginning", emphasizing "clothing and food" are not a fine matter, but the source of "Tao".

9　The Explanation of the Thirteen Confucian Classics Management Committee. *The Explanatory Notes to Book of Rites in The Explanation of the Thirteen Confucian Classics*. Beijing: Peking University Press, 2000:1850.

10　The Explanation of the Thirteen Confucian Classics Management Committee. *The Explanatory Notes to Book of Rites in The Explanation of the Thirteen Confucian Classics*. Beijing: Peking University Press, 2000:1851.

11　Fan Ye & Li Xian. *History of the Latter-Han Dynasty*. Beijing: Zhonghua Book Company, 1965:2774.

12　Liu Xu. *The Old Book of Tang History*. Beijing: Zhonghua Book Company, 1975:3169.

13　Tao Yuanming & Lu Qinli.Collected Works of Tao Yuanming. Zhonghua Book Company, 1979:52.

However, Lu You cannot be called a real hermit. When he lived in Sanshan, he requested to be an official in charge of temple four times, took up the position of the chief of Yan prefecture and went to the capital city to compile history, which implied Lu You is not willing to live in seclusion no matter from the aspect of making living or his state of mind. When he was disappointed to the reality and wanted to live in a seclusion life, he still had the ideal and cannot exit the official career, so the word "seclusion" may better reflects the complex thought of Lu You. As the poem "Living in Seclusion at the End of Year" says that "who knows my real thought of seclusion is not just for farming and sericulture", farming cannot provide all the spiritual support to him. Another poem "Seclusion" also says that "though it is so hot in summer that the metals and stones are nearly melted, my residence is still in the beauty of quiet and refreshing. The pine's leaves and branches that used to establish my cottage are moist with dew, and the bamboo mats bring about comfortable feeling as in the cool autumn. Boating on the river full of duckweed and fishing on islet ablaze with pollia flowers are irrelevant to abandon worldly affairs but give me instant relief." The author depicts the quiet house and the poetic life of boating and fishing, but the last sentence break the idyllic atmosphere, from which he want to indicate the quiet life does not mean forgetting outside world, but only a temporary spiritual consolation. That may be a response to Tao Yuanming's "closed my wooden gate by day to cut off the connections with outside word" in the poem "Returning to My Farm".

In the form of genre, Lu You uses different forms to present the topic of "seclusion", from the ancient style to the regulated verse. Among them, the set of poems "Live in Seclusion and Write Ten Poems to Record Present and Past by Using the Sentence of Tao Yuanming's Poetry as Rhythm" deeply reveal his mood of "seclusion", the form of which is similar to Tao Yuanming's poem "Returning to My Farm", but Tao's poems are not prearranged, Lu's poems are well planned before writing. It can be found clearly from the title that the rhyming words of Lu's poems are from the sentences of Tao's poem "Go back Official in Jingling from Leave at Night in July in the Year of Xinchou", which not only shows the respect to Tao Yuanming, but also points out the essence of the poems. The first and last poetry have fourteen sentences and the other eight poems have sixteen. The meaning of the last poem echoes the first one, both of which are about the topic of reading in youth and farming in old age. The other eight poems express the thought about being an official or retreating from the position through his own official career experience. The poems repeatedly convey his intention of resigning from the position and living in seclusion that's expressed by the sentences "books are old friends of mine and there are no common views in the farm". Among the small amount of literary quotations used in the set of poems, the commentary on "ShangshanSihao" (four old hermits in Shangshan) is really meaningful. It is usually considered that Sihao enjoy their free life, in which they make their own choice on seclusion, refusing to help Liu Bang in political affairs or assisting Liu Bang's son Liu Ying. However, in Lu You's point of view, his pondering on Sihao is just because he believes they failed to reach their ambition, through which Lu You can obviously express his own indignation and depression. Lu You cannot enjoy seclusion as Tao Yuanming did since it's difficult for him to relieve his resentment.

Lu You lived in Sanshan for nearly forty years and created most of his extant poems. As a unique space, the garden in Sanshan makes him acquire the reputation as a poet. The typicality of this period's writing is that the garden writings prominently reflect the characteristics of Song poetry, such as routinization, life-related and meticulousness. Most poets' writings about their garden have those characters as Zhu Xi, Fan Chengda and Yang Wanli. Besides, as a real habitat of a poet, the garden turns into his spirit harbor just through his writing, and also in this process, the garden writing become a bridge that links the poet's thought of returning to the pastoral life and national identity, and reflect more profound meaning by the extension of time and space that surpass the daily and ordinary life.

「三言」與輪回觀念

楊永漢

香港樹仁大學

一　前言

　　孫昌武：「馮夢龍的『三言』……不少作品張揚鬼魂、冥界，宣傳業報、宿命，用佛教的輪回因果報應構成超現實的情節，往往成為解決作品中的矛盾的關鍵」。[1] 其實，因果報應的觀念已深入中國文化內，文學作品幾乎不可能不受此思想之影響。輪回是直接反映因果報應的結果，在宗教層面，是六道輪回，生死持續；在社會層面來說，極具勸善的作用。

二　輪回觀念的來源

　　輪回（Samsāra），是流轉之意，在印度是由奧義書時代確立，其後印度各宗教均依此由理論立教。丁福保《佛學大辭典》：

> 眾生無始以來，旋轉于六道之生死，如車輪之轉而無窮也。《法華經方便品》曰：「以諸欲因緣，墜墮三惡道。輪回六趣中，備受諸苦毒。」《心地觀經三》曰：「有情輪回生六道，猶如車輪無始終。」《觀佛三昧經六》曰：「三界眾生，輪回六趣，如旋火輪。」《身觀經》曰：「循環三界內，猶如汲井輪。」觀念法門曰：「生死凡夫罪障深重，輪回六道。」

弘學《佛學概論》解釋「輪回」：

> 輪回梵語為「僧娑格」，具名生死輪回，有情于貪、嗔、痴等根本繫縛，造種種與煩惱相聯結的行為，即所謂的「有漏業」，由於種種惑業的牽引，在三界、六道中生死流轉，無有了期，猶如車輪的轉動，周而復始，往來六趣，無有停息，不能解脫，所以名輪回。[2]

《大佛頂首楞嚴經》卷四：

1　孫昌武：《佛教與中國文學》上海：人民出版社，1988年，頁266。

2　弘學：《佛學概論》成都：四川人民出版社，2012年6月，頁326。

富樓那。想愛同結，愛不能離，則諸世間父母子孫，相生不斷，是等則以欲貪為本。貪愛同滋，貪不能此，則諸世間卵化濕胎，隨力強弱，遞相吞食，是等則以殺貪為本。以人食羊，羊死為人，人死為羊，如是乃至十生之類，死死生生，互來相噉，惡業俱生，窮未來際，是等則以盜貪為本。汝負我命，我還汝債，以是因緣，經百千劫，常在生死。汝愛我心，我憐汝色，以是因緣，經百千劫，常在纏縛。唯殺盜婬三為根本。以是因緣，業果相續。[3]

阿難。如是地獄、餓鬼、畜生、人及神仙、天洎修羅。精研七趣，皆是昏沈諸有為相。妄想受生。妄想隨業。於妙圓明無作本心，皆如空華，元無所著。但一虛妄，更無根緒。阿難。此等眾生，不識本心，受此輪迴，經無量劫，不得真淨，皆由隨順殺盜婬故。[4]

　　所謂「六道」，一般是指天、人、阿修羅、畜生、餓鬼、地獄。前三者為善道，後三者為惡道。以「人」為中心，行十種善，因其程度輕重，往生上三道，十善是：（一）不殺生、（二）不偷盜、（三）不邪淫、（四）不妄語、（五）不惡口、（六）不兩舌、（七）不綺語、（八）不貪、（九）不瞋、（十）不癡；反之，則落下三道。弘學指出輪回是由於眾生造業感果，因此輪回不息，故又稱「業果輪回」，即輪回亦因眾生因果關係。「生死」與「解脫」之間是以業為樞紐。

　　如「人」修十善，即生天道，佛教的天道有欲界天、色界天及無色界天[5]。道教則有三十二，隨劫生滅，另有不受影響的三清天和大羅天，共三十六天。[6]佛、道所言的天均有不同形態的天人，佛教的欲界天天人仍有男女之欲，色界天則遠離欲望，以禪定

3　（唐）天竺沙門・般剌密帝譯：《大佛頂首楞嚴經》卷4，https://www.book.bfnn.org/books/0082.htm，瀏覽日期：2018年11月12日。

4　（唐）天竺沙門・般剌密帝譯：《大佛頂首楞嚴經》卷9，https://www.book.bfnn.org/books/0082.htm，瀏覽日期：2018年11月12日。

5　欲界六層天，包括四天王天、忉利天、夜摩天、兜率天、化樂天、他化自在天。色界十八梵天（梵者淨也，此十八天中，以色蘊為界，無五欲，以禪定為樂，故又名四禪天）：初禪三天（梵眾天、梵輔天、大梵天）；二禪三天（少光天、無量光天、光音天）；三禪三天（少淨天、無量淨天、遍淨天）；四禪九天（無雲天、福生天、廣果天無想天，無煩天、無熱天、善見天、善現天、色究竟天。無色界天：空無邊處天、識無邊處天、無所有處天、非想非非想處天。

6　《雲笈七籤》卷21〈天地部〉載三十六天：太皇黃曾天、太明玉完天、清明何童天、玄胎平育天、元明文舉天、上明七曜摩夷天、虛無越衡天、太極蒙翳天（以上為東方八天）、赤明和陽天、玄明恭華天、耀明宗飄天、竺落皇笳天、虛明堂耀天、觀明端靖天、玄明恭慶天、太煥極瑤天（以上為南方八天）、元載孔昇天、太安黃崖天、顯定極風天、始皇孝芒天、太極翁重浮容天、無思江由天、上揲阮樂天、無極曇誓天（以上為西方八天）、皓庭霄度天、淵通元洞天、太文翰寵妙成天、太素秀樂禁上天、太虛無上常容天、太釋玉隆騰勝天、龍變梵度天、太極平育賈奕天（以上為北方八天）。另不劫影響四天：太清境大赤天、上清境禹余天、玉清境清微天及最高一天大羅天。

為樂，無色界天則無色蘊，只有受、想、行、識。道教的大羅天總繫其他三十五天，是無極無限。人道即類似現在地球人類的眾生，有四洲之分，是修戒善而感報，是凡聖同居之處[7]。阿修羅是因存嗔、慢、疑念而生，常與帝釋爭戰，但信奉佛法，是佛教護法之一。

阿修羅道是比較複雜的眾生，阿修羅解作非天、非酒、無端正等。其意即謂阿修羅有著好像天人的福報，卻又不是天人，長相醜陋，好勇好鬥。然而卻相信佛法，是佛教護法之一。據佛經記載，阿修羅是九頭千眼，有九百九十九隻手，八足，身體大於須彌山。

《楞嚴經》中將阿修羅依胎、卵、濕、化四生而分四種[8]：

1. 有修羅於鬼道以護法力成通入空，此係從卵而生，鬼趣所攝。
2. 若於天中降德貶墮，其所卜居隣於日月，此阿修羅從胎而出，人趣所攝。
3. 有阿修羅執持世界，力剛無畏，能與梵王及天帝釋四天爭權，此係因變化而有，天趣所攝。
4. 別有一分下劣阿修羅，生於大海心，沈於水穴口，此係因濕氣而有，畜生所攝。

《佛為首迦長者說業報差別經》卷一列舉十種能令眾生得阿修羅報之業因[9]：

1. 身行微惡，
2. 口行微惡，
3. 意行微惡，
4. 起憍慢，
5. 起我慢，
6. 起增上慢，
7. 起大慢，
8. 起邪慢，
9. 起慢慢，
10. 迴諸善根向修羅趣。

「畜生道」與「人道」共存，倘依《楞嚴經》所說，阿修羅有依胎、卵、濕化四種化生，則阿修羅道亦應有畜生存在。畜生（梵文：Tiryagyoni），又稱傍生（古字寫作旁

---

7 二十界中還有兜率天及淨居天是凡聖同居土，譬如地球，我們與菩薩、羅漢共處而不知。

8 https://zh.wikipedia.org/zh-hk/阿修羅，瀏覽日期：2018年11月12日。

9 同上註。

生）或橫生（梵語：tiryañc；巴利語：tiracchāna；音譯底栗車）、畜生道、傍生趣。下三道之一，所以稱為傍生，是依附其他五趣而生存的意思。但佛經甚多神祇都是具在畜牲身體，如龍王、緊那羅等。畜生道大致分三大類：魚、鳥、獸，各因因緣壽命長短不一。

　　進入餓鬼道是因為貪念，大多數餓鬼的生活是飢饉貧乏，永遠無法飽足據《大智度論》載：「餓鬼者，腹如山谷，咽如針頭，唯有黑皮、筋、骨三事，無數百歲不聞飲食之名」。

　　佛教及道教對地獄道記載很多，《長阿含經》有八熱地獄、十地獄及十六地獄之說。《地藏菩薩本願經》亦有地獄的描寫：

> 仁者，閻浮提東方有山，號曰鐵圍，其山黑邃，無日月光。有大地獄，號極無間，又有地獄，名大阿鼻。復有地獄，名曰四角；復有地獄，名曰飛刀；復有地獄，名曰火箭；復有地獄，名曰夾山；復有地獄，名曰通槍；復有地獄，名曰鐵車；復有地獄，名曰鐵床；復有地獄，名曰鐵牛；復有地獄，名曰鐵衣；復有地獄，名曰千刃；復有地獄，名曰鐵驢；復有地獄，名曰烊銅；復有地獄，名曰抱柱；復有地獄，名曰流火；復有地獄，名曰耕舌；復有地獄，名曰剉首；復有地獄，名曰燒腳；復有地獄，名曰啗眼；復有地獄，名曰鐵丸；復有地獄，名曰諍論；復有地獄，名曰鐵鈇；復有地獄，名曰多瞋。地藏白言：仁者，鐵圍之內，有如是等地獄，其數無限。[10]

至於道教對地獄的記載，可參考《上清經‧洞玄十二部‧大劫經第四》：

> 其諸來世男女，生於末劫，不遇明師，不親善教，生諸一切無量諸惡業，起一切念想，輕陷良善；作諸無量重罪，不能懺悔死入無邊大地獄，沉溺五苦諸惡道。身體抱銅柱，足履刀山，手攀劍樹，復入鑊湯，吞火食炭，頭面焦然。天道、地道、人道、畜生道、餓鬼道、地獄道。或胎生、或卵生、或溼生、或化生、無復有因緣、離諸惡趣、永不見光明、終不得出離。[11]

《大劫經》記載了六道，佛教的阿修羅道變為地道，其餘相同。其次，記載了無邊大獄的一些面貌，如劍樹、鑊湯、食炭等。其他經典更有詳細的記載，如《三洞珠囊》、《四極明科經》、《三十六尊經‧洞真部‧玉清經上‧上鍊經第十》[12]。最早記載六天之鬼的

10　網址：http://www.book.bfnn.org/books/0016.htm，瀏覽日期：2018年11月30日。

11　網址：taoismweb.myweb.hinet.net/b10/36-2.htm，瀏覽日期：2018年11月30日。

12　一切諸法。有等不等。眾生亦等不等。復有無量不可思議。我常歷觀諸天。諸惡趣門。故有六官。主其罪福。一曰紂絕陰天宮。二曰泰殺諒事宗天宮。三曰明晨耐犯武城天宮。四曰恬照罪氣天宮。五曰宗靈七非天宮。六曰敢司連宛屢天宮。復有二十四獄。一曰鑊湯地獄。二曰銅柱地獄。三曰鐵

居所在酆都或稱羅酆山，是南朝道士陶弘景編的《真誥・卷十五・闡幽微第一》：

> 羅酆山在北方癸地。山高二千六百里，周回三萬裡。其山下有洞天，在山之下，
> 周回一萬五千里。其上其下並有鬼神宮室。山上有六宮，洞中有六宮，輒周迴千
> 里，是為六天鬼神之宮也。上為外宮，洞中為內宮，制度等耳。第一宮名為紂絕
> 陰天宮，以次東行，第二宮名為泰諒事宗天宮，第三宮名為明晨耐犯武城天宮，
> 第四宮名為恬昭罪氣天宮，第五宮名為宗靈七非天宮，第六宮名為敢司連宛屢天
> 宮。凡六天宮是為鬼神六天之治也。洞中六天宮亦同名，相像如一也。世人都知
> 酆都六天宮門名，則百鬼不敢為害。[13]

「羅酆」一詞早見於《抱朴子・內篇》卷三。至於地獄數說法不一，以二十四層地
獄說最為常見，其後有十層地獄，並有十殿陰司主理。其實道教，自漢以後，主張肉身
修煉成仙，這是與佛教最大的分歧。道教修煉「精、氣、神」，以達至長生不老。人死
後，仍可修煉，以達至成仙。佛教較重視精神，視身體為「臭皮囊」，而道教則較重視
現有的身體。

　　至於「三言」內提及有關輪回的思想，無非是揚善警惡，或增加故事內容的吸引
性，甚少有宣揚宗教的意圖。

三　「三言」與輪回轉世

　　前節已介紹佛、道兩教的輪回觀念，下表是從「三言」故事中，內容涉及輪回的
故事。

犁耕舌地獄。四曰刀上劍樹地獄。五曰剉碓地獄。六曰毒蛇食心地獄。七曰鎔銅灌口地獄。八曰爐
炭地獄。九曰鐵輪地獄。十曰運石為山地獄。十一曰鐵床地獄。十二曰劍林地獄。十三曰寒冰地
獄。十四曰猛火地獄。十五曰鐵杖亂拷地獄。十六曰大石壓身地獄。十七曰鐵錐刺身地獄。十八曰
鐵丸地獄。十九曰吞火食炭地獄。二十曰磓磨碓擣地獄。二十一曰鐵汁地獄。二十二曰拔舌地獄。
二十三曰鐵鎖地獄。二十四曰鋸解地獄。復有五苦之門。周圍二十四獄。一曰色累苦心門、二曰愛
累苦神門、三曰貪累苦形門、四曰華競苦精門、五曰身累苦魂門。三塗上尸中尸下尸，三塗五苦八
難之門。復有九幽九獄，分布四方：東風雷獄、南火翳獄、西金剛獄、北溟冷獄、中普掠獄、東南
無間獄、西南屠割獄、西北火車獄、東北黑暗獄。復有男女，墮落此中，無有限數，非可堪忍，不
捨晝夜。資料來源：http://www.360doc.com/content/10/0930/12/3290557_57523346.shtml（瀏覽日
期：2018年12月10日）

13　網址：https://zh.wikisource.org/wiki/真誥/卷015，瀏覽日期：2018年11月30日。

表一　「三言」記載有關輪回故事

卷目	前世人物	轉世人物	事由
閒雲庵阮三償冤債（《喻》四）	妓女	玉蘭	阮三偶遇玉蘭，互通情意，茲後阮害相思病。張遠託閒雲菴尼姑王守長協助，引玉蘭至菴中幽會。阮三因而氣絕身亡。玉蘭竟有身孕，本想生子後殉情。後阮三報夢，知前世宿業。育子成才，終生不嫁。
	金陵少年	阮三	
月明和尚度柳翠（《喻》二十九）	玉通禪師	柳翠翠	玉通犯淫戒，圓寂轉世為柳宣教女兒，壞其門風。
明悟禪師趕五戒（《喻》三十）	圓澤和尚	（唐）早卒小兒，再轉世為牧童	三生相會故事。
明悟禪師趕五戒（《喻》三十）	五戒和尚	（宋）蘇東坡	犯淫戒，私藏紅蓮。寫畢「辭世詩」，合掌坐化轉世。
	明悟禪師	（宋）謝瑞卿（佛印和尚）	為助五戒和尚，緊隨轉世。
鬧陰司司馬貌斷獄（《喻》三十一）	韓信	曹操	因漢初立國，一段段糾纏不清的恩恩怨怨，最後由司馬貌判定。
	劉邦	漢獻帝	
	呂后	伏后	
	蕭何	楊修	
	英布	孫權	
	彭越	劉備	
	蒯通	諸葛亮	
	許復	龐統	
	樊噲	張飛	
	項羽	關羽	
	紀信	趙雲	
	戚夫人	劉備正室甘夫人	
	劉如意	劉禪（甘夫人子）	
游酆都胡母迪吟詩（《喻》三十二）	越王錢鏐第三子	宋高宗趙構	錢俶入朝，被宋太宗留住，迫其獻出吳越之地。轉世為高宗，重掌南方。

卷目	前世人物	轉世人物	事由
	張飛	一世張巡	以承張飛，示忠心正氣
		二世岳飛	精忠報國
梁武帝累修歸極樂（《喻》三十七）	曲鱔	轉世為范道，再轉世為黃復仁，最後為蕭衍。	曲鱔因聽經因緣而得人身，再轉世富貴人家。
	摩訶迦葉祖師女侍	童太尉女兒，再轉世為支小姐。	最有佛緣，與黃復仁同修煉及轉世。
	郗后	大蟒蛇	郗后生前嫉妒心毒，故寄生蛇身。
宋小官團圓破氈笠（《警》二十二）	羅漢	轉世為宋金	宋金母親盧氏夢見一金身羅漢入室而懷宋金。
桂員外途窮懺悔（《警》二十五）	桂富五妻及二子	轉生為犬	桂富五賣田經商失敗，遇施濟得子欲酬神恩，並將三百兩銀交與桂生，及桑棗園及四十畝送給桂氏夫婦。後桂生在銀杏樹下得銀，回鄉買田地。後施家家道中落，到桂家救助，受盡白眼並拒認婚事。其後，桂夜來得夢，知其妻及二子轉生為犬，終信輪迴之報。桂遷善覺悟，將女嫁與施濟為妾，己則誠心向佛。
旌陽宮鐵樹鎮妖（《警》四十）	玉洞真仙	轉世為許遜。	先說老子、蘭期、諶母、許琰等成仙因緣，再述許遜求仙的經歷。許遜得吳猛真傳，斬魅除妖。
薛錄事魚服證仙（《醒》二十六）	神仙	薛偉	記薛偉夫婦本在仙籍，因動凡心，被謫世間。後經多番波折，再為仙人。
	神仙	薛偉妻顧氏	

　　上表所列，皆是前世今生的輪回故事，反映出明代社會輪回的觀念，分類如下：

（一）再續前生緣

　　〈閑雲庵阮三償冤債〉（《喻》四）的阮三前世是金陵人，到揚州訪親遇上前世是名妓的玉蘭。阮三許諾一年後必回揚州娶玉蘭為妻，惜懼怕父親而失約，終至玉蘭鬱鬱而

死。閒雲庵的相遇私會，原是玉蘭藉前冤而向阮三索命。此中安排，是業力所致，非人能斷。

（二）三世輪回

慧林寺首僧圓澤和尚因眷戀李源交情，不忍轉世。一日，圓澤與李源相相約遊瞿塘三峽，見懷孕婦人而被逼投胎。三日後，李源往訪出世三日的小兒，一笑之後，再卒。十二、三年後，李源遊覽杭州西湖，再遇轉世圓澤，已為一牧童（《喻》二九）。故事說三世轉生，沒有恩怨情仇，從高僧圓澤，而轉世成小牧童，其中因果難明，相信是表達有因果而已。最重要的是圓澤完全清楚自己來世的去向。究竟轉世為牧童的果，如何得來，難明白其原因。

（三）犯淫戒而輪回

〈月明和尚度柳翠〉（《喻》二九）柳宣教因玉通失迎接之儀，使紅蓮喬裝孀婦，誘惑玉通，以致玉通犯淫戒。被柳宣教揭發，羞憤圓寂，轉世為柳宣教女兒，成為妓女柳翠翠，以壞其門風。這與另一故事〈明悟禪師趕五戒〉（《喻》三十）類似，五戒和尚，私藏紅蓮，最後事發，圓寂轉世。五戒寫畢〈亂世詩〉後，即入滅轉世為蘇東坡。明悟和尚恐其來世謗佛，隨之轉世，成佛印和尚，一生引導東坡居士，免其再陷業網。

從兩個故事來看，兩位高僧都能自了生死，自主轉世，一位轉為妓女，以敗壞門風；一位轉世為才人，奔走官場。

（四）糾纏恩仇，輪回息怨

〈鬧陰司司長貌斷獄〉（《喻》三十一）記載司馬貌到達地府，為的是解決百年來無法平息的恩怨。漢初立國前，劉邦、呂后、蕭何等出賣或殺戮曾經為漢賣力的軍士大臣，包括項羽、韓信、英布等；其次又因權力之爭，殘殺戚夫人、劉如意等。其間的恩怨，糾纏不清，最後出現輪回漢末，三國之爭，各受業力所感，還報前生恩怨。故事吸引，各人後世際遇，又彷彿應對前生的業障，加強了讀者相信因果報應的力量。

（五）輪回索債

〈游酆都胡母迪吟詩〉（《喻》三十二）記載了錢椒入宋被逼獻出吳越之地，轉世為趙構，再管治南宋，以報滅國之仇。另外又記張飛兩世均殉國，一世張巡，一世岳飛。

（六）人道與畜生

　　在「三言」的故事中，有兩則記載輪回畜生道的敘述。〈梁武帝累修歸極樂〉（《喻》三十七）記載曲鱔因聽經的因緣而得到人身，再轉世富貴人家為范道，再轉世為黃復仁，經三世之後，成為梁武帝蕭衍。摩訶迦葉祖師身旁的女侍，轉世成為童太尉女兒，再轉世為支小姐，與黃復仁同修煉及轉世。這些都是前世修行的因，結出成帝成仙佛的果。而郗后則是生前嫉妒心，轉世成為蟒蛇。這裡傳遞了一個訊息，就是畜生可以因聽經而轉為人身，甚累世積德，更可成為帝王。相反，因嫉妒心要得蛇身。在佛經故事中，甚多因嗔心而輪回為蛇的故事。

　　另外一則故事是有恩不報，轉落畜生道。〈桂員外途窮懺悔〉（《警》二十五）桂富五賣田經商失敗，遇施濟得子欲酬神恩，將三百兩銀交與桂生，並將桑棗園及四十畝送給桂氏夫婦。後桂生在銀杏樹下得銀，回鄉買田地。後施家家道中落，到桂家救助，受盡白眼並拒認婚事。其後，桂生夜來得夢，知其妻及二子轉生為犬，終信輪迴之報。桂遷善覺悟，將女嫁與施濟為妾，己則誠心向佛。

（七）神仙、羅漢輪回

　　〈旌陽宮鐵樹鎮妖〉（《警》四十）記玉洞真仙轉世為許遜。許遜得吳猛真傳，斬魅除妖。〈薛錄事魚服證仙〉（《醒》二十六）記薛偉夫婦本在仙籍，因動凡心，被謫世間。後經多番波折，再為仙人。另外，〈宋小官團圓破氈笠〉（《警》二十二）記宋金母親盧氏夢見一金身羅漢入室而懷宋金。〈宋小官團圓破氈笠〉一節，只是加強故事吸引性，主角人物全與輪回轉世之因果無關。

　　上列故事，主要分佛教或道教的輪回觀念。〈鬧陰司司馬貌斷獄〉（《喻》三十一）、〈游酆都胡母迪吟詩〉（《喻》三十二）、〈旌陽宮鐵樹鎮妖〉（《警》四十）及〈薛錄事魚服證仙〉（《醒》二十六）都是道教的輪回故事。陰司與酆都都是道教記載的幽冥境界，主掌人死後的善惡報應。前兩故事是「人」（司馬貌、胡毋迪）到達陰間，一判疑案，一知因果。無非是勸人為善，不可作惡。指出輪回因果報應，冥冥中自有主載。後兩故事的主角（許遜、薛偉、薛偉妻）都是謫仙，因前世犯錯，被謫至凡間。這裡的情節，已吸收了因果輪回概念，佛經言天人受福報，福盡而呈五衰，可因其果報，再落人道。幾位仙人雖然是道家之仙，等同天人。

　　道教《大劫經》所載的六道，亦是輪回時所呈現的六個不同的空間。另一部經典，更說明今世親近道學，將世世不絕，與道有緣，如此，道教已視輪回是生命流轉的一種形態。《太上玄一真人說勸誡法輪妙經》：

道言：夫輪轉福慶不滅，生而好學，宗奉師寶，與道結緣，世世不絕，皆由先身積行所致。……如此之行，一滅一生，志不退轉，尅成上仙……。[14]

《喻世明言》卷三十二〈游酆都胡母迪吟詩〉所記，最能顯示明代對輪迴的觀念及看法：

胡母迪稽顙於階下。冥王問道：「子即胡母迪耶？」迪應道：「然也。」冥王大怒道：「子為儒流，讀書習禮，何為怨天怒地，謗鬼侮神乎？」胡母迪答道：「迪乃後進之流，早習先聖先賢之道，安貧守分，循理修身，並無怨天尤人之事。」冥王喝道：「你說『天道何曾識佞忠』，豈非怨謗之談乎？」……胡母迪道：「秦檜賣國和番，殺害忠良，一生富貴善終。其子秦熺，狀元及第；孫秦塤，翰林學士，三代俱在史館。岳飛精忠報國，父子就戮；文天祥，宋末第一個忠臣，三子俱死於流離，遂至絕嗣。其弟降虜，父子貴顯。福善禍淫，天道何在？賊子所以拊心致疑，願神君開示其故。」[15]

指出一般俗人，只看到現世的情況，不知道有輪迴報應，故由冥王說出輪迴報應：

當初錢鏐獨霸吳越，傳世百年，並無失德。後因錢俶入朝，被宋太宗留住，逼之獻土。到徽宗時，顯仁皇后有孕，夢見一金甲貴人，怒目言曰：『我吳越王也。汝家無故奪我之國，吾今遣第三子托生，要還我疆土。』醒後，遂生皇子構，是為高宗。他原索取舊疆，所以偏安南渡，無志中原。秦檜會逢其適，為主和議，亦天數當然也；但不該誣陷忠良，故上帝斬其血胤。秦熺非檜所出，乃其妻兄王煥之子，長舌妻冒認為兒，雖子孫貴顯，秦氏魂魄，豈得享異姓之祭哉？[16]

透過輪迴再生，為前世之惡業贖罪，故今世之行為實不得由己意，是前生習氣所致。本篇所描述的地獄，包括「普掠之獄」，有石垣高數仞，以生鐵為門、「風雷之獄」、「火車之獄」、「金剛之獄」、「溟泠之獄」，廣袤五十餘里，日光慘淡，其間有荷鐵枷者千餘人，所見受罪眾生皆被髮裸體，以巨釘釘其手足於鐵床。胡母迪於此間見秦檜、萬俟卨、王俊等人受刑。其後又見不同朝代的奸臣在受刑，包括章惇、蔡京、賈似道等等。而受刑之後，尚要輪迴，如秦檜夫婦：

此曹凡三日，則遍歷諸獄，受諸苦楚。三年之後，變為牛、羊、犬、豕，生於世間，為人宰殺，剝皮食肉。其妻亦為牝豕，食人不潔，臨終亦不免刀烹之苦。今

---

14 資料來源：taoismdata.org/product_info.php?cPath=33&products_id=1721（上網日期：2013年10月25日）

15 馮夢龍：《喻世明言》臺北：三民書局，1988年，卷32，頁533。

16 馮夢龍：《喻世明言》臺北：三民書局，1988年，卷32，頁533。

此眾已為畜類於世五十餘次了。[17]

獄吏還指出，其他各朝奸臣，亦同樣為畜類，如梁冀、董卓、盧杞、李林甫等。

　　《喻世明言》的其餘四篇故事，〈閑雲庵阮三償冤債〉（《喻》四）、〈月明和尚度柳翠〉（《喻》二十九）、〈明悟禪師趕五戒〉（《喻》三十）、〈梁武帝累修歸極樂〉（《喻》三十七）及〈桂員外途窮懺悔〉（《警》二十五）都佛教的輪迴觀。述說前世今生的因果關係，解釋今世一切的噩運都是前世所作的後果。

　　〈閑雲庵阮三償冤債〉（《喻》四）阮三成鬼後得知因果宿業，報夢勸說玉蘭要將兒子撫育成人。〈月明和尚度柳翠〉（《喻》二十九）、〈明悟禪師趕五戒〉（《喻》三十）兩則故事都是說高僧犯淫戒，一轉世為妓女以報前仇，一轉世為名士，仍終生奉佛。故事有強烈的道德感，佛教五大戒：不殺生、不偷盜、不邪淫、不妄語、不飲酒。所謂淫，是「染情逸蕩，污穢交遘，名不淨行，與己妻之外一切男女，犯不淨行，是名邪」。一代高僧，竟犯淫戒，無疑是佛門恥辱，故事中兩位高僧犯淫而被揭發，均圓寂轉世，以避羞辱。玉通禪師被誘破戒，卒轉世為妓，敗壞柳宣教門的風，都有「如是因，如是果」的意味。明悟禪師轉世為佛印，以保五戒慧脈，成就一代文豪蘇東坡。因這傳奇而演成其他作品，包括《紅蓮債》、《眉山秀》[18]及《五戒禪師私紅蓮》[19]等，基本上是以佛教思想為背景。

　　〈梁武帝累修歸極樂〉（《喻》三十七）因嫉妒及惡行，轉投畜生道，亦是有勸善避惡的道德意義。郗后的嫉妒，其實是一般女性對丈夫的忠誠要求而出現的情緒。當然，及其過者，以致殺人害命，則應有此報應。嫉妒心，相信很難消除。至於惡意對待恩人，卻投畜生道，亦是有勸善的功能。

　　另一涉及輪迴畜生道是〈桂員外途窮懺悔〉（《警》二十五）中桂富五的妻子及兩位兒子，投生為犬。

四　結論

　　輪迴觀念已普遍在佛教、道教或印度教的地區得到認同。中國小說中，往往對佛教或道教的輪迴觀念，混為一談。例如「天人」，在佛教是六道之一，在道教是修煉成就之一，即神仙。輪迴觀念，往往在小說中有道德指引作用，亦即是透過故事中的輪迴因果關係，宣揚「善有善報、惡有惡報」觀念。故勿論輪迴是否存在，但對人心的正向發

---

17 馮夢龍：《喻世明言》臺北：三民書局，1988年，卷32，頁535。

18 見《曲海總目提要》卷20《紅蓮債》及卷32《眉山秀》，轉引自譚正璧《三言兩拍源流考上》，頁228-229。

19 清平山堂刊本。

展，實有積極的作用。

　　本篇所取材的故事，幾乎百分之百是有勸善的功能，例如嗔痴嫉妒將下畜生道，為惡將報於將來等。這些故事，在中國社會中，發揮維持道德的影響力，不可忽視。

論清初詞體寫作困境與徐釚詞體觀的形成

李蘭芳

北京師範大學文學院

　　詞體創作在宋以後經歷了元明兩代戲劇與八股文的長期衝擊，音樂性喪失尤為厲害，到清初順康年間（1644-1722）已成為一門衰微的學問，只淪為案頭化寫作，正所謂時值「詞學失傳之日」[1]。當時詞壇以朱彝尊為主導，崇尚雅正，創作者主要有三類人：以朱彝尊為首的浙西詞派、博學鴻詞科考試的朝中詞人、奮戰科舉的朝外普通士人。前二類人包括陳維崧、朱彝尊、納蘭成德三位大詞家，影響最大。[2]陳維崧豪放，朱彝尊清雅，納蘭主情，相繼成為當時的三種主要詞學風尚。康熙十八年（1679）博學鴻詞科刺激了詞在清初的「復活」[3]，但也容易走向過於講求學問的極端，而普通舉子和閨秀們要作詞，則多由時興的詞選與詞譜入門。當時最具影響力的詞選是朱彝尊編選的《詞綜》，主要貢獻是力矯花間詞風，以至於「家白石而戶玉田」；流行的主要詞譜則有明代張綖的《詩餘圖譜》及程明善的《嘯餘譜》。此時詞壇寫作看似「大地回春，欣欣向榮」。

　　徐釚（1636-1708）是清初的詩人、詞人和詞論家。關於其詞論研究尚不多見，其中比較重要的文章是吳文治〈略論徐釚的《詞苑叢談》〉，簡述了徐釚的詞論主張，並指出他的主張與好友朱彝尊有別，更近於後來的常州詞論。[4]臺灣東吳大學柯秉芳的《徐釚詞學及其詞研究》則認為，徐釚此書的創作是因為當時科場案、奏銷案的政治事件引發的，徐釚多次參加科舉不中，以及康熙十八年入館修《明史》，都是促成其編纂此書的原因。[5]本文將不過多討論徐釚生平，而偏重反思清初詞體寫作的困境。因為徐釚此書正是在這樣的語境中應運而生的，而這之後萬樹用了十年的時間編訂了《詞律》，清廷也主持編訂了《歷代詩餘》和更為完善的《欽定詞譜》。那徐釚為甚麼要在此時提出一套與浙西詞派風尚不同的詞論？他的詞論體觀具體是如何回應詞壇寫作的呢？從《詩餘圖譜》到《欽定詞譜》，徐釚的詞體觀與前後的詞學聲律建制又有何關係？重新反思徐釚這一清初詞學發展中相對被忽視的環節，將有助於我們重新認識順康年間的詞壇消長。

1　徐釚：《詞苑叢談》臺北：仁愛書局，1985年3月，頁23。

2　李宏哲：《康熙詞壇研究》，南開大學2013年博士論文，頁46-62、107-133。

3　李陽：《清朝己未詞科和丙辰詞科比較研究》，河北師範大學2013年碩士論文，頁46-50。

4　吳文治：〈略論徐釚的《詞苑叢談》〉，載《江漢論壇》1981年第2期，頁50-53。

5　柯秉芳：《徐釚詞學及其詞研究》，東吳大學中文系2012年碩士論文，頁13-18。

一　為詞正體

　　徐釚在《詞苑叢談》中將〈體制〉門放在卷首，並在〈凡例〉裡對「體制」事先作了說明，可見他對規範詞「體」的迫切與重視。詞體規範建立之迫切，首先是現實原因。因為清初最重要的兩部詞譜在詞體上都出現了嚴重錯亂：

> 南湖（張綖）譜平仄差核，而用黑白及半黑半白圈以分別之，不無魚豕之訛。且載調太略。如《粉蝶兒》與《惜奴嬌》，本係兩體，但字數稍同及起句相似遂誤為一體，恐亦未安。至《嘯餘譜》則舛誤益甚，如《念奴嬌》之與《無俗念》……本一體也，而分載數體。《燕臺春》之即《燕春臺》……本無異名也，而誤仍訛字。或列數體，或逸本名，甚至錯亂句讀，增減字數，而強綴標目，妄分韻腳，又如《千年調》、《六州歌頭》……之類，句數率皆淆亂。成譜如是，學者奉為金科玉律，何以迄無駁正者耶？[6]

這段話表明，清初詞體混亂最主要表現在：調略、體亂（誤異體為一體，本一體而分數體，句讀、句數、字數、韻腳增減錯亂）和名亂（字訛、強標名目）。《詩餘圖譜》是清初流行最廣的詞譜，書中的舛誤令徐釚等當時有識之士很不滿。他們給張綖作了這樣的評定：「南湖少從西樓王氏遊，刻意填詞，必求合某宮某調，……，大約南湖所載，俱係習見諸體。一按字數多寡、韻腳平仄，而於音律之學，尚隔一塵。」[7]雖然他已注意到詞之「宮調」的重要，但因失傳已久，雖刻意合之，反而相離更遠，才會使詞譜編系多有魚豕之亂。以訛傳訛，到了清初，怎能不更為混亂？

　　為了肅清詞體創作的亂象，徐釚向傳統的經典權威尋求支持。其〈凡例〉云：

> 填詞原本樂府，自〈菩薩蠻〉以前，追而溯之。梁武帝〈江南弄〉、沈約〈六憶詩〉，皆詞之祖，前人言之詳矣。余故薈萃其說，以考其離合正變焉。至氣體互殊，代有升降，亦略微申論。[8]

　　這段話架構了其詞體觀的三個方面，即「填詞原本樂府」的詞體源流說、「離合正變」的詞體演變史以及「氣體互殊，代有升降」的質性論。但這都僅是極簡要的概說，至於詞體如何源自於樂府，梁武帝、沈約的詩作如何為詞之祖，前人如何演說，在這之後詞體發生了怎樣的離合，詞體的正變如何迭代等等問題都未進一步述說。但徐釚這短短的凡例透露了一個非常關鍵的信息，即「原本樂府」、〈江南弄〉為詞之祖等言語表明，詞之發源與音樂有著密切關係。至於「氣體互殊，代有升降」則又援入與「體」相

6　徐釚：《詞苑叢談》，頁23。

7　徐釚：《詞苑叢談》，頁23。

8　徐釚：《詞苑叢談》，頁7。

對應的「氣」的概念，更為複雜難明。所謂的詞之「體氣」為何？如何「代有升降」？這些問題有待後文細緻發覆。

全書論及詞之「體制」尚有兩處：

> 詞有定名，即有定格，其字數多寡，平仄韻腳較然。中有參差不同者，一曰襯字。……一曰宮調。……一曰體制，唐人長短句皆小令耳，後演為中調，為長調。一名而有小令，復有中調，有長調，或繫之以犯、以近、以慢別之，如南北劇名犯、名賺、名破之類。又有字數多寡同，而所入之宮調異，名亦因之異者，如玉樓春與木蘭花同，而以木蘭花歌之，即入大石調之類。又有名異而字數多寡則同，如蝶戀花一名鳳棲梧、鵲橋枝，如念奴嬌一名百字令、酹江月、大江東去之類不能殫述矣。[9]

> 然韻理精微而法煩苛，又古今詩騷詞曲，體制不同，因造損益，相沿亦異。[10]

第一則探討詞的名與格關係問題。因為名與格可以定，徐釚所討論的詞並是一個非抽象的實體概念。從實體性角度來看，詞最根本是由以音節為基本構成單位的語言／文字實體，語言／文字的數量、聲韻這些外在形式特徵成為詞的最基本規約，是詞是否能定格、定名的評判標準，此即「其字數多寡、平仄韻腳較然」是也。針對這點，這段話提出了三個形塑詞之名格的重要概念：襯字、宮調和體制。「襯字」關乎詞音節長短，以往人不太注意探討這方面。「宮調」，是詞之語言的音樂性區別特徵，揭示了詞附庸於音樂的關係，指明了所謂詞調當指「樂調」而非僅「律調」的正統。況且詞之「律調」也是由「樂調」發展而來，因「樂調」散佚而日趨案頭化。從此段論述來看，「體制」當包括「體」與「制」兩部分。「體」，在徐釚的觀念裡，首先按照音節數（非字數）分為小令、中調、長調，再依音樂性效果分為犯（即轉調）、近、慢、賺、破諸體。可見，音節數、宮調選用是詞之能成「體」的最重要兩個質素。在創作的過程中，由於詞的音節、宮調選用安排之不同，才產生各體，甚至是字數相同而宮調相異、詞名越來越多的現象。總結來說，徐釚詞體觀包含「體」與「制」兩個層面的問題，「體」能定「格」，「制」能定「名」。可大致用圖示意如下：

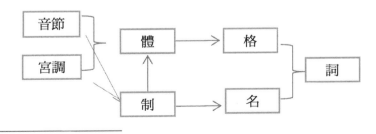

9　徐釚：《詞苑叢談》，頁24。
10　徐釚：《詞苑叢談》，頁35。

以此簡要回觀清初詞壇「異體怪目」的亂象，實質是詞「體制」的混亂，也即詞最重要的構成要素「調」與「定格」、「定名」之間發生了嚴重斷裂。第二則討論詞的音韻性問題，所謂「體制」指向詩騷曲詞，是詞的同位概念，它們之間主要區別特徵還在於音節和音樂性。

至此，可以給徐釚所認為的「體制」姑且下一個初步結論：詞的體制是由語言層面的音節要素和音樂層面的樂律要素共構的表達實體及其方式，字與調是最基本的構築要素。而從上分析可看出，音節問題在詞的製作過程中又往往轉化為宮調問題，所以實際上，宮調的音樂性是決定詞之所以有諸多別體的關鍵性因素。所以，在詞的創作方面，徐釚的論述主要選用了「制調」而非「制名」的話語。

以上這些內容表明，徐釚已較具前瞻性的眼光地將「詞」作為一門可以用來嚴肅討論的學問了，書中有大量試圖釐清詞之體、調、名關係的論述，以期一正詞壇。當然，無論是詞學大面積地復甦，還是徐釚應運成書，都跟那個時代學術正邁向蓬勃、士人轉向務實的樸學風氣有關，也與康熙十八年博學鴻詞科考試的政策鼓勵有關。如果這種類似於建立「學門」的觀念成立的話，徐釚此書恰是章學誠所謂「辨章學術，考鏡源流」之始了。清初的詞學家正試圖將屬於集部的詞學地位推向與經部和史部並齊，這是徐釚通過〈體制〉篇表現出他對元明衰落的詞的重新定位和思考。

二　清初詞體寫作的困境

在明瞭徐釚的「體制」概念之後，我們可以進一步展開他以此來回應清初詞體寫作困境的過程。整體而言，在當時的詞體寫作中，他認識到兩種困境，一是詞體與詩、曲之間的糾纏，二是詞體內部體、調、名之間的混亂，也即他多次強調的「異體怪目」。

（一）詞與詩、曲的體制糾纏

1　詞與詩的體調關係

要進一步詳審地辨析詞「體」，徐釚首先做的是溯源的工作。《詞苑叢談》開篇前幾則都試圖追溯了詞體的源頭。從前人詞論中，徐釚找到了詞的遠祖和近宗。他將詞的源流上推到《詩經》，認為「三百篇為詞祖」，並認為梁武帝〈江南弄〉已是「絕妙好詞」，沈約〈六憶詩〉是「詞之濫觴」[11]。那這些論斷都基於甚麼呢？

首先是詞與詩兩種體式在「調」上有相合之處：

11　徐釚：《詞苑叢談》，頁1。

《殷䨥》之詩曰：「殷其雷，在南山之陽」此三五言調也。《魚麗》……二四言調
也。《還》之詩……六七言調也。《江汜》……疊句調也。《東山》……換韻調
也。《行露》……換頭調也。凡此煩促相宣，短長互用，以啟後人協律之原，豈
非三百篇實祖禰哉。[12]

　　從這段言論可以看出，所謂的「調」是指律調，其具體表現形式為音節長短變化
（一言一音節）、旋律重複（疊句）、旋律變化等方面，即所謂「煩促相宣，短長互用」
（煩即繁，此謂音節的長短相錯）的原則。他在這裡並沒有簡單地認為《詩三百》即是
詞的濫觴，而是說《詩三百》給詞提供的僅是講究協律這一根本啟示，也即詞之宮調的
音樂要素從此而來。也就是說，詩詞相合的根本基礎在於共有的音樂源頭。這樣討論固
然有理有據，已是清前庶成定論的「文化常識」，但意識比較模糊[13]，傳到清初則更為
模糊，徐釚纂成此書，有重新強調詞的音樂源頭本自《詩經》而來的必要。所以，徐釚
進一步聚焦於樂「調」，也即這則材料顯示的更近乎節奏的音樂要素。如果照這樣推論
下去，豈非所有帶有節奏／律調的包括謠諺等音樂性表達形式都可以成為詞的源頭？也
就是說，在詩三百之前更古老的歌謠如〈擊壤歌〉等也可以成為詞的源流？甚或上推到
上古先民勞動時有節奏的呻吟也可視為最初的源頭？那如果這些追問都被否定了，也即
存在著一種將《詩三百》與《詩三百》之前的「律調」形式區別的觀念，那這個觀念又
是甚麼？為甚麼會出現這樣一種區分？筆者認為比較合理的推斷是，《詩三百》經歷了一
個「經」化的過程，在古代文化體系中占據著權威的地位，所以詩三百之前的所有母體
功勞都會投射到《詩三百》身上。而徐釚為詞尋找源頭，必須尋找一個已在歷代諸多種
體制中尋找一個已具有相當權威的源頭，成為他接下來的立論和基於當時詞壇名目混亂
而不得不正本清源的工作基礎。有了《詩三百》的高標，接下來的論述可以說都是「本
於詩的音樂性原則和經學性原則創作詞才是正體」這一命題的註腳。換句話說，在詞的
源頭討論上，徐釚有兩重標準，一是顯現的音樂性，一是隱含的（或不需道明的）經學
正統性。前者是徐釚在向上溯源時所持的準則，後者則是他在向下推流所持的標準。

　　在溯源詞體成熟之前的歷史時，徐釚找到了兩個遺跡，即梁武帝〈江南弄〉和沈約

---

12 徐釚：《詞苑叢談》，頁1。

13 宋代對於詞源於詩的音樂性的清晰認識自不必言，從唐末宋初詞的創作轉變即可看到明顯的痕跡，
　　如從較早流行的〈瑞鷓鴣〉、〈小秦王〉等律詩或絕句形式的詞牌即可知。而元明兩代對於詞之源於
　　詩的認識則相對模糊，明人已意識到詞的音樂本質，如俞彥《爰園詩話》說「古人凡歌，必比之鐘
　　鼓管弦，詩詞皆所以歌，故曰樂府。」參考劉岳磊：《明清詞話研究·詞體聲律論》，南京師範大學
　　2015年博士論文，頁94-98。但詩與詞之間在音樂性上如何同源則甚為模糊，以至於明代較為重要
　　的周瑛《詞學筌蹄》、張南湖《詩餘圖譜》、徐師曾《文體明辨·詩餘》、程明善《嘯餘譜》等大部
　　分詞譜的編定都基本只載格律，而不考慮詞的樂律。此說參考劉少坤：《清代詞律批評理論研究》，
　　南開大學2012年博士論文，頁26-30。

〈六憶詩〉（其三）。[14]如果我們拿這兩首與「三百篇為詞祖」的論述過程對照來看的話，外在音樂性形式上梁武帝〈江南弄〉是七句三七雜言體，沈約〈六憶詩〉是六句三五雜言體，顯然這兩首詩都符合徐釚「煩促相宣、短長互用」的詞體準則。也即是說，在徐釚看來，具備音律上長短不一（音節長短參差），也就是所謂的「調」，是詞之所以為詞的最低要求。而他之所以甚至認可梁武帝這首詞為絕妙好詞，是因為在律調上，不僅「煩促相宣」，而且「協律」，因其表現有四：句句尾韻、隔句尾韻、疊句調、換韻調。雖然此詩「舞春心」是過片的疊句，是為了起到長音和短音這兩段音之間音聲相續的效果，明顯與他在《詩經》中找到「不我以，不我以」之例強調式重複不同。但第二句「舞春心」將疊句調與換韻調結合在了一起，所以徐釚才會稱此為絕妙好詞。而沈約的這首詩則有兩點符合詞的調性：三五雜言語後五句皆押尾韻。所以縱然這些還只是詩，徐釚已認可其為詞之濫觴了。

雖然在調的音樂性上詩與詞是同源的，但從內容上來說，詞從詩中繼承的因素是經過去政治化、道德化而私人化、日常化、生活化的內容。這和形式上的「煩促相宣」共同構築了「詩莊詞媚」的基本判別標誌。[15]如此書中所舉之〈江南弄〉為流連於春光好景之詩，〈六憶詩〉全組四首，分別詠懷妻子的吃、行、坐、眠等日常行為。後幾則如秦觀善於從隋煬帝、李商隱詩歌中汲取語彙與意象，而李商隱之詩句又從徐陵處來等例子亦如此。可知六朝宮體詩去道德化的書寫方式對詞的內容有深遠影響。

而詞體的正式出現，《詞苑叢談》記載了〈後庭宴〉石刻唐詞，則說明至少到了唐代就出現。綜覽卷一，徐釚認為詞的形成之初，各詞體主要來由有三：

其一，作方式即「制」詞的層面，延續了詩歌書寫的方式，詞體以抒寫的本意為名，這名經過歷代許多人創作之後形成固定的詞調。如書中所舉的唐初張志和〈漁歌子〉，即「極能道漁家之事」[16]，又如本唱興亡之事的〈六州歌頭〉也是如此。這種寫作方式對後來詞不同詞調的各自創作內容有所規約，形成一個相對隱蔽且微弱的書寫傳統。

其二，語言上唐初無長短句，後來才參差互錯。徐釚書引《苕溪漁隱叢話》說：「唐初歌詞，多是五言詩或七言詩，初無長短句。自中葉以後至五代，漸變成長短句。及本朝則為此體，止〈瑞鷓鴣〉、〈小秦王〉二闋……皆東坡所作。」[17]

---

14 同上註，頁12。二首詞云：「眾花雜色滿上林。書房藥材吹輕陰。連手躞蹀舞春心。舞春心。臨歲腴。中人望，獨躑躅。」「憶眠時，人眠獨未眠。解羅不待勸，就枕更須牽。復恐旁人見，嬌羞在燭前。」亦詞之濫觴也。

15 關於「詩莊詞媚」的討論，參考潘麗珠教授在《詞學研討》2016年11月30日課堂上的論斷。她認為詩詞的判別是形式而非內容，即主要是體式上的參差產生的韻味。何世劍《中國古代詞學批評中的詞「媚」論》則認為詞的「媚」除了形式美之外，還有「陰柔」、「世俗」等偏重內容題材上的美學品格，見《遼寧師範大學學報（社會科學版）》2007年第6期，頁82-85。

16 徐釚：《詞苑叢談》，頁2。

17 徐釚：《詞苑叢談》，頁4。

其三，詞的內容有廣泛的民間傳統，如抒發閨中相思之情的〈魚游春水〉詞文即宋徽宗時期從越州古陰碑上而得。[18]後因人文人大量參與製作，又因詞寫作方式上延續的詩歌傳統，所以後世文人詞作的內容往往從前人的詩作中汲取營養。這種化用詩句的方式，常為宋人所用，尤其是以黃庭堅為首主張「脫胎換骨」、「點鐵成金」的江西詩派。如書中舉例，黃庭堅以韓愈詩入詞，僅僅去掉了一個字，將「斷送一生唯有酒」、「破除萬事無過酒」變成「斷送一生有，破除萬事無過」的歇後語式勸酒詞。[19]秦觀用隋煬帝詩，刪去「千」字，就成了令人稱道的「寒鴉萬點，流水繞孤村」[20]。再如賀鑄〈浣溪沙〉詞中「鷺外紅綃一縷霞」，則化用了王勃〈滕王閣賦〉的「落霞與孤鶩齊飛」之句。[21]此類例子在書中俯拾皆是，不勝枚舉。甚至這種寫作方式不僅影響詞「體」內容的變化，還引發詞「調」的變化，如賀鑄的〈雁後歸〉，本調名〈臨江仙〉，因用薛道衡詩「人歸落雁後，思發在花前」而更名。這就涉及詞之「體」與「調」、「名」的關係了，後文會作詳細討論。

2 詞與曲的名調關係

詞不僅上從詩歌樂府而來，在樂調、內容、創制等方面有很深的淵源關係，而且又下啟曲的形成與發展，對曲的調與名產生了深遠的影響，所以徐釚說「詞名多本樂府，然去樂府遠矣。南北劇名又本填詞，然去填詞更遠。」[22]但這就造成了樂府詩、詞、曲三者之間的關係十分複雜，難以釐清。這裡僅就徐書〈體制〉篇所談論到的詞曲的調名關係進行討論。

據徐書記載，詞曲的調指唱腔，名是具體的詞牌名、曲牌名。詞體內部調與名同，而曲體系統中調名分離，形成調統攝名，一調多名的形態。這種分化演變，就形成了詞曲之間同調同名、同調異名、同名異調三種情況。

其一，詞曲同「調」同「名」。徐書載「南北劇與填詞同者，〈青杏兒〉中調即北劇小石調，〈憶王孫〉小令即北劇仙呂調」[23]。小石調與仙呂調是古代詞樂和曲樂系統中的共有的兩個宮調，用於特定場合、風格與情緒的表達。[24]詞曲同名同調的例子，可以

18　徐釚：《詞苑叢談》，頁2。

19　徐釚：《詞苑叢談》，頁7。

20　徐釚：《詞苑叢談》，頁3。

21　徐釚：《詞苑叢談》，頁4。

22　徐釚：《詞苑叢談》，頁21。

23　徐釚：《詞苑叢談》，頁21。

24　（宋）陳暘《樂書》卷157〈樂圖論〉，清文淵閣四庫全書本。關於樂調與情感表達，周德清曾言「大凡聲音各應於律呂，分於六宮十一調共計十七宮調。仙呂調清新綿邈，南呂宮感歎悲傷，中呂宮高下閃賺，黃鐘宮富貴纏綿，正宮惆悵雄壯，道宮飄逸清幽，大石風流蘊藉，小石旖旎嫵媚，高平條拘滉漾，般涉拾掇坑塹，歇指急並虛歇，商角悲傷婉轉，雙調健捷激裊，商調悽愴怨慕，宮調典雅沉重，越調陶寫冷笑。」周德清：《中原音韻》卷下，清文淵閣四庫全書本。

看到詞名與曲名是如何在同一個宮調裡表演其名所表達的內容聲情的。

其二，詞曲同調異名，這種情況比較少。如徐釚所說的詞中小令如〈搗練子〉，中調如〈唐多令〉則皆是南劇的引子；而小令〈柳梢青〉等，長調〈聲聲慢〉等則皆為南劇慢詞。[25]

其三，詞曲同名異調的情況則非常普遍，是曲脫離詞而自成文辭體系的一個標誌。徐釚指出，〈黃鶯兒〉雖在宋詞元曲中皆有其名，然「毫無相似」，而〈菩薩蠻〉等宋詞腔調，也是「元人雖用，悉不可按腔矣。」[26]〈菩薩蠻〉在宋代多用於中呂調，而在元代則隸屬於正宮，腔調的變遷是造成宋調難以再為元人繼承的主要原因。所以徐釚才說「詞曲之界，本有畦畛，不得謂調同而詞意悉同，竟至儒墨無辨也。」[27]曲就這樣在詞的本幹上另生花枝，發成成另一套名目系統，與詞不復相同。詞曲有別，更提契了作詞保有本色、絕不可入曲的重要性，提高了時人的創制警覺。

（二）詞「異體怪目」的普遍

然而詞發展到清初出現了「異體怪目」的嚴重混亂現象，其中重要表徵是同調異體與一調多名。《詞苑叢談》記載：

> 填詞名同而文有多寡，音有平仄各異者甚矣，多悉書可證。然三人占則從二人，取多者證之可矣。所引康伯可之〈應天長〉、葉少蘊之〈念奴嬌〉俱有兩首，不獨文稍異而多寡懸殊，則傳流抄錄之誤也。《樂章集》中尤多。其他往往平仄稍異者亦多。吾向謂間亦有可移者，此類是也。又云：「有二句合作一句，一句分作二句者，字數不差，妙在歌者上下縱橫所協。」此自確論，子瞻填長調多用此法，他人即不爾。至於《花間集》同一調名而人各一體，如〈荷葉杯〉、〈訴衷

25　《詞苑叢談》，頁22。具體與南劇中哪種曲名同調，則未詳。

26　《詞苑叢談》，頁22。又，詞調《菩薩蠻》在宋代屬於中呂調，詳見（宋）陳暘《樂書・樂圖論・曲調上》。

27　《詞苑叢談》，頁22。關於徐釚所載之詞曲調名同異詳情如下：小令之〈生查子〉、〈點絳唇〉、〈霜天曉角〉、〈卜算子〉、〈謁金門〉、〈憶秦娥〉、〈海棠春〉、〈秋蕊香〉、〈燕歸梁〉、〈浪淘沙〉、〈鷓鴣天〉、〈虞美人〉、〈步蟾宮〉、〈鵲橋仙〉、〈夜行船〉、〈梅花引〉，中調之〈一剪梅〉、〈破陣子〉、〈行香子〉、〈青玉案〉、〈天仙子〉、〈傳言玉女〉、〈風入松〉、〈剔銀燈〉、〈祝英臺近〉、〈滿路花〉、〈戀芳春〉、〈意難忘〉，長調之〈滿江紅〉、〈尾犯〉、〈滿庭芳〉、〈燭影搖紅〉、〈絳都春〉、〈念奴嬌〉、〈高陽臺〉、〈喜遷鶯〉、〈東風第一枝〉、〈真珠簾〉、〈齊天樂〉、〈二郎神〉、〈花心動〉、〈寶鼎現〉皆南劇之引子。小令〈賀聖朝〉，中調之〈醉春風〉、〈紅林檎近〉、〈驀山溪〉，中調之〈八聲甘州〉、〈桂枝香〉、〈永遇樂〉、〈解連環〉、〈沁園春〉、〈賀新郎〉、〈集賢賓〉、〈哨遍〉皆南劇慢詞。宋人〈黃鶯音吟〉、〈桂枝香〉、〈二郎神〉、〈高陽臺〉、〈好事近〉、〈醉花陰〉、〈八聲甘州〉與元人好無似。宋人之〈菩薩蠻〉、〈西江月〉、〈鷓鴣天〉、〈一剪梅〉元人雖用而不能依腔。

情〉之類，至〈河傳〉、〈酒泉子〉等尤甚。當時何不另創一名耶？殊不可曉。愚按此等處近譜俱無定例，作詞者既用其體即於本題注明亦可。[28]

詞有一體而數名者，亦有數體而一名者。詮敘字數，不無次第參錯。其一二字之間，在於作者研詳綜變。……沈天羽謂「花間無定體，不必派入體中」，但就〈河傳〉、〈酒泉子〉諸調言耳，要非定論。前人著令，後人為律，必謂花間無定體，草堂始有定體。則作小令者何不短長任意耶？[29]

在這兩段話，雖將詞之語言層面的「名」與音樂層面的「調」混為一談，但仍將「名同而文有多寡」、「詞有一體而數名者，亦有數體而一名者」這個「同調（名）異體」的問題適時地提了出來，此亦為丁煒、尤侗在序中極為稱賞之處。因為，這個問題為兩宋文人習焉不察，到了清初文人們因詞體音樂性的淪喪而覺「隔一層」，甚至混亂不堪。分析這段材料可知，詞的「同調（名）異體」主要有四種情況。

有兩種情況是徐釚不能接受的。首先是流傳抄錄訛誤導致的文異、長短不一。其次，同一詞調人各一體。這一現象從初期的五代就出現了，直到清初，這個現象仍很普遍，這種創作習慣的歷史累積，是促成清初「異體怪名」的最主要原因。這裡雖說「不知原因」，實際上是不可理喻、不能接受。針對這個現實存在的混亂局面，清初有識之士開始向傳統尋找解釋，故最初大量出現人各一體現象的《花間集》、《花草萃編》是否有定體成了討論的焦點。這場討論中，徐釚認為詞的創作在最初並非任意的（也具有明顯的現實針對性），所謂「不定」並不是指能夠任性使其短長，而是在一定的樂調範圍內創制，所形成的個人化的諸體，尚未經過標準化選擇的過程，而成為多人多體。把詞的諸體放在同一樂調的統攝下，這是根本前提，而諸體的創制則是個人才能的發揮。這種才能包括製作文詞時如何使詞文貼合音律，以及演唱詞作時如何使音聲表達文詞兩種能力，所謂「作者研詳綜變」與「歌者上下縱橫所協」是也。

而徐釚認可了兩種情況。詞文上「二句合作一句，一句分作二句」導致詞體微變，其原因在於作者「研詳綜變」，只須唱詞的人「上下縱橫所協」便可解決問題。另外，詞體出現的平仄各異是可以理解的，因為清初詞創作已失去了很多音樂性傳統，片面追求內容出新和形式保守形成了普遍性看法。

而詞從形成以來，調名也經歷了一對一到一對多的變化，大致可分為緣事制調立名、樂府聲詩並著、倚聲填詞三個階段，「事」的要素逐漸讓位於「樂」、「聲」的要素。

緣事制調立名階段。上文已論述詞的寫作延續了古代樂府詩的方式，徐書辯明了詞名非本自古詩[30]，而是本自古詩緣題而賦的寫作方式，所以古詞調名多屬本意。所載

28　《詞苑叢談》，頁16。

29　《詞苑叢談》，頁18。

30　《詞苑叢談》，頁20。

「〈臨江仙〉則言水仙，〈女冠子〉則述道情，〈河瀆神〉則緣題祠廟，〈巫山一段雲〉則狀巫峽，〈醉公子〉則詠公子醉也。」[31]然而詞之調最根本之處還是在於音樂性，也即前文所說的由一定的音節構築的樂調，所以徐書論斷「詞聲調即詞曲音節也」[32]，所以此時的詞「調」無論從音樂上還是名稱上都是符合詞的內容和所表達情感的。

「樂府聲詩」並著階段。李清照謂「樂府聲詩並著，最盛於唐開元天寶間」[33]，非常注重填詞的音樂性，批駁了在她之前的所有填詞不注重樂調與律調的現象，也樹立了她婉約派風格被奉立為詞之正宗的地位。但這依然抵擋不住詞之音樂性的流失，以至於創作同調之作越來越多而離本意日遠，而在這當中勝出而容易被人記住的詞作，則獲得了該詞調的「重新立名權」，導致詞一調多名現象愈演愈烈。可以說，每一種詞體的調名變遷，都可以看到一個故事，還可略微窺見該詞所經歷的流行風尚。因為詞調之命名，往往取最重要、令人最易引起注意的語詞。以〈念奴嬌〉為例，因為蘇軾的以「大江東去」起句之作而被更名為〈大江東去〉、〈大江乘〉等。

宋元以後基本進入倚聲填詞階段。由於詞之樂調的喪失，一調多名現象更難以稽查，為一般詞之寫作者及批評家憎惡。而這種一調多名的現象很早就有了，徐書記載的較早的《花間集》、《草堂粹編》、《尊前集》即有不少情況，如〈憶仙姿〉即〈如夢令〉、〈羅敷豔歌〉即〈醜奴兒令〉，〈瀟湘神〉、〈赤棗子〉即〈搗練子〉，〈一斛珠〉即〈醉落魄〉等。[34]徐釚認為這是「狡獪」的，對這種現象，尤其是清初士人好用新起詞名尤為不滿，批道「好立新名，按其詞則杳然無有者」，所以多次強調要詞選就要從舊名。

三　詞體的本色與流變

以上表明，詞在體、調、名上不僅均與詩、曲關係密切，在漫長的發展過程中也容易在內部出現嚴重的寫作困境。那清初詞體寫作與研究的風氣復甦之時，徐釚又提出了怎樣的一套解決辦法或理想的詞體標準呢？我們在前文探源時找到徐釚的詞體基本判別標誌是「煩促相宣，短長互用」了，而這一標誌在詞體成熟之後仍能適用。

據此，首先可以明確的是詞不能是詩，但可翻詩入詞，不可翻詞入詩。詞中存有近似於五絕、七絕、七律、五古語言音節與音律要素的體調，如〈長相思〉、〈柳枝〉、〈竹枝〉、〈瑞鷓鴣〉、〈欸殘紅〉等等，所以徐釚才強調「體裁易混，徵選實繁，故當稍別之以存詩詞之辨」[35]。那如何使選用這些詞調的作品不像詩歌呢？他說，「詞全以調為

31　《詞苑叢談》，頁21。

32　《詞苑叢談》，頁21。

33　《詞苑叢談》，頁3。

34　《詞苑叢談》，頁17。

35　《詞苑叢談》，頁23。

主,調全以字之音為主」,所以更要非常注意音調,避免「以律詩之手為之」,而這正是清初詞壇最普遍的現象。此外,詞與詩在語彙的運用上極大不同,詞「合用虛字來呼喚」,不能全是實字,所以清空也理所應當得成為了詞的特質,「清空則古雅峭拔,質實則凝澀晦昧」是詞家的警拔之語。[36]他還舉了一個例子,「夜闌更秉燭,相對如夢寐」是詩,符合古詩的格律與語彙系統規約,但表達同樣意思的「今宵剩把銀釭照,猶恐相逢[37]是夢中」則是擬合了特定腔調以及運用了口語化、通俗化的語彙系統的詞。可以說,詞與詩真正形成「氣體互殊」的是因音調、句式、語彙、用字等具體的表達方式。但詩詞體氣互參的情況是不可避免的,徐釚提出這樣的「可翻詩入詞,不可翻詞入詩」的要求,可用蔣寅先生古代文體的參與破「以高行卑」[38]的規律來解釋,以提高詞在清楚衰微的地位。

其次,詞不能是曲。前文已論,曲雖源於詞,但發展成了自成體系的「名」「調」系統,所以也形成了不同的質性。如果說詞與詩的質性區別在於「詩莊詞媚」,那詞曲之別則在於「詞雅曲俗」。例如,姜夔創制出「不唯清虛,而且騷雅」的〈暗香〉、〈疏影〉等詞調,一直被視為詞家典範。再如,「『無可奈何花落去,似曾相似燕飛來』定非香簾詩,『良辰美景奈何天,賞心樂事誰家院』定非草堂詞。」[39]這兩句同樣表達了美好青春年華流逝的感嘆,形式上都是七言句,但由於選用了不同的語彙系統與音律系統,呈現出了截然不同的效果。晏詞措辭文雅,意象豐富,情感也更為蘊藉。而湯曲同是感歎,但構句形式更為口語化了。

再次,須警惕詞中別體,擇善而從,區別對待。強調詞的腔調音樂性是徐釚的核心詞學觀,這明顯是針對清初詞壇衰微的現象而提出的,書載時人不懂得詞的樂調,不會歌唱,又要進行詞的寫作,往往不過是填小令和中調,而且「多以律詩之手為之」,以至於「不知孰為音,孰為調,無怪乎詞之亡也」。[40]從中可見,從唐宋流變至清初,詞體漸失本色,衰微得有多嚴重。而清初詞體衰微非止音調這一端,徐釚對詞體流變產生的諸多別體也適時地提出了自己的看法,都是對當時詞壇寫作的有力回應。

他反對內容不雅的體式,比如北宋陳亞的三首《生查子‧閨情》藥名詞[41]。究其原因,當與古人經、史、子、集的知識觀念有關,中藥學屬於子部裡的方技類,地位較低。而徐釚很明顯地要為詞體尋找「高貴」的源頭,上溯到《詩三百》。這也與他肯定翻詩入詞而反對翻詞入詩的內在觀念是一致的。他還反對福唐獨木橋體、回文體、櫽栝

36　《詞苑叢談》,頁11。

37　《詞苑叢談》,頁10。

38　蔣寅:〈中國古代文體互參中「以高行卑」的體位定勢〉,《中國社會科學》2008年第5期,頁149。

39　徐釚:《詞苑叢談》,頁24。

40　徐釚:《詞苑叢談》,頁8。

41　徐釚:《詞苑叢談》,頁7。

體等形式過巧的體式。主要是因為這些體很容易失去本色而淪為虛空，成為「曲生狡
獪」的文字遊戲，不可無一，不可有二。回文體與檃栝體我們比較熟悉，而福唐獨木橋
體是韻文中在各句同一位置下同字的體式。如黃庭堅注明效此體的《阮郎歸‧茶詞》全
首用「山」字為韻，而王世貞〈道塲山〉則演變為句句用山字[42]，董文友〈望梅〉以
「七」字為韻[43]，後世詞手好在詞韻腳處下「也」、「些」、「兮」等字也屬福堂獨木橋
體。徐釚認為這種詞體既不雅正也不傳神，「雖具慧心巧舌」，「徒乞靈寶家餘巧」，只是
「效顰」的狡獪之作罷了不值得提倡。他對名家的檃栝體亦曾大加撻伐，謂「不獨醉翁
如嚼蠟，即子瞻改琴詩，琵琶字不現，畢竟是全首說夢」。[44]

　　但有的別體是他可以接受的。比如，他一反時人宗唐遠宋的風氣，非常推崇宋詞的
體調。但他還指出不僅歐陽修、蘇軾、秦觀、黃庭堅等人的變體詞可學，認為蘇軾那樣
在詞的上片泛寫，下片特寫的方式，謂是「別一格也」[45]。而且，南宋辛棄疾、劉克莊
的詞體也不可輕視詆毀。[46]再如，受康熙年間始盛行的崇尚樸實、講求考究的學風影
響，他還提倡將議論納入詞體寫作，對於〈滿庭芳〉他就強調「雖填詞小伎，亦兼詞
令、議論、敘事三者之妙」[47]。這可以看出徐釚的個人偏好以及他對如何解決新時代新
問題的積極探索。

　　詞不是詩和曲，就連詞中諸多別體也被質疑，那詞體的本色應是甚麼？對於這個問
題，徐釚有一段精闢的述論。

> 李氏、晏氏父子、耆卿、子野、美成、少游、易安，至矣，詞之正宗也。溫、韋
> 艷而促，黃九精而刻，長公麗而壯，幼安辨而奇，又其次也，詞之變體也。詞體
> 大略有二，一體婉約，一體豪放。婉約者欲其詞調蘊藉，豪放者欲其氣象恢弘。
> 然亦存乎其人，如秦少遊之作，多是婉約，蘇子瞻之作，多是豪放。大約詞體以
> 婉約為正，故東坡稱少遊為今之詞手。後山評東坡如教坊雷大使舞，雖極天下之
> 工，要非本色。[48]

42　王世貞《一剪梅‧登道塲山望何山作》詞云「小籃輿踏道塲山。坐裡青山，望裡青山。漸看紅日欲
　　銜山，湖上青山，湖底青山。　一彎斜抹是何山，道是何山，又問何山。姓何高士住何山，除卻何
　　山，更有何山。」王世貞《弇州四部稿》卷54詩部，明萬曆刻本。

43　徐釚：《詞苑叢談》，頁26。詞云「奴年兩七，比陶家八八、李家七七。風情仙韻知難並，自思量、
　　可及十分之七。郤ം天孫幾望斷，新秋初七。正閑看北斗，遙掛闌干，雲邊橫七。空有琴絲五七，
　　更詞名八六，歌名一七。奈唱回殘月曉風，難說與、韋曲才人柳七。簡點春風，已花信今番六七。
　　怕年華都似、頃刻開花殷七。」

44　徐釚：《詞苑叢談》，頁11。

45　徐釚：《詞苑叢談》，頁24。

46　徐釚：《詞苑叢談》，頁8。

47　徐釚：《詞苑叢談》，頁14。

48　徐釚：《詞苑叢談》，頁25。

　　這段話認為詞最重要的本色是「詞調蘊藉」，並將成熟後的詞體分為婉約、豪放兩種，前者為正宗，後者為變體。豪放體中有蘇詞麗壯、辛詞辨奇兩種，雖能「極工」但無「蘊藉」，遠非詞之本色。而溫庭筠和韋莊的艷促，山谷詞的精刻易與婉約詞混淆，若以「蘊藉」的尺度衡之，則極容區分開來了。所以，能稱得上正宗的詞家確乎僅有這裡記載的李煜、柳永、張先、晏殊、晏幾道、秦觀、周邦彥、李清照這幾位既通詞之樂調，又能使詞文蘊藉的大家了。

　　但在被奉為婉約派正宗的李清照看來，李煜「語雖奇甚」，但是「亡國之音哀以思」，柳永「雖協音律，而詞語塵下」，晏殊「學幾天人，作為小歌詞」，「皆句讀不葺之詩爾」，「又往往不協調音律」，而晏幾道又「苦無鋪敘」，所以如果依照李清照的標準，無幾人得詞體之正。[49]但從李清照的評判標準反推，在她看來，正宗本色的詞不僅需要文辭「含蓄蘊藉」，還需要所表達的內容健康積極（即安以和的治世之音），表達語彙須雅正，更要協調音律，講究詞體章法等等。

　　將李清照的詞論與徐釚的這一段話兩相比較，會發現二人所論都帶上了鮮明的時代烙印。在宋代，詞體大盛，音律尚存，故在音律上要求甚嚴；而到了清代，詳審音律腔調之人已鳳毛麟角，所以大體只能從文辭是否蘊藉這一最低標準來衡量。他還在別處對詞體本色的要求進一步作了補充說明：「指取溫柔，詞歸蘊藉」[50]，「詞要不抗不卑，不觸不悖。驀然而來，悠然而逝。立意貴新，設色貴雅。構局貴變，言情貴含蓄」[51]。

　　綜合來看，我們不難得出徐釚詞體本色為何的答案。也即詞體必協音律，以婉約為正宗，以自然、蘊藉為本色，貴寫「神」，用語崇雅、情真意切、講究章法。要之，詞在中國古代的情志表達系統中處於「承詩啟曲」的地位，在創制時，萬萬「上不可似詩，下不可似詞」[52]。至此，一套規範清初詞壇創作本色之詞的規則呼之欲出了。

　　首先，音律嚴謹。詞「調」可以新創，但須審慎，畢竟創調的傳統曾幾經波折。南唐莊宗的〈如夢令〉、張先的〈師師令〉、姜夔的〈揚州慢〉、〈暗香〉、〈疏影〉等皆是音律協婉又清空騷雅的傑作。然在南宋以後，「詞之格調既已失傳，而後人制調創名，亦不復之」[53]，以至於創制的眾多新調協律與否，成為了一大問題。所以徐釚告誡時人，作詞若不懂音律而欲制調，只能「偶一為之」，切勿使已混亂不堪的詞調更混淆視聽。同樣為了避免增加混亂，「使觀者披卷曉然」，詞家在使用調名時如非制調，應只按原有詞調按腔填詞，不宜更易新名而去舊名。

　　其次，語貴自然，用韻自如，最好能寫意傳神。詞體本色的語言應是「驀然而來，

49　徐釚：《詞苑叢談》，頁4。

50　徐釚：《詞苑叢談》，頁15。

51　徐釚：《詞苑叢談》，頁13。

52　徐釚：《詞苑叢談》，頁12。

53　徐釚：《詞苑叢談》，頁18。

悠然而去」的，「白描則不可近俗，修飾不得太文」[54]，留下雕琢的痕跡。在創作詞中各體時，要儘量符合該體的體性，小詞要「言短意長，忌尖弱」，以含蓄為佳，但也宜作決絕語，像柳永的「衣帶漸寬終不悔，為伊消得人憔悴」則達到了含蓄與決絕的融合之境[55]。用韻上，小詞多由於體制短而換頭來增加變化性，長調則無須如此。中調與長調均應一氣呵成，中調要「骨肉停勻，忌平板」，長調要「操縱自如，忌粗率」，注意避免「蕪累與癡重」，要善用襯字又不得流於淺熟。[56]若語涉「用事」，則「要緊著題，融而不化」[57]，更應「取其新僻而去其陳因」，而在用古人之語時則應「取其清雋而去其平實」[58]。

再次，講求章法、句法、字法才能產生結構美。章法要開宕，如能做到「不與沾滯，忽悲忽喜，乍遠乍近」，就是妙詞了。句法則尤為注意起結處，不能「轉入別調」[59]，不宜著一是語，最好能以景結情（比如「誰共我，醉明月」），才能做到含而不漏，彰顯詞家本色。而在起結之間，當有五七言的對句，但又要「觀者不作對」才妙。字法上僅要用襯字，還要善用虛字，即或安排實字，也要「深加鍛煉，字字敲打得響，歌誦妥溜，方為本色語」[60]。

最後是詞的創制態度，徐釚編纂此書的目的一是為當時詞之寫作的混亂現象正本清源，二是試圖將詞的地位提高，故書中不僅將詞體的源頭追溯到詩三百，還說「填詞小技，尤為嚴謹」[61]，不可戲作。所以書中才會強調要不斷要琢磨鍛煉，出其本色，使詞文一字不能改，才是絕妙好詞。徐釚所認為的詞體制本色及其創制，最高妙的境界，恰可用他在書中推崇的李清照的「眼波才動被人猜」這句詞來概括。

更高明的詞家不僅熟諳這些法則，還善於在這些法則之內「偷生變律」，如範仲淹「塞下秋來風景異」使小令「有排蕩之勢」即是如此。名家往往因此而風格多變，如辛棄疾即能「以激揚奮勵為工」，也能寫出「嫵狎溫柔，魂銷意盡」的《祝英臺近‧晚春》，成為後世膜拜的詞才，遊刃於詞之「體」與「制」之間。

綜上所述，可以明確知道徐釚的詞體觀始終圍繞詞調的音樂性生發，具體表現在他搜羅材料之傾向與力度之差別，這是針對當時詞調之音樂性喪失而生發之舉，也是對當時詞壇因音樂性喪失而形成的「體怪異目」嚴重現象所作的回應。雖然當時徐釚的這些觀點未能如在朝的朱彝尊「雅正」論那樣產生極大的影響，但實際上徐釚一以貫之的尊

---

54 徐釚：《詞苑叢談》，頁12。

55 徐釚：《詞苑叢談》，頁14。

56 徐釚：《詞苑叢談》，頁10、12。

57 徐釚：《詞苑叢談》，頁25。

58 徐釚：《詞苑叢談》，頁15。

59 徐釚：《詞苑叢談》，頁10。

60 徐釚：《詞苑叢談》，頁11。

61 徐釚：《詞苑叢談》，頁15。

經性，還是和朱彝尊為首的帶有官方色彩的雅正詞派有同聲之氣。而從實際效果來說，徐釚詞體觀對於時弊的批評以及對官方詞學某種暗裡的「依附」，以及考據、務實的詞學嚴謹態度（書中大部分條目出處未悉，乃因生活輾轉造成的），都對當時詞體認識和製作方面有意識地注重聲律有促進作用，他著力批評當時盛行的《詩餘圖譜》、《嘯餘譜》兩種詞譜以及一體多名的現象，顯然對不久之後萬樹重訂《詞律》和朝廷修訂《欽定詞譜》有一定的助力。總而言之，徐釚詞體觀對清初詞律的推進功不可沒。

實事求是
——阮元的思維方式論析[*]

諸雨辰
北京師範大學歷史學院

　　阮元（1764-1849）是清代乾嘉時期舉足輕重的人物，《清史稿·阮元傳》稱其「身歷乾嘉文物鼎盛之時，主持風會數十年，海內學者奉為山斗焉。」[1]他歷任中外要職，官拜體仁閣大學士；又是經學大師，主持刊刻了《十三經注疏》、《文選樓叢書》等，並創辦了詁經精舍、學海堂書院；此外，阮元在文學上也因重申「文筆之辨」而成為駢文派的領袖人物。

　　前人已對阮元的經學成就、文獻編纂、學術思想以及文學觀念做了較為豐富的評析，近年來又有學者從學術與文學的關係角度，溝通經學與理學、駢文與散文、中學與西學等的關係[2]，更有學者從生平事蹟等細微史料出發，思考其理論的來源[3]，這些研究基本廓清了阮元為人與治學的面貌，得出了不少有新意的結論。

　　然而，細緻梳理阮元的理論觀念，會發現阮元的理論並不總是十分完美，反而時常使其陷入一種尷尬：他倡導經學，但自己的訓詁有時未免隔膜；他獨尊駢文，但自己卻多作散文。阮元是基於何種思維方式而提出他的學術觀點的？這種思維方式來源如何，又有何指向呢？本文擬就這些問題做一點探討。

一　因聲求義——阮元的經學方法論

　　阮元一生得力處，首在經學為代表的學術，《揅經室集》首卷即以小學說經開始，阮元依次對象、心、聲、蓋、且、頌、矢、順、達、門、相等字的字義做了語詞訓詁。在訓釋過程中，阮元得出一個普遍性規律：「義從音生也，字從音義造也」（〈釋矢〉）[4]，

* 教育部青年基金項目〈清代散文批評的理論演進及文獻研究〉（18YJC751073）。

1 趙爾巽等：《清史稿》杭州：浙江古籍出版社，1998年，頁1295。
2 （美）艾爾曼：《經學·科舉·文化史》北京：中華書局，2010年。陳志揚：〈阮元駢文觀嬗變及歷史意義〉，《文學評論》2008年第1期。
3 于梅舫：〈阮元文筆說的發軔與用意〉，《學術研究》2010年第7期。
4 阮元：《揅經室集》北京：中華書局，1993年5月，頁22。

明確提出因聲求義的音訓標準。他又在與宋定之論《爾雅》的信中指出,《爾雅》「山、水、器、樂、草、木、蟲、魚諸篇,亦無不以聲音為本,特後人不盡知耳」,因而鼓勵宋定之「要當以精義古音貫穿證發」(〈與高郵宋定之論爾雅書〉)[5]。

　　阮元自己的論述中也無處不貫穿著因聲求義的基本思路,比如他釋「鮮」字與「斯」字古音相近,因而《尚書‧無逸》篇文王「懷保小民,惠鮮鰥寡」中的「鮮」當為「斯」之義,而不可依孔傳訓「鮮」為「少」。這一解釋是比較合理的,孔安國釋「鮮」為「少」,但明顯與句意不合,所以只好說:「又加惠鮮乏鰥寡之人」[6],必須再添一個否定詞「乏」才能說得通,阮元把「鮮」音轉為副詞,也就沒有這個問題了。又如阮元解釋「矢」字,因為與「施」、「雉」、「屍」等字同音,所以皆有「自此直施而去之彼」之義。這樣一來,本是象形字的「矢」,其字義就由其音而生了:「凡人引弓發矢,未有不平引延陳而去止於彼者」[7]。此說較有新意,當然把象形字說成是聲音相近的同源字,似乎也有點複雜化了。

　　至於釋「進退維谷」的「谷」字,阮元就難免被自己堅持的音訓法所拘,反而使自己的訓釋隔了一層。傳統的解釋都把「谷」釋為「窮」,比如段玉裁《說文解字注》說:「《詩》『進退維谷』,段谷為鞫,《毛傳》曰:『谷,窮也。』即〈邶風〉傳之『鞫,窮也。』」[8]段玉裁使用的訓詁方法也是音訓,因為「谷」與「鞫」音近而義通,所以可以訓「谷」為「窮」。但是在阮元看來,「谷」雖與「鞫」音近,卻不如與「穀」字音同,而「穀」乃「善」也,所以「進退維谷」之義當為「進退維善」。為了把意思說通,阮元又舉了《左傳》的兩個例子說:「一則叔向之言,一則魯哀公時齊人之言。曲體二人引《詩》之意,皆謂處兩難全之事而處之皆善也,歎其善,非嗟其窮也。」(〈進退維谷解〉)[9]很顯然,阮元也看出這裡是「處兩難全之事」,那麼「窮」的語義還是有的,但是他一定要由此延伸到「而處之皆善」,這就是要為其訓「谷」為「穀」而正名了,反不如段注清楚明白。

　　可見,阮元的訓詁方法有一根本性原則,即「字出乎音義,而義皆本乎音也」的音訓理論。他堅持不懈地實踐著這一理論,有時可以有效地解決訓釋中的問題,有時卻也難免使自己陷入繁瑣或隔膜的尷尬。至於為何會有此種矛盾,就必須考察阮元的思維方式了。

5　阮元:《揅經室集》北京:中華書局,1993年5月,頁125-126。

6　孔安國傳、孔穎達正義:《尚書正義》上海:上海古籍出版社,2007年12月,頁634。

7　阮元:《揅經室集》北京:中華書局,1993年5月,頁23。

8　段玉裁:《說文解字注》北京:中華書局,2013年,頁575。

9　阮元:《揅經室集》北京:中華書局,1993年5月,頁105。

二　實事求是──阮元的思維方式

《揅經室集》中有一個高頻詞──實事求是。他自稱作學問乃「推明古訓，實事求是而已」（〈揅經室集自序〉），又說「非敢議也，亦實事求是而已」（〈大學格物說〉）。對於當時一流的經學之士，以「好學深思、實事求是」（〈江西校刻宋本十三經注疏書後〉）來概括。而阮元在為他人作書序、贈序文時，也喜歡稱讚對方「實事求是」，比如為紀昀的別集作序，就先以漢代河間獻王「修學好古，實事求是」切入，「後二千餘年，而公生其地」（〈紀文達公集序〉），言下之意稱紀昀繼承了河間獻王的治學宗旨。他為焦循的《群經宮室圖》作序，把「實事求是」作為學者的準則：「余以為儒者之於經，但求其是而已矣。」（〈焦里堂循群經宮室圖序〉）為宋咸熙《惜陰日記》作序，則援引《漢書》以「修學好古，實事求是」（〈惜陰日記序〉）作為儒者的本分。甚至評價郭可典的詩歌，都說他「所為詩，爾雅真摯，實事求是」（〈郭書屏鶴井集序〉）[10]。顯然，「實事求是」正是阮元最為推崇的治學與作文原則。

「實事求是」當然是乾嘉漢學家的普遍追求，因為他們最擅長的訓詁學就是推求古代語言文字的根源，尋求字詞的本義，這種工作本身就具有語言學的科學性質。不過仔細推究起來，訓詁學的求本、求古與求是、求真固然相似相通，但仍有微妙的差異[11]。求本、求古須有經書的依託，比如《說文》、《爾雅》等，還需要借《詩》、《書》、《春秋》等經典文本還原語詞使用的本初語境，《揅經室集》首卷的訓詁文字，幾乎都立足於《說文》、《爾雅》，發揮因聲求義的特長，再補充五經中的語料作為例證，最終完成對文字的釋義。

而對於求是、求真來說，則可更進一步拋棄經書，阮元在〈焦里堂循群經宮室圖序〉中就明確表示，對於古代建築、器物的考證可以違背傳注：「是之所在，從注可，違注亦可，不必定如孔、賈疏之例也。」[12]另一個典型的例子是他考據〈小雅·十月之交〉的寫作時間，阮元明確反對《魯詩》以及鄭玄的說法，而論證的理由卻並非以經典傳注為依據，而是根據唐僧一行、元郭守敬等人的天文曆算方法，計算詩中描繪的日蝕現象出現的時間，以此斷定此詩不可能按鄭玄所說作於屬王時期。這種考證顯然已經跳出了經注，是一種旁求別門地探求真理的過程。換言之，訓詁學的求「本」是建立在經典文本基礎上的，而阮元的求「是」則是在經典之外，更追求某種超越文本的真理。可以說，「實事求是」部分地來源於漢學家訓詁考據的學術習慣，但顯然又不僅僅來源於

---

10 阮元：《揅經室集》北京：中華書局，1993年5月，頁1、55、250、621、678、688、690。

11 特別是在自然科學領域，阮元的「實事求是」並不「以古為是」，參見張立：〈科學「乃儒流實事求是之學」──略論阮元科學思想的實學精神及其局限〉，《北京大學學報（哲學社會科學版）》2002年第3期。

12 阮元：《揅經室集》北京：中華書局，1993年5月，頁250。

漢學傳統。

像阮元這樣對真理的追求，在中國古代文化中是十分有趣的。英國科學史家李約瑟（Joseph Needham）曾經認為「中國人不認為可以通過觀察、實驗、假說和數學推理等方法來破解或重新表述一個理性的至高存在所制定的法。」（〈中國科學傳統的不足與成就〉）[13] 這一假設建立在中國人有機世界觀基礎上，對於大多數中國古代學者而言比較適用。然而，在阮元對「實事求是」的追求中，我們卻可以看到他的心中存在一個「理性的至高存在」，他追求的是客觀的事實，而非思辨性的玄想。譬如朱熹觀察雪花的六瓣結晶，和太陰玄晶石的結晶現象做了對比，但總結時卻將「六」推究到天地自然之數，從經驗觀察走向了理學的玄思。阮元則不認可這種學術理路，因為由「實」入「虛」的理論，最終無法抽象出普遍性的真理，對於玄學與理學、心學，可以評價某種思辨是否高妙，但卻無法證明其是否正確，而阮元所追求的則是那個正確性的「是」。

阮元以「是」作為學術追求，一個經典案例是他評論朱熹對「克己復禮為仁」的解釋，朱子把「克」解作「勝」，把「己」解作「身之私欲」：「故為仁者必有以勝私欲而復於禮，則事皆天理，而本心之德復全於我矣。」（《四書章句集注》）[14] 這樣就把孔子的話納入到理學的天理人欲模式之中。阮元認為，若把「克己」的「己」解釋為「私欲」，那麼下面「為仁由己」的「己」就說不通了。他以鄭玄「相人偶」的訓釋解「仁」字，所謂「己欲立而立人，己欲達而達人」，所以「克己復禮」當解作：「我先自己好，自然要人好。我要人好，人自與我同作好人也。」（〈論語論仁論〉）[15] 可見，阮元否定宋儒的理論，本質上是對天理人欲模式的否定，但具體而言，則是因為「己」的語義不統一所致，宋儒解經缺少字義標準，違背了「是」的前提。而在「實事求是」的思維方式中，必須根據最實在的「字」探求抽象的「道」，宋明理學家在字義標準上尚且混亂不清，符合自己意思的語義就取，不符合則不取，那麼建立在如此解經基礎上的「道」自然是空中樓閣，如此解釋的經典也自然喪失了其經典意義。

由此，便可理解阮元何以如此堅持因聲求義了。因為有《爾雅》、《說文》的文獻依據，有《詩經》、《楚辭》的音韻語料，所以古音是確定可考的。漢字是音義結合體，相對於「義」而言，「音」更具有標準一致性。以「義」訓詁，結果可能歧義紛紛，仍以「惠鮮鰥寡」為例，阮元訓「鮮」為「斯」可通，俞樾訓「鮮」為「賜」（《群經平議·尚書四》）[16] 亦通，這樣依然可能陷入宋儒為我所用的解經方式。而為了「實事求是」，為了有一個普遍性的標準，即便有時繁瑣、甚至有時隔了一層，阮元也要堅持因聲求義，這是其內在思維方式所決定的。

13　（英）李約瑟，張卜天譯：《文明的滴定》北京：北京商務印書館，2016年8月，頁25。

14　朱熹：《四書章句集注》北京：中華書局，2011年，頁125。

15　阮元：《揅經室集》北京：中華書局，1993年5月，頁181。

16　俞樾：《群經平議》，《續修四庫全書》第178冊，上海：上海古籍出版社，2002年，頁91。

三　西學與算學的融會

那麼，尋求絕對標準的「實事求是」思維方式，究竟來源如何呢？有理由推測，阮元的思維方式可能部分地來自他對於古代算學以及西學的接觸。

乾隆二十五年（1760），法國耶穌會士蔣友仁（P. Benoist Michel）向乾隆帝進呈《坤輿全圖》，代表了西方世界對地理與天文學發現的最新成果。乾隆命蔣友仁翻譯，並由何國宗、錢大昕負責潤色，不過此圖在翻譯後並未流傳。其後，錢大昕主講紫陽書院，弟子李銳根據錢大昕的講義，整理出一部《地球圖說》，並於嘉慶四年（1799）刊行。然而，錢大昕的書中卻沒有圖，阮元認為「有說無圖，讀者驟難通曉」（〈地球圖說補圖序〉）[17]，於是補刻了李銳據《地球圖說》所繪的〈坤輿全圖〉二幅（即世界地圖，該圖清楚標示了經緯線，東、西半球各一幅）以及〈太陽並游曜諸圖〉十九幅，共二十一幅圖。其中包括日蝕圖、月蝕圖、黃赤交角圖、九重天圖（即九大行星圖）等，具有豐富的知識量。書成之後，阮元命名為《地球圖說補圖》，置於《地球圖說》之後，收入其所編《文選樓叢書》中。

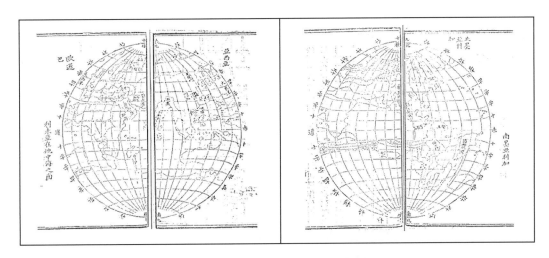

圖一　阮元《坤輿全圖》，《文選樓叢書》本

在刊刻時，阮元還為《地球圖說》作序，其中以曾子〈天員篇〉解釋天圓地圓說，並與熊三拔（Sabbatinode Ursis）〈表度說〉理論進行了對比。可見阮元對《地球圖說》中的天文與算學理論相當熟悉，不過他堅信「西學中源」，所以竭力嘗試以中國古籍之說來解釋西學理論，但是若無天文、數學知識，則很顯然阮元不可能做出這種「套用」。

---

17 阮元：《地球圖說補圖》，《續修四庫全書》第1035冊，上海：上海古籍出版社，2002年，頁15。

　　除了《地球圖說補圖》之外，阮元的西學知識更系統地體現在了他的〈太極乾坤說〉一文中。中國古代傳統學者討論「太極」、「乾坤」，往往墮入玄而又玄的神秘主義，阮元批評這種闡釋是「舍其實以求其虛」，因此，他要發揮「實事求是」的精神重新解讀太極與乾坤：

> 非太極不生兩儀，兩儀謂天地。地圓居中而不墜，天旋包之而有常。兩儀生四象，四象謂四時。天具黃、赤道，與地圓相遊行以成四時，春夏秋冬即東南西北也。四象生八卦，則因四方以定八卦之位，〈說卦傳〉「帝出乎震」以下皆其位也。然則乾坤為天地，宜居正南北矣，曷由乾居西北、坤居西南也？曰：此正太極即北極之實象也。地體正圓，中國界赤道而居，北極斜倚乎其北，南極入地不能見，以渾圓之體論之，則但於赤道緯線之內外，北極高低有分別耳。至於兩極經線，如瓜之直痕，則處處皆可謂當極之中，本無偏也。然洪荒既辟，及於中古，中國之地，以黃河橫亙為起止，若執洛陽為地之中，謂其所北之天正當北極，則應以洛陽南北地面一線之經為最高之地脊，其水當分東者向東流，西者向西流矣，曷由河與洛皆由西而來復東流也？觀於河、洛之由西而東，則中國之地東與海近，古聖人以為大勢偏乎東矣。故河源之西，水分東西流處，方許以為當北極經線之中，為地之脊。古聖人居中國而考其儀象，則乾居西北，坤居西南，職此之故。[18]

　　阮元用了相當長的篇幅解釋《周易》「易有太極，是生兩儀，兩儀生四象，四象生八卦」一句話，把「兩儀」解作天與地，而且特別明確了「地圓居中而不墜，天旋包之而有常」，這裡「地」的概念完全不是「天圓地方」的模型：一方面「圓」、一方面又「居中不墜」，則「地」當是一「星球」概念。從阮元的描述看，這種世界模型很可能來源於西學「天地儀」的理論模型，取地球在渾天之中之貌。蔣友仁在〈坤輿全圖說〉中也明確提到「天體渾

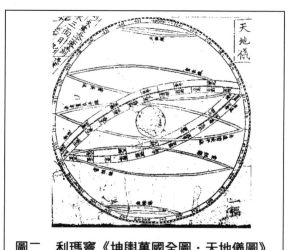

圖二　利瑪竇《坤輿萬國全圖・天地儀圖》

圓，地居天中，其體亦渾圓也。」[19]此外，阮元在〈太極乾坤說〉後文解釋乾、坤的方

18 阮元：《揅經室集》北京：中華書局，1993年5月，頁39。

19 （法）蔣友仁：《地球圖說》，何國宗、錢大昕潤色，《文選樓叢書》本。

位時，還通過河流走向論證了中國並不在地球之「中」的事實，所以聖人制卦，以「乾居西北，坤居西南」。以洛陽為天下之中，這種意識從周公營建洛陽就開始了，《何尊》中就有「宅茲中國」的銘文。阮元此番理論顯然是「離經叛道」，違背古說的，但卻符合了科學意義上的真理。此亦可謂「是之所在，從注可，違注亦可」，甚至不僅是「違注」，就連「違經」亦可了。

阮元所追求的，是具有標準性真理的「是」，它不能像玄學、理學那樣可以任由闡釋者隨意闡釋，必須有確定性的標準。而算學與西學中的科學意識，恰好可以在經典系統之外，提供另一重堅實的學術基礎。以此為依託，阮元就可以更自由地以「實事求是」的實學精神，清理、思考經典傳承中的各種學術問題。

在乾嘉時期的學術圈子裡，不僅阮元對科學抱有興趣，包括戴震、錢大昕、焦循等一批具有影響力的學者都對算學有所研究：戴震從《永樂大典》中輯出《數書九章》，並收入《四庫全書》，焦循著有《加減乘除釋》八卷、《天元一釋》二卷、《釋弧》三卷、《釋橢》一卷，合為《里堂算學記》。阮元還為此書作了序，在序中把算學上推到「六藝」之一，並將算學視為儒者的本分：

> 天與星辰之高遠，非數無以效其靈。地域之廣輪，非數無以步其極。世事之糾紛繁頤，非數無以提其要。通天、地、人之道曰儒，孰謂儒者而可以不知數乎！自漢以來，如許商、劉歆、鄭康成、賈逵、何休、韋昭、杜預、虞喜、劉焯、劉炫之徒，或步天路而有驗于時，或著算術而傳之於後。凡在儒林類能為算後之學者，喜空談而不務實學，薄藝事而不為，其學始衰。[20]

在這番表述中，我們再次看到阮元「務實學」、「實事求是」的意識，直接來源於他對「算學」的強調。為此，他還開列了一個古代算學家的序列，其中劉歆、鄭玄、賈逵、何休等經學名家赫然在列。類似的表述又見於其〈疇人傳序〉：「周公制禮，設馮相之官，孔子作《春秋》，譏司曆之過，先古聖人咸重其事，兩漢通才大儒若劉向父子、張衡、鄭玄之徒，纂續微言，鉤稽典籍，類皆甄明象數，洞曉天官，或做法以敘三光，或立論以明五紀，數術窮天地，製作侔造化。儒者之學，斯為大矣。」[21]算學的地位不再居於旁門左道，而與經學相等同。阮元甚至說：「我國家稽古右文，昌明數學，聖祖仁皇帝禦制〈數理精蘊〉，高宗純皇帝欽定〈儀象考成〉諸篇，研極理數，綜貫天人，鴻文寶典，日月昭垂，固度越乎軒轅、隸首而上之。」（〈里堂學算記序〉）[22]把算學納入清代官方政治意識形態之中，真可謂用心良苦。

---

20 阮元：《揅經室集》北京：中華書局，1993年5月，頁681。

21 阮元等：《疇人傳合編校注》鄭州：中州古籍出版社，2012年12月，頁15。

22 阮元：《揅經室集》北京：中華書局，1993年5月，頁681。

　　算學對「實事求是」的追求與考據訓詁對求本、求古的追求，其內在的精神氣質本是一致的，所以無論是恢復古代算學知識，還是接觸西方算學知識，這一過程本身就對考據學家有著天然的吸引力。《揅經室集》中就有很多關於地理、鐘枚、計算糧米、自鳴鐘、閏月、河運、勾股演算法的記載，其中亦不乏圖解與詳細計算過程。當然，所有的一切，最終都賦予了阮元（同時也包括了一批乾嘉漢學者）以追求普遍性真理標準的「實事求是」的思維方式。

四　作為語言淨化的駢文

　　在實事求是的思維方式下，我們還可以進一步透視阮元另一著名的觀點──文筆說。他在〈文言說〉中把〈易‧文言〉視為「千古文章之祖」，認為「文」的標準是「協音以成韻」、「修辭以達遠」，在形式上要多用韻、多用偶，所謂「兩色相偶爾交錯之，乃得名之曰『文』」。在〈書昭明太子文選序後〉中又指出：「奇偶相生，音韻相和，如青白之成文，如咸韶之合節，非清言質說者比也，非振筆縱書者比也，非佶屈澀語者比也」，所以文章的基本前提就是「沉思翰藻」[23]。可見，阮元論文學同樣是通過字義訓詁的方法來解釋「文」的本義，又以〈易‧文言〉的經典作為理論支撐，在方法論上與治經學的理路一致。而他以〈文選序〉作為發力點，最終目的就是要把古文（散文）從「文」的領域中驅逐，從而把「文」提純為講究聲韻比偶、沉思翰藻的，具有文學性的「有韻之文」。

　　一般認為，乾嘉漢學治經學主要是和宋明理學相抗衡，阮元標舉駢文則是為了和桐城派分庭抗禮，這些結論都沒有問題。而如果更進一步追問，在阮元反理學、反桐城的立場之下，又有其怎樣的文化意圖呢？

　　在阮元對西學的認識中，有一段話值得注意，學界一般認為這是阮元「西學中源」說的表述，而且往往因此為科學史家所遺憾：

> 元嘗稽考算氏之遺文，泛覽歐邏之述作，而知夫中之與西，枝條雖分，而本幹則一也。如地為圓體，則《曾子》十篇中已言之。七政各有本天，與都蒻日月不附天體之說相合。月食入于地景，與張衡蔽於地之說不別。熊三拔簡平儀說寓渾于平，而崔靈恩已立義以渾蓋為一矣。……而姜岌已云地有游氣濛濛四合矣。然則中之與西，不同者其名，而同者其實。（〈里堂學算記序〉）[24]

阮元在這短話中提到了星球概念、義大利傳教士熊三拔以及丹麥天文學家的谷（Tycho

---

23 阮元：《揅經室集》北京：中華書局，1993年5月，頁606、608。

24 阮元：《揅經室集》北京：中華書局，1993年5月，頁682。

Brahe）的理論，並且一一為其在中國古人的論述中找到對應的理論，最終得出「中之
與西，不同者其名，而同者其實」的結論。暫時擱置孰源孰流的爭議，可以看到在阮元
的認知中，西學與中學的差別僅僅是表述不同而已，對背後真理的探知是一致的。進言
之，對真理的探究與表述可以超越語言而存在。錢大昕的表述更道明瞭這種意識：「夫
東海之與西海，語言不通，文字各別，而布算既成，校之無累黍之失，無他，此心同，
此理同，此數同也。」（〈贈談階平序〉）[25]「數」作為乾嘉漢學新工具，使阮元與錢大
昕找到了人心與學術相通之處，而且這種溝通還具有超越語言的能力。

　　阮元對「數」的重視與他對「文」的重視是高度一致的，在其〈文言說〉之後，緊
接的是一篇名為〈數說〉的短文，該文開篇即強調：

> 古人簡策繁重，以口耳相傳者多，以目相傳者少，是以有韻有文之言，行之始
> 遠。不第此也，且以數記言，使百官萬民易誦易記，〈洪範〉、〈周官〉尤其最著
> 者也。[26]

「數」的價值與有韻之「文」的價值一樣，都具有上古時期「行之使遠」的功能，同屬
人類表義最為純粹的階段。「數」具有超越表象的真理性，那麼阮元將「文」與「數」
並稱，可見阮元對「文」的追求也應當具有某種純粹的真理性。

　　然而，阮元對語言的關注，恰恰使他意識到漢語在千年的發展過程中，已經受到了
污染。特別是儒家學術話語更直接受到了佛、道話語的污染，二氏之學進而也干擾了儒
學的發展路徑，使儒學走向玄虛。阮元作〈塔性說〉，分析「塔」的物理概念與「性」
的心理概念，細緻論證了無論是客觀的「塔」還是主觀的「性」，都因為佛教翻譯的影
響而喪失了其本義。而其結果就產生了諸如唐代李翱的《復性書》一類理論，雖然表面
上還是引述儒家經典，但本質上談的卻是佛教「無得而稱之之物」一類概念了。這就是
翻譯造成的語言的異化，進而造成學術的異化。類似地，阮元在為江藩《國朝漢學師承
記》作序時也指出：「浮屠之書，語言文字非譯不明，北朝淵博高明之學士，宋、齊聰
穎特達之文人，以己之說傅會其意，以致後之學者繹之彌悅，改而必從，非釋之亂儒，
乃儒之亂釋。」因為翻譯佛經，使得魏晉以後的學者把釋家的哲學話語與儒家的哲學話
語相混，特別是其後形成一種心性之學，破壞了漢代以前純粹的儒學，於是「濂、洛以
後，遂啟紫陽，闡發心性，分析道理，孔孟學行，不明著於天下哉。」（〈擬國史儒林傳
序〉）[27]那麼要匡正儒學，就必須從語言文字入手，恢復學術話語本來的純粹性，徹底
實現對漢語的淨化，戴震的《原善》、《孟子字義疏證》以及阮元的《性命古訓》等就是
其學術代表。

---

25 錢大昕：《潛研堂文集》南京：江蘇古籍出版社，1997年，頁362。

26 阮元：《揅經室集》北京：中華書局，1993年5月，頁606-607。

27 阮元：《揅經室集》北京：中華書局，1993年5月，頁37、248、1060。

　　在這個意義上，〈文言說〉、〈書昭明太子文選序後〉等文章的意義就突顯出來了。尊駢抑散不僅僅是對仗、押韻的文體問題這麼簡單，在阮元的理論設計中，駢文實為承載淨化語言的文學手段。為倡導尊駢說，阮元還極力標舉了漢代賦家的價值：「賈生、枚叔，並轡漢初，相如、子雲，聯鑣西蜀。」（〈四六叢話序〉）賦長期以來被認為是無關經術的末道小技，揚雄譏司馬相如為「雕蟲小技」，自己亦頗悔少作。因而阮元此論自然引起不少非議，所謂「千年墜緒，無人敢言，偶一論之，聞者掩耳」（〈與友人論古文書〉）[28]。

　　實際上，阮元所以肯定漢代賦家，與他們是不是「曲終奏雅」、「勸百諷一」無關，與關不關乎經濟民生無關，重要的在於他們用字雅馴。他說：「古人古文小學與詞賦同源共流，漢之相如、子雲，無不深通古文雅訓」（〈揚州隋文選樓記〉）、又說「豈有不明音韻篆文訓詁，能士擬相如、子雲者哉？」（〈與學海堂吳學博蘭修書〉）[29]以音韻、訓詁的學問稱讚司馬相如、揚雄，幾乎是前所未有之論。而這種對賦家的高度評價，正反映出阮元內心迫切的渴望，即以音韻、訓詁之學，恢復「文」的純潔雅馴，進而驅逐學術話語中的異端語言與思想。

　　如此一來，我們也能明白他稱讚郭可典詩歌的「爾雅真摯，實事求是」究竟指甚麼了。阮元所提倡的，就是文學語言的表義準確、規範典雅，他說：「詩人之志，登高能賦。漢之相如、子雲，文雄百代者，亦由《凡將》、《方言》貫通經詁，然則舍經而文，其文無質，舍詁求經，其經不實。」（〈西湖詁經精舍記〉）而文學語言上「耀采騰文，駢音麗字」的前提，正在於「洞穴經史，鑽研六書」（〈四六叢話序〉）的學術基礎。沒有音韻訓詁的知識，無法做到八音協和的駢文境界，沒有典章制度、歷史知識，又無法實現駢文用典的自然流暢，所以駢文無論如何都是寄託漢學家學養的最佳文本。桐城派也講文學之音韻，但劉大櫆等人把音韻引入「神」、「氣」、「理」，是則又使文學遁入了玄虛，而阮元論音韻，就必須落到有切實標準的音韻訓詁之學中：「曷就段氏精審之，而進以王氏之學定為古韻廿一部，以群經、《楚辭》為之根柢，為之圍範。」（〈與學海堂吳學博蘭修書〉）[30]如此論文，其文論的學術性也就達到一種極端的程度了。

　　阮元的思路後來啟發了清末的章太炎，章氏於〈文學總略〉中批駁阮元獨尊駢文的論點，這只是表面上的分歧。實際上章太炎〈自述學術次第〉中「亦欲使雅言故訓，復用於常文耳」[31]的主張，很明顯秉承了阮元的思路。只不過阮元只是想把「雅言故訓」打入他所框定的「文學」領域中，而章太炎更欲把「雅言故訓」應用於更廣泛的「文章」之中。二人學術理路的本質都是要通過淨化語言文字，以求真、求實的思維，解構包括

28　阮元：《揅經室集》北京：中華書局，1993年5月，頁610、738。

29　阮元：《揅經室集》北京：中華書局，1993年5月，頁388、1071。

30　阮元：《揅經室集》北京：中華書局，1993年5月，頁548、738、1071。

31　陳平原：《中國現代學術經典・章太炎卷》石家莊：河北教育出版社，1996年，頁647-648。

理學在內的意識形態領域的固化意識，進而形成一種具有「革命潛義」的新的語言[32]。
這才是阮元以「實事求是」的思維論文，進而為文學劃定嚴格語言標準的深層動因。

---

32 陳雪虎：《「文」的再認：章太炎文論初探》北京：北京大學出版社，2008年7月，頁70-79。

〈綺懷〉與〈感舊〉，情路嘆崎嶇
——黃景仁的兩段情

程光敏

新亞文商書院

　　談到乾隆年間的詩人，就不可不提及黃景仁；談到黃景仁的詩，就不可不提及〈綺懷〉與〈感舊〉。這兩組詩歌，打動了不少沐浴愛河或曾經滄海者的心靈；但也是這兩組詩歌，使黃景仁「泥絮沾來薄倖名」，為當代的「衛道者」所鄙棄了。

　　張維屏《聽松廬詩話》有這樣一節記載：「或曰仲則耽酒好色，其才雖美，其人不足重。」雖然張維屏續說：「仲則親老家貧，窮愁抑塞，……卒至飢驅奔走，客死他鄉。吾方悲之不暇，又何暇以禮法繩之耶！」對黃景仁還是體諒的，不過也由此可知，在不少人眼中，黃景仁就是個「耽酒好色」的人了。

　　本文會以〈綺懷〉與〈感舊〉兩組詩歌為出發點，佐以《兩當軒集》其他作品，梳理黃景仁的感情生活，讓讀者知道，他在十九歲娶髮妻趙夫人之前，是有過兩段戀情的；不過，若以此斷言黃景仁「好色」，便不恰當了。

一　黃景仁的第一段戀情：汍里——姑母之婢

　　黃景仁的〈綺懷〉，為他的第一段戀情提供了寶貴、詳盡的資料。

（一）戀人的身份

　　〈綺懷〉十六首，是黃景仁在二十七歲時追憶當年情事之作，但詩歌中的女主角是誰，就一直未有定論。按當時人物的口耳相傳，或現代人的推斷，她的身份不外乎以下三個可能性：

　　一、他姑母的女兒：

　　　　黃景仁十七歲時，到宜興汍里姑母家讀書，女主角是他姑母的女兒。

　　二、他姑母的婢女：

　　　　時地同上，只是角色換了個小婢。

　　三、他表姑的女兒：

　　黃景仁還有表姑、舅舅等住近武進、陽湖，女主角可能是他們的女兒。

　　在以上三個說法中，我是從根本上否定第三個可能性的。〈綺懷〉中所記的「偷情」事件，明顯是黃景仁跟那位女子同住於一大宅，女子偷來相會。若那女子住在黃景仁家附近，黃景仁憑甚麼到人家短住？

　　持此說者，應是把女子的身份鎖定是他表妹，而黃景仁在宜興姑母家只住了一個多月，兩人感情不可能發展得那麼快，所以，便認為是其他表妹。但黃景仁十七歲便到宜興氿里讀書，說他十六歲或更早便到鄰近的表妹家裡，發展出這段感情，就更不可能了。

　　黃景仁在寄住於宜興姑母家讀書時，跟某位女子發生了一段情事，跟〈綺懷〉所記的完全吻合；但這位女子的身份，有人說是他表妹，有人說是個小婢，尚未有定論。不過，根據當時人物的傳言，佐以〈綺懷〉所記，斷定那是他姑母的婢女，是更具說服力的。

　　林昌彝《射鷹樓詩話》卷五有以下一節記載：「武進黃仲則綺懷詩十六首，人多傳為中表之私，……宜黃陳少香先生，曩客毗陵，聞彼處士夫言之甚悉，皆指為仲則姑母某姓之婢，似可無疑。」在〈綺懷〉之五，黃景仁說他跟那女子是「蠱孃門戶舊相望，生小相憐各自傷」，兩人因住處相鄰近，自小便相識，而且都是自傷身世。黃景仁四歲喪父，家徒壁立，自傷身世，可以理解；至於他表妹，家庭環境並不差，根本沒必要為甚麼事而自傷吧！不過，若那女子只是個小婢，就絕對有自傷淪落的理由了。

　　推斷女子為小婢身份，〈綺懷〉之十一是更有力的證據，「怕歌團扇難終曲，但脫青衣便上昇。曾作容華宮內侍，人間狙獪恐難勝。」黃景仁得知情人將遠嫁，說她終可脫去青衣之服了，青衣就是婢女之服；而說她「曾作容華宮內侍」，就更明顯點出她的身份了。

　　若要更準確地說明該女子是黃景仁姑母之婢，以下一闋詞，也是很有力的佐證：

〈滿江紅〉感舊：

> 酒渴香消，夢汝在、意錢庭院。依舊是、春潮生頰，露桃如面。病後腰成花一捻，別來　　淚繳珠千串。訴侯門、多少苦和辛，紅妝賤。
>
> 鸞掩鏡，蟬分鈿。南去鵲，西飛雁。嘆崔郊戎昱，千秋空羨。二月竹枝辭峽恨，三更柘　　舞臨湘怨。夢回時、斜月滿關山，無人見。

黃景仁於夢中見到她在「意錢庭院」。《後漢書》載，梁冀「性嗜酒，能挽滿、彈棊、格五、六博、蹴鞠、意錢之戲。」可見「意錢」跟「六博」、「彈棋」都是古人在酒筵上的遊戲。〈綺懷〉之二，述及那位女子「六博彈棋夜未停」，並在酒筵散後，跟黃景仁「共牽珠箔數春星」，詩中所述之場景，明顯是這闋〈滿江紅〉所夢之場景。

　　詞的下片，引用兩位古人的典故，「嘆崔郊戎昱，千秋空羨。」崔郊、戎昱，有甚麼值得黃景仁羨慕？先說崔郊：

《太平廣記・卷第一百七十七》：

> 有崔郊秀才者寓居於漢上，蘊積文藝，而物產罄縣。無何與姑婢通，……姑貧，
> 鬻婢於連帥，連帥愛之。以類無雙，給錢四十萬，寵盼彌深。郊思慕無已，即強
> 親府署，願一見焉。其婢因寒食果出，值郊立於柳陰，馬上連泣，誓若山河。崔
> 生贈之以詩曰：「公子王孫逐後塵，綠珠垂淚滴羅巾。侯門一入深如海，從此蕭
> 郎是路人。」或有嫉郊者，寫詩於座。于公睹詩，令召崔生，左右莫之測也。郊
> 甚憂悔而已，無處潛遁也。及見郊，握手曰：「侯門一入深如海，從此蕭郎是路
> 人。」便是公制作也？四百千小哉，何惜一書，不早相示。遂命婢同歸。至幃幌
> 奩匣，悉為增飾之，小阜崔生矣。

崔郊跟姑母之婢私通，婢女雖嫁與他人，但兩人最終還是有情人終成眷屬的；黃景
仁也是跟姑母之婢私通，最終卻如〈綺懷〉之十所說的「何曾十載湖州別，綠葉成陰萬
事休。」女子婚後不久，便為丈夫生下孩子，黃景仁只能嘆句萬事皆休了。

至於戎昱，是得到京兆尹李鑾的賞識，李鑾想把女兒嫁給他，只不過嫌他的姓氏與
北方少數民族的戎族同字，希望戎昱改一下姓氏，婚事便可定下來，只是戎昱不願改
姓，婚事才以作罷告終。戎昱受到賞識，而自己放棄了婚事；至於黃景仁，很可能是被
他姑母，更可能是那位女子嫌棄，所以婚事無望的。

綜合以上資料，可知黃景仁這位心上人，就是他姑母的小婢了。

（二）戀情的發展

〈綺懷〉組詩，是黃景仁追憶十年前情事之作，旨在抒發個人情感。第一首，寫兩
人初次私會之事，「第一銷魂是此聲」，是令黃景仁畢生難忘的，故放在前頭，藉以帶出
〈綺懷〉之目。第十六首，以「結束鉛華歸少作，屏除絲竹入中年。茫茫來日愁如海，
寄語義和快著鞭。」說明綺懷已劃上句號。其他十四首，每首之間便沒有線索貫串，都
只是一些回憶片斷。

雖然如此，我們還是可以從組詩的第五首得到一些啟示。

> 蟲孃門戶舊相望，生小相憐各自傷。書為開頻愁脫粉，衣禁多浣更生香。
> 綠珠往日酬無價，碧玉於今抱有郎。絕憶水晶簾下立，手拋蟬翼助新妝。

首聯追述他倆自小相識，但止於門戶相望，未有太多接觸；頷聯交代相識後關係開始密
切，也有書信往來；頸聯寫伊人已為人婦，更為人母；尾聯勾畫出一個最令他難忘的畫
面。這首似乎交代了兩人戀情的始末，若按此線索，與其他各首聯繫起來，不難勾勒出
兩人戀情的發展大概。

（1）初相識時期

按《新唐書》載，代宗封姑姑李蟲娘為壽安公主，黃景仁說「蟲孃門戶舊相望」，是交代姑母住處跟自己的家相距不遠；就因為是近鄰，所以他跟心上人不乏見面機會。不過，兩人的感情只限於「生小相憐各自傷」，一個家道中落，一個淪為人婢，自小便互相憐惜，是兩人戀情的萌芽時期。

（2）初戀時期

〈綺懷〉第四首云：「中表檀奴識面初，第三橋畔記新居。」這應該是他倆戀情的開始。

在此之前，兩人居所接近，或常有碰面機會，但並未諳熟；這時他姑母搬到新居——應該是宜興氿里，黃景仁往看望時，曾作短住，所以給了他們發展的機會。「識面初」，不是說他們在這時才相識，而是說他在這時才以「檀奴」（情郎）的身份跟她交往；這時她織手絹相贈，他教她臨飛白書，感情愈發親密。

〈綺懷〉第二首所寫的，應該是這時的事，因為下一回黃景仁再到姑母家，是為讀書而來，不應有聽歌飲酒、六博彈棋之事的。

> 妙諳諧謔擅心靈，不用千呼出畫屏。斂袖擷成絃雜拉，隔窗摻碎鼓丁寧。
> 湔裙鬥草春多事，六博彈棋夜未停。記得酒闌人散後，共搴珠箔數春星。

黃景仁開始認識到她的性格活潑開朗，從女兒家的「湔裙鬥草」活動，以至男子在酒筵上的「六博彈棋」遊戲，她無一不懂。在酒闌人散後，兩人細數春星，培養感情；而她也「漫託私心緘荳蔻，慣傳隱語笑芙蕖」（其四），向黃景仁表明心跡，這段感情，發展得急促、熾熱。可惜黃景仁不能久客姑母家，所以自他回家後，兩人便得「盼斷流頭尺鯉魚」（其四），只能透過書信傳情了。

（3）熱戀時期

洪亮吉為黃景仁所撰之行狀說，黃於十六歲應童子試，已冠絕同儕，並得名人賞識。但黃景仁在十七歲時，選擇到宜興氿里姑母家讀書！這時的她，應是十五歲左右吧（「三五年時三五夜，可憐杯酒不曾消」〈綺懷〉之十五）。他在姑母家只住了個多月，在意中人另嫁之後，他便離開了。依此看來，他到姑母家讀書，說不定只是藉口，他真正的目的是想找機會去發展這段情呢。這個多月，是兩人的熱戀期，當他有較長時間留在姑母家，跟姑母家中各人熟諳下來，兩人就是有較多的接觸，也不會為人所怪了。

我們從以下四首〈綺懷〉詩，便可窺見他們當時的熱戀情狀。

楚楚腰肢掌上輕，得人憐處最分明。千圍步幛難藏豔，百合葳蕤不鎖情。

朱鳥窗前眉欲語，紫姑乩畔目將成。玉鈎初放釵初墮，第一銷魂是此聲。（其一）

旋旋長廊繡石苔，顫提魚鑰記潛來。闌前闖藉烏龍臥，井畔絲牽玉虎迴。

端正容成猶斂照，消沈意可漸凝灰。來從花底春寒峭，可借梨雲半枕偎。（其三）

輕搖絡索撼垂恩，珠閣銀椽望不疑。梔子簾前輕擲處，丁香盒底暗攜時。

偷移鸚母情先覺，穩睡猧兒事未知。贈到中衣雙絹後，可能重讀定情詩。（其八）

中人蘭氣似微醺，薌澤還疑枕上聞。唾點著衣剛半指，齒痕切頸定三分。

辛勤青鳥空傳語，佻巧鳴鳩浪策勳。為問舊時裙衩上，鴛鴦應是未離群。（其九）

在黃景仁眼中，情人是個美麗而熱情奔放的女孩子（千圍步幛難藏豔，百合葳蕤不鎖情）。兩人先是眉目傳情（朱鳥窗前眉欲語，紫姑乩畔目將成），繼而付諸行動，互通消息（梔子簾前輕擲處，丁香盒底暗攜時）。她暗地到他房間跟他私會（旋旋長廊繡石苔，顫提魚鑰記潛來），黃景仁恐怕事情洩漏，謹慎地作好安排（偷移鸚母情先覺，穩睡猧兒事未知），未見伊人，就心急如焚了（端正容成猶斂照，消沈意可漸凝灰）。

在黃景仁的詞中，〈醉春風〉（幽約），也充分表現出他在等心上人到來時的焦急與期盼：

望斷青鸞信，寂寞瑤階冷。昨宵已下死工夫，肯、肯、肯。裊盡爐煙，敲殘棋子，移來花影。　　嬾步挑釭燭，珠斗斜還整。柳梢月上已三更，等、等、等。憶著幽歡，縱教沈醉，也應驚醒。

看來，他們有過不只一次的「幽約」呢！

「玉鈎初放釵初墮，第一銷魂是此聲」，是兩人第一次的親密關係，她的體香（中人蘭氣似微醺，薌澤還疑枕上聞），她的熱情（唾點著衣剛半指，齒痕切頸定三分），都為黃景仁留下畢生難忘的記憶！

（4）戀情的結局

黃景仁這段戀情，以伊人別嫁告終，不過，他們不是被迫分開，而是她選擇了他人，讓黃景仁嚐到失戀的滋味。在〈綺懷〉組詩中，顯示出黃景仁在知道她要出嫁後，苦苦思念，但她卻沒留戀之意，那只是他單向的懷戀。她出嫁後，黃景仁尚心存癡想，盼望有日能再續前緣的。

（三）黃景仁的單向懷戀

　　在戀情以伊人別嫁告終後，黃景仁表達出自己對她的無限癡戀，她出嫁前，他已心痛得如遭針刺（心疑棘刺鍼穿就），醋意和淚而來（淚似桃花醋釀成），甚至憔悴得腰圍瘦減（沈郎莫歡腰圍減）。她出嫁後，他腦海一片空白（泥愁如夢未惺忪），徹夜難眠（炧盡蘭缸愁的的，滴殘虯水思惝惝、為誰風露立中宵），雖然他也盼望跟她有重續前緣的一天（仙人北燭空凝盼），但他知道，那是不可能的事了（太歲東方已絕蹤）。飽嚐相思之苦後，他的心已傷透（宛轉心傷剝後蕉），反映在面容上，就是開始鬢有微霜（萬恨俱歸曉鏡中），在〈城南晚步〉詩中，黃景仁說自己「少壯已二毛」，那很可能是這次情傷的結果。

　　我在上文說，她是在有選擇之下放棄黃景仁，這在〈綺懷〉詩中是可見端倪的。在第七首，黃景仁說「拋離密約錦千重」，主動拋離盟約的，只可能是她了。第十一首，「賺來誰費豆三升」，是說有個「人間狙獪」，想把她娶回去，使她「但脫青衣便上昇」，不用再為人婢。而這時的黃景仁，就正如他在第九首說的「佻巧鳴鳩浪策勳」，年紀尚輕，功名未就，所以，她便決定「拋離密約」了。

　　在黃景仁傷心透頂的時候，這位她又有何表現呢？她先是「背立雙鬟喚不應」，背他而立，喚她也不理不睬；臨別的時候，雖說以歌相贈，但是「會面生疏稀笑屬」，笑容欠奉，對黃景仁已無留戀之意了。

（四）黃景仁盼望再續前緣

　　黃景仁對她這段婚姻，自始便不看好，所以在她出嫁前，他已有「曾作容華宮內侍，人間狙獪恐難勝」的感慨。一旦她婚姻失敗，甚或成為寡婦，他是要跟她再續前緣的。在〈綺懷〉第十二首，他說「文園渴甚兼貧甚，只典征裘不典琴」，司馬相如就是憑這張琴，挑動卓文君之心，最終能成眷屬；琴是不能典當掉的，因為只要她擺脫這段婚姻的羈絆，這琴便能派上用場了！

　　黃景仁在情人出嫁後，仍是難以忘懷這段刻骨銘心的初戀，所以在她兒子出生的湯餅筵上，他想盡辦法也要去一趟，藉機見她一面（夤緣湯餅筵前見）。不過，現實是殘酷的，就在她兒子的湯餅筵上，黃景仁的癡想被徹底拒絕了。〈綺懷〉第十首說她「解意尚呈銀約指，含羞頻整玉搔頭」，有人解釋為她顧念舊情，故送贈銀約指，以留紀念，但我覺得事實上未必如此。這個湯餅筵，黃景仁是要夤緣才得參與的，她未必能早有所知，預備信物相贈；而且，就算她知道黃景仁要來，也不須、不便這樣吧。以我的理解，「解意尚呈銀約指」，「呈」是指展示，而非送贈！她知道黃景仁的心意，但在大庭廣眾之下，也不便說甚麼了，所以展示自己戴著的銀約指，告訴他自己已為人婦，而

「含羞頻整玉搔頭」，只是在逃避黃景仁眼光時的小動作，所以他在詩的尾聯說：「何曾十載湖州別，綠葉成陰萬事休。」我們不是像杜牧的湖州戀情般，睽違十載，但如今她已為人母，就只能嘆句萬事皆休了！

　　總結而言，黃景仁為意中人付出深厚感情，換來的卻是萬事皆休，所以他在她已為人母時，說「容易生兒似阿侯，莫愁真個不知愁」，似在埋怨她轉瞬間便把舊情忘記淨盡。不過，他在〈綺懷〉之十四說：「從此飄蓬十年後，可能重對舊梨渦。」到十年之後，仍對她念念不忘；知道「此生無分了相思」，他便「判逐幽蘭共頹化」了；由此可見，這段初戀對他是如何刻骨銘心的了。

二　黃景仁的第二段戀情：揚州——青樓之妓

　　黃景仁十七歲時在姑母家寄住了個多月，在情人另嫁後，便回家了。十八歲的一年，他到揚州從邵齊燾學習，他的第二段戀情，就是在這個時候開始的。

　　《兩當軒集》中，〈感舊〉、〈感舊雜詩〉兩組詩歌，以及詞作〈減蘭〉（中秋夜感舊），寫的就是這段情；作品都以「感舊」為題，可見他對這段舊情感觸彌深。在以上作品中，黃景仁記下了他跟一位青樓女子相戀時的溫馨，以及自己無奈拋她而去的自責與內疚，我們不能將他這段戀情視為逢場作戲的。

（一）戀人的身份

　　黃景仁第二段戀情，對象是個青樓女子。〈感舊〉之一，首聯云「大道青樓望不遮，年時繫馬醉流霞」；〈風流子〉（月下登虞山哭邵叔宀先生）亦說「余年剛弱冠，曾飲博、慣縱狹斜場」。由此可知，黃景仁在情傷後，是流連青樓妓院，排遣愁悶的。不過，自從遇上她後，黃景仁便開始發展他的第二段戀情，從她身上，他找回了被欣賞、被尊重的感覺。

　　這位女子，「明燈錦幄珊珊骨」（〈感舊雜詩〉之一），在體態上跟初戀小婢的「楚楚腰肢掌上輕」有點相似。在才藝上，眼前人是「柘舞平康舊擅名」，精於舞蹈；那個她則是善於諧謔、音樂、六博、彈棋，更是多才多藝。不過，以前那個熱情、靈慧的她，跟黃景仁沒有多少精神上的交流，而眼前的她，就能給他精神上的慰藉了。

（二）戀情的發展

　　黃景仁認識她時，她已是薄有名聲的舞妓，但她對當時還是一介書生的黃景仁清眼有加（柘舞平康舊擅名，獨將青眼到書生），她欣賞他的才華（非關惜別為憐才），多次

透過書信表明心跡（幾度紅箋手自裁），願意追隨左右（湖海有心隨穎士）。

過往跟姑母的小婢相戀時，兩人只能暗地來往，就是互訴心事的機會也不多，更遑論互相關懷、照顧了；但在第二段戀情時，從兩人的相處中，黃景仁是嚐到愛情的滋味了。眼前的她，細心體貼，早上起牀時，會避免驚醒他，讓他多睡一會（輕移錦被添晨臥）。客途寂寞時，她會陪他飲酒，排遣愁悶（細酌金卮遣旅情）；她亦會如一般熱戀中的女孩子一樣，對他說盡綿綿情話（風亭月榭記綢繆、牽裾幾曾終絮語），在黃景仁心目中，她就是自己的解語花了（杯底人如解語花）。

黃景仁的〈減蘭〉（中秋夜感舊）云：「去年今夕，木樨花底曾相識。」而在〈酷相思〉（春暮）則云：「猶記去年寒食暮，曾共約、桃根渡。算花落花開今又度。人去也、春何處？春去也、人何處？」中秋相識，寒食分離，他這段戀情，維持了八個月左右吧。

（三）戀情的結局

跟第一段戀情不一樣，這回是黃景仁被迫離開，想苦苦挽留的，是這個她。「最憶瀕行尚回首，此心如水只東流」，他臨行時，她屢屢回首顧盼，是最令他心痛的。〈感舊〉之二中，有「啼鵑催去又聲聲」之語。「啼鵑催去」，表示作者被催促回家鄉；作者離揚州而回家鄉，只有一次，就是十九歲時，娶趙氏前的一次，由此推斷，黃景仁是從母之命，回鄉完婚了。

黃景仁十七歲時到姑母家讀書，只讀了個多月便回家，十八歲時到揚州從邵齊燾讀書，又流連於青樓妓院，他母親肯定是不能接受的；所以，她便為兒子選定媳婦，希望他在完婚後能修心養性了。黃景仁在完婚後再回揚州讀書，可能跟她有最後一次的見面。〈蝶戀花〉：「猶記綠陰深處宿。簾捲東風，重把幽期續。淚眼細將紅豆囑，那人家住雷塘曲。」這時候，黃景仁把一切交代清楚，他們便「從此音塵各悄然」（〈感舊〉之四），再沒任何交往了。

黃景仁要走時，她是萬般不捨的，「遮莫臨行念我頻，竹枝留浣淚痕新」，這是她別時送他的淚；而黃景仁的離開，也是萬般無奈的，「淚添吳苑三更雨，恨惹郵亭一夜眠」，這是他回憶時還她的淚。

〈感舊雜詩〉之三，有「越王祠外花初放，更共何人緩緩行」之句，可知黃景仁在往後的日子曾看到她跟別的男子同行；不過，他在〈感舊〉之三曾有「珊瑚百尺珠千斛，難換羅敷未嫁身」之感慨，這個時候，她可能已為人婦，就算碰上，他也只能苦在心裡，不便上前跟她敘舊了。

黃景仁對這位紅顏知己的思念，並不亞於初戀的小婢。他曾向她許下誓言，不離不棄的（丹青舊誓相如札），可是自己最終不能實踐承諾，以致她投向別人懷抱（多緣刺史無堅約，豈視蕭郎作路人）。分開之後，黃景仁只能徘徊於昔日相會談心之處（雲階

月地依然在，細逐空香百遍行），回味往時情事（風亭月榭記綢繆）；雖然他說自己已如杜牧，收斂情心（禪榻經時杜牧情），但那只是強自開解而已，他一直為戀情未能結果而惋惜（自古同心終不解，羅浮塚樹至今哀），他的早衰，跟這段戀情是不無關係的（檢點閒愁在鬢華、而今潘鬢漸成絲、經秋憔悴為相思）！

三　後記

　　跟黃景仁同時代的某些衛道者，往往批評他「耽酒好色」。他的「耽酒」是事實，生長在那個年代，處於那個社交圈子，能喝一點酒，是很正常的事。他一生四處奔波，只是「未了名心為老親」，想讓母親過著更好的生活吧！在屢屢碰壁之下，他借酒消愁，便喝得沒有節制了，所以，自他在外求功名以來，酒跟他是形影不離的。

　　至於說他好色，我便認為不恰當了。黃景仁流連青樓妓院的日子，就是他在第一段戀情失敗後，到揚州讀書的大約八個月；而且，在他遇上那一位欣賞他的女子後，他們就是在發展一段戀情，我們不能視他為好色之徒的。在往後的日子，黃景仁大都窮愁潦倒，就是他想好色，也沒有這個經濟能力了。他給時人「好色」的錯覺，應是他的〈綺懷〉和〈感舊〉等詩寫得太好，令人以為他一生的感情生活就是那樣多姿多采吧！

廣東中山市沙田話與沙田開墾者的關係

馮國強

香港樹仁大學中文系

一　沙田地名特點

中山的沙田在成田之前，原是茫茫大海，經過宋元明清築堤圍墾方成沙田，故其地名有許多沙田特色。

一、以成沙先後命名：如：一沙、二沙、三沙、四沙、五㘵、六圍等。

二、以沙洲形態命名：石鼓洲、大角嘴、大塔圍、金斗灣、金魚瀝、關刀塘等。

三、以出海口命名：如：橫門、涌口門等。

四、以拍圍成沙命名：如：新沙、新涌、新洲、新地、新塘等。

五、以沙圍的高低命名：如：高沙、低沙、坦洲、坦背等。

六、以面積大小命名：如沙仔、大滘、大涌、小欖、大欖等。[1]

二　中山市沙田圍墾和開墾者

何謂沙田？（元）王禎《王禎農書》云：「沙田，南方江淮間沙淤之田也，或濱大江，或峙中洲，四周蘆葦駢密以護堤岸；其地常潤澤，可保豐熟。」[2] 沙田就是從沙洲開發出來。屈大均稱：「粵之田，其瀕海者，或數年或數十年，輒有浮生。」[3]

中山沙田是由西海十八沙和東海十六沙合成的，從成沙期來說，西海十八沙成沙期較早。

西海十八沙與東海十六沙、位於珠江三角洲下游腹部，西江流域以東的小欖水道（東海）為界，以西為西海十八沙，以東為東海十六沙。兩大沙區，主要是由西江流域的沙泥沉積而成（包括西江，洪奇瀝、小欖水道、橫琴水道、流經的地方、八個入海口——洪奇瀝、橫門水道、磨刀門水道、泥灣門水道、雞啼門水道、崖門水道、虎跳門水道和虎門水道）。

1　馮林潤（1935-2015）：《沙田拾趣》北京：中國文聯出版社，2001年，頁51-55。

2　（元）王禎（active 1333）：《王禎農書》卷11〈農器圖譜・田制・沙田〉北京：中華書局，1956年，頁147。

3　（清）屈大均（1630-1696）：《廣東新語》（康熙39年序，出版者不明）卷2〈地語・沙田〉，頁25上。

「西海十八沙」包括欖面沙、螺沙、高沙、流板沙、績麻沙、烏沙（前面屬於小欖鎮）、石崗沙（橫欄鎮一、二、三沙）、戙角沙（在橫欄鎮四沙）、白蠔沙（在橫欄鎮的五、六沙）、指南沙、拱北沙（在橫欄寶裕一帶）、橫欄沙（前面屬於橫欄鎮）、赤洲沙（今屬大涌鎮）、雞翼沙、太平沙、白鯉沙、庵沙、觀音沙（今屬東升鎮）等沙洲。[4]

宋末、珠江三角洲的沙坦向有住民耕沙的特點，古鎮、小欖以南，有更多的沙田，而且濱海未經墾闢的荒地尚多。據元至明初，為地主豪紳所占有的老沙田及新生沙坦祖嘗田。[5]

「東海十六沙」就是指大浪網、大坳沙，石軍、吳婆沙，鐘沙（以上今屬於黃圃鎮）、大南上、大南下、浮壚沙、牛角沙、北流、坡頭上、坡頭下（以上今屬於阜沙鎮）、白鯉、馬鞍、三角（以上今屬於三角鎮）、罟步沙（以上今屬於東鳳鎮）等十六條沙洲。[6]

中山北部的西海十八沙與新會東南部，其成沙和開發都比東海十六沙與番禺南部為早。估計明中葉之前，人們集中在西海十八沙和新會東南部的海坦進行圍墾；到明中葉之後，發展到東海十六沙和番禺南部一帶圍墾。[7]

關於沙田的發育形成，要經過魚游、櫓迫、鶴立、草埗、圍田等幾個階段。[8]

一、魚游階段：水流出口門後，呈擴散狀下洩，因而在江外堆成心月形的沙灘；或平行海濱而形成水下泥堤，低潮時水深僅有二至三米。這種水深由於極適於魚群活動，故稱魚游階段。魚游階段的水下沙灘，為構成以後坦地的前身。

4　佛山地區革命委員會：《珠江三角洲農業誌》編寫組編《珠江三角洲農業誌》初稿（一）中國：出版地不詳，1976年，頁77。初稿寫於1976年，行政區以公社稱呼，今筆者改成鄉鎮，至於大隊改成村委會。以上村資料是分散的，今把村集中於所屬的鎮內。東海十六沙也是這樣子處理。西海十八沙和東海十六沙資料得到中山四沙貼邊人馮林潤先生審閱和重組村落鄉鎮資料。

5　《珠江三角洲農業誌》初稿（一），頁77。

6　《珠江三角洲農業誌》初稿（一），頁89。
　　《珠江三角洲農業誌》十六沙名稱應該是出自龍廷槐《敬學軒文集》卷十二〈擬照舊雁募守沙擬〉，頁1上：「竊查香山縣東海，大浪網、大南上截、大南下截、波頭上截、波頭下截、石軍、浮壚、大坳、牛角、吳婆、中沙、白鯉、北流、罟步、三角、馬鞍等十六沙。」這是龍廷槐的說法，香山人說法見廣州香山公會編：〈香山東海沙名表〉《東海十六沙紀實》（廣州香山公會初印，民國元年十月，藏於廣東省立中山圖書館特藏部，頁6分別列出是大坳沙、玻頭沙、中沙、牛角沙、罟步沙、浮壚沙、馬鞍沙、石軍沙（一名石沙）、吳婆沙、三江沙、白鯉沙、大南沙、鹹標沙、浪網沙、田基沙、海心沙。兩者相同共九個沙，就是大坳沙、大南沙、玻頭沙、罟步沙、浮壚沙、馬鞍沙、石軍沙、吳婆沙、白鯉沙。

7　《珠江三角洲農業誌》初稿（二），頁20。
　　黃永豪：《土地開發與地方社會　晚清珠江三角洲沙田研究》香港：文化創造出版社，2005年，頁10云：「東海十六沙約位於香山縣、順德縣和番禺縣交界的地方，約位於現今石岐以北、小欖以東和潭州以南的地區。大約在明末清初開始開發。」說法與《珠江三角洲農業誌》初稿（二）不同。

8　丘斌存：《廣東沙田》韶關：新建設出版社，1941年，藏於廣東中山圖書館特藏部，頁1稱沙田之形成分作四個階段，分別是水坦、草坦、熟田、沃壤。

二、櫓迫階段：由於水下沙坦的不斷淤高，因而低潮時水深僅有一至一點五米，俗稱水坦。小船撐竿可觸及淤泥，但搖櫓已感困難，所以叫櫓迫階段。

三、鶴立階段：低潮時水深約零點二至零點三米，灘尾在低潮時可露出水面而成坦，但高潮時仍被淹沒，落潮時乾出，人們可蹬板滑行，俗稱白坦。由於白鶴可在沙坦上往往覓食，故又叫鶴立階段。

四、草埗階段：由於沙灘的淤淺，因而在海岸前緣的靜水或背風處，有秋茄、老鼠簕等植物群落生長，低潮時一般灘地均可露出水面，人工種植的鹹水草可迅速稠密生長，俗稱草坦，又叫草埗階段。

五、圍田階段：草坦一般再經二、三年後，隨著坦面的淤高，漸漸可經常露出水面，只是漲潮時仍然淹浸薄層潮水。土壤的潛水位亦逐漸降低，表層通氣條件日益改善，氧化脫鹽過程亦開始發展，此時便可動工拍圍，開墾利用，即成「沙田」。

從上面的過程可以看出，沙田的形成一是要有泥沙的淤積，此為先決條件，二是要靠人力的參與，如上述沙田發育形成五階段中，前三階段基本上是自然淤積起主要作用，後兩者就要人工的力量了，入工加速淤積成田。[9]

由於前三階段發育於自然階段，是很漫長的，民眾便通過築堤圍加速其發育完成前三個階段。至於築堤、落沙拍圍成田，主要是由熟悉水性的疍民來擔當這工作。這些工作是要出海工作，只有「視水如陸」的水上人方能習慣這種水面艱辛工作。[10]

兩宋國祚共三一九年，這三百多年間，築堤圍約十餘處，大小共二十八條，堤長度共達六六〇二四丈；元時共築堤圍其十一處，內計堤圍有三十四條，長度共五〇五二六丈。有明一代（西元 276 年），珠江三角洲共築堤圍一八一條，總長度達二二二〇三九九丈，比宋元兩代四百年總共築堤長度一一六五五〇丈，還要多出一〇三八四九丈，這就是說，明代二七六年珠江三角洲的堤圍工程比宋元四百年多出近一倍。[11] 由此來看，明代的海堤圍墾進入了盛期。到了清代，清修築堤圍總數已超過二七二條，比明代築堤數增加百分之五十以上。[12] 明清年代，珠江三角洲的人民通過圍墾過程加速沙田發育，就是在櫓迫階段便投石、種鹹水草等加速泥沙的積高，從而加快進入拍圍成田。拍圍成田，一般三年便可以。[13]

9　《珠江三角洲農業誌》初稿（一），頁123-124。

10　（宋）周去非著：《嶺外代答》（《欽定四庫全書・史部十一》）卷3〈蜑蠻〉，頁7下：「以舟為室，視水如陸。」

11　《珠江三角洲農業誌》初稿（二），頁5、12、114。

12　《珠江三角洲農業誌》初稿（二），頁41、114。

13　屈大均：《廣東新語》卷2〈地語・沙田〉，頁26上表示一般沙坦在種草後，只需三年便可開墾成田。

龍廷槐：《敬學軒文集》卷1〈與瑚中丞言粵東沙坦屯田利弊書〉，頁2上-3上云：「民之報墾者，每或數人，或十數人，以至數十人不等。報墾稅數，自數頃以至數十頃、百頃亦不等。皆視水勢之緩

　　明萬曆二十年（1592 年），順德人均畝數只有十三畝，可見順德人口太稠密，謀生不易，而同一年的香山人均可以耕作三十一點三畝，這是引發順德人大量遷到新開發沙田區香山的直接原因。[14] 咸豐《順德縣誌》稱萬曆間「惟是順地狹民稠，惟香山環海……大小黃圃之沙坦彌多，順民告承接踵。」[15] 這是解釋了中山沙田話何以接近順德話，就是順德人為了生計而大量遷來香山。順德人遷來中山另一個原因是沙田可稻可菱可漁，而且在未成為熟田之前，三年不向官府納稅，成為熟田之後，納稅也較輕。[16] 順德人龍廷槐《敬學軒文集》卷一〈與瑚中丞言粵東沙坦屯田利弊書〉云：「貧民、蛋戶皆藉耕佃工，築之業以糊口，承墾息，則人皆失業。」[17] 這些移民，除順德貧民外，大多數是順德蜑民。這些蜑民和失業遊民，因耕佃的需要而定居下來，把沙田區發展成村成市，如《東海十六沙紀實》稱清中葉以後「因農成村，因村成市。已成村場數十沙，已成墟市者十餘沙……均摩肩接踵，攘往熙來。其村場也雲連櫛比，大有成都成邑之勢。」[18] 葉顯恩、林燊祿稱這些沙田，未發育成沙田時，根本是一片茫茫水域，生活條件惡劣。要在此定居，一般人視為畏途。最初的「落沙者」（定居者），主要是習慣水上生活的蜑民，後來一些被生活迫得走投無路的單寒小姓，才不得不移居沙區。據道光《南海縣誌》記載：「業戶固居鄉中大廈，即家人、佃戶亦不出鄉。其于田者，止為受雇蛋戶、貧民、佃戶，計工給足米薪，駕船而往出入。飲食皆在船中，無須廬舍。」可見始時無人居住，「因農成村」是條件有所改善之後。在沙田區這種沿著堤圍

急、廣狹，以定其縱橫長短之數。議既定，則各出貲，以為衙門報承領貼之費。准墾之後，俟其水勢漸淺，人力可施，又合貲雇工貰舟運石沉累海底，周圍數百丈，以至數千丈，不等。名曰石基。又名底基。石基既累，幸不為風浪沖刷之，數年或十數年，潦泥淤與基平，則又運石再累。至再至三，如是者又數年十數年，漸積漸高，於是潮退盡時而坦形可見。乃運高田有草之硬泥，四周築為大堤。中間間以小堤，縱橫棋布，又曰硬泥基。基既成，又幸不為風浪沖刷，閱數年潦泥復淤與基平，又再築。又積之數年十數年泥復與基平，則坦形互然出面矣，名曰水坦。水坦泥土如漿，踐之滅頂，乃用小艇載蘆荻散栽之（粵人名為朗）。數年後，荻茂根蟠，其土漸實，則去荻而種之以草。四周仍留荻以禦風濤，名曰草坦。計自累底基以後，有歲修、有小修，有守基之人、守獲守草之艇，防偷掘，亦以候風信。種草後數年，或十數年，坦益高，泥益實，乃相其高阜之處，試種稻之能耐鹹潮淹浸者，名為出水蓮（俗名蝦稻言如蝦之日在水中也）。由此漸開漸拓，遲之十數年，乃可種上稼而名之為田。」龍廷槐就是詳細描述了如何加速成田的過程，至於成田時間卻不是屆大均所言三年，龍廷槐卻誇大說成十數年。黃永豪稱龍廷槐如此說是保護其開墾利益，見黃永豪：《土地開發與地方社會　晚清珠江三角洲沙田研究》，頁27。
　　譚棣華：《清代珠江三角洲的沙田》廣州：廣東人民出版社，1993年12月，頁8。
14 馮江（1972-）：《祖先之翼——明清廣州府的開墾、聚族而居與宗族祠堂的衍變》北京：中國建築工業出版社，2010年11月，頁58-59明代廣州府田地概覽（表3-1）。
15 郭汝誠修：《順德縣誌》卷3〈輿地略・風俗〉（咸豐癸丑刻，板藏公署，頁35下-36上。
16 陳澤泓：《廣府文化》廣州：廣東人民出版社，2007年4月，頁142。
17 龍廷槐：《敬學軒文集》卷1〈與瑚中丞言粵東沙坦屯田利弊書〉，頁12上。
18 廣州香山公會編：〈沙所之村市〉《東海十六沙紀實》，頁16。

搭寮而居的線狀聚落、是沒有宗族組織的。在此居住的蜑民等為民田區和圍田區的大族所支配和役使。[19] 對於蜑民來說，築堤耕佃，原非其業。然而，滄海桑田，生態發生了巨變。原是在順德前沿的寬闊的海域變成了沙坦，居住於珠江漏水灣上的蜑民生活天地日益縮小。圍圈工築沙田的興起，正為他們提供了生路；而且在水中的工種，最容易為他們所適應。因此，自明代起，蜑民被勢家大族役使圈築，耕佃沙田……可見沙田的蜑區的蜑戶已以工築耕佃為生活之源。隨著圍築沙田範圍的擴大，需要承擔工築耕佃的蜑戶，其數量也日巨。但是，如前所述，蜑民人口的蕃衍，從明至清末成倍地增加。[20]除了葉顯恩、林燊祿認為這些築沙者、雇農是蜑民，蕭鳳霞、劉志偉也認為：「珠江三角洲地區沙田的佃戶雇工，一般都被視為蜑民。」[21] 通過四位學者看法，沙田的佃戶雇工，都是舡（蜑）民，便明白何以中山沙田話就是舡語，也明白何以中山沙田區人稱其語為順德話，或者說是一種粵語順德腔，卻不曾聽聞沙田話稱作南海話或番禺話。

清雍正七年（1729）下詔准許舡民上岸務農，於是舡民成為開發珠江三角洲沙田的重要勞動力。日人西川喜久子認為於蜑戶雖被雇於豪強，開發沙田，但他們又是耕作的農民，即是造沙所修工程是利用耕作農民的農閒時間進行的。[22]這些舡戶結墩塞水修工程的時間，屈大均指出農舡的造沙等工程是在「二月下旬，偕出沙田上結墩……至五月而畢，名曰田了，始相率還家……七八月時，耕者復往沙田塞水，或塞洪箔。」[23]

於清一代，在香山的沙田田主，主要是順德人，《東海十六沙紀實》、《鳳城識小錄》、《沙田誌初稿》便有記載。《東海十六沙紀實》稱順德擁有香山沙田十之三四。[24]順德大良龍葆誠《鳳城識小錄》稱「十六沙大半係順人所享之業」，就是稱順德人擁有沙田一半以上。[25]《沙田志初稿》稱「（中山）縣轄沙田，除少數為外縣人管外（多為順德人，民初管理東十六沙十分之四業權），餘均屬諸邑人。」[26] 占有如此多東海十六沙沙田，主要是順德大良龍氏、順德北門羅氏。[27] 他們控制和經營東海十六沙是始於

19 葉顯恩、林燊祿：〈桑基魚塘生態農業與珠江三角洲近代風雲〉《明清時期珠江三角洲區域史研究》廣州：廣東人民出版社，2011年4月，頁200。

20 葉顯恩、林燊祿：〈明清珠江三角洲沙田開發與宗族制〉《中國社會經濟史研究》廈門：廈門大學歷史研究所，1998年第4期，頁62。

21 蕭鳳霞、劉志偉：〈宗族、市場、盜寇與蜑民──明以後珠江三角洲的族群與社會〉《中國社會經濟史研究》廈門：廈門大學歷史研究所，2004年第3期，頁8。

22 （日）西川喜久子、翟意安譯：〈清代珠江下游地區的沙田〉《中山大學研究生學刊》（社會科學版）廣州：中山大學研究生院，2001年第3期，頁25。

23 屈大均：《廣東新語》卷二〈地語・沙田〉，頁23下。

24 廣州香山公會編：〈護沙外之支銷〉《東海十六沙紀實》，頁25。

25 龍葆誠撰：《鳳城識小錄》（出版地不詳，光緒乙巳年，順德龍氏攸園刊本，今藏於廣東中山圖書館之特藏部）卷下，頁12上。

26 劉稚良：〈沙田志初稿〉《中山文獻》中山縣文獻委員會編印，1947年，頁58。

27 黃永豪：《土地開發與地方社會　晚清珠江三角洲沙田研究》，頁149。

明末清初。[28] 龍氏族人及族產所擁有的沙田，有百分之九十四為東海十六沙沙田。[29] 咸、同（1831-1875）之間，順德龍元僖辦順德團練局，與順德羅氏、溫氏（與大良龍元僖是姻親關係）等大族共同爭奪東海十六沙的控制。[30] 由此可知，東海十六沙是由順德大良龍氏、大良北門羅氏、龍山溫氏所控制和擁有。龍氏《鳳城識小錄》稱其占東海十六沙十之五，餘下不少部分便是由北門羅氏、龍山溫氏擁有，劉稚良〈沙田志初稿〉卻未說清楚。這裡是可以解釋到中山人稱沙田區的農舡丁的沙田話為順德話，就是擁有大量東海十六沙業權的沙田業主役使開墾沙田和耕佃者，在順德當地找上舡民來工作。

三　小結

這裡是可以解釋到今天中山人稱沙田區的農舡丁的沙田話為順德話，這順德話是順德舡語，沙田人就是擁有大量東海十六沙業權的沙田業主役使開墾沙田和耕佃者，就是在順德當地找上舡民來香山工作有密切關係。

從方言來說，沙田話是順德腔的方言，因為沙田區的始遷祖來自順德為主，故此受順德話影響頗大。不過，沙田區方言也會受鄰近的新會、南海、番禺等兒方言的滲透，故與順德話又不盡相同，所以中山的沙田話也發展成自身特色的方言，不能隨便說沙田話就是順德話，不能如此草率下一個結論。

---

28 黃永豪：《土地開發與地方社會　晚清珠江三角洲沙田研究》，頁10、87-121（第4章〈大良龍氏與東海十六沙〉）。

29 黃永豪：《土地開發與地方社　晚清珠江三角洲沙田研究》，頁90。

30 吳建新：〈清代墾殖政策的兩難選擇——以珠江三角洲沙田的放墾與禁墾為例〉《古今農業》北京：全國農業展覽館（中國農業博物館），2010年第1期，頁94。

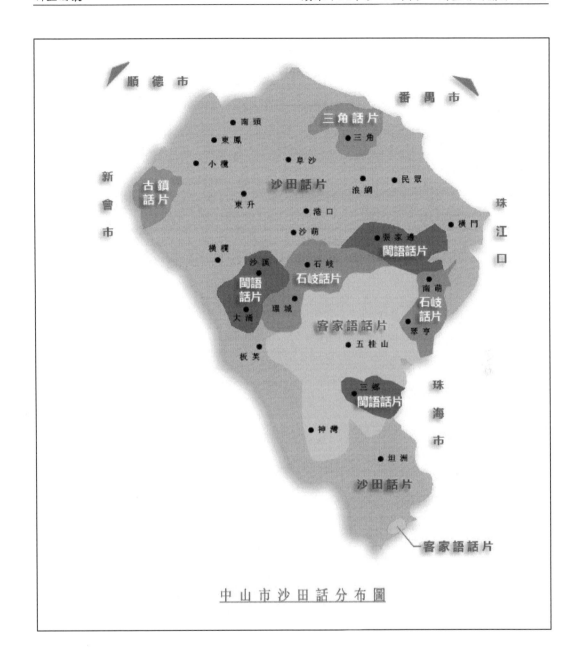

中山市沙田話分布圖

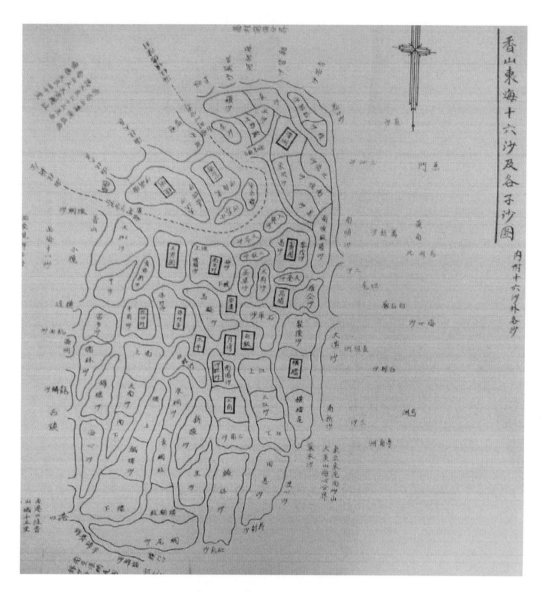

此圖取自《東海十六沙紀實》

昆劇史論的燈塔
——評胡忌等著《昆劇發展史》

李嬌儼

中國人民大學國學院

　　《昆劇發展史》的作者是胡忌與劉致中先生。劉致中先生負責編寫本書的第三、四章和第五章的第一節，並完成最後的統稿工作。本書一九八九年由中國戲劇出版社出版，二〇一二年由中華書局再版，其中只對劉致中先生編撰的部分有少量修訂。本書獲得了一九九〇年第四屆中國圖書獎二等獎，胡忌先生受昆曲界推崇亦主要因為此書。[1]

　　胡忌曾寫過一本《昆劇簡史》，於一九六三年抄家中被毀。一九八三年，胡忌參加在北戴河召開的中國戲曲劇種史寫作會議，他擔任了昆劇史的寫作任務，他認為「應該把我國獨有的傳統戲曲藝術（它是我國固有文化的一個組成部門）比較客觀、科學地介紹到全世界」[2]，書稿於一九八五年底基本完成。

　　中國近代古典戲曲的研究始於王國維和吳梅，王國維的《宋元戲曲史》、吳梅的《中國戲曲概論》[3]都有總結概述戲曲重要發展時期之意，但完整地論述中國戲曲發源流變的史論著作，要到較晚時候，如董每戡《中國戲劇簡史》[4]、青木正兒《中國近世戲曲史》[5]、周貽白的《中國戲劇史長編》[6]，比較新的有張庚、郭漢城主編的《中國戲曲通史》[7]、廖奔等《中國戲曲發展史》。[8]無論這些戲曲史如何書寫，無論戲曲的歷史被提前到多早，明清傳奇都是其中一大重點，昆腔則是明清時期最重要的演唱聲腔，所以昆劇在這些書中都占有重要篇幅。

　　對昆劇的研究很早開始，但是昆劇的專門史，直到八十年代才出現。最早有張秀蓮的《昆劇發展簡史》[9]，此後有陸萼庭的《昆劇演出史稿》[10]、顧篤璜的《昆劇史補

1　解玉峰：《20世紀中國戲劇學史研究》北京：中華書局，2006年8月，頁244。

2　胡忌、劉致中：《昆劇發展史》北京：中華書局，2012年8月，頁475。

3　吳梅：《中國戲曲概論》上海：大東書局，1926年。

4　董每戡：《中國戲劇簡史》北京：北京商務印書館，1949年。

5　青木正兒著，王古魯編譯：《中國近世戲曲史》北京：中華書局，1954年。

6　周貽白：《中國戲劇史長編》北京：人民文學出版社，1960年。

7　張庚、郭漢城：《中國戲曲通史》北京：中國戲劇出版社，1980年。

8　廖奔、劉彥君：《中國戲曲發展史》太原：山西教育出版社，2000年。

9　張秀蓮：〈昆劇發展簡史〉，《戲曲藝術》1979年第1期，頁96-112。

論》[11]，及《昆劇發展史》。上述幾本書，從論述的系統性、結構的完備性、史料的豐富性等方面來評價，還以《昆劇發展史》和《昆劇演出史稿》為重要，兩書可稱八十年代昆曲研究論著之「雙璧」。

其中，《中國昆劇大辭典》評價《昆劇發展史》關注視角極廣，在音樂、戲班、流派方面都有討論，引用材料極為豐富，新見迭出[12]；《中國曲學大辭典》也認為這是一部完整深入的昆劇發展專著，以詳實的材料、縝密的考據研究昆劇全史[13]；《文苑明珠》認為本書填補了戲曲研究界的空白，其鮮明特色是注意結合演出實踐進行研究[14]；《昆曲創作與理論》認為本書以開闊的視野，對昆劇不同發展階段的社會情況，都做出了「生動的有說服力」的描述[15]；《疏影幽蘭——中國昆曲的當代傳承與發展》則認為本書開闢了「當代昆曲史」研究的先河[16]。

此外也有人指出本書的問題。傅曉航〈重讀《南詞引正》解惑〉認為，雖然對《南詞引正》的理解存在分歧是正常現象，但是本書對《引正》的解讀成為日後把昆曲過分捧高，是「在元末明初已儼然是一個成熟的大劇種」的不正之風的始作俑者[17]；陳均〈昆曲史的建構及寫作諸問題——以《昆劇演出史稿》、《昆劇發展史》中的「北方昆曲」為例〉則認為二者在構建昆劇史時，都未能合理地將「北方昆曲」的概念納入寫作體系中[18]；臺灣劉有恆《昆曲史料與昆腔格律考略》認為本書缺乏對史料的考證，將偽造的《南詞引正》奉為信史。[19]

《昆劇發展史》的成稿約花費兩年時間，劉致中先生認為時間倉促，對此書不甚滿意，本書的史料編排也略顯粗疏。他本人此後也應邀想寫一本新的昆劇史，但所定目標太高，直到去世也未能完成。評論者秉持客觀態度，從昆劇史寫作的角度出發，提出本書的兩點問題，並對本書進行些許補充。

10　陸萼庭：《昆劇演出史稿》上海：上海教育出版社，2006年1月。

11　顧篤璜：《昆劇史補論》南京：江蘇古籍出版社，1987年。

12　吳新雷：《中國昆劇大辭典》南京：南京大學出版社，2002年5月，頁88。

13　齊森華：《中國曲學大辭典》杭州：浙江教育出版社，1997年12月，頁917。

14　張永桃、張伯偉主編：《文苑明珠（四）》北京：中國青年出版社，2000年1月，頁535-536。

15　王安葵、何玉人：《昆曲創作與理論》2005年，頁299-300。

16　柯凡：《疏影幽蘭——中國昆曲的當代傳承與發展》北京：文化藝術出版社，2014年，頁188。

17　傅曉航：〈重讀《南詞引正》解惑〉，《戲曲研究》2008年第1期，頁79-99。

18　陳均：〈昆曲史的建構及寫作諸問題——以《昆劇演出史稿》、《昆劇發展史》中的「北方昆曲」為例〉，《戲曲藝術》2014年第1期，頁34-44。

19　劉有恆：《昆曲史料與昆腔格律考略》臺北：城邦印書館，2016年，頁33-34。

一 對昆山腔的早期歷史構建有失偏頗

此條從作者的兩個觀點出發，一是呂天成只將昆山腔作為挑選《曲品》劇本的標準；二是魏良輔被崇奉為昆山腔領導者地位的時間在一五六〇年前後。

為論證第一個觀點，作者先提出高明的《琵琶記》寫成之後，是用昆山腔來演唱的，列舉了三條證據：

（1）明代中葉以前昆山腔不只是單純的清唱；（2）魏良輔提出以《伯喈》（琵琶記）和《秋碧樂府》為演唱新昆腔的範本，說明它們原來就用昆山腔演唱，而《琵琶記》正在《曲品》的舊傳奇名目之中；（3）以上一點為支撐，進一步提出呂天成《曲品》所列「舊傳奇」下二十七個名目，全部是嘉靖末年以前曾用昆山腔演唱的劇碼，作者舉出《南詞敘錄》，呂天成應當也熟悉徐渭所列的舊傳奇百餘種，為何只評價這二十七種，說明呂天成是將「用昆山腔演唱」作為挑選劇本的標準。[20]這是從《曲品》與昆山腔的關係的角度進行分析。

要注意作者此處所說的昆山腔，並不是魏良輔改革後的昆腔，而是元末明初形成的、原本的昆山腔，魏良輔等人正是在此基礎上進行創新。

作者認為《琵琶記》用昆山腔演唱的原因有一點為「高明曾為顧瑛的座上客」，顧瑛是《南詞引證》所提昆山腔起源的關鍵人物，「他既然和顧瑛這麼接近，因之《琵琶記》寫成後用當時昆山腔這種新聲演唱也在情理之中」[21]，在《南詞引正》剛剛被發現時，就有人持該論斷，因為昆山腔發展的早期材料較少，研究者可以自我發揮、推測的空間很大，但只因兩人關係親近就下此結論，這種假設太過理想化，似乎是欠妥的。

作者接下來判定昆山腔在明中葉之前是一種演戲聲腔，以明中葉之前明人著作，包括《南詞引證》、《猥談》中以昆山腔與海鹽、餘姚等可以演戲的聲腔並舉，推斷昆山腔並非清唱。《猥談》的作者祝允明的生卒年在一四六〇年至一五二六年，魏良輔改革的昆腔流行起來在嘉靖末年，所以《猥談》所談論的是早期的昆山腔。這一點是有道理的，《昆劇演出史稿》認為早期的昆山腔是單純的清唱，不同意明初用昆山腔演唱《琵琶記》的觀點，但如此多的聲腔產生後都用於演劇，何獨以昆山腔「出淤泥而不染」，只有清唱一種形式？

評論者認為《琵琶記》產生之初確實可能用昆山腔演唱，但不可能只用昆山腔演唱。作者承認舊傳奇的部分，是元末到嘉靖間在昆劇舞臺不斷上演的，本章第一節也說臧晉叔的時代昆山腔還有與海鹽腔混用的現象，何況明中葉之前是昆腔還不流行的時代。同樣，以魏良輔點板過《琵琶記》就認為最早的《琵琶記》用昆山腔演唱過也是有問題

---

20 胡忌、劉致中：《昆劇發展史》北京：中華書局，2012年，頁17-20。
21 胡忌、劉致中：《昆劇發展史》北京：中華書局，2012年8月，頁17。

的，既然嘉靖時期有昆山腔吸收了海鹽唱腔的證據，況且二者只是拍板徐疾不同[22]，為甚麼魏良輔改革昆腔時不可以吸收借用海鹽腔的劇本，而魏也說選擇點板琵琶的原因是「詞意高古，音韻精絕，諸詞之綱領，不宜取便苟且」，半字未提聲腔。

由此可見，作者認為呂天成只將「用昆山腔演唱」作為挑選劇本的標準的觀點是不妥的。不可否認，《曲品》中所列劇碼，舊傳奇中確實有不少在後世的昆劇舞臺上經常搬演，新傳奇更不必說，但如果僅以其中的一部《琵琶記》是昆山腔演唱來以偏蓋全是不可的，何況該戲也可能用海鹽腔演唱。

雖然作者的推論存在問題，但這一觀點還有價值。第一，作者提出的另外一個證據，即《曲品》的舊傳奇為甚麼比《南詞敘錄》少了那麼多，可以從中思考呂天成的選擇標準；第二，從聲腔的選擇來考慮呂天成的寫作意圖，確實無人從這方面思考。相比較以往更注重文學性的研究思路來說，本書可說提供了一個新的角度。

第二個觀點，是第二章作者據潘之恆的《鸞嘯小品》提出魏良輔被崇奉為昆腔領導者地位的時間[23]，在一五六〇年前後，該時間和昆腔的風行時間一致，是比較可靠的，但要注意這個地位是逐漸確立的，《南詞引正》寫於一五四七年或之前[24]，文徵明卒於嘉靖三十八年即一五五九年，文徵明抄寫此書，必定是該書有了一定的影響力和流行範圍之後，這個時間在一五五九年之前。作者還反駁了錢南揚先生所提將魏良輔的時代提前至弘治年間（1488-1505）的觀點[25]，即《南詞引證》不是魏良輔晚年而是中年所作。據《鸞嘯小品》可以肯定魏良輔的卒年在一五八〇年後，作者認為魏良輔不可能有九十的高壽，因此把魏的生年定在一五〇一年左右。大多數記載都說魏良輔是嘉隆間人，也就是他的大半生是在這個時間段，而《南詞引正》是晚年還是中年之作都只是猜測，無切實證據。所以錢南揚先生斷定這本書是晚年之作，才貿然把魏的時代提前到弘治，不僅與史料不符，也缺乏依據，不可信。不過因為魏良輔生年無切實記載，歷來眾說紛紜，顧篤璜依據「嘉隆間人」將生年定在嘉靖元年及以後也有些刻板，按顧的觀點魏的卒年當在隆慶末年之前，但顧自己又把卒年定在一五八六年，相互矛盾，但也無法證明胡忌的說法就是正確的，只能說這還算是一個比較合理的猜測。

以上兩條其實都是胡忌先生在糾正反駁前人關於早期昆山腔歷史的觀點，他提出的見解雖有合理之處，但也有許多妄議的地方。早期的材料太少，各種說法不一，缺少有力的證據來蓋棺定論，學者只能發揮想像大膽推論。

根據以上兩個新的論斷，即《曲品》舊傳奇是改革前的昆山腔所唱，而魏良輔揚名立萬在一五六〇年左右，則《曲品》新傳奇，作為一五六〇年後的劇本，是專為昆腔演

22　胡忌、劉致中：《昆劇發展史》北京：中華書局，2012年8月，頁7。

23　胡忌、劉致中：《昆劇發展史》北京：中華書局，2012年8月，頁33。

24　根據書後所記在1547年或之前成書。

25　錢南揚：〈南詞引正校注〉，《戲劇報》1961年第2期，頁58-64。

唱所用的，這成為了第二章介紹劇本創作的主要依據，由此我們可以窺探到作者昆劇史的構建。傳奇在明代非常興盛，有許多聲腔可以演繹它，怎樣讓它獨與昆腔發生關係呢？如果它只與昆腔才有如此緊密的聯繫，那麼是否可從「書面」上說明這一聲腔的重要與不可替代性？這也是作者提出的，將案頭劇本與演出實踐結合的一環，為了將劇本體裁傳奇與演唱聲腔昆腔聯繫起來，故需將早期的昆山腔的歷史進行如此解釋，即建立一五六〇年這個時間點，以此時間點分割的，戲劇品評的創始專著《曲品》的劇本沒有出現斷層，而是舊昆山腔劇本與新昆腔劇本的接替。

　　但經過對著兩條觀點的考證，其中最重要的「呂天成只將昆山腔演唱作為挑選《曲品》劇本的標準」是站不住腳的，所以作者基於此敘述的早期昆山腔歷史是有失偏頗的。

　　此外作者提出徐渭所作的《四聲猿》被定為昆山腔興盛時期的短劇先驅傑作的觀點，又將雜劇體裁與昆腔的發展流變結合起來，此處論證也存在問題。此論有三點證據：

　　胡文煥的《群音類選》有「官腔類」，即昆腔，該條下有徐渭的《女狀元》、《度翠柳》；（2）徐渭的門生王驥德受徐渭影響，翻北曲《離魂》為南；（3）呂天成、王驥德、陳與郊、史槃、葉憲祖等人的傳奇作品用昆腔演唱，那麼他們的雜劇作品不論使用南曲或北曲，也不應使用別的聲腔。[26]

　　這三條都只能說明《四聲猿》後來是用昆腔演唱，後兩條依據後於徐渭的旁人推測徐渭，只能作為證據補充，只有第一條是比較有利的。《四聲猿》大概寫作於一五五〇至一五五七之間，《群音類選》約編纂於一五九三至一五九六之間，一五九〇年之後，《四聲猿》毫無疑問是用昆腔演唱的，但在這些雜劇剛被寫出來時，究竟是否用昆腔演唱還無法證明。所以這三條只能證明《四聲猿》是昆山腔興盛時期用於演唱的劇本，而無法證明是「先驅傑作」。

　　以上可見本書的紕漏。歷史既是一門解釋學，著者對昆劇歷史的發展軌跡進行合理推測是可以的，但需在尊重史實的基礎上。不得不承認作者在解釋早期昆腔歷史時，確實有一些忽略史實，按照自己意願臆造的部分。

二　過分的「群眾性」

　　現在力倡昆劇復興的白先勇先生，把昆劇的受眾界定為青年學生，一來因為只有吸引到年輕觀眾，昆劇才有未來發展的希望；二來因為學生是「知識份子」。知識份子和昆劇究竟有甚麼必然關係，這要從歷史中尋找答案，所以過去昆劇發展依存的社會主體是甚麼，或者說昆劇因為誰的存在而存在，因為誰的消亡而消亡，是一個關係到現代昆

---

26 胡忌、劉致中：《昆劇發展史》北京：中華書局，2012年8月，頁66。

劇復興的問題，這一問題在本書中並沒有得到很好地解決。

其實，昆劇是一門綜合的藝術，作家、伶人、觀眾都是這個藝術的參與者，三者可以形成良性循環或惡性循環[27]，故每一個環節都很重要。劇作家大多是文人，他們中有些人入朝為官，其劇本也就更有官僚士大夫的傾向，使得昆劇多才子佳人故事。普通伶工，作為表演的藝人，他們擁有對劇本的加工權，演出權，甚至一出案頭戲能否留在舞臺上，都要靠他們的神來之「筆」。但在變為演出本的過程中，藝人會受到各方面的影響。職業戲班的演出必然會受到觀眾回饋的影響，他們的受眾中，有普通百姓，又有達官顯貴，他們的藝術品位、觀劇感受等會回饋給藝人，其中的官僚階層從財力和地位上明顯更具有話語權，會對藝人有更強的影響；家庭戲班演出主要受到家班主人的影響，家班主人大多也是官僚士紳；劇作家在受到觀眾回饋的過程中和伶人是一樣的，甚至有的家班主人自己就是劇本的創作者。所以在整個昆劇藝術的發展過程中，官僚士大夫是掌握了主導權的，他們用自己特有的審美趣味改造著昆劇。

可能是受《昆劇演出史稿》的影響，本書在某些地方體現出了過分的「群眾性」，即將劇作家和伶人割裂開來，他們分別代表精英階層和普通群眾，二者是處在絕對對立面上的，而群眾則握有塑造昆劇的主動權。

如本書第六章第四節「太平天國時期的昆劇」，因為這場運動具備了「群眾性」，代表廣大的勞動人民，它給昆劇的正面影響一定大於負面影響。所以作者只看到了所謂「變革」的作用，卻沒有看到這場革命運動對昆劇造成了不可逆轉的毀滅，從而失去了對太平天國時期昆劇發展歷史的正確把握。

由於太平軍的隨軍戲班多數是徽班，所以本節演出部分大多敘述徽班的情況，對於昆劇在太平天國時期所編演的新戲，只能列出一部《洪楊傳》，可惜的是這部戲隨著太平天國政權的失敗也隨之消散，沒有在昆劇發展的歷史上留下甚麼影響，不過後人據洪楊故事改編的《鐵公雞》，以清朝統治者為正面形象，卻盛演於清末民初的江浙一帶，「在解放前的舞臺上一直上演」。[28]本節還敘述了參加太平天國戲班的昆劇藝人在這場革命失敗後的演出情況，雖然作者強調太平天國「對於傳統昆劇藝術的變革曾起到相當大的影響」，但是參加了這場運動的昆劇藝人在革命失敗後的演出，卻並沒有甚麼巨大的變革。因戰爭影響從蘇州轉到上海的四大老班，所演的戲和原來的傳統並無甚變化，江浙農村的情況也基本相同，隨太平軍到各地的昆劇演員也和到上海的四大老班一樣，靠著固有的演劇藝術自謀生路去了。介紹這一時期的劇本創作，基本也和太平軍沒甚麼關係。

實際上，太平軍對昆劇不僅無變革作用，反而造成了巨大的破壞。太平天國運動帶來的戰爭對昆劇的根據地江南地區造成了嚴重的破壞，昆劇班社因此顛沛流離，士大夫

---

27 余秋雨：《觀眾心理學》合肥：安徽文藝出版社，2014年，頁76。

28 李洪春口述，劉松岩整理：《京劇長談》北京：中國戲劇出版社，2011年，頁42。

蓄養家班的條件也被破壞。總體來看，戰爭對昆劇直接造成了嚴重的打擊，作者雖然提到戰爭的破壞情況和太平天國後昆劇人才的凋零，卻並未對此重視，而是筆鋒一轉，寫起了所謂的「革故鼎新」、「新天新地新世界」的文化藝術，實在沒有切中要點。

太平天國時期的重要性，在於這是昆劇發展的一個轉捩點。革命結束後的光緒年間，昆劇就沒落了，因為太平軍不僅對昆劇有直接的影響，更致命的是其造成的間接破壞。太平軍與清王朝的戰爭動搖了江南地區在科舉領域的優勢，削弱了江南文化的影響力，昆劇之所以能將國劇地位維持到道咸年間，是因為統治者公開承認昆劇的正統地位和江南文化的制霸權力。太平天國運動後，清王朝為了弭合民族矛盾，自然從思想文化上著手，戲臺作為文化宣傳的重要陣地，需要更強調忠孝節義的花部[29]，而非充滿文人氣息才子佳人故事的昆劇，昆劇在南方的重心也由蘇州轉移到上海，上海人看劇多注重皮相而非技藝，昆劇由此漸漸沒落。由於作者的「群眾性」立場傾向，造成了本節對太平天國時期昆劇發展歷史的錯誤分析，使作者只顧及不著邊際的「變革」作用，卻看不到這一時期劇壇已經暗流洶湧，花雅之爭的結果已經分曉。

過分重視「群眾性」的歷史認識在當代的反映，就是演員承擔了昆曲傳承的主要責任。[30]二〇〇八年一月，文化部公佈了第二批國家級非物質文化遺產項目五五一名代表性傳承人名單，昆曲的傳承人全部是具有很高資歷的昆劇表演藝術家。但是正如《牡丹亭》享有盛名是由於其高度的文學性，昆曲的「雅」代表了它的文化內涵不只是藝人賦予的，而是整個社會，尤其是文人階層賦予的。只讓演員去承擔昆曲傳承的任務，是過分加重了他們的負擔，反而會造成相反的結果。昆劇的傳承需要整個社會提供寬容的氛圍，其中知識份子作為昆曲內涵精神的繼承主體，更需要發揮作用。

三　對本書的補充

作者還留下一些需考證的問題和幾個小錯誤，作為對本書的補充在此敘述。

（1）沈自徵的卒年問題

《吳江縣誌》所記沈自徵「卒於五十一」，則卒年在一六四一年，但《小腆紀年附考》則記載其在順治二年還有活動，則當卒於一六四五年，此處有矛盾，故作者提出待查。[31]學界公認沈自徵的卒年為一六四一年，《明清吳江沈氏世家百位詩人考略》考證

---

29 郭安瑞：〈昆劇的偶然消亡〉，《中國昆曲論壇》2009年第1期，頁69。

30 柯凡：《疏影幽蘭——中國昆曲的當代傳承與發展》北京：文化藝術出版社，2014年，頁150。

31 胡忌、劉致中：《昆劇發展史》北京：中華書局，2012年8月，頁112。

沈自徵生平時，引用了《乾隆吳江縣誌》和《小腆紀年附考》的內容，但不認為二者存在矛盾。[32]

《吳江縣誌》中有明確的記載：「十三年，國子監祭酒某薦諸朝，以賢良方正辟。自徵曰：『吾肆志已久，豈能帶腰冠首，受墨吏束縛耶？』不就，明年卒於家，年五十一。」[33]明年即崇禎十四年，也就是一六四一年。

《小腆紀年附考》卷十的完整記載為：「明吳縣生員陸世鑰、沈自炳、沈自駧起兵太湖。世鑰字兆魚，以財雄於洞庭東湖。有十將官者，集眾千餘，世鑰慮其為亂，亦聚千餘人，名為犄角，實防遏也。薙髮令下，鄉民駭愕，吏胥又魚肉之，民洶洶思亂，十將官因邀世鑰起兵殺吏胥。同郡沈自徵亦任俠士，造漁船千艘，匿於湖。自徵死，其弟自炳、自駧收其船以集兵，與世鑰相應。」[34]

從全文來看，這段話的重點是陸世鑰、沈自炳、沈自駧三人起兵之事，之所以提到沈自徵是由於他死後，兩兄弟用他的船與陸世鑰相應，則「自徵死」是順治二年集船之前的事情，那麼「同郡沈自徵亦任俠士，造漁船千艘，匿於湖」則應該比這個時間更早發生，所以和《吳江縣誌》並無衝突。

（2）《吉慶圖》的作者問題

《曲海總目提要》所記故事「演明世宗時海瑞、嚴嵩事」，與《古本戲曲叢刊》三集所記的李珍、藍玉故事不同。三集中所載是否為朱佐朝之作，作者認為有待研究。[35]

《曲海總目提要》記：「係近時人作。按此劇一名《南瓜傳》，清朱佐朝撰。」[36]即寫海瑞、嚴嵩故事的是佚名所作，而朱佐朝有一作品《吉慶圖》與此同名，朱佐朝的《吉慶圖》也稱為《南瓜傳》，《中華古文獻大辭典》也這樣認為：

> 【吉慶圖】一名《南瓜傳》傳奇。清朱佐朝撰……演明初鳳陽李珍、藍玉事……
> 《曲海總目提要》著錄有同名劇本，係清時佚名撰，演明世宗時海瑞、嚴嵩事。
> 與此本異。有梅氏綴玉軒藏嘉慶二十四年鈔本，《古本戲曲叢刊三集》本。[37]

---

32 李真瑜：《明清吳江沈氏世家百位詩人考略》合肥：安徽教育出版社，2014年，頁76。

33 （清）倪師孟、沈彤纂，陳㿑、丁元正修：《乾隆吳江縣誌（二）》杭州：江蘇古籍出版社，1991年，頁131。

34 （清）徐鼒：《小腆紀年附考（上）》北京：中華書局，1957年，頁379。

35 胡忌、劉致中：《昆劇發展史》北京：中華書局，2012年8月，頁178。

36 （清）董康編著，北嬰補編：《曲海總目提要》北京：人民文學出版社，2014年10月，頁1288。

37 汪玢玲主編：《中華古文獻大辭典（文學卷）》長春：吉林文史出版社，1994年1月，頁201。

（3）白相

胡忌在第五章引用《孔尚任詩文集》中《平陽竹枝詞》五十首之一，解釋其中詩句「扮作吳兒歌水調，申衙白相不分明」時說，「申衙」是指明代申時行的宰相衙門，而白相「尚無確解」。

據王寧〈「弟子」與「白相」——戲曲雜考兩例〉[38]一文，「白相」即「白賞」，也就是曲師的意思，這句話是指平陽本地的昆劇班子唱「水磨腔」不得其中道理，即使是申相國家的曲師也無法弄清唱的是甚麼。

（4）作者所列呂天成《曲品》舊傳奇名目缺少[39]

據《曲品校注》，本書所舉缺少了《投筆》之後《舉鼎》和《羅囊》兩個劇碼。因為作者未說明所依據版本，所以無從判斷是一時疏忽還是所引版本問題。

（5）對碑刻誤認

作者依據《江蘇省明清以來碑刻資料選集》誤認為乾隆十八年蘇州重修老郎廟所立碑記上附有捐錢戲班名單。據吳新雷指出，這實際上是兩塊各自獨立的碑刻，分別為《翼宿神祠碑記》和《歷年捐款花名碑》。[40]

（6）作者的補充

胡忌於一九九〇年自存本《昆劇發展史》上標注此書需要補充的地方有：

第三章介紹昆劇的繁盛，該章還可補一節弦索南唱的內容，以證明昆劇在全國的繁榮；第六章昆劇的支派列有浙昆、徽昆、贛昆、湘昆、川昆、北昆，可補晉昆的內容，參考張林雨《晉昆考》。[41]

此外二〇一二年中華書局版的《昆劇發展史》還有一些需要校正的地方，在此處列出。

第十九頁倒數第九行將逗號誤印成頓號；八十二頁「經濟」誤寫為「經齊」；一一五頁《錫金識小錄》的「錄」誤寫為「識」；二一六頁書名《救狂後語》應是《救狂砭

---

38 王寧：〈「弟子」與「白相」戲曲雜考兩例〉南京師範大學文學院學報，2004年第3期，頁122-124。

39 胡忌、劉致中：《昆劇發展史》北京：中華書局，2012年8月，頁19。

40 劉念茲：《戲曲文物叢考》北京：中國戲劇出版社，1986年，頁114-130。

41 張林雨：《晉昆考》北京：中國電影出版社，1997年。

語》；二三二頁《顧丹五筆記》誤寫為《顧丹王筆記》。[42]雖說這些錯誤無足輕重，我們還是希望本書可以盡善盡美，故在此指出。

四　結語

　　《昆劇發展史》將案頭劇本與演出實踐雙線結合，首次構建了一個比較完整的昆劇史框架，而正是在這方面，本書存在一些問題。宏觀上主要有兩處，一是對早期的昆山腔歷史論述不實，即作者對昆山腔早期歷史框架的構建存在問題；二對於昆劇的發展主體未加明確判斷，作者的寫作立場存在過分的「群眾性」傾向。二者都是需重新思考的歷史敘述問題，如果採取其他觀點，可能會使作者構造出一部面目不盡相同的昆劇發展史。總體來看，《昆劇發展史》作為第一部用完整的歷史框架，豐富的資料組成的昆劇劇種史，更重要的作用在於其成為了昆劇史論研究的一座燈塔。它已固定在學術的汪洋大海中，用微弱的光芒，指引後來探索的船舶越過它，並繼續前行。

---

42 胡忌、劉致中：《昆劇發展史》北京：中華書局，2012年8月。

陸萼庭著《昆劇演出史稿》述評
——兼探更符合歷史事實的昆曲演出真相

黎羽裳

中國人民大學國學院

一　昆劇演出形式補敘

（一）折子戲補敘

對折子戲藝術成就的評價，是《史稿》的創獲之一。此前，昆劇史分期依據往往是作家和作品，陸先生則從演出情況出發，將近代以前的昆劇史分為全本戲時代和折子戲時代，並認為乾隆年間《綴白裘》的出現[1]，標誌著昆劇演出史上全本戲時代的結束，及折子戲新階段的到來。此後，陸先生首創的「折子戲時期」觀念，被包括胡忌在內的多位學者所認同。

「折子戲」一詞是近代名詞[2]，但在明代，演劇已有折子戲之實。對於昆劇折子戲的歷史，陸先生有如下論斷：

一、折子戲的演出形式最早出現在廳堂上，至晚在萬曆年間已經出現，明末清初之時，折子戲已被視為獨立的藝術品；

二、康熙初葉，演出折子戲的風氣已經形成，康熙末至乾嘉之際，是折子戲漸趨成熟的時期；

三、道光年間，折子戲勉強支撐殘局，近代以來，折子戲呈現衰落的趨勢。

考之史料，第三點概無疑問，但陸先生寫作本書的時期，所見的資料有限，故僅能推知折子戲演進的大致面貌，而近年來新資料的發現，使得昆劇折子戲出現、流行和興盛的時間判定，皆能往前推進。

在戲館茶園出現以前，昆劇往往只在歲時歲令時與群眾見面，在民間得到錘鍊的機會有限，那麼，昆劇折子戲最早形成和發展於廳堂上的觀點，應屬無誤，但其出現的時間應早於萬曆年間。現今可見的最早的昆腔折子戲選集出現在萬曆年間，以《樂府紅珊》、《樂府玉樹英》等刊印本為代表，這些選集則表明，昆腔折子戲在萬曆年間業已為

1　陸先生認為《綴白裘》是首部傳奇折子戲總集，但有學者發現《醉怡情》於崇禎年間刊刻，時代上早於《綴白裘》。

2　陸萼庭：《清代戲曲家叢考》上海：學林出版社，1995年12月，頁287。

社會所熟知了；而現今可見的最早的傳奇折子戲選集《風月錦囊》是嘉靖年間刊刻的，王永敬等學者認為，隨著昆山腔的流行和壯大，該選集流傳後可用昆腔演唱，[3]那麼我們可以推斷，昆劇折子戲的演出形式很有可能緊追著昆劇出現的步伐，在嘉靖末年就出現了。

　　諸多折子戲選集的出現，表明了折子戲在明代後期已在社會上有了較為廣泛的影響，加之萬曆一朝昆劇流布廣、影響深，其間昆劇折子戲的搬演必然已積累了相當豐富的經驗。據《曲品》記載，萬曆年間，虎丘山曲會上演的昆劇《冬青記》，使得「觀者萬人，多泣下者」[4]。因虎丘山曲會是比賽性質，時間有限，這次演出不可能是全本傳奇，甚至精簡過的傳奇也不可能在如此短的時間內演畢，故這次演出極有可能是以折子戲的面貌出現。這次演出的成功，說明在萬曆年間，昆劇折子戲很可能已被視為了精緻的藝術品，且演出較廣泛，而非陸先生所認為的在廳堂上偶爾演出。據此我們可以推測，昆劇折子戲形成風氣的時間，也應遠遠早於陸先生所認為的康熙初年。

（二）全本戲補敘

　　全本戲亦稱整本戲，是相對於折子戲而言的，指情節完整、有頭有尾的戲劇。早在上世紀三十年代，海外學者青木正兒已使用了「全本戲」的概念，但他認為，即便是在明末昆劇繁榮時期，也未必有全本戲上演[5]。但陸先生認為，明末不僅有全本戲的上演，而且舞臺上盛行節本，是其時演全本戲的主流[6]。

　　明代職業昆班演出全本戲的情況，可以從祁彪佳的日記中窺知一二：「優人演《繡佛閣》劇，不能終，又演《永團圓》劇。」[7]這是一則職業藝人赴家宅演出的材料，祁彪佳特地指出演戲「不能終」，可見在新劇的上演上，有頭無尾是一種不常見的現象。由此推知，當時職業昆班在宅邸中對新戲的演出，常常是情節完整的，而演出場合又往往是宴會，時間有限，全本新戲的精簡化也就成了必然趨勢。他們在家宅中的演出既已如此，那麼面對注重情節發展的民間群眾，則也會重視全本戲的演出。民間演戲的場合，譬如臨時聚集而成的小市集等，時間也有限，故而劇本在民間，亦有著朝精簡化方向發展的趨勢。但值得注意的是，這種發展的結果未必就一定是「精簡過的全本戲」，上文中業已提到，晚明時期折子戲在民間，也已經有了較為廣泛的影響。

　　從現今可見的材料來看，家庭昆班中也演出過精簡過的全本戲。明末串客鄒迪光在

3　王永敬：《昆劇志・下卷》上海：上海文化出版社，2015年9月，頁768。

4　《曲律》王驥德：《中國古典戲曲論著集成》北京：中國戲劇出版社，1959年，頁165。

5　（日）青木正兒著，李玲譯：《品梅記》北京：文化藝術出版社，2015年1月，頁17。

6　陸萼庭：《昆劇演出史稿》上海：上海教育出版社，2006年1月，頁86。

7　轉引自：陸萼庭：《昆劇演出史稿》上海：上海教育出版社，2006年1月，頁228。

《石語齋集》中記載其觀戲情況：「酒未闌而范長白忽乘夜過唁，復爾開尊，演《霍小玉紫釵》，不覺達曙。」[8]范長白是萬曆年間的進士，他的家班是蘇州名班之一，一本戲演出至天明，應是精簡過的全本戲無疑。

陸先生認為，全本戲求新，但事實未必如此。就《聽春新詠》所記載的演出劇目來看，昆劇六部全本戲中，除《千秋鑒》寫作時代不可考外，《翠屏山》、《白羅衫》皆創作於明末清初，而可被稱之為新戲的僅有乾隆年間的《雷峰塔》一部[9]，足見嘉慶年間，北京城傳奇的搬演，全本新戲未必比舊劇更受歡迎。而「競尚新劇」，可能只是蘇州藝人的一種嘗試，所引起的轟動，也不能長久。

對於全本戲和折子戲地位的歷史變化，陸先生有如下論斷：

一、明末清初是盛行全本戲、競演新戲的時代，全本戲和折子戲相比，占絕對優勢；

二、乾嘉年間，折子戲奪走了全本戲演出的寶座，折子戲取代全本戲，是昆劇發展的必然趨勢。

從上文中我們已知，明末上演精簡過的全本戲的現象較為普遍，但其時全本戲相對於折子戲，是否占據壓倒性的優勢，則有待商榷。早在萬曆初年，南戲折子戲的上演在民間已經是很常見的現象，依照一九八六年發現的祭神禮儀抄本《迎神賽會禮節傳簿四十曲宮調》來看，當時祭祀供盞時演出的南戲，劇目眾多，而演出時間又有限，故在祭祀時南戲的主要搬演形式應是折子戲，且可進一步推知南戲折子戲的形式在民間業已流行，而脫胎於南戲的昆劇，以折子戲的方式演出，自然也會得到民間觀眾的廣泛接受。

陸先生注意到了祁彪佳觀看折子戲的記錄，可所下結論有失偏頗。陸先生舉出崇禎十二年祁彪佳觀戲的一例：「德興盡出家樂，合作《浣紗》之《採蓮》劇而別。」[10]據此認為折子戲的精緻的確引起了觀眾的注意，只不過在當時是少數人的偏嗜。可考之祁彪佳的觀戲記錄，事實並非如此。祁彪佳對折子戲演出的記載不在少數，除上述提到的材料外，他還記載「又侑錢環中女樂四人，及晚，復向西澤呼女優四人演戲數折，極歡而歸」，[11]這是家班中演出折子戲的直接證據；又記載「肩輿至張永年家，閱閨秀六人，永年舉酌，觀其家優演數劇」。[12]明末士大夫階層中，昆劇較之北曲雜劇具有絕對的優勢，因此這「數劇」很有可能也是昆劇折子戲。諸如此類的種種記錄說明了晚明時期，折子戲在家班中十分流行，結合上文中所提到的折子戲在民間演出的盛況，可見晚

8　轉引自：劉水雲：《明清家樂研究》上海：上海古籍出版社，2005年6月，頁639。

9　劇目統計見：谷曙光：〈新發現足本《聽春新詠》與重新認識清嘉慶北京劇壇〉，《戲曲研究》2013年第3期，頁92。

10　祁彪佳：《祁忠敏公日記》北京：書目文獻出版社，1991年，頁314。

11　轉引自：轟付生：《浙江戲劇史》成都：電子科學大學出版社，2014年1月，頁359。

12　轉引自：王永敬：《昆劇志·下卷》上海：上海文化出版社，2015年9月，頁570。

明時期絕非「折子戲的萌芽」，這個時候折子戲在社會上已經具有了相當廣泛的影響，較之全本戲也具備了一定的競爭力。

陸先生認為，全本戲被折子戲取代是昆劇發展的必然趨勢，現今昆劇的上演也應以傳統劇目的折子戲為主。但筆者認為，全本戲和折子戲的地位變遷，是社會環境影響所致。

清代中後期，有能力上演全本戲的，往往僅限家宅府邸，但雍正和乾隆年間對官員蓄養伶人的打擊，使得全本戲失去了部分根據地，全本戲的演出自然走向下坡。與家班家樂衰落相伴的是戲園茶館的興起，從經營角度看，戲園茶館和近代劇場的營業時間都是固定的，為了適應營業安排，他們往往更傾向於聘請職業戲班出演短小靈活的折子戲，而全本戲的演出動輒需要花費數個營業日，成本高昂且未必能吸引觀眾，因此即使藝人再重視全本戲的傳承，也難有機會使之與觀眾見面了；從觀眾角度看，兼售飯酒茶水等功能的戲園和茶園，使得顧客的觀劇行為隨著吃飯飲茶等活動而片段化，折子戲就成為了他們更樂於接受的戲劇演出形式。

此外，全本戲和折子戲的地位變遷，也同地域發展狀況有關。我們可以發現，演劇歷史越久、文化越興盛的地區，折子戲的演出越盛，譬如北京、南京和環太湖一帶，已早早步入了陸先生所言的「折子戲時代」，反之鄉間草臺則全本戲演出更盛，譬如寧波金華等地，直到二十世紀中期，昆劇演出都是以全本戲為主。姚旭峰先生認為，折子戲取代全本戲的過程，是文人審美對昆劇影響削減的過程[13]，由此看來，事實恰恰相反。

二　各階層昆劇活動考察

（一）群眾對昆劇發展的影響

重視群眾，是《史稿》一書值得稱道之處。陸萼庭認為，群眾對昆劇的影響體現在三方面：

一、從聲腔上看，群眾創造和壯大了昆山腔；

二、從劇本的再創作來看，勞動人民的美學標準，造就了昆劇的面貌；

三、從搬演上看，民間班社標誌了昆劇發展的方向。

魏良輔改良昆腔前，昆腔已以民歌和散曲的形式在民間流傳，因而其創造確乎具有群眾性。但需要注意的是，昆腔之所以能從「四腔之末」一躍成為「正聲」，發揮關鍵作用的卻是魏良輔等文人。關於魏良輔的生平，歷來眾說紛紜，目前學界的主流認知是魏良

---

13 姚旭峰：〈五百年的歷史和五十年的書寫——再讀陸萼庭《昆劇演出史稿》及若干思考〉《曲學》2013年第1期，頁453-463。

輔本職從醫，兼作唱曲[14]。近年來亦有學者認為是那位在嘉靖五年中進士的「魏良輔」，但無可靠證據。無論以上哪種觀點屬實，魏良輔本人皆屬於文人範疇無疑，而陸萼庭以魏良輔為「半文人」的觀念，後世學者大多不予認同。論及昆腔的改造，陸萼庭往往將付出努力的歌唱家一並劃入「民間藝人」的行列，這也是有失偏頗的。傳承和改造昆腔的歌唱家中，並不乏文人和小官員的身影。除了「兼行醫」的魏良輔，梁辰魚曾捐資入國子監，過雲適曾任百戶侯。他們身份雖不高，但終究同底層百姓有別。

　　前文已提及，昆劇的搬演，最初多是在家庭戲班之中，受士大夫審美的主宰，而民間戲班所習得的，多是由家班中流傳出來的，他們改造的劇本，也或多或少會留有士大夫審美的影子。我們可以認為，正因為「雅」，昆劇才同其他地方戲種有了區分，以至脫穎而出，被納入雅部，長期占據戲壇的權威地位。

　　陸萼庭認為，昆劇的發展始終與民間戲班的盛衰聯繫密切，[15]「始終」二字則有失偏頗。依胡忌先生的觀點，明末昆劇的繁榮，主要體現在家庭昆班的林立，到了清初，昆劇的繁榮才表現在民間職業昆班的發展，[16]這種說法更切合實際。昆劇迅速發展的萬曆一朝，家庭戲班一直占據傳奇上演的主流，譬如《牡丹亭》問世後不久，王錫爵等人的家班就相繼搬演此劇，而民間對於這樣才子佳人的戲卻缺乏興趣。再如傳奇《紅拂記》的搬演和修改，最初也是在家班完成的，其後才為民間職業戲班習得，可見明末民間戲班對昆劇的搬演往往落後於家庭戲班。許多昆劇的表演技藝也形成於家班之中，例如《採蓮》的舞蹈，便是家班女樂的創造。我們還應注意到，其時在北京和距離江南較遠的地區，昆劇基本上只存在於在官僚士大夫家中。由此我們可以斷言，家庭戲班才標誌著明末昆劇發展的方向。到明末清初，職業戲班的藝人不少是家班中散出的，可見清初民間職業戲班的興盛也和前期家班藝人的栽培不無關係。

　　陸先生強調群眾性，但對昆劇的鄉間演出狀況未多加涉及。誠如李秀偉先生所言，本書所研究的家班家樂，及民間職業戲班，均是主要為士大夫階層服務的，而對於真正的底層戲班，即演出於廟宇、廣場、祠堂等場所的民間戲班，並未專門研究。[17]在《史稿》一書中，對和崑曲在鄉間演出相關的昆班下鄉現象，及堂名班坐唱現象，作者只是寥寥數筆帶過，但縱觀昆劇演出的歷史，我們可以發現昆劇在鄉間的演出亦占據著重要地位：昆班下鄉是正昆的傳統，乾隆中揚州鹽商組建的老徐班就常常被鄉中富戶請去演出，且報酬豐厚；傳字輩藝人在下鄉演出時，有時還沿用「全福班」的舊稱，足見底層

---

14 流沙：〈魏良輔生平及其他〉，《江西文藝史料》第27輯，南昌：江西省老年文藝家協會，2005年，頁190。

15 陸萼庭：《昆劇演出史稿》上海：上海教育出版社，2006年1月，頁119。

16 胡忌、劉致中：《昆劇發展史》北京：中國戲劇出版社，1989年，頁265。

17 李秀偉：〈對「昆劇史」寫作模式的省思——重讀陸先生《昆劇演出史稿》〉，《戲劇藝術》2017年第4期，頁114。

群眾對這類「跑江湖」的職業戲班的熟悉和歡迎。

陸先生一貫重視群眾，特別是民間藝人的作用。上世紀五十年代末，陸先生曾以編輯的身份，組織了業餘昆曲家徐凌雲《昆劇表演一得》一書的口述和「傳」字輩藝人華傳浩《我演昆丑》一書的口述，為昆劇表演藝術的傳承提供了寶貴的經驗。在寫作《史稿》時，陸先生亦秉承著這種觀念，著重考敘了民間班社和民間藝人的發展情況，為往後的學術研究打下堅實的基礎。可惜陸先生在藝人對觀眾的號召力方面著墨不多。在昆劇瀕臨消亡之際，梅蘭芳先生對昆曲的首次公演，取得了出人意料的成功，[18]韓世昌先生赴滬的演出，又喚起了人們對昆劇的興趣。注重這種號召力，對今日昆劇之發展，亦有借鑒作用。

（二）文人對昆劇發展的影響

秉承唯物主義史觀，重視階級鬥爭和群眾的作用，是上世紀五十至八十年代學術出版物的一大特徵。這種思維方式固然開創了新的戲劇史研究角度，但落實到具體的寫作中，卻往往有過分誇大群眾的作用，以至輕視了社會其他階層之嫌。陸先生認為，昆劇曾長期被士大夫在主觀上竭力壟斷，今日看來，諸如此類的評價，顯然有是有失公允的。

歷史上確乎有些文人竭力將昆劇藝術與群眾區分開來，譬如何良俊就曾在《四友齋叢說》中譏諷百姓「不知腔板再學魏良輔唱」[19]，但士大夫群體中亦有人為昆劇的淺顯化作出了努力，且注重到了舞臺表演的實踐性。沈起鳳就直接在劇本上寫吳語，沈璟後期的戲曲創作風格則有意向通俗化的方向努力，李鴻評價他「間從高陽之侶出入酒社間，聞有善謳，眾所屬和，未嘗不傾耳而注聽也」[20]。此外，沈璟還能設身處地地為百姓著想，其傳奇《博笑記》就是以現實為題材，將社會底層的平民和小官吏作為描寫對象，被評價為在傳奇創作中開了風氣之先。實際上，昆劇通俗化的成功並非必須由藝人執筆，向來因俚俗化改編而廣受好評的蘇昆版《十五貫》，其主要執筆者陳靜，就是劇作家而非藝人出身。

士人群體在對待藝人的態度上，也未必全然是「清高而自負」的。明萬曆年間，吳琚在培養家庭演員時，還會請名士來講解劇本。晚明時期，士人往往以串客的身份和藝人們一同演劇，說明了他們對演劇活動的喜愛和尊重。早在成化年間，社會上已有「戲文子弟」，即良家子學習模仿倡優，並不以此為恥，士大夫們被告誡要「峻拒而痛絕

---

18 谷競恆：〈略論梅蘭芳保存提倡崑曲的歷史功績〉，《中國戲劇》2002年第10期，頁20-21。

19 何良俊：《四友齋叢說》《明代筆記小說大觀》卷2，上海：上海古籍出版社，2005年4月，頁1155。

20 轉引自：葉長海：《湯學芻議》上海：上海人民出版社，2015年12月，頁161。

之」[21]，反而說明了其時士大夫群體對這種行為的接受程度之高。

近代崑劇瀕臨消亡之際，為傳承和拯救崑劇藝術作出了努力的，除了演員外，還有文化界的人士。上層文人愛好崑曲的傳統一直延續到了近代，且在唱曲上從清曲向劇曲靠攏，愈發重視崑劇劇曲以至崑劇劇藝的傳承，崑劇傳習所，便是由業餘的清曲愛好者操辦的。從這一角度看，陸先生「同光後文人與崑劇關係日漸疏遠，真正的戲迷很少見了」的論斷，是有失偏頗的。

（三）上層政治力量對崑劇發展的影響

《史稿》中，對於宮廷的態度基本是貶斥的。陸先生認為，宮廷阻礙了戲劇的發展，如明代萬曆帝酷嗜戲曲，引起了臣子們對演戲的不滿，再如朝廷的官僚們將戲劇看做玩樂，肆意篡改，破壞了其完整性。此外，清代的「捉伶人」事件違背了藝人的主觀意志，也使得許多技藝高超的藝人荒廢了在民間雕琢技藝的時間，士人楊士凝就曾撰《捉伶人》一詩抨擊此現象。但縱觀自明以來的戲劇演出史，不難發現，上層政治力量也在一定程度發展和傳播了崑劇。

宮廷和民間的演戲活動並非割裂開來的，它們彼此相互影響，甚至於相互促進著。萬曆一朝，家班家戲和民間職業戲班中崑劇的興盛，直接促成了崑腔傳入宮廷。愛好戲曲的萬曆帝，甚至選派太監學習民間新戲，這一舉措既促進了宮廷演劇的改革，也增強了新戲的影響力。同時，上層政治力量也對民間演戲產生著有益影響，具體可體現在以下三個方面：

一、王公貴族觀戲的需求促進了崑劇表演藝術的發展，並培養和扶植了一批優秀的藝人和班社。

清代的南府、王府班，及內務府掌管下的織造局、詞曲局，還有地方上的內班，皆是主要為王公貴族及官府服務的。關於南府的成立時間歷來有所爭議，陸先生憑「捉伶人」一事推測，至少在康熙年間已經有了正式的宮廷戲班，即南府，但未有確證。近年來據學者考證，清代內閣大庫的檔案中，關於南府的記載，未有早於康熙二十五年的，故南府的成立，應不晚於此年。[22]南府分內學外學，江南一帶的織造局和詞曲局，即是挑選民間藝人入宮演戲，以充外學的。雖然陸先生對織造局和詞曲局的存在頗有微詞，稱其為「最擾民」的機構，但這些入宮供職的伶人，彼此切磋技藝，確乎促進了戲劇表演藝術的發展，且培養了一批又一批年輕的藝人。此外，他們還審詞度曲，促進了演出腳本的更新，他們所演習和發展的南府腔，也必定對當時的崑腔演唱和伴奏形式產生了

21　轉引自：丁淑梅：《中國古代禁毀戲劇編年史》重慶：重慶大學出版社，2015年，頁205。

22　朱家溍、丁汝芹：《清代內廷演劇始末考》北京：中國書店，2007年，頁12。

影響。而這些藝人自宮廷散出後，有的繼續在織造局或詞曲局教習，有的重歸職業班社，將先進的表演技藝和精緻的演出腳本帶入民間中來。

王府班在康熙、乾隆朝時，和南府一樣崇尚昆弋傳統，這種兼重昆弋的現象，使得昆劇在發展過程中有機借鑒和汲取了一些高腔的演出特徵，譬如武戲等。但相較於南府，王府班的體制更為自由，譬如王府班之間可以出借，藝人們因此有了更多切磋交流的機會，且王府班和民間及文人的聯繫更為緊密，他們請文士作新戲，且從王府班出來的藝人，多有投入民間班社的，促進了民間職業班社的發展。

相較於王府班，內班對職業戲班的影響更直接。內班主要是為皇帝、官僚和大商人演出的，同時亦有赴宅邸演出的機會。當時社會上層演劇昆弋並重，民間則是昆亂雜流，內班對三者的融合起著極為重要的作用。此外，在內班供職的藝人，獲得的收入豐厚，因而極大地調動了積極性。被陸先生認為是「近代昆劇形成後第一個有示範作用的戲班」的集秀班，便是為迎接康熙帝南巡而組織成立的內班。

二、社會上層對昆劇的喜愛，發展了一些優秀的劇目。

上文中業已提到，伶人入南府，不僅要登臺演出、傳授技藝，還要審詞度曲，這直接促進了梨園腳本的更新。此外，皇帝本人的喜好有時也能對某一劇目起到推進和發展的作用，譬如清初順治帝有感於楊繼盛的忠烈故事，但不滿其在《鳴鳳記》中不是主角，故命人彌補舊本，以「起孤忠於地下，留正氣於人間」[23]，深化了這一劇目的主旨。可惜的是，《鳴鳳記》亦於乾隆年間被刪改，自郝碩上奏後，圖明阿又上奏說：「奴才惟有欽遵恩訓，督率委員，加緊查勘，斟酌刪改抽掣。今辦得《金雀記》等九種，並全德移來《鳴鳳記》一種，奴才俱覆加酌核，繕寫清本，同原本粘簽，恭呈御覽。」[24]但以今日其留存面貌來看，《鳴鳳記》以楊為主的特徵還是流傳下來了，這一現象與順治帝個人的作用不無關係。

三、綜合考察昆劇發展的時間和空間問題，不難發現昆劇的地域發展情況和政治力量有著密切關係。政治決定了昆劇的演出的地域重心，明代後期崑曲能在聲腔說白存在隔閡的北京流傳開來，正因為北京為首都，匯集了諸多尚新尚雅的文人。政治力量亦使得昆劇傳播到邊遠地區，紀昀在《烏魯木齊雜記》中有言，當時烏魯木齊「有梨園數部，遣戶中能昆曲者，又自集一部」[25]，可見烏魯木齊的昆曲，正是遣戶所帶去的。

23　丁耀亢：《丁耀亢全集・佚名題詞》鄭州：中州古籍出版，1999年，頁913。

24　故宮博物院文獻館：《史料旬刊》第22輯，北京：故宮博物院文獻館，1931年，頁794。

25　轉引自：賈建飛：《清乾嘉道時期新疆的內地移民社會》北京：社會科學文獻出版社，2012年5月，頁187。

三　地域問題補敘

昆劇的地域傳播範圍廣泛，但在很多地方影響力非常有限，在職業戲班中的演出甚至不敵其他地方聲腔，因此在昆劇史的研究中向來不是重點。儘管如此，《史稿》，在論述地域問題上尚且有一大缺憾，即低估了昆劇在北方的發展對昆劇歷史的影響。《史稿》雖然大篇幅論及了昆劇在北京發展的情況，但陸先生始終認為，北京的昆劇作為蘇昆的一個支派，在昆劇史上無足輕重，且和民間聯繫不大。但縱觀歷史，我們可以發現昆劇在北京，乃至北方，都曾發揮過相當大的作用，而北方昆劇的發展又反過來促進了昆劇整體的進步。

南戲復興後，北京上至宮廷下至民間，一度以弋陽腔最受歡迎，但在明代晚期，昆腔確乎打敗了弋陽腔，成為北京地位最高的聲腔，史玄在《舊京遺事》中描述天啟年間北京曲壇的狀況為「今京師所尚戲曲，一以昆腔為貴」[26]。這種重視一直延續到了清代。到了清初，北京地區仍然擁有眾多職業昆班，甚至多於南京和揚州兩個昆劇中心。當時北京戲壇整體沈寂，能出現如此之多的職業昆班，殊為令人驚嘆，這些職業戲班又借戲園這一場所與廣大市民階層見面，足見清初北京的昆劇演出已具備了群眾性。

即使在嘉慶年間徽班勃興之即，北京昆班仍能同徽班抗衡。《聽春新詠》所分四部中特有「昆部」一卷，地位上被列為眾部之首，共收錄優伶十九人，其中十八人來自蘇州，「暫回南」的僅有一人。[27]《嘉慶丁巳戊午觀劇日記》是為北京的觀劇記錄，許多劇目旁注「宜黃集秀部」「宜黃敘倫部」[28]，可見嘉慶年間江西的昆劇戲班亦進京演出過，且廣受歡迎。據此推知，陸先生所認為的「乾嘉年間南方藝人仍樂於赴京演出，吳中藝人紛紛退出北方」的說法並不屬實。相反，此時昆劇在北方仍具有相當深厚的根基，並同文人和群眾們聯繫密切。

陸先生將北京的昆劇視為蘇昆的一個支派，並不切合實際。京中戲園秦腔和弋陽腔的盛行，及宮廷戲班和王府班兼尚昆弋的傳統，曾促進了秦腔、弋陽腔同昆劇的交融，以致形成了典型的北方昆劇支派，即昆弋派，並在清中葉以後，於河北地區產生了廣泛而深遠的影響。

此外，「崑曲在北方不過有些足跡」的說法，也並不恰當。單就正昆來看，《聽春新詠》中著錄的兩位優秀藝人，在嘉慶年間已隨戲班遷至天津，可見其時在北京以外的北方地區，亦有頗為精湛的昆劇藝人演出。我們據此可以判斷，昆劇在北方的興盛，一直

---

26 轉引自：楊瑞慶：《崑曲評與語選解》合肥：安徽文藝出版社，2013年11月，頁187。

27 「昆部」一卷由谷曙光先生於近年發現。藝人的統計及籍貫考證，見：谷曙光：〈國家圖書館藏《聽春新詠・昆部》及其史料價值〉《文獻》2012年第2期，頁89。

28 無名氏〈嘉慶丁巳戊午觀劇日記〉，《戲曲研究》第9輯，北京：文化藝術出版社，1983年，頁275-280。

延續到了嘉慶年間，陸先生認為的昆劇在北方因脫離群眾而早早退出的觀念，應不屬實。

以北京為主要活動地的北方昆劇，亦對於昆劇的整體發展有著重要影響。陸先生指出，北京地區昆劇「只能以劇本文學和新聲滿足士大夫的欣賞要求」，意在指出和群眾的隔閡，但換一個角度看，這也說明了北京劇本文學一度興盛。劇本是演出的基礎，即使傳奇的搬演尚需藝人的改造，即使歷史上無數的案頭文學被梨園淘汰，我們不可否認的是，正是諸多的劇本文學創作，才給了梨園腳本篩選和打磨的空間。《桃花扇》與《長生殿》兩部傳奇，皆在京寫成，並用北方語言體系處理唱念。

北方昆劇除了在劇本上對昆劇發展產生影響外，在家門腳色的特點上也產生了一些影響。北京昆班的重要演變之一，是從十行角色並重，過渡到了重小生、小旦、小丑。結果，北京昆劇的這一特點，反而成為了今日昆劇上演之主流，而傳統的十行角色並重的特點，則不那麼突出了。

四　「昆亂不擋」現象之概述

在昆亂碰撞的問題上，陸先生多著眼於二者的鬥爭，而對其交融言之甚少。而縱觀戲曲發展史，昆劇與其他戲種彼此亦交流頻繁，戲劇演員的「昆亂不擋」便印證了這種現象。

昆劇體系嚴整，傳統的昆伶往往不屑於花部諸戲。但隨著戲園的興起，兼好昆亂的市民階層成為重要的戲曲消費力量，在經濟利益的推動下，道咸年間，昆班的藝人紛紛改為兼習徽腔，到了同治年間，北京地區許多專攻昆劇的藝人就轉而在四喜、三慶兩徽班內供職。而近代以來，各個戲種的藝人又皆以昆曲為基礎，「演京戲者，必具有昆曲之根柢，乃能雅緻」已成為當時之共識，可見「昆亂不擋」的發展趨勢，已不可抵擋。

民國時期，隨著昆劇藝人的老去，許多昆劇傳統難以再現，但京劇班尚保留著昆劇演出的傳統，譬如上世紀二十至三十年代，花臉這一行當在昆劇中幾近失傳，卻在京劇中保存了下來，「傳」字輩的藝人，就是在這一背景下，從京劇中找回了原本屬於昆劇的花臉行當；再如昆劇武旦行當久已不傳，而在京劇武旦張美娟的藝術薰陶下，王芝泉排演出了諸如《金山寺》、《盜草》等傳世之作。

陸先生既是研究昆劇史，因而從昆班「由分化到瓦解，一蹶不振」的現象出發，將歷史上的昆亂關係表述為「競爭」，以此來說明昆劇衰落的原因。實際上，關於昆劇衰落的原因有諸多說法，其他劇種的衝擊只是其中之一。單就陸先生個人的總結，缺乏舞臺性的劇本和演出的脫節，及注重「雅」的昆劇和喜好「俗」的觀眾之間的矛盾，亦是昆劇衰落的原因。此外，顧篤璜認為現實主義創新精神的衰退，是昆劇衰落的根本原

因[29]，但陸先生似乎並不認同此觀點，相反，陸先生認為昆劇的發展不必從新劇入手，因為現今留下的經典劇目，已經為昆劇的搬演者們創造了極為豐富的寶藏。這一看法顯然是很保守的。創新始終是一個劇種的生命力，即便昆劇為我們留下了再多的經典劇目，如果不能順應時代發展，推陳出新，那麼戲種本身終將走向消歇。從這一角度看來，昆劇後期發展的頹勢，在乾嘉之際昆劇創作的低谷，已初現端倪。

---

29 顧篤璜：《昆劇史補論》南京：江蘇古籍出版社，1987年，頁144。

澳門知識份子對中華文化傳承的貢獻
——以傳教士、外來學者和陳子褒為例

何文略

華東師範大學教育學系

一　前言

　　澳門作為中國最早對外開放的地區，既受中國政治、法律的規管，又因葡人聚居而享有一定的自治特權[1]。數百年來，能夠在與外來文化交流的過程中孕育出世所獨有的文化意涵之餘而又沒有失卻和消除傳統精髓，這與一些堅持不懈弘揚傳統文化的先賢先哲有密切的關係。

　　中華文化博大精深，即使窮畢生精力亦無法詳細道盡某一層面的內容，本文亦不可能對此展開作全面論述。本文的目的，乃希望透過記述某些人物生平事蹟，概述其在澳門中西文化交流中，對中華文化某些、或局部範疇的傳承上所曾作出過的努力，為本地文化研究者在思考澳門傳承中華文化的議題上提供參考。

二　澳門中西文化交流的背景

　　明朝時期，澳門已屬廣東省香山縣管轄，本地教育自然以中國傳統為主，大多數的漁、農子弟主要接受家庭教育、生產技術教育，並輔以廟宇、公祠等開辦的社學、學塾的教育，接受傳統文化薰陶。一五五三年葡萄牙人登陸澳門並得到明朝政府批准與中國通商後，他們慢慢落地生根；信奉天主教的葡萄牙人，亦在此時開始來澳門傳教，並開始在澳門興建教堂，如一五五五年澳門天主教會創始人公撒萊士（Gregorio Gonzalez）及葡藉耶穌會傳教士巴萊多（Melchior Nunez Barreto）等。由於隨行到來澳門的葡人子弟、海員、水手等均有教育和教化需要，於是葡萄牙人在澳門傳教的同時，亦一如歐洲教會活動般，教堂內除了日常的宗教活動，還附設要理識字班，文化素養較高且多為西方飽學之士的傳教士肩負起一定的教育責任，為遠道而來的海員、水手、商人及其家屬

1　吳志良：〈中華文化在澳門的傳承和發展〉，《澳門公共行政雜誌》第18卷第4期，澳門：行政公職局，2005年，頁1261-1267。

等傳授知識及進行教化，向教友教授一定程度的語文和文法，推行宗教教育[2]，這些要理班更被稱為教會的私塾[3]。澳門歷史悠久的教堂如安多尼堂、老楞佐堂、望德聖母堂等均是早期設有相關教育的場所[4]。聖保祿學院的前身聖保祿公學亦於一五六五年成立。

　　除了一般形式的傳教活動，當時來澳的傳教士還採取其他有效策略。一五六六年獲任命為澳門主教的卡內羅（Melchior Carneiro），相繼修建仁慈堂、麻瘋院、醫院，以醫療慈善等事業，吸引澳門華人信奉天主教。約一五七〇年，澳門天主教徒已由公撒萊士和巴萊多傳教時的六百多人猛增至五千人[5]。澳門傳教活動的日漸興盛，引起羅馬教廷的關注。一五七六年，時任教皇的格雷高利十三世（Gregorius XIII）下令成立澳門天主教區，負責管理中國、日本、越南的傳教事務，澳門遂成為了天主教在遠東地區的傳教中心[6]。自此，伴隨著葡萄牙人而來的天主教漸漸落戶澳門，而且與本地源自嶺南地區和中國傳統的宗教和習俗和諧共存。葡萄牙人亦隨著交往的日漸頻繁，由最初只為商旅棲息留澳變成攜眷居停[7]。

二　傳教士和葡籍學者的傳承

　　十六世紀以後，在澳門曾協助傳承中華文化的外來人口中，除了天主教的傳教士，還有基督教（新教）的傳教士，以及不少外來和本地出生的葡籍學者。

（一）天主教傳教士

　　一五七八年耶穌會傳教士范禮安（Alexander Valignani）來澳考察時，認為要進一步打通中國傳教之路，傳教士必需要學習中國語言，了解和尊重中國人的風俗和文化，加上後來分別於一五七九年和一五八二年來澳的傳教士羅明堅（Mithael Ruggiero）和利瑪竇（Matthaeus Ricci）均重視漢語和中國文化的學習，更曾身穿中國僧人服裝和運

2　鄭潤培：〈澳門歷史教育回顧〉，刊於單文經、林發欽主編：《澳門人文社會科學研究文選‧教育卷》北京：社會科學文獻出版社，2009年12月，頁454-468。劉羨冰：《澳門教育史》澳門：澳門出版協會，2007年11月，頁10。

3　郭峰：〈澳門教育發展的回顧與展望〉，《比較研究法》第1期，北京：中國政法大學，1999年，頁125-135。劉羨冰：《澳門教育史》澳門：澳門出版協會，2007年11月，頁107。

4　劉羨冰：《澳門教育史》澳門：澳門出版協會，2007年11月，頁107-108。

5　張澤洪：〈澳門族群與多元文化：16-18世紀澳門天主教與中國傳統宗教〉，《中華文化論壇》第3期，成都：四川省社會科學院，2004年，頁129-132。

6　張澤洪：〈澳門族群與多元文化：16-18世紀澳門天主教與中國傳統宗教〉，《中華文化論壇》第3期，成都：四川省社會科學院，2004年，頁129-132。章文欽：《澳門與中華歷史文化》澳門：澳門基金會，1995年，頁110。

7　劉羨冰：《澳門教育史》澳門：澳門出版協會，2007年11月，頁106。

用中國語言在肇慶傳教，某程度上體現了一部分傳教士願意通過改革傳教的方式、策略來與中國文化觀念融合而達致調和的理念[8]。這種通過澳門進入中國、糅合中國傳統文化、具本土特色的傳教活動成功開啟中國大門，吸引了一定數量的華人信奉天主教，信眾當中還包括徐光啟、李之藻、楊廷筠等中國學者。

　　利瑪竇等人的傳教成績，使得耶穌會於一五九四年決定把聖保祿公學升格為遠東第一所西式大學——聖保祿學院，漢語成為學院的必修科目，且分量極高，學院教授也必須學習，而所有進入中國傳教的傳教士也必須先在澳門聖保祿學院學習漢語和中國傳統習俗文化。雖然設立聖保祿學院的本來目的在於培養遠渡而來的西方傳教士進入中國、日本、越南傳教，但是在過程中卻為中國帶來不少西方的學術成就，進一步促進了東、西方在學術上、文化上的交流[9]。根據黃啟臣所述，掌握漢語的傳教士進入中國後，其個人或與中國學者共同努力的著述，均影響了中國的數學、天文和曆學、地理和地圖、西醫和西藥等多個學術領域的發展[10]；另一方面，他們亦把我國博大精深的中華文化智慧，傳揚至西方[11]，甚至培養了許多西方的漢學家，組成一支研究漢學的隊伍[12]。凡此種種，無不反映十六至十八世紀中西文化在天主教於澳門和中國大陸傳教的過程中出現了空前的交滙盛況，中國傳統文化亦在傳教士的翻譯西傳和培訓傳教士的過程中得以發揚和鞏固。

　　其後於十八世紀七十年代，作為聖保祿學院的分校[13]，兼重傳教與教師培訓進修的學校——聖若瑟修院正式成立[14]。上述的聖保祿學院主要培養西方來華的傳教士，而聖若瑟修院則兼收中國籍修士和世俗人家子弟[15]，主要培訓中國籍的傳教士。

　　聖若瑟修院培養了大批的雙語人才，體現了天主教在推動本地教育事業發展和文化

8　張澤洪：〈澳門族群與多元文化：16-18世紀澳門天主教與中國傳統宗教〉，《中華文化論壇》第3期，成都：四川省社會科學院，2004年，頁129-132。鍾素芬：〈論澳門中西文化交匯的進程〉，《錦州師範學院學報》第21卷第4期，錦州：渤海大學，1999年，頁6-9。

9　劉羨冰：《澳門教育史略》，刊於余振、鄭煒明、崔寶峰編《澳門歷史、文化與社會》澳門：澳門成人教育協會，2003年，頁285-308。

10　黃啟臣：〈澳門是十六至十八世紀中西文化交匯的橋樑〉，《澳門公共行政雜誌》第2卷第4期，澳門：行政公職局，1989年，頁747-765。

11　黃啟臣：〈澳門是十六至十八世紀中西文化交匯的橋樑〉，《澳門公共行政雜誌》第2卷第4期，澳門：行政公職局，1989年，頁747-765。

12　馮增俊：《澳門教育概論》廣州：廣東教育出版社，1999年12月，頁59。

13　劉羨冰：〈澳門教育的發展、變化與現代化〉，刊於吳志良、金國平、湯開建主編：《澳門史新編——第三冊》澳門：澳門基金會，2008年11月，頁910。

14　郭峰：〈澳門教育發展的回顧與展望〉，《比較研究法》第1期，北京：中國政法大學，1999年，頁125-135。

15　鍾素芬：〈論澳門中西文化交匯的進程〉，《錦州師範學院學報》第21卷第4期，錦州：渤海大學，1999年，頁6-9。

承傳作用。如一八一三年江沙維（Joaquin Afonso Gongalves）在澳登岸，並於聖若瑟修院任教，他除了學會漢語，還能以中文寫作，如《洋漢合字彙》、《簡明拉漢讀音字典》、《拉漢大詞典：附包括詞源、正音及文字結構》、《簡明拉漢讀音字典》[16]，另一著作《漢字文法》，更是糅合了中西文化的代表作，如柳若梅所言：「《漢字文法》雖然是一部總結漢語規律的漢語語法書，但卻是作者在其歐洲語言學知識背景之下，結合中國語言的特點並吸收中國的漢語研究成就撰寫而成的，該書漢語口語和書面語兼顧，中西文法相對應，例句豐富且準確無誤。」[17]他的學生瑪吉士（José Martinho Marques）後來成為土生葡人的漢學家，其一八四七年出版的著作《新釋地理備考》[18]更是清代林則徐和魏源編寫《海國圖志》的重要資料來源之一[19]。教會這種中國文化培訓，實際上已成為當時整個教會傳教和傳教士日常生活習慣的一部分，在本地形成了一種包含了中華文化在內的教育文化[20]。

（二）基督教（新教）傳教士

除了天主教，基督教（新教）亦在十九世紀開始傳入本地。一八〇七年，歷史上首位以及最早在中國進行醫務活動的基督教（新教）傳教士馬禮遜（Robert Morrison）來華傳教。因著當時清朝的政策和澳門天主教的形勢，他輾轉往返於廣州和澳門之間發展，並努力學習中文，更在一八〇八年開始編纂字典，為方便傳教作好準備[21]。

為了提升中文水平，他後來答應廣州商館請求，從事漢語教學活動。一八〇九年馬禮遜獲聘為廣州商館中文翻譯員期間，已展現出優秀的中文能力，商館於是請求他在館內開班向職員教授中文；由於教學活動能起教學相長之效，深明掌握中國語言文學知識有利傳教的馬禮遜，於一八一〇年隨廣州商館於貿易季結束後回到澳門便開始商館中文班的教學，英國人最早的漢語教學活動由此而起[22]。此外，馬禮遜還意識到除了要學會官話，還要掌握方言土語，所以他的教學內容除了官話，還兼教廣東話，更在澳門出版

---

16 安文哲著，陳震宇譯：《澳門葡籍教育家》香港：三聯書店，2013年，頁18-19。

17 柳若梅：〈江沙維的「漢字文法」與比丘林的「漢文啟蒙」〉，《華南師範大學學報（社會科學版）》第6期，廣州：華南師範大學，2009年，頁152。

18 趙利峰、吳震：〈澳門土生葡人漢學家瑪姬士與「新釋地理備考」〉，暨南學報（哲學社會科學版）第28卷第2期，廣州：暨南大學，2006年，頁131-136。

19 鍾素芬：〈論澳門中西文化交匯的進程〉，《錦州師範學院學報》第21卷第4期，錦州：渤海大學，1999年，頁6-9。

20 周勇：〈論教育文化研究——兼談當代中國教育研究的困境與出路〉，《教育發展研究》第7期，上海：上海教育科學研究院，2000年，頁13-16。

21 張偉保：《馬禮遜與澳門教育初探——兼論其對馬儒翰的栽培》，「2008第二屆『兩岸四地教育史論壇』發表之論文」，上海：上海華東師範大學，2008年4月。

22 譚樹林：《傳教士與中西文化交流》北京：生活‧讀書‧新知三聯書店，2013年7月，頁26。

了《廣東省土話字彙》，既滿足教學需要，又方便其他傳教士學習廣東方言[23]。

　　一八二三年，馬禮遜苦心孤詣，參考和引用中國眾多經典編纂而成的《華英字典》出版，為傳教士進一步學習中文提供了重要的材料[24]。《華英字典》不僅是第一部中英對照的雙語字典，也是中國境內第一部用西方活字印刷術印製的書籍[25]。當中「大量地研究中國的社會政治、文化宗教、生活習俗、教育體制等，參照的中文書目達萬卷之多，僅從《康熙字典》就引錄四萬多個中文單詞」[26]堪稱中國文化的百科全書，開啟了十九世紀來華新教傳教士編纂字典之風，如在澳門香山書院發行，衛三畏（Samuel Wells Williams）編纂的《英華韻府歷階》（*An English and Chinese Vocabulary in Court Dialect*）[27]。《華英字典》為當時來華傳教的外來傳教士提供了寶貴的和實用的參考，在中西文化交流及傳揚中國文化的過程中起著重要作用。

　　此外，馬禮遜亦把《紅樓夢》和《三國演義》視為漢語學習的敲門磚，促進了中國古典小說早期的海外傳播[28]。及後於一八三二年，他與第一位美國來華的傳教士裨治文（Elijah Coleman Bridgman）在澳門創辦了《中國叢報》（*Chinese Repository*），並在此撰寫了不少有關中國各個領域如文化、政治、風俗、教育的稿件，對本地文教事業產生極大的影響[29]。

　　一八三四年馬禮遜去世，同年基督教傳教士郭士立（Rev. Gutzlaff）的妻子溫施黛（Wanstill）創辦一所女塾，後來於一八三九年在此基礎上籌辦了為紀念馬禮遜在華傳教業績所創辦的「馬禮遜學堂」，由美籍傳教士布朗（Rev. Brown）主持，招收了包括日後在中西文化流上起著重要作用的容閎、黃勝、黃寬等三人。學堂開設中文課程，聘請中國人擔任中文教師，以背誦中國經典、學習中文書法等中國傳統方式授課[30]。故此，馬禮遜的到來，除了為基督教（新教）在本地的傳播產生直接影響，更間接地推動了本地基礎教育和傳揚中華傳統的事業。

---

23 譚樹林：《傳教士與中西文化交流》北京：生活・讀書・新知三聯書店，2013年7月，頁18。

24 林英傑：《馬禮遜「華英字典」傳統經典引用研究》，未出版之碩士論文，澳門：澳門大學，2012年。

25 王燕：《馬禮遜與「三國演義」的早期海外傳播》，刊於《中國文化研究》第4期，北京：北京語言大學，2011年，頁206-212。

26 顧衛星：〈馬禮遜與中西文化交流〉，刊於《外國文學研究》第4期，武漢：華中師範大學，2002年，頁119。

27 譚樹林：〈馬禮遜與10世紀美國基督教在華傳教事業之關係研究〉，刊於《蘇州科技學院學院（社會科學版）》第29卷第3期，蘇州：蘇州科技大學，2012年，頁1-7。

28 王燕：〈馬禮遜與「三國演義」的早期海外傳播〉，刊於《中國文化研究》第4期，北京：北京語言大學，2011年，頁206-212。

29 張偉保：〈馬禮遜與澳門教育初探——兼論其對馬儒翰的栽培〉，「2008第二屆『兩岸四地教育史論壇』發表之論文」，上海：上海華東師範大學，2008年4月。

30 樂璐璐：《馬禮遜學校與中西文化交流》，未出版之碩士論文，南昌：江西師範大學，2016年。

（三）葡籍學者

　　自葡萄牙人札根澳門後，除了宗教上的傳教士為了傳教所需而學習漢語和中國文化外，亦有其他葡籍人士漸漸融入本地，並在長時間的文化交流中，出現了一些對中國文化熱愛和嚮往的葡籍知識份子。

　　一八四三年在澳門出生，曾在聖若瑟修院學習和任教的中文教師，後來成為澳門第一任華務局局長的伯多祿（Pedro Nolasco da Silva），不但曾在多所學校教授漢語、粵語和中國文化，還編寫漢語教材[31]，如《土生青年適用中文課本》、《寓言故事》、《廣州和北京方言的詞彙和片語》、《譯自〔聖諭廣訓〕的中文書寫語》、《粵語指南》、《澳門葡文學校適用：粵語中文文章》等。它們不但是學校課本，還秉承新儒家思想的教學精神，更成為傳播和鞏固中國傳統觀念上的優秀工具[32]。此外，劉羨冰更認為，由他所譯的《葡譯聖諭》（《Amplificação do Santo Decreto》）「從中外文化交流的角度來看，在澳門發揮了介紹中國、介紹儒家倫理道德思想的橋樑作用。」[33]而且，他還在致力爭取澳門官立學校施行中文規範化教育獲得立法性輔助的工作上不遺餘力。

　　一九〇一年抵達澳門的文第士（Manuel da Silva Mendes），雖並非傳教士，但作為拉丁語和葡語教師，卻是一位中國藝術品收藏家，被認為是第一個研究老子的葡萄牙人[34]。他先後於一九〇九年出版的《老子及其道德經》及一九三〇年以《道德經》和《南華經》為藍本出版的《道學選萃》，均反映了作為一位外籍學者對中國傳文化的認同，更獲廣東省前省長陳席儒的肯定[35]。

　　一九〇七年於本澳出生的高美士（Luis Gonzago Gomes），除喜愛中國家具和瓷器，更任教中文和在出版界發表著作，在文化界具一定影響力。主持《澳門檔案》、《賈梅士學院學報》的他，曾以葡語翻譯過曾德昭（Alvaro Semedo）的《大中國志》（*Relacao Da Grande Monarquia Da China*）[36]和安文思（Gabriel de Magalhães）的《中國新志》

31　鍾素芬：〈論澳門中西文化交匯的進程〉，《錦州師範學院學報》第21卷第4期，錦州：渤海大學，1999年，頁6-9。

32　AntónioAresta：〈葡萄牙教育中的新儒家思想：澳門教育歷史中的伯多祿〉，《澳門行政政雜誌》第4卷第9期，1996年，頁1061-1082。

33　劉美冰：《雙語精英與文化交流》澳門：澳門基金會，1994年1月）。取自：https://www.macaudata.com/macaubook/book169/index.html

34　AntónioAresta：〈文第士——教師及文化人〉，《澳門公共行政雜誌》第15卷第4期，澳門：行政公職局，2002年，頁1193-1214。

35　AntónioAresta：《文第士——教師及文化人》，《澳門公共行政雜誌》第15卷第4期，澳門：行政公職局，2002年，頁1193-1214。

36　AntónioAresta：〈曾德昭與中國科舉考試〉，《澳門公共行政雜誌》第23卷第4期，澳門：行政公職局，2010年，頁947-963。

（*Nova Relacao da China*）[37]。此外，他亦曾把中國傳統經典中的《孝經》、《三字經》、《四書》及《道德經》等譯成葡文，以及編寫辭書如《粵葡辭典》、《葡粵辭典》、《葡英辭典》、《漢語基礎知識》等，除了在葡萄牙漢學和傳播中國歷史文化的貢獻上成就卓絕外，還延續伯多祿的努力，於一九五五年向當時已更名為殷皇子國立中學的公立學校校長建議在校內開辦中文課程[38]。

　　由此可見，西方傳教士和外來學者自十六世紀來澳後，一方面不斷吸收中華文化並把中國經典翻譯西傳至歐洲；另一方面，他們在澳門傳教、培訓傳教士、興辦教育機構、著書立說等各種活動的過程中，均直接或間接地對中華文化的傳承產生一定作用。

三　華人學者的貢獻

　　澳門自十六世紀以來華洋雜處、各種文化和諧並存的社會面貌和思想風氣使與別不同的新事物更容易融入這個小城。如上所述，除了西方人士的到來，華人當中融匯西方文化以為己用的新思維知識份子亦先後來到澳門，為中華傳統的延續作出貢獻。其中必要一提的，當是平民教育家——陳子褒。

　　陳子褒，廣東新會人。一八九三年與康有為同應鄉試，雖中舉且名次稍前於康有為，但他折服於康有為廣博深邃的學問，故中舉後拜康有為為師，於萬木草堂學習，與梁啟超、梁啟勳、盧湘父等切磋學習，開始接觸新事物和新知識，並接受康有為的變法救國思想[39]，且非常重視教育的作用，認為教育的優秀與否，直接影響人才的品質，且關聯到國力的強弱[40]。

　　萬木草堂學習期間，陳子褒經常閱讀西方書籍以學習英語。在學習英語的過程中，他發現英語啟蒙課本上所載皆由雞、犬、貓等通俗易懂的日常用語學起，完全有別於我國傳統兒童訓蒙經典如《千字文》、《三字經》、《百家姓》乃至「四書」、「五經」的艱澀難懂和窮理盡性，於是開始萌生編寫教材、改良兒童教育的念頭[41]。

　　此外，他亦受十九世紀西方傳教士在中國興辦的第一批女子學堂，使中國婦女也能接受教育的影響[42]，認為家庭為教育之根本，家中與兒童接觸最多的母親對兒童發展有

---

37 湯開建、吳豔玲：《葡萄牙傳教士安文思在華活動考述》武漢：華中師範大學，2006年，頁79。和趙欣：《漢學名著安文思「中國新志」英譯者辨誤》無錫：江南大學，2009年，頁78。

38 安文哲著，陳震宇譯：《澳門葡籍教育家》香港：三聯書店，2013年，頁53-62。

39 黨冬麗、陳立鵬：〈教育家陳子褒近代女子教育活動述評〉，《蘭臺世界》第34期，瀋陽：遼寧省檔案局（館）和遼寧省檔案學會，2014年，頁120-121。

40 謝長法：《陳子褒的教育觀簡述》福州：福建省教育科學研究所，1994年，頁60。

41 徐天舒、夏泉：〈陳子褒的教育思想與實踐述評〉，《貴州文史叢刊》第1期，貴陽：貴州省文史研究館，2005年，頁20-23。

42 吳洪成、王景：〈近代教育家陳子褒的女子教育思想及其實踐活動述評〉，《南陽師範學院學報（社會科學版）》第8卷第7期，南陽：南陽師範學院，2009年，頁95-100。

相當程度的影響，女性在國學的存續上的重要性極高[43]。所以，假使能夠興辦女學，讓全國女性與男子一樣擁有接受教育的機會，讓她們共同投入社會發展，這樣便能使每一代人的家教不斷提高，進而能夠造福社會[44]。故於一八九五年，陳子褒隨康有為參加「公車上書」，加入「強學會」、「保國會」後，同年出版了《婦孺須知》二卷，其後再編寫了《婦孺淺解》二卷、《婦孺八勸》、《婦孺入門書》等改良後的啟蒙教材，大力提倡婦孺教育。

　　一八九八年，百日維新失敗後陳子褒東渡日本，在當地著名教育家僑本海關幫助下，他得以考察日本各處教育狀況，深感值得借鑒和學習之處頗多，其中以福澤渝吉所辦的「慶應義學」的教育宗旨和教學方法尤甚，頓生與維新人士只寄望少數人領導救國所不同之意向，轉而決心從根本上改良婦孺教育以改造國民[45]。他於同年年底回國，不久信奉基督教，以愛心推動平民教育，到達澳門後便設館教學，成立「蒙學會」，致力發展平民教育[46]。一九〇〇年他再編寫了《婦孺三字書》、《婦孺女兒三字書》、《婦孺四字書》、《婦孺五字書》等以白話文替代文言文的教材。後來於一九〇一年創辦了「蒙學書塾」，為澳門最早具有改良性質的學塾，且於一九〇三年在華人學校當中首先招收女生[47]。一九〇四年編輯出版《婦孺報》、《灌根年報》[48]。及後，他努力不懈地從事啟蒙教材的編寫工作，相繼出版了諸如《婦孺學約、《婦孺中國與地略》、《婦孺信札材料》、《幼學文法教科書》二卷、《小學國文教科書》十卷、《小學詞料教科書》三卷、《七級字課》等教材[49]。一九〇七年「蒙學學塾」更名為「子褒學塾」，並因地方不足以容納當時學生而遷往荷蘭園二馬路，改名為「灌根學堂」，成為當時澳門最大的學塾[50]。一九一八年，陳子褒將之轉至香港繼續發展。

　　陳子褒所編寫的教材，既帶有強烈的改革精神，又不失中華傳統。他認為兒童上學後就學習以文言文編寫的中國傳統經典乃是脫離學生生活經驗之舉，且字義上對這個階段的學生來說難以理解，不能有效啟蒙之餘，更有可能使學生失去學習興趣，甚至浪費

---

43 黨冬麗、陳立鵬：〈教育家陳子褒近代女子教育活動述評〉，《蘭臺世界》第34期，瀋陽：遼寧省檔案局（館）和遼寧省檔案學會，2014年，頁120-121。

44 陳樹榮：《陳子褒與澳門》澳門：澳門君亮堂出版社，2013年，頁31。

45 黨冬麗、陳立鵬：〈教育家陳子褒近代女子教育活動述評〉，《蘭臺世界》第34期，瀋陽：遼寧省檔案局（館）和遼寧省檔案學會，2014年，頁120-121。

46 陳樹榮：《陳子褒與澳門》澳門：澳門君亮堂出版社，2013年，頁3。

47 劉羨冰：《澳門教育史》澳門：澳門出版協會，2007年第3版，頁132。

48 徐天舒、夏泉：〈陳子褒的教育思想與實踐述評〉，《貴州文史叢刊》第1期，貴陽：貴州省文史研究館，2005年，頁20-23。

49 石鷗、周美雲：〈第七課「教材編寫第一人」陳子褒的教科書〉，《課程教學研究》第7期，廣州：廣東教育出版社，2016年，頁4-8。陳敏標、梁敏琴：〈陳子褒改良啟蒙教育思想成因及其實踐路徑〉，《五邑大學學報（社會科學版）》第16卷第2期，廣州：五邑大學，頁46-49。

50 陳樹榮：《陳子褒與澳門》澳門：澳門君亮堂出版社，2013年，頁2。

兒童時期寶貴的學習時間[51]。他提倡廢止讀經，改為因應兒童發展狀況由一字之語開始循序漸進學習，以通俗易懂的白話文進行教學，使學生產生學習興趣，加深記憶，減輕學生學習困難，令學生更喜歡上學[52]。重要的是，陳子褒這種教材和教學內容上的改變，並非拋棄中國傳統，而是把「四書」、「五經」當中的古聖賢道理通過學生容易接受的語言文字來進行教學，以開放性的態度來改良經典的表達方式，體現傳統的日常禮儀、生活習慣、長幼有序、勸學立志[53]等精神，在婦孺和基礎教育上以另一種形式傳承我國文化[54]。陳子褒所編的教材，除澳門外，更為香港和廣東一些鄰近地方採用[55]，充分體現了由中國教育追求自由、追求文明、追求進步的傳統意蘊[56]。

他的教育思想和實踐亦為港澳和嶺南等地培養了大批優秀人才。如嶺南第一才女冼玉清、嶺南大學第一任華人副校長李應林、嶺南大學教授陳輯五和陳仲偉、於廣州創辦粵華中學並致力澳門教育事業的廖奉基、香港中文大學成立時首任副校長容啟東、同盟會女會員許劍魂、梁國體、陳秉卿、尹淑姬、梁荃芳等都曾受業於陳子褒[57]。

四　結語

天主教與基督教（新教）的傳教士，雖然本來對中華文化一竅不通；但由於他們意欲打開中國大門，向中國傳教，所以不斷學習中國語言、文字和傳統哲學，並以此來培訓其他傳教士，使我國文化在過程中漸漸於本地形成穩定發展的狀況。

可以說，傳教士的活動越頻繁，對進入中國傳教的期望越殷切，他們越是需要掌握更多中華文化；當傳教成績越理想，他們越需要有更龐大的傳教士團隊來維繫教務和傳

51　陳子褒：《論訓蒙宜先解字》，澳門：澳門基金會虛擬圖書館，1899年。取自：https://www.macau data.com/macaubook/book086/html/160801.htm

52　陳子褒：《論訓蒙宜用淺白新讀本》，澳門：澳門基金會虛擬圖書館，1899年。取自：https://www. macaudata.com/macaubook/book086/html/160801.htm

53　石鷗、廖巍：〈「通俗是貴」——陳子褒課本之研究〉，《湖南師範大學教育科學學報》第12卷第5期，長沙：湖南師範大學，2013年，頁5-11。

54　陳子褒：《論訓蒙宜用淺白新讀本》澳門：澳門基金會虛擬圖書館，1899年。

55　劉羨冰：〈澳門教育的發展、變化與現代化〉，刊於吳志良、金國平、湯開建主編《澳門史新編——第三冊》澳門：澳門基金會，2008年11月，頁909-930。

56　這裡參考丁鋼：《歷史與現實之間：中國教育傳統的理論探索》桂林：廣西師範大學，2009年2月，頁10的定義。

57　何偉傑：《澳門：賭城以外的文化內涵》香港：香港城市大學出版社，2011年，頁173。徐天舒、夏泉：〈陳子褒的教育思想與實踐述評〉，《貴州文史叢刊》第1期，貴陽：貴州省文史研究館，2005年，頁20-23。黨冬麗、陳立鵬：〈教育家陳子褒近代女子教育活動述評〉，《蘭臺世界》第34期，瀋陽：遼寧省檔案局（館）和遼寧省檔案學會，2014年，頁120-121。陳樹榮：《陳子褒與澳門》澳門：澳門君亮堂出版社，2013年，頁4。

教工作，從而需要作更大規模的漢文化教育培訓；當教會漢文化教育培訓進一步擴大，教育對象開始包括非傳教士的知識份子，便進一步加速了中華文化的傳播和擴展了其影響範圍，產生了不少在接觸中華文化後便對其熱愛有加的外籍學者，從事相關的研究、學習和推廣；當這種文化氛圍越益濃厚，便越加鞏固和提升中華文化在本地的文化力量和存在地位，進一步加深了我國文化的傳播和札根。

雖然這些來自西方的傳教士和其他外籍學者因各種諸如個人成長背景等因素而往往會在學習我國文化時出現與傳統主流不同的理解，但文化的發展本來就不能避免與新事物或其他文化的衝擊。從某種意義上說，在特定的時間、空間、環境互動下，人們共同的價值觀所指導的集體行為便會產生特定的文化，而價值觀又與人們所處的環境條件和地域因素密切相關，所以文化本身就帶有一定程度的地域特殊性。一個文化只要開始獲得世人更廣泛的關注和學習，其所遇上的衝擊和審視的角度便會越多，參與討論和交流的層面便會越廣。倘在交流的過程中能夠不斷更新，博取眾長以為己用，則這種文化才能持續發展。

中華文化正正就是這樣的一個龐大、而又穩定的系統，具有極高的包容性和適應性，表面上被帶有西方文化背景的外來人士汲收後在本地萌發了新的內容，但實際上其原本的核心精神並沒就此消失；相反，在融合了其他文化後卻出現了更適合當前社會環境的文化內涵，充分地體現了中華文化當中的強大生命力。因此，以澳門為交匯點的中西文化交流，非但沒有動搖中華文化在這裡的流傳，而且還得到了新的解讀。

再者，正因為中華文化有如此生命力，加上澳門華洋雜處的社會面貌和開放自由的思想土壤，才能為陳子褒到來澳門後全面發揮改革思想創造了良好的條件和基礎。身為華人的陳子褒，接受新知識、出現新思維後，通過實踐行動貫徹他的救國目標和教育宏願，別出心裁地轉化我國傳統，前無古人地在教育的領域上破舊立新，以獨特的形式延續先賢精神，薪火相傳，更為本地教育走上現代化的進程留下重要足跡。

所以，在此問題上，若只局限考慮特定人員的身份背景而不去客觀地探討他們在承傳文化上所作的努力，實有買櫝還珠之過。筆者認為更重要的是要看文化在適應社會發展和交流碰撞後出現了甚麼內涵。若只著眼於個人背景、種族，聚焦於文化是否保持原狀、不同人的理解是否能跟以往保持一致，則容易走上故步自封，裹足不前之路；相反，無論東方還是西方人士，只要能關注到中華文化傳統在具體環境中的實際變遷所遇到的困囿而躬踐改良和戮力延續，便值得我們尊重、肯定和學習。

高步瀛年譜[*]

車禕
北京師範大學文學院

　　高步瀛（1873-1940），字閬仙，私謚貞文，霸縣（今河北霸州市）人。師從桐城吳汝綸。清末曾任畿輔大學堂教席、學部圖書局主編，民國時歷任教育部僉事、編審處主任、社會教育司司長，曾先後執教於國立北京高等師範學校、北京女子師範大學、遼寧萃升書院、北京師範大學、保定蓮池書院、輔仁大學等。著有《文章源流》、《古禮制研究》、《古文辭類要箋證》、《文選李註義疏》、《古文辭類纂箋》等。另有詩文集、日記，惜散佚。高氏學述桐城，兼擅義理、考據、辭章，是晚清民國的文章大家。他在歷代散文編選、評點以及文體研究等方面均造詣精深，是研究清代散文批評理論不可繞過的高峰。編撰高步瀛年譜，是進一步展開高步瀛散文批評理論研究的必要準備。

正譜

一八七三年（清同治十二年　癸酉）　一歲

　　十一月二十二日（農曆十月初三），生於直隸省霸縣（原稱霸州，屬直隸省順天府）辛店鄉北莊頭村。「高氏故富饒，百餘年來為一邑冠。曾祖高鵬，誥授奉直大夫。祖父高庭蕙，清戶部主事，誥授奉政大夫。父親高德沛，清諸生，誥授中憲大夫。母親河北新安張氏，諱封宜人。」[1]

一八八二年（清光緒八年　壬午）　九歲

　　父高德沛去世，從此家道中落。因家產糾紛，與其四女隨母張太夫人移居安州（後改安新縣，屬直隸省保定府，今河北保定安新縣），與外家毗鄰。「是時，外家聘邵州黃秉鈞先生課訓子弟，先生見而羨之，偶向母隕涕，母怪而問焉，答曰：身世飄零，寄人

---

[*] 本文為教育部人文社會科學研究青年基金項目（18YJC751073）「清代散文批評的理論演進及文獻研究」階段性成果。

[1] 尚秉和：〈高閬仙先生傳〉，收入卞孝萱等編：《民國人物碑傳集》北京：團結出版社，1995年2月，頁769。

籬下，一則羨人之不孤，一則羨人之得學，是以心中惻然也，師過而聞其語，深奇之曰：『童子欲書，可來受教，吾必成汝志也。』先生既向學，聰穎絕倫，時有神童之目。稍長，……工舉業，先生試每冠其曹。」[2]

一八八九年（清光緒十五年　己丑）　十七歲

「年十七，欲進本籍為縣學生，俾受廉伙膏火。以貧不克往，親友資助之使行。師囑之曰：吾老矣，亟宜退休頤養，重以君故，淹留至今，茲因考試伊邇，君倘能在原籍一舉成名，則不負我所望矣。先生既歸，有族祖亦儒生也，閱其文而奇之，助之入場，但已逾期，既乃許援例得續試，及府院七試，皆第一，遂入庠。由是聲名蔚起。」[3]

一八九四年（清光緒二十年　甲午）　二十一歲

中順天府甲午科鄉試舉人。中舉後曾在永清、完諸縣教書，每月赴保定蓮池書院應課。時任院長桐城派吳汝綸對其駢文頗為賞識。高步瀛終生師事吳汝綸。此後不久，主講定興書院，受聘為書院山長。

一九○一年（清光緒二十七年　庚子）　二十八歲

十六歲的侄女高藝珍與十四歲的韓復榘在河北霸縣東臺山村舉行婚禮。
任畿輔大學堂教席、保定初級師範學堂教席。

一九○二年（清光緒二十八年　辛丑）　二十九歲

秋天，與鄧毓怡、賈恩紱等發起「河北不纏足會」，並聯名起草〈河北不纏足會章程〉，發表於《大公報（天津）》一九○二年十一月二十四日〈中外近事〉。為擴大影響，該會以北京為總會，各府州縣為分會進行戒纏足宣傳。
蓮池書院因義和團運動的損壞被迫封閉。

2　王森然：〈高步瀛先生評傳〉，收入《近代名家評傳二集》上海：上海三聯書店，1998年11月，頁281。

3　姚漁湘：〈高步瀛的思想與著作〉，《大陸雜誌史學叢書》第1輯第8冊，臺北：大陸雜誌社，1967年。

一九〇三年（清光緒二十九年　壬寅）　三十歲

二月九日，吳汝綸病逝於樅陽老家。任保定師範學堂教席期間，教授東洋史（後改西洋史），薪金每月三十兩。[4]

十月二十日，由直隸學校司胡月舫選送留學日本，同行有李金藻、陳寶泉、鄭炳勳等二十人，在天津聚齊，由王燕泉率領東渡，入東京小石川宏文學院師範速成科學習。[5]

一九〇四年（清光緒三十年　癸卯）　三十一歲

是年，與崔謹、陳寶泉等協助任課教師松本龜次郎編纂《言文對照漢譯日本文典》，負責校讎，並於六月撰寫跋語：「余留學日本，受其國語言文字於松本先生，先生精漢文，著為《言文對照漢譯日文典》一書，使余等任校讎」。[6]松本龜次郎在例言中提到：「此書脫稿印刷之際，適承留學生高君步瀛、崔君謹、陳君寶泉，及其他數君，為余主持校讎之勞。諸君於書課多忙與溽暑酷熱之時，殆徹夜不息，從事於斯。自非貢獻於兩國文明之志篤，惡有此熱心者哉！」[7]

七月二十八日，訪嚴修，至夜十時乃散。[8]

是年，宏文師範學院肄業歸國後，嚴修為直隸提學使，主冀省教育事，署高步瀛為直隸學務處視學委員。

一九〇五年（清光緒三十一年　甲辰）　三十二歲

六月十日，與張伯苓、胡家祺、陳寶泉、俞明謙在《大公報》上聯名發表〈敬告天津學界中同志諸君〉。

八月，受嚴修推薦，與直隸學務處公所圖書課副課長陳寶泉合編《國民必讀》、《民教相安》、《國民鏡》等書，以啟發知識，由北洋官報局公開印行十萬冊。

4　據《大公報（天津）》1903年11月5日第495期專件〈保定師範學堂職員教習姓氏薪金數目表〉。

5　見《大公報（天津）》1903年10月10日第469期〈直隸學校司派日本遊學司名單〉。另見黃韜、劉紹唐主編《民國人物小傳》第13冊，上海：上海三聯書店，2016年9月，頁277，「陳寶泉」條。

6　吉田薰：〈梁啟超與中國留日學生〉，收入陳樂人主編：《北京檔案史料》北京：新華出版社，2008年，頁241。謝泳：〈宏文學院教科書在魯迅研究中的意義〉，收入廈門大學中文系編：《廈門大學中文系90系慶學術文選（1921-2011）》廈門：廈門大學出版社，2011年，頁215。跋文見松本龜次郎《言文對照漢譯日本文典（訂正增補第二十七版）》。

7　松本龜次郎：《言文對照漢譯日本文典（訂正增補第二十七版）》東京：國文堂書局，大正六年（1917）11月25日版，〈例言〉頁11。（中國國家圖書館藏）

8　武安隆、劉玉敏點註：《嚴修東遊日記》天津：天津人民出版社，1995年12月，頁223。

九月九日，與劉桂芬等奉順天府命查視涿州小學堂，查視數日，並於十一日、十六日回稟。

十月八日，與劉桂芬等奉順天府命查視霸州小學堂，並於十七日回稟。[9]

十一月，與陳寶泉合編的《初等小學堂格致教科書》由天津宮北東華石印局出版。

十二月，嚴修嗣官學部侍郎。

一九〇六年（清光緒三十二年　乙巳）　三十三歲

受武英殿協修袁嘉穀之聘，入學部編譯圖書局任編纂，兼順天府學務總處董理，旋即奏補學部主事。是時，王國維亦為局員。參與審定中小學教科書，貢獻頗巨。[10]

保定兩學堂復請於當道，請歸保定賡任教員。

一九〇八年（清光緒三十四年　丁未）　三十五歲

九、十月間，為袁嘉穀《臥雪堂詩草》撰序，後成《臥雪堂詩集》十二卷，置此序於前。[11]

十二月，學部奏編《國民必讀》、《簡易識字課本》獲准。《簡易識字課本》三種由高步瀛等承編。[12]

一九〇九年（清宣統元年　戊申）　三十六歲

一月九日，清學部奏「編輯國民必讀課本簡易識字課本大概情形」。所編《簡易識字課本》由是年編定。[13]

編印《臥雪堂詩草》三卷。

9　查視學堂事見《教育雜誌（天津）》1905年第1期，頁30-33、45-46。

10　見俞樟華、胡吉省：《桐城派編年》北京：人民文學出版社，2015年5月，頁871。

11　袁丕厚編：《袁嘉穀文集（第二卷）》昆明：雲南人民出版社，2001年，頁299-300。標點稍有改動。

12　見施金炎、施文嵐編：《中國書文化要覽（近現代部分）》長沙：湖南教育出版社，1997年，頁6。

13　施金炎、施文嵐編：《中國書文化要覽（近現代部分）》，頁6。

一九一一年（清宣統三年　庚戌）　三十九歲

七月，以學部代表身份參加中央教育會。[14]

八月，參與籌備中國教育會，任普通司中等教育科主事。[15]

撰成《古今體詩約選箋註》。[16]

一九一二年（民國元年　辛亥）　四十歲

北京統一政府成立，改學部為教育部。

四月二十六日，上午，奉教育總長蔡元培之命，辦理接收圖書局事務。[17]

五月，任職教育部審查科，負責審查教科書、儀器標本。

八月，任教育部僉事。公務之餘，與王紫珊等創辦京師國群鑄一社，主要活動有二：一是設立通俗演講社，向公眾發表演說；二是出版書籍，一律用通俗文字寫成。通俗演講社以「扶共和憲政穩健進行」為宗旨，其成員賈恩紱、梁建章、韓德銘、步其誥等均為蓮池書院同學。[18]高氏演講詞結集為《共和淺說》上下編，由北平直隸書局出版石印本。其間撰有《吳氏孟子文法讀本箋註》七卷、《立國根本談》一卷、《俠義國魂》一卷（疑即《百傑軼事叢談》）等書。著手撰《古文辭類纂箋》。

一九一三年（民國二年　壬子）　四十一歲

一月，撰〈孟子序略〉[19]。

四月十八日，拜訪惲毓鼎。[20]

八月二十四日，受吳闓生邀，商議詩社事，到者賀葆真、鄧和甫等。

九月十四日，與李佑周函邀賀葆真等飲於陶然亭，未知賀赴約否。[21]

---

14 關曉紅：《晚清學部研究》廣州：廣東教育出版社，2000年9月，頁463。

15 關曉紅：《晚清學部研究》，頁466。

16 據1913年高氏為吳闓生《國文教範》北平：京師國群鑄一社，1913年。所作序言「前年嘗箋其評選古今體詩而梓之」云云。

17 中國第二歷史檔案館編：《中華民國史檔案資料彙編（第3輯）教育》南京：江蘇古籍出版社，1991年6月，頁9「蔡元培致白作霖等諭示稿」。

18 見王達敏：〈論桐城派的現代轉型〉，《安徽大學學報（哲學社會科學版）》2015年6期。

19 高步瀛集解、吳闓生評點：《重訂孟子文法讀本》，林慶彰主編：《民國時期經學叢書（第二輯）》第54冊，臺中：文听閣圖書公司，2008年版。

20 惲毓鼎：《惲毓鼎澄齋日記》第2冊，杭州：浙江古籍出版社，2004年4月，頁639。

21 賀葆真著，徐雁平整理：《賀葆真日記》南京：鳳凰出版社，2014年3月，頁230。

京師國群鑄一社出版了吳闓生評解、高步瀛集箋的石印本《國文教範》，書前有國群鑄一社王金綬序與高步瀛談此書緣起之記；另出版吳闓生評選、高步瀛箋釋的石印本《古今體詩約選》四卷。

一九一四年（民國三年　癸丑）　四十二歲

春，時年八十三歲的王闓運來京，約請在京名流百餘人，於法源寺開留春宴，賞丁香、賦詩，會後繪有《留春圖》。高步瀛賦詩。[22]

三月十六日，《寒山社詩鐘選甲集》五卷由北京正蒙印書局鉛印出版，錄成員八十六人，社員名錄及詩鐘均未收錄高步瀛，蓋此時尚未加入詩社。

五月，教育部成立「教科書編纂綱要審查會」、「教授要目編纂會」，陳震清為綱要審查會長，任許壽裳、陳問成為「教授要目編纂會」正、副主任，選派高步瀛、沈尹默、馬裕藻、張邦華、陳衡恪、錢家治、王相齡、毛邦偉等任各科審查及編輯事宜。[23]

六月六日，受教育部委派與劉賡藻、羅惇曧、熊崇煦、李實榮分任編輯。[24]

九月十二日，賀葆真請趙湘帆於泰豐樓，高閬仙、尚逢春皆到。[25]

是年，參加「寒山詩鐘社」，詩社由關賡麟主持，成員主要有樊增祥、陳寶琛、王式通、羅惇曧、林紓、嚴復、梁啟超、王樹楠、蔡乃煌、易順鼎等，王湘綺、易順豫只偶爾到場。（其他社員見《寒山社詩鐘選丙集・社員名錄》）湘鄉陳翼牟曾作〈詩鐘九友歌〉描寫高步瀛：「誰其匹者高朗軒，哆口瞪目繞室旋；軒然一笑得佳聯，駸駸欲度鐘王前。」[26]

是年，關賡麟秪園落成，邀詩社同仁雅集，李霈繪《秪園雅集圖》，高步瀛題詩〈奉和穎人先生秪園落成元韻〉。

一九一五年（民國四年　甲寅）　四十三歲

一月十日前居甘石橋口袋胡同西頭路北。[27]

---

22 呂鐵鋼、黃春和：《法源寺》北京：華文出版社，2006年，頁166。

23 見《申報》1914年7月5日第14871期，〈要聞二：審查編纂兩會之新人物〉。另見吳洪成《中國教育史研究（中）中國學校教材史》重慶：西南師範大學出版社，1998年，頁263。

24 見《政府公報》1914年第754期，頁34。

25 賀葆真著，徐雁平整理：《賀葆真日記》南京：鳳凰出版社，2014年3月，頁264。

26 錢鍾聯主編：《清詩紀事・光緒朝卷宣統朝卷》南京：江蘇古籍出版社，1989年，頁14138。又見易宗夔著，張國寧點校：《新世說》太原：山西古籍出版社，1997年，頁116。

27 〈寒山詩鐘社姓名住址錄〉，收入南江濤選編：《清末民國舊體詩詞結社文獻彙編（13）》北京：國家圖書館出版社，2013年，頁226。

一月五日上午，教育部舉辦新年茶話會，會後，與教育部全體部員攝影，有梁善濟、夏曾佑、陳衡恪、許壽裳、魯迅等百餘人。[28]二十日，應劉仲魯邀，赴宴泰豐樓，同席者紀泊居、蔣挹浮、王晉卿、史康侯、蔣性甫、張君立、馮公度。[29]

五月一日，《寒山社詩鐘選乙集》十卷由北平正蒙印書局鉛印出版，錄社員一六八人，前有高序（集唐人句），署「益津高步瀛序」[30]。

八月，被教育部任命為社會教育司司長，敘列四等。原社會教育司司長夏曾佑改派京師圖書館館長[31]。

九月二十九日晚，招飲於同和居，同席十二人，宴請了齊如山、陳孝莊、魯迅等十二位同事。[32]三十日，參加通俗教育研究會成立大會。會上由梁善濟發表有關該會宗旨的演說，並推選高步瀛等三十三人為幹事。

十月，授中大夫。[33]任職期間，「設立模範講演所，以培植社會教育人才；設通俗教育研究會，編著通俗教育書籍六十餘種，以化導民俗；復監督正俗育化會，審定劇本；指導評書改良會，輯錄話本等；次第實施，成績昭著」[34]。

十月二十七日，與教育部各長官二十餘人參加北京四中改組四週年紀念日。[35]

十一月二十日，宗鞠如邀飲於都一樓飯莊，同席有賀葆真、李式忠、王仲武兄弟。[36]

同年，與樊增祥訂交。樊增祥〈高母張太夫人八十壽言序一〉：「僕年且七十始識高子閬仙於京師。」

據《通俗教育研究會職員錄》，時居西單牌樓北大口袋胡同。[37]

一九一六年（民國五年　乙卯）　四十四歲

一月，《中國學報》復刊，於第一期題祝詞。

---

28 魯迅：〈日記（1912-1926）〉，《魯迅全集》卷15，北京：人民文學出版社，2005年11月，頁155。照片見黃喬生：《魯迅像傳》，貴陽：貴州人民出版社，2013年7月，頁87。

29 賀葆真著，徐雁平整理：《賀葆真日記》南京：鳳凰出版社，2014年3月，頁282。

30 見《清末民國舊體詩詞結社文獻彙編（14）》，頁9-14。

31 見《申報》1915年8月2日第15256及17日15271期〈命令〉。

32 魯迅：〈日記（1912-1926）〉，《魯迅全集》卷15，北京：人民文學出版社，2005年11月，頁189。

33 見《申報》1915年10月6日第15321期〈命令〉。

34 王森然：〈高步瀛先生評傳〉，《近代名家評傳（二集）》北京：生活・讀書・新知三聯書店，1998年11月，頁283。

35 〈北京第四中學回憶〉，全國政協文史資料委員會編《文史資料存稿選編（第24輯）教育》北京：中國文史出版社，2008年，頁407。

36 賀葆真著，徐雁平整理：《賀葆真日記》南京：鳳凰出版社，2014年3月，頁317。

37 原刊於〈通俗教育研究會第一次報告書〉附錄，見《魯迅生平史料彙編（第三輯）》天津：天津人民出版社，1983年4月，頁147。

二月十七日，寒山社打詩鐘〈上元節〉：鴻爪格。詩及詩鐘均刊登於《琴心報》。[38]二十三日，通俗教育研究會召開小說股第十三次例會，高步瀛宣讀報告：「小說股主任一席原由周樹人擔任，嗣周君以部務太繁，勢難兼顧，已稟請總長辭職。」

同年，在「寒山詩鐘社」基礎上，與樊增祥、易順鼎、羅敦曧、劉樨、宋敦甫等人聯絡社外謎家張郁庭、韓少衡、金子乾諸人，在宣武門外徽州會館（一說江西會館）組織成立謎社，在薛少卿提議下取名「射虎社」。

一九一七年（民國六年　丙辰）　四十五歲

二月三日，遵教育部令，與陳任中、柯興昌、魯迅、錢稻孫、金殿勳共同籌辦圖書館事務。

三月，與嚴修、陳寶泉等發起成立「中華民國國語研究會」。[39]

四月二十三日，上巳節與樊增祥、羅惇曧等修禊於什剎海，作〈丁巳同樊山、撥東諸公約什剎海修禊以事先去拈得嚴字〉。

五月三日，葉恭綽招飲於集江亭，因事未赴，作〈丁巳三月上巳修禊什剎海後十日葉玉甫招飲集江亭作展上巳之會不克赴友人代拈漏字〉。

八月一日，賀葆真設宴，請吳闓生於西四牌樓廣濟寺，高步瀛受邀參加，同席者有劉宗堯、伯坪。[40]

九月二十四日，受王秋皋邀飲於惠豐堂，遇賀葆真。高向賀表達了求沈欽韓註《王荊公集》而不得的遺憾。此時《古文辭類纂箋》初稿已完成。[41]

十一月十五日，大總統令準將教育部部員高步瀛等分別進敘官等。[42]

一九一八年（民國七年　丁巳）　四十六歲

在《小說月報》（1918 年第 9 卷第 12 號）發表〈張味鱸續春燈話序〉。

冬，在北京與吳梅、張雲卿等人組成賞音曲社。「每越兩星期，必有韓世昌、侯益

---

38 該記載見徐兆瑋《徐兆瑋日記（三）》合肥：黃山書社，2013年，頁1629。

39 見《新青年》1917年3月1日第1期：〈中華民國國語研究會暫定簡章〉、〈中華民國國語研究會徵求會員書〉。

40 賀葆真著，徐雁平整理：《賀葆真日記》南京：鳳凰出版社，2014年3月，頁414。

41 賀葆真著，徐雁平整理：《賀葆真日記》，頁428。據賀葆真記，王秋皋名澤澄，觀城人，以府經歷候補直隸充初級師範齋務長。云與辟疆善。今歲普通科學館裁撤，因兼經理其房舍。秋皋之父官雲南知縣。

42 范源廉：《范源廉集》，頁601。

隆、郝振基輩演四五齣戲於江西館。」[43]

　　是年，參與纂修《霸縣志》。

一九一九年（民國八年　戊午）　四十七歲

　　三月二十日，參加法源寺丁香會，有王式通、樊增祥、易順鼎、董康、羅惇曧、章華、道階和尚、齊白石等數十人。[44]

　　七月二十一日，《寒山社詩鐘選丙集》六卷由北平同益書局出版，集中錄社員一〇八人[45]。

　　十二月十五日，賈佩卿柬招蓮池舊游二十餘人飲於東安門外東興樓，治饌二筵，同席者賀葆真、劉潤琴、吳士湘、步芝村、尚節之、谷九峰、常稷笙、王仲宣、劉際唐、劉仲魯、鄧和甫、趙湘帆、武合之、王篤恭、邢贊廷、賈佩卿友人一。[46]

　　在《小說月報》（1919 年第 10 卷第 7 號）發表〈寒山社詩鐘續集序（集唐）〉。

　　是年，參與徐世昌在總統府集靈囿創建的「晚晴簃詩社」，與詩友樊增祥、柯劭忞、嚴范孫、趙湘帆、易實甫、吳辟疆、曹秉章、徐樹錚等每星期日聚會。

　　據韓世昌回憶，「民國八年時，由教育部社會教育司長高閬仙主持，每兩週在江西會館舉辦一次昆曲晚會。」[47]

一九二〇年（民國九年　己未）　四十八歲

　　二月，北平射虎社解散後，高步瀛又與劉樁、關賡麟、顧震福、張郁庭等人重新組織了「隱秀社」。遷入西長安街鐵路協會，後遷西交民巷。兩年開會二十次，油印謎集亦得二十餘冊。《隱秀社謎選》收錄社員五十一人。《隱秀社謎選》初集出版以後，未再出續集。該社活動兩年後，約在一九二二年解散。[48]

　　四月十日，高母張太夫人八十大壽，魯迅送禮三元。二十五日，與魯迅等人招飲於江西會館。

　　五月二日，為母張太夫人慶祝八十壽辰，宴親朋於江西會館。魯迅日記載：「星期

43 王永敬主編：《昆劇志（下卷）》上海：上海文化出版社，2015年，頁652。此條為吳新雷所撰。

44 見齊白石：〈己未日記〉，文明國編：《齊白石自述》合肥：安徽文藝出版社，2014年，頁207。

45 見《清末民國舊體詩詞結社文獻彙編（14）》。

46 賀葆真著，徐雁平整理：《賀葆真日記》南京：鳳凰出版社，2014年3月，頁520。

47 韓世昌口述，張琦翔整理：〈我的昆曲藝術生活〉，收入《文史資料選編（第14輯）》北京：北京出版社，1982年，頁100-101。

48 見北京政協文史資料委員會編：《北京文史資料（第49輯）》北京：北京出版社，1994年，頁183-184。

休息。上午以高閬仙母八十壽辰，往江西會館祝，觀劇二出而歸。」[49]同月，輯《高母張太夫人八十壽言》鉛印出版。

八月十五日，教育部接辦正志中學，改名京師私立成達中學校，與傅增湘、葉恭綽、傅岳棻、錢能訓、董康等被任命為校董。

九月五日，被任命為教育部直轄各機關經費審查委員會委員。[50]

十月十日，午後二時，在美術學校參加國歌審定會，並陳列繪畫、演奏音樂，受派招待。[51]

同年，上海中華書局出版吳闓生評選、高步瀛集箋《古文範二卷》。〈題王西神十年說夢圖〉發表於《小說月報》第十一卷第三期。

一九二一年（民國十年　庚申）　四十九歲

三月二十日，跋《孟子文法讀本》，署「民國十年三月二十日霸縣高步瀛識」[52]。直隸書局鉛印本題名改《孟子文法讀本》作《重訂孟子文法讀本》，署「高步瀛集解、吳闓生評點」，此本於民國十四年（1925）、二十年（1931）曾多次翻印。

四月十八日下午三時，辭職教職員全體代表第三次赴教育部追索欠薪，因無人接待，將秘書羅普、社會教育司司長高步瀛、普通司科長錢家治、張邦華四人拉至客廳詢問，四人依允負責與當局接洽，並約定於十九日下午三時仍在教育部會面，代表乃退。[53]二十二日下午三時許，與專門司長任鴻雋、普通司長陳寶泉、參事蔣維喬、秦汾共同接見教職員代表，約定次日正午十二時在教育部會面，由三司司長代簽支款之字。[54]二十七日，與任鴻雋、陳寶泉二司長代表教育部致函北京國立專門以上各校辭職教員代表聯席會議代理主席李大釗，回復積欠經費及代表索薪問題，傳達國務院命令，稱須與各校長接洽，代表不必赴教育部。[55]

五月三十日，八校辭職教職員代表五十餘人於午前十一時來教育部索欠薪，至下午無人接待，隨即往社會司，找高步瀛，高「拼命跑回家去」。[56]

49 見魯迅：〈日記（1912-1926）〉，《魯迅全集》北京：人民文學出版社，2005年11月，頁401。

50 據一九二〇年九月五日教育部秘書處通知。

51 據教育部一九二〇年十月九日秘書處通知及《魯迅全集》卷15，頁412。

52 高步瀛集解、吳闓生評點：《重訂孟子文法讀本》，收入林慶彰主編：《民國時期經學叢書（第二輯）》第54冊，臺中：文听閣圖書公司，2008年版。

53 事詳見《申報》1921年4月21日第17298號〈國內要聞：京教育界風潮近訊〉。

54 事詳見《申報》1921年4月25日第17302號〈國內要聞：京教潮有平息希望〉。

55 事詳見《申報》1921年4月30日第17307號〈國內要聞：京教職員赴部索薪之一幕仍無結果〉。另見張靜如、馬模貞等《李大釗生平史料編年》上海：上海人民出版社，1984年，頁142。

56 事詳見《申報》1921年6月2日第17340號〈國內要聞：教職員赴部索債〉。

九月十三日，贈與魯迅《呂氏春秋點勘》一部三本。

十月七日，贈與魯迅《淮南子評註》一部三本。

十二月起，陳垣任教育部次長，代理部務。[57]

同年，應時任國立北平高等師範學校校長的陳寶泉邀請，到校兼課，以桐城姚氏《古文辭類纂》一書授課，部務之餘，撰《古文辭類纂箋》，不受薪酬。兼任國立女子高等師範學校教授。

一九二二年（民國十一年　辛酉）　五十歲

二月，結識楊樹達。加入「思誤社」（後改名「思辨」）。[58]每兩週集會一次，主要校訂古書，以養成學術風氣。[59]

五月，陳垣辭去教育部次長職務。

七月四日，大總統令：「高步瀛晉給二等大綬嘉禾章。」[60]

十二月三十日，大總統令任命為教育基金委員會委員。[61]

一九二三年（民國十二年　壬戌）　五十一歲

一月三十日，魯迅來信。

三月十五日，赴成達中學開會，討論校務問題，與會者還有王樹楠、許寶蘅、曹秉章、陳任中、傅岳棻、周肇祥、許延身、倪幼丹等。[62]

五月十五日，代魯迅買《王右丞集箋註》。[63]

十一月，因欠薪日久，與教育部參事湯中、鄧萃英、秦汾、陳任中、普通教育司長陳寶泉、專門教育司長范鳴泰等向總統曹錕提交辭職申請。

---

57 劉乃和編校：《中國現代學術經典・陳垣卷》石家莊：河北教育出版社，1996年8月，頁894。

58 《積微翁回憶錄》一九二二年二月記：「始識霸縣高閬仙（步瀛）。」二月十五日記：「晤高閬仙，人頗謙退，問其《古文類纂箋》，頗不欲示人，蓋謙也。」又五月記：「思誤社假歙縣館為第一次會集。晤歙縣吳檢齋（承仕）、程篤原（炎震）、洪澤丞（汝闓）、鹽城孫蜀丞（人和）。吳為太炎先生弟子，著有《經籍舊音》。程著《世說新語註》。洪能填詞。孫為次公弟子，北大法科學生。四君外為邵次公（瑞彭）、朱少濱（師轍）、尹石公（炎武）及余，凡八人。以後兩週一集。後來陸續入社者有陳援庵（垣）、高閬仙（步瀛）、陳匪石（世宜）、席露絲（啟駧）、邵伯綱（章）、徐森玉（鴻寶）諸君。」

59 《桐城派編年（下）》，頁940。

60 見《申報》1922年7月7日第17733號〈命令〉。

61 見《申報》1923年1月3日第17912號〈命令〉。

62 詳見《許寶蘅日記》，頁931。

63 魯迅：〈日記（1912-1926）〉，《魯迅全集》卷15，北京：人民文學出版社，2005年11月，頁469。

一九二四年（民國十三年　癸亥）　五十二歲

　　三月九日，邀飲於中華飯店，許寶蘅當日日記云：「座皆北學，有後至某君，閬仙謂其藏書甚多，而某君謂聞甘肅有《永樂大典》，真奇聞也。」

　　四月六日上巳節，應曹秉章、王式通、郭則澐、黃濬招集，修禊於可園（北京西郊三貝子花園），主客共三十八人，鄭孝胥、樊增祥、傅增湘、陳寶琛、許寶蘅等皆同遊。[64]

　　五月六日，贈與魯迅《論衡舉正》一部兩本。三十一日，從魯迅處購買粗本《雅雨堂叢書》。

　　十一月十日，贈與魯迅《淮南子集證》一部十本。二十二日，教育總長易培基簽發教育部令，依託京師圖書館所藏文津閣《四庫全書》設立「流通《四庫全書》繕校處」，高步瀛被指派為籌備員，負責流通繕校各項規章及接洽事件。

一九二五年（53 歲），民國十四年，一月二十二日，去信陳垣：

> 圓庵先生左右：
> 數日不晤，念念。部中同人擬流通《四庫全書》，抄寫時間及值價均粗有計算，尚未確定，此事是否能成，今姑不論。同人令弟撰一廣告緣起，弟於此事平日未甚考究，僅就所知勉成一稿，未敢自信。同人等均深佩先生於此中歷史研求精確，特將敝草呈閱。誤處務希是正，以便修改。非獨弟一人受益，亦部中同人所亟拜賜者也。拜手以請，伏乞教正，並頌節禧。[65]

　　二月四日立春日，又去信陳垣：

64　見〈可園修禊集題名〉及《許寶蘅日記》，頁1003。

65　陳智超編註：《陳垣來往書信集》北京：生活·讀書·新知三聯書店，2010年11月，頁373。據內容推測，此信寫作時間大約在一九二四至一九二五年。章宏偉〈故宮學術的濫觴（一）〉（《遼寧大學學報·哲學社會科學版》2016年第3期）認為，高步瀛來函時間在一九二四年，疑誤。據教育部令第一二五號（1924年11月22日）：「查本部直轄京師圖書館所藏文津閣《四庫全書》，搜羅宏富，實為吾國數千年學術薈萃之淵府，極應設法廣為傳佈，以盡本部敷宣文化之職責。現經部務議決，設立流通《四庫全書》繕校處，應派鄧萃英、秦汾、陳任中、范鴻泰、陳寶泉、俞同奎、高步瀛、袁家普、許實駒、洪逵、錢稻孫、喬曾劬、吳忠本、胡家鳳、顧兆麐、吳震春、戴修駕、謝冰、沈彭年、馮承鈞、周樹人、徐協貞、王家駒、趙楨、楊廉、戴克讓、王祖彝、高魯、徐鴻寶、王道元、黃中塏、王丕謨、常國憲為籌備員，所有流通繕校各項規章及一切接洽事件，應速會商，妥為酌定，以憑核辦。此令。」原由魯迅收執，現存北京魯迅博物館。

圓庵先生有道：

前奉賜復並文宗閣證據，佩服無似。前弟頗信《午風堂叢談》，故定為從水之淙。公引清高宗詩，似又較鄒氏為確。名從主人，可無異議。轉告同人，均以為是，已遵大教改為文宗矣。一字之師，頂禮無已。謹此鳴謝，諸惟荃鑒。並頌春禧。[66]

五月三十一日，去信陳垣，介紹學生劉汝霖：

「圓庵先生左右：

□□□□□茲有師大學生劉汝霖君欲考藏經以供研究。聞公邃於此學，囑弟介紹左右。此君勤學精進，得□指導，當益年□□□□□□望推愛烏之誼，予以指正，則感同身受矣。此上，敬頌撰安。」[67]

七月七日，贈與魯迅《抱朴子校補》一本。二十日，段祺瑞執政府內閣會議決定歸還奉天文溯閣《四庫全書》，奉天總參議楊宇霆致電教育部長章士釗，稱「奉省舊物，仍歸奉省保存」；二十七日[68]，高步瀛等奉命赴保和殿清點核對，四部共計六一四函，間有殘缺。[69]

八月，女師大爆發學潮，時任教育總長章士釗採取鎮壓政策，迫害進步學生，魯迅由於越職支持學潮，被免去僉事職務，高步瀛於八月十四日中午至魯迅家慰問。

九月四日下午三時，參加教育部部務會議。對於「籌定本部政費確定辦法」一事，某科長主張發行一種公債，將部員以前欠薪作一結束，高步瀛認為此事既剝奪部員權利，又不合行政系編，似應賡續部中曩例（接續前欠發給）辦理，眾贊成。至午後六時散會。[70]十一日，受教育部派遣，與參事秦汾、司長劉百昭、視學錢稻孫、僉事劉元驥、徐協貞為藝術學院籌備委員會委員。[71]二十一日下午，受政府特派，與教育部僉事戴克讓、徐協貞、京師圖書館主任徐鴻寶等七人，前往清宮調查文淵閣本《四庫全書》殘缺情況，以備付商務印書館影印。由清室善後委員會委派委員袁同禮、顧問胡文玉、

---

66 見陳智超編註：《陳垣來往書信集》北京：生活・讀書・新知三聯書店，2010年11月，頁373。寫信時間當在一九二五年初。

67 陳智超編註：《陳垣來往書信集》，頁374。寫信時間當在一九二五年劉汝霖入學師大到一九二九年畢業之間，具體時間待考。

68 譚新嘉《夢懷錄》認為清點時間在七月二十九日。見北京圖書館《文獻》叢刊編輯部：《文獻（第14輯）》北京：書目文獻出版社，1982年，頁238。

69 瀋陽市人民政府地方志辦公室：《張氏帥府志》，瀋陽：瀋陽出版社，2013年，頁193。清點情況又見陳登原：《古今典籍聚散考》上海：華東師範大學出版社，2010年4月，頁115。

70 會議詳情見《申報》1925年9月7日第18866號〈教育消息・要聞・教育部開部務會議〉。

71 見《政府公報》1925年第3399號，教育部令第一五〇、一五一、一五二號。

裴善元、黃文弼等五人，軍警四人，會同檢查。[72]隨後，提出了改全印為選印的主張。他在呈教育部的報告中提出了「三不便四利」的意見。並撰《四庫全書選印目錄表》，收書一七七種，包括經部六十八種四八三冊，史部十五種一九五冊，子部十六種一三一冊，集部七十八種四四三冊。[73]後來一九二八年奉系軍閥公開表示擬印文溯閣本《四庫全書》時，東北董瀄復倡選印，就高目加註陳垣所點查之頁數[74]；金毓黻又就高目作備考。二十五日，再次拜訪魯迅。

　　十月三十日午後三時，參加教育部召開的部務會議，討論國語讀經等問題，至午後七時半散會。[75]

　　十一月四日，段祺瑞執政命令高步瀛等九人為國立京師圖書館委員會委員。館址擇定於北海西首前御馬場。二十日午後三時，參加教育部部務會議，討論教育改進社議案，「討論結果各案僅備參考，對於中醫列入學校系統案，因不合教育原理未便照辦」[76]。二十四日下午五時，教育部召集臨時部務會議，高步瀛提出社會教育應投入經費以擴充圖書館和美術館，討論結果決定由各司訂立預算：專門方面以七百萬為標準，普通方面以四百萬為標準，社會方面以三百萬為標準。至午後八時散會。[77]二十八日，國立京師圖書館委員會推舉高步瀛、周寄梅為司庫，范源濂為委員長，陳仲騫為副委員長，與書記胡適、執行委員任鴻雋、徐鴻寶、翁文灝、馬君武，共同主持合辦事宜。[78]

---

72 見《申報》民國十四年（1925）九月二十四日國內要聞（二）〈文淵閣四庫全書開始檢查〉：「政府前有影印《四庫全書》之提議，曾經閣議通過影印京師圖書館所藏之文淵閣本，嗣該館以抄錄四庫全書所收之費，為該館每月收入大宗，暗中反對甚力，故教育部又有影印文淵閣本之意。昨日（二十一日）下午，特派社會司司長高步瀛，僉事戴克讓、徐協貞，京師圖書館主任徐鴻寶等七人，前往清宮調查文淵閣本有無殘缺，當由清室善後委員會委派委員袁同禮、顧問胡文玉、裴善元、黃文弼等五人，又軍警四人，會同檢查，由袁啟封。當即發見《清查四庫全書架梱函卷考》一書，計經、史、子、集各一冊，係民國六年春（上書宣統九年）紹英世續耆齡派堂主事漢章堂掌稿筆帖式晉昌錫泉錫彬清查後所編者。序中謂清查兩閱月，始行查完，計缺經部《四書大全》十卷，子部《天經或問前集》四卷、《天步真原》一卷、《天學會通》十卷、《鄧子》一卷、《公孫龍子》一卷、《鬼谷子》一卷、《關尹子》一卷，集部缺《李太白集補註》一卷云。」另見〈吳興徐森玉先生年表〉，《徐森玉文集》上海：上海書畫出版社，2011年10月，頁186。

73 李常慶：《四庫全書出版研究》鄭州：中州古籍出版社，2008年3月，頁93-94。

74 董瀄：〈選印文溯閣四庫全書議〉，《東北叢刊》1930年6月第6期。

75 會議內容詳見《申報》1925年11月5日第18925號〈教育消息‧外埠‧教部之兩會議〉。

76 會議內容詳見《申報》1925年11月28日第18948號〈教育消息‧要聞‧教部討論教育改進社議案〉。

77 會議內容詳見《申報》1925年12月1日第18951號〈教育消息‧要聞‧教部開部務會議紀〉。

78 見中國社會科學院近代史研究所中華民國史研究室：《胡適來往書信選（上）》北京：社會科學文獻出版社，2013年7月，頁257。

一九二六年（民國十五年　乙丑）　五十四歲

三月，教育特稅督辦屬成立，被馬敘倫特函聘為參議，共八十五人。[79]

六月七日上午十一時，與教育部參事陳任中、鄧萃英、秦汾、司長陳寶泉、羅惠僑，公請師大、女大、北大、農大、法大、工大、警大、藝專等高校負責人在中央公園董事會茗談，調停俄款分配問題，至十二時各自散去。[80]

七月二十八日上午十時，參加教育部部務會議，討論對不到部職員扣薪、統一中學文憑用紙等問題，至十二時半散會。[81]十一日，下午三時，參加國務院秘書廳會議。[82]

八月十二日下午一時，參加國務院與各部共同接管故宮博物院委員會第一次會議，研究接收辦法，未果。[83]

十二月二十二日，將所著《古文辭類要箋證·論辨類》一冊贈與楊樹達。[84]

一九二七年（民國十六年　丙寅）　五十五歲

一月，為袁嘉穀《臥雪堂詩集》十二卷撰後序，署「民國十六年一月，霸縣高步瀛閬仙甫撰於都門寓齋」[85]。

五月，因憤於奉系軍閥張作霖入京主政，辭去社會教育司司長一職，專任師範大學教授。

六月十七日，於北京下斜街全浙會館，參加王國維追悼會。

十二月二十二日，楊樹達來信，「為補《離騷註》二事。次日覆，以余說為是。」

年底，女子師範大學改稱高師第二院。

同年，先後撰成《經史諸子研究》、《莊子研究》、《杜詩研究》（未刊），《古文辭類纂箋》印成十二卷，《賦學舉要》四卷。

一九二八年（民國十七年　丁卯）五十六歲

四月三十日，楊樹達日記：「閬仙昨日以李善註〈羽獵賦〉引『杜鄴上書，三垂晏

79　見《申報》1926年3月15日第19047號〈教育消息·教育特稅署發表參議八十五人〉。

80　詳情見《申報》1926年6月12日第19136號〈教育消息·教部招待國校調停俄款分配問題〉。

81　詳情見《申報》1926年8月1日第19186號〈教育消息·要聞·二十八日教部之部務會議〉。

82　《申報》1926年8月15日第19200號〈國內要聞·院部籌備接收故宮博物院〉。

83　見《申報》1926年8月13日第19198號〈本館要電二·古宮博物院問題〉。

84　楊樹達：《積微翁回憶錄》上海：上海古籍出版社，2007年5月，頁30。

85　袁丕厚編：《袁嘉穀文集（第2卷）》昆明：雲南人民出版社，2001年12月，頁285-286。

業」之語相問，遍檢諸杜上書，不得。今日復檢，乃知出〈谷永傳〉，蓋以永、鄴同傳，故善誤題也。急告知閬仙。」[86]

六月，張作霖退出北京，直隸省改為河北省，北京改為北平。師大代理校長李書華兼領二院院長職務，任命高步瀛以秘書名義代理該院日常事務。

春夏之間，師大國文系的畢業生們約高步瀛等教員們到中央公園（後改名中山公園）照相。[87]

同年，推薦學生王重民任河北大學中文系主任。[88]

一九二九年（民國十八年　戊辰）　五十七歲

二月二日晚，宴請樊增祥，招楊樹達作陪。時樊增祥年八十五。

三月十四日（一作15日），嚴修病逝於天津。[89]

五月二十一日，在北平直隸書局與魯迅相遇。

八月，《文選李註義疏》完成之八卷出版鈐印本。

北京中華書局出版了《古文辭類要箋證》十八卷。《唐宋詩舉要》於是年刊行。[90]

一九三〇年（民國十九年　己巳）　五十八歲

一月二十五日，長女淑芳與桐城姚鼐之孫姚菘齡於北平完婚，賀葆真前往慶賀[91]。樊增祥題贈「玉樹欣看並肩倚，梅花知是幾生修」賀聯，用北平榮寶齋描金龍鳳朱絹裱成。

二月一日，與吳承仕在直隸書局遇倉石武四郎。[92]七日，晤許寶蘅。[93]

五月一日，董潃將《文選李註義疏》一冊贈與金毓黻，金氏日記云：「其書盡仿王葵園《漢書補註》之例，以李善註為主，而一一為之疏證。只印成一卷，餘五十九卷未

86　袁丕厚編：《袁嘉穀文集（第2卷）》，頁37。

87　錢玄同：〈述幾段古書的今譯〉，《國語週刊》，1932年10月。

88　程金造：〈憶先師高步瀛閬仙先生〉，中華書局編輯部：《學林漫錄（12）》北京：中華書局，1988年1月，頁12-13。

89　見《民國人物小傳》第13冊，頁285。

90　劉敬圻主編：《20世紀中國古典文學學科通志（第5卷）》濟南：山東教育出版社，2012年7月，頁710。

91　賀葆真著，徐雁平整理：《賀葆真日記》南京：鳳凰出版社，2014年3月，頁525。

92　（日）倉石武四郎著，榮新江、朱玉麒輯註：《倉石武四郎中國留學記・述學齋日記》北京：中華書局，2002年4月，頁47。

93　許寶蘅：《許寶蘅日記》北京：中華書局，2010年，頁1346。

付刊，蓋未成之作也。高氏曾為《古文辭類纂》作註，余未之見，以其讀書多，取材繁，當能博賅而精審，往者余喜搜集治選學諸家之書，思屏謝百務，輯成補註或集解，以集斯學之大成。徒以搜羅未備，治學日少，此業絕艱，未能就也。茲讀高氏之作，實屬先得我心。聞袖石云，高氏稿已具而無力付刊，可惜孰甚！余擬為集資，助成此舉，不知能如願否耶。」[94]五日，為《北平師範大學一九三〇年畢業同學錄》題詞。

六月，北平大學第二師範學院（原女師大）研究所正式成立，由院長徐旭生兼任所長，聘國文系主任黎錦熙為副所長，研究所委員會委員有黎錦熙、王文培、楊蔭慶、王桐齡、高步瀛五人。[95]九日晚六點，受倉石武四郎邀請，赴忠信堂小酌，同席者有吳承仕、楊樹達、孫人和、馬隅卿、徐森玉、錢稻孫、趙萬里、吉川幸次郎。十一日，訪倉石武四郎。十二日，赴慶林春飯莊孫人和送宴，同席者有倉石武四郎、吳承仕、楊樹達、徐森玉、錢稻孫、趙萬里、陳垣、駱鴻凱、吉川幸次郎。十三日，到東亞春飯莊赴吳承仕宴，同席有楊樹達、孫人和、陳垣、駱鴻凱等。[96]

九月七日，董潗邀高步瀛飲於青年會，東北學社同人均往作陪。

十月十五日，受金毓黻、穆元植之邀，赴飲於忠信堂，同席有愛新覺羅・寶熙、張國淦、三多、金梁、吳廷燮、袁金鎧、于省吾。[97]十九日上午，應金毓黻邀請，在遼寧省立圖書館為東北學社同人演講，無題目。[98]應吳闓生、王樹楠等敦請，赴瀋陽萃升書院任教。據靳極蒼回憶，「高老師本是我北京師大教授，因為不發薪，被張學良以每月八百元高薪請去了。」[99]臨行前，二十七日，學生王重民治饌於忠信堂，餞別高步瀛赴奉，約賀葆真陪同，孫楷第、徐森玉亦在座。[100]

十一月二十八日，以近著二種贈金毓黻。[101]

十二月一日，贈金毓黻《轉語釋補》四卷（曾浩然撰）。[102]

在萃升書院任教期間，主講「三禮」和「兩漢六朝文」，並撰成《三禮學制鄭義考》及《三禮舉要》三卷、《駢文舉要》二卷。

是年，吳闓生編纂的《吳門弟子集》由蓮溪詩社木刻出版。該集收錄吳汝綸的弟子賀濤、李剛己、高步瀛、王古勇、賈佩卿等七十八人作品，文集八卷，收文二六五篇；

94 金毓黻：《靜晤室日記》瀋陽：遼瀋書社，1993年，頁2437。

95 劉紹唐主編：《民國人物小傳》第9冊，臺北：傳記文學出版社，頁155。

96 以上均見《倉石武四郎中國留學記・述學齋日記》。

97 金毓黻：《靜晤室日記》瀋陽：遼瀋書社，1993年，頁2502。

98 金毓黻：《靜晤室日記》，頁2503-2504。

99 靳極蒼：《靳極蒼文集》太原：山西人民出版社，2001年，頁38。

100 賀葆真著，徐雁平整理：《賀葆真日記》南京：鳳凰出版社，2014年3月，頁561。

101 金毓黻：《靜晤室日記》瀋陽：遼瀋書社，1993年，頁1518。

102 金毓黻：《靜晤室日記》，頁1519。

詩集六卷，錄各體詩五六二首。[103]

在《東北叢刊》（1930 年第 11 期）發表〈選學綱領〉，在《女師大學術季刊》（1930 年第 1 卷第 1 期）發表〈史記太史公自序箋證〉、〈曾浩然《轉語釋補》序〉，此文係為好友曾廣源新作《戴東原轉語釋補》所作序言，文中簡要介紹了作者的性格、學識、成書經過以及此書內容和價值等等。

一九三一年（民國二十年　庚午）　五十九歲

二月二十三日，《文選李註義疏》第二卷刊成（據金毓黻日記）。

三月十一日，以《文選李註義疏》第二卷一冊贈與金毓黻。[104]十四日，樊增祥去世。作〈哭樊山詩〉三首[105]。

五月十七日午後，招金毓黻飲。[106]時任遼寧省教育廳長的金毓黻懇求高步瀛代請能勝任的教師，於是致信剛從北京師範大學中文系畢業的靳極蒼，請他赴瀋陽大北關第一高中任教。[107]

九月十九日，由奉天退歸北平，專任北京師範大學教授，主講文選學。收黃稚荃為學生。[108]贈徐宗元《孟子文法讀本》一部。

是年，同陳寶琛、黃侃、冒廣生、劉永濟等參加李宣倜與曹經沅等組織的壬申集會，修禊於什剎海。

同年，兼任中國大學講師。任教期間，出版了中國大學講義《選學舉要》、《周秦文舉要箋證》四卷、《漢文舉要箋證》四卷、《魏晉文舉要箋證》四卷、《六朝文舉要箋證》四卷、《明清文舉要箋證甲編》二卷、《唐宋文舉要甲編散文》八卷、《唐宋文舉要乙編駢文》四卷。在《東北叢刊》（1931 年第 15 期）發表〈四庫全書選印目錄表〉，附董濬〈選印文溯閣四庫全書提議書〉。在《師大國學叢刊》（1931 年第 1 卷第 1 期）發表〈讀史偶識〉。在《國學叢編》（1931 年 11 月第 1 卷第 4 期）發表〈三禮學制鄭義述〉上半部分。在《東北叢刊》（1931 年第 1-12 期）發表〈選學綱領〉。其間出版《高母張太夫人九十壽言》。

---

103 孫文光主編：《中國近代文學大辭典（1840-1919）》合肥：黃山書社，1995年12月，頁435。

104 金毓黻：《靜晤室日記》瀋陽：遼瀋書社，1993年，頁2574。

105 見《縣村自治》，1931年第1卷第5期附錄。

106 金毓黻：《靜晤室日記》瀋陽：遼瀋書社，1993年，頁2614。

107 《靳極蒼文集》，頁37-38。

108 見馬以君主編：《南社研究（第6輯）》廣州：中山大學出版社，1994年，頁145。

一九三二年（民國二十一年　辛未）　六十歲

四月間，參加什剎海壬申修禊集會，同人有陳寶琛、黃侃、冒廣生、劉永濟等。[109]

在《國學叢編》（1932 年第 1 卷第 5 期）發表〈獲鹿張君墓表〉及〈三禮學制鄭義述〉下半部分。

為王澤浦《詩學研究》題詞，署「霸縣高步瀛」，由北平震東印書館印行。

「日寇陷榆關，因國立大學經費無著，三個月未能發放，北平各校教職員工大多殆業，高步瀛獨抱學術救亡之旨而教授不綴。」[110]據師大國文系一九三五年畢業生的畢業感言：「是年冬，因教費拮据，教授多罷教；堅冰在須，室無星火，而高閬仙先生獨於朔風凜冽中，來校授杜詩，吾班同學聽講者，座為之滿。某日，授至〈茅屋為秋風所破歌〉，感時興歎，悲不自勝，相對唏噓者久之！執經雪夜之情，可歌可泣也！」[111]

一九三三年（民國二十二年　壬申）　六十一歲

十月，與吳梅、黃侃、謝無量、吳宓、孫德謙、張爾田、張耀翔、林損、伍非百等共同發起，在上海創辦《歸納》雜誌，徐澄宇任總編輯，伍劍禪為總理事，其宗旨為「闡揚國學，融會新知。解蔽救偏，匡謬正俗。抑邪說，正人心。端風俗，倡氣節。」內容分為學術、文章二門，僅刊二期而止。[112]

冬，撰〈臥雪堂文集序〉，署「河北高步瀛序」[113]。又撰〈臥雪堂文集後序〉，署「癸酉冬高步瀛序」[114]。

在《國學叢編》（1933 年第 2 卷第 1 期）發表〈楊公墓誌銘〉。此文係為河北新安楊曜庭題寫的墓誌銘，記載了楊曜庭先生的家世生平。

---

109 吳盛青、高嘉謙主編：《抒情傳統與維新時代》上海：上海文藝出版社，2012年，頁46。

110 張豈之主編：《民國學案（第4卷）》長沙：湖南教育出版社，2005年，頁24。按，榆關（山海關）淪陷應在一九三三年一月三日，《學案》未確。

111 王同策：〈高步瀛：博大精深的訓詁考據大師〉，《同策叢稿──古籍和古籍整理》上海：上海古籍出版社，2016年5月，頁135。

112 嚴壽澂：《近世中國學術通變論叢》臺北：國立編譯館，2003年4月，頁247〈讀《陳寅恪文集》札記〉註釋第14條。《歸納》創刊時間見《上海圖書館館藏近現代中文期刊總目》上海：上海科學技術文獻出版社，2004年6月，頁311。

113 袁丕厚編：《袁嘉穀文集（第1卷）》昆明：雲南人民出版社，2001年12月，頁4-7。

114 袁丕厚編：《袁嘉穀文集（第1卷）》昆明：雲南人民出版社，2001年12月，頁634-635。

一九三四年（民國二十三年　癸酉）　六十二歲

五月九日晚，赴王重民宴於新陸春，同席者顧頡剛、倫明、孫人和、劉盼遂、胡適、錢玄同、胡文玉、趙萬里、孫楷第、張西堂、劉儒霖、劉半農等。[115]

六月十日午，赴羅根澤席於半畝園，同席者顧頡剛、劉盼遂、黎錦熙、吳承仕、唐蘭。[116]同月，撰〈重修苑口村永濟橋記〉，勒碑置於霸縣苑口村大清河永濟橋南，署「國立師範大學教授前教育部社會司司長邑人高步瀛撰文，甘肅省長前甘肅布政使翰林院庶起士古葛城潘齡皋書丹」。[117]

同年，任北平師範大學教授，在私立中國大學兼任名譽教授。出版中國大學講義《史記別錄》一卷。在《師大月刊》（1934 年紀念專號）發表〈段懋堂顧千里論學制書平議〉，在《師大月刊》（1934 年第 14 期）發表〈哀江南賦箋〉。直隸書局出版高步瀛《唐宋文舉要》甲篇八卷。

據金毓黻《靜晤室日記》，《文選李註義疏》此時已撰成五卷。[118]

一九三五年（民國二十四年　甲戌）　六十三歲

八月二十八日午，赴羅根澤宴於大美番菜館，同席者顧頡剛、蒙文通、孫人和、林宰平、黎錦熙、張西堂、王力、錢穆、何士驥、傅佩青、李順卿、郭紹虞、侯芸圻、孫道升等。

北平直隸書局出版高步瀛輯《唐宋文舉要》甲篇八卷、乙編四卷。

一九三六年（民國二十五年　乙亥）　六十四歲

十月十九日，魯迅去世。

在《師大月刊》（1936 年第 7 卷第 26 期）發表〈哀江南賦箋（續）〉。

約在是年，為張鳳翔《松聲泉韻圖》題詩一首。北京中華書局出版《文選李註義疏》八卷。

---

115 顧頡剛：《顧頡剛日記》北京：中華書局，2011年，頁187。

116 顧頡剛：《顧頡剛日記》，頁197-198。

117 記文收錄於劉崇本等：《霸縣新志》臺北：成文出版社，1968年，頁897-898。

118 金毓黻：《靜晤室日記》瀋陽：遼瀋書社，1993年，頁3259。

一九三七年（民國二十六年　丙子）　六十五歲

時居按院胡同十八號。

河北就保定蓮池舊址開設講學院，省政府聘請高步瀛與吳闓生、尚秉和、賈恩紱、劉培極等學者到蓮池講學院任教。在此期間，出版了蓮池講學院講義《文章源流》、《史記舉要》（北平和平印書局）[119]。每月到保定授課兩次。據其學生回憶，高氏主講《史記》及《文章流別》兩門課程，「此老口齒太鈍，不及吳師講書之流利，每每不能自達其意」，但所編《史記舉要》等講義卻「博洽無與其比，論史記尤有獨到之處」，「高師所講，雖萬言不能盡蓋，皆網羅群書，評其臧否，或獨抒己見，反復推求，以窺史公行文立意之妙，使後生聞之，如坐風化雨，心悅誠服。斯得吳氏真傳，論文之高手也。」[120]

五月，高母（1841-1937）辭世[121]，停棺在家，高先生悲傷之餘，仍不辭車承辛苦，按時前往蓮池講學院授課，所得報酬，悉數繳還書院，指作購置書籍之用。

高母葬事甫畢，盧溝橋事變爆發。平津淪陷，高謝絕賓客，閉門不出，並吩咐二女兒高立芳辭去藝術學院的教職，不為敵偽服務。北平部分文人在團城成立敵偽「古學院」，屢請高步瀛授課，高嚴詞拒絕。

七月三十日，陳寶泉去世。

十二月二十三日，袁嘉穀逝世。悲痛之餘，作長詩〈哭同年袁屏山先生〉[122]。

是年，作〈丁丑雜詩〉五首[123]。《文選李註義疏》八卷由北平直隸書局出版。

一九三八年（民國二十七年　丁丑）　六十六歲

一月二十四日，侄女婿韓復榘去世。

一月三十一日，華鍾彥與曾浩然來訪，作詩曰：「昔年侘傺滯京華，今見椒鹽十頌花。雪霽野塘鴻有跡，春歸故壘燕無家。漸看斗柄天心轉，莫歎調隔暮景斜。更喜南豐耆碩在，相偕蓬戶一停車。」

二月某日，程金造饋贈一筐廣柑（高長年頭痛，曾廣源謂病在頭部積血，食廣柑可

---

119 二書均收入《蓮池講學院講義》，收入賴明德主編：《民國史學叢刊（第一編）》第25冊，臺中：文听閣圖書公司，2013年。

120 任啓聖：〈河北蓮池學院始末〉，收入全國政協文史資料委員會主編：《文史資料存稿選編·第24輯·教育》北京：中國文史出版社，2002年，頁241。

121 《民國學案》認為是高步瀛「時值妻子新喪」，見頁24。

122 張維：《袁嘉穀傳》昆明：雲南教育出版社，2001年9月，頁478-479。

123 此五首詩見於顧學頡：《海峽兩岸著名學者：師友錄·附錄二》北京：人民文學出版社，1997年，頁73。

愈）。後日，高步瀛作〈建為饋橘一籠賦詩以謝〉。[124]

十月、十一月間，為沈兼士所藏《窺園圖記》題跋。[125]

一九三九年（民國二十八年　戊寅）　六十七歲

一月十七日，錢玄同在德國醫院逝世。

九月，迫於生計，其女婿姚崧齡暗托南京政府教育部潛來北平辦事的人員[126]，又受沈兼士、余嘉錫、陳垣等人力邀，出任輔仁大學教授，繼續執教於中國大學，因為這兩所學校獨未受偽命。為了表明立場，高步瀛在晚報上登載啟事，說明本人原任國立北平師範大學教授，現任輔仁大學教授，與古學院毫無關係。據李維棻回憶：「高氏學行醇謹，粹然河北大儒。畢業前夕，例有謝師宴會，皆俯允參加，惟高氏未如所請，即告諸生云：『七七以來，未嘗有酬酢也。』其亮節如此。」[127]執教輔仁大學期間，其門下高足有程金造、顧學頡、王重民、孫楷第、王汝弼、俞敏等。二十一日，吳承仕在北平逝世。

十一月，輔仁大學教授為慶祝陳垣六十歲誕辰，提議送壽序，時任文學院院長的沈兼士不擅駢文，於是登門拜訪，請高步瀛先生作〈陳援庵先生六十壽序〉[128]，又請余嘉錫先生以隸書抄寫，輔仁大學十九位教授署名，署沈兼士撰。陳垣先生收到壽序後，稱讚文字俱美，為答謝同仁盛情，特用觶齋（郭世五製）宣紙石印成冊，每頁一幅，前後加素白扉頁，香色染宣封皮，絲線裝訂，印數百冊，饋贈親友。[129]並感慨地說，只有高先生那樣富的學問和那樣高的手筆，才能寫出那樣的駢文，不是初學的人所能「搖筆即來」的。[130]

---

124 以上二詩，均見楊子才編註：《民國六百家詩鈔（1911年-1949年）》北京：長征出版社，2009年10月，頁59。

125 題跋全文見朱玉麒：〈元白先生所藏〈窺園圖記〉題跋〉，《文獻》2006年第2期。

126 姚崧齡托人之事，見於程金造：〈憶先師高步瀛闓仙先生〉，收入中華書局編輯部：《學林漫錄（12）》北京：中華書局，1988年1月，頁13。

127 見李維棻：〈風流儒雅憶吾師──記吳興沈兼士先生〉，收入葛信益、朱家溍編：《沈兼士先生誕生一百周年紀念論文集》北京：紫禁城出版社，1990年，頁39。

128 沈兼士登門拜訪一事，詳見程金造：〈憶先師高步瀛闓仙先生〉，收入中華書局編輯部：《學林漫錄（12）》北京：中華書局，1988年1月，頁11。

129 劉乃和：〈淺釋援師六十壽序〉，《歷史文獻研究論叢》桂林：廣西師範大學出版社，1998年，頁255。

130 啟功：〈夫子循循然善誘人──陳垣先生誕生百年紀念〉，收入《啟功全集》卷4，北京：北京師範大學出版社，2010年1月，頁161。

一九四○年（民國二十九年　己卯）　六十八歲

八月四日，楊樹達致書高步瀛，討論杜詩註釋問題。

十月，「忽得噩夢，及寤，泣為詩，以志其事，並申訓次女，有若遺囑。」[131]

十一月十日，自中國大學講歸，忽覺不支。十一日，疾大劇，是日夜，因腦溢血症不治病逝。

譜後

一九四○年（民國二十九年　癸卯）

十一月十二日，靈柩於宣武門外廣惠寺權殯。噩耗傳出，當地及天津、保定、容城等地的師友、學生不顧國難時艱、路途阻隔，均前來弔唁。[132]門生故人於舉殯之日，私謚曰「貞文先生」。接三之期，好友沈兼士以篆書題寫挽聯：「冀北馬群空，後進何人知大老；天上欃槍落，家祭無忘告乃翁。」[133]

一九四一年（民國三十年　甲辰）

三月，如夫人得遺腹子，王化初先生命名曰「高驪」，未幾而夭。

高步瀛生前有三女，大女兒高淑芳，師範大學畢業，嫁與姚崧齡。二女兒高立芳，留學法國，藝術學校畢業。三女兒高芷芳，姬王氏出。

一九四七年（民國三十六年　丙戌）

四月，北京師範大學舉行錢玄同和高步瀛的追悼會，胡適在追悼會上發表演講，稱「錢先生是南方學人的典型，高先生是北方學人的代表」[134]。

五月二十六日，師範大學師生將葬先生於福田公墓。在次女高立芳的請求下，余嘉

---

131 尚秉和〈高閬仙先生傳〉，收入卞孝萱等編：《民國人物碑傳集》北京：團結出版社，1995年2月，頁770。

132 王同策：〈高步瀛：博大精深的訓詁考據大師〉，收入《同策叢稿──古籍和古籍整理》上海：上海古籍出版社，頁132。

133 參考前引李維棻：〈風流儒雅憶吾師──記吳興沈兼士先生〉。

134 姚高淑芳：〈追念先父高步瀛先生〉，《傳記文學》第17卷第5期，臺北：傳記文學出版社，1970年。

錫為撰墓誌銘，沈兼士篆額並書。銘曰：「天之與人異好惡，學通天人猶不遇。先生雖窮士疏附，千乘會葬視封樹。年年下馬來掃墓，曆千萬歲永無慮。」[135]

135 馬剛主編：《北京市石景山區歷代碑誌選・墓碑石刻》北京：同心出版社，2003年，頁22。

重建史觀

── 中國美學敘史策略的更新路徑*

鄒芒

北京師範大學哲學學院

　　對於現代形態的中國美學史而言，美和藝術的理論研判與歷史實然狀態的長期錯位，是當前研究中的突出問題。為了解決這一問題，有必要對現有的研究路徑觀進行反思，從而使得美學史料在運用原則、內容組織和意義闡發等方面，呈現出更為符合歷史語境的樣態。因此，如同劉成紀教授關於「中國美學研究亟待回歸歷史本身」的呼籲，推動重建更為完備的中國美學史觀念，大致可以從以下三點著手：首先是「破」，即破析造成今日對中國美學的理解出現偏差的原因，這就需要梳理中國美學在近現代史上的生成路徑；繼而是「立」，回溯中國美學的禮樂傳統，重新確立美和藝術與傳統國家制度文明更相契合的景象，最後是「闡」，通過對「審美共同體」這一概念的闡發，嘗試從美學角度完整認識國家歷史。下文將逐一論之。

一　近代啟蒙命題對中國美學的塑形

　　「美學」之於中國，乃是近代史上伴隨著「西風歐雨」傳入的舶來品。對於當時的知識階級而言，對美學的關注和提倡，並非純粹滿足於個人精神生活的需要，實際上，卻是為回應時代危機，而在特定歷史情境下展開的思想策動。當時相當一批知識份子認為，美和藝術可以陶冶情操、喚醒自由，繼而促進思想解放和人性覺醒，再進一步便是培養「新人」改造社會，最終將振興中華民族。

　　按照這一路徑構想，中國美學自二十世紀初葉起，就顯現出鮮明的功利主義傾向。一開始便與整個民族的「啟蒙」命題捆在一起，承擔起經世致用的任務。[1] 然而，無論是批判傳統文化，還是反對封建專制，這種認識定位，早已遠離了美學的原初語境。在德國古典哲學家那裡，美學之為「感性學」，既被撇開與社會功用的聯繫，也不具備啟

---

* 項目來源：國家社科基金藝術學重大專案《傳統禮樂文明與當代文化建設研究》，批准號：17ZD03

[1] 事實上，就美學所承擔起的啟蒙重任，在百年前如此，八〇年代初的「美學熱」也如此，直到今天仍有學者在重啟「審美烏托邦」的議題，以啟動對當下現實的批判維度。由此可見，美和藝術作為一種「批判的武器」，始終處在中國現代化轉型的前沿陣地。

蒙聖經一般的崇高地位[2]。換言之，美學自西方引入中國以來，其實經過了一個本土性的「化裁」過程，而這主要與三位美學家的轉換工作相關。

首先是稱作「中國近代美學第一人」的王國維，他既重塑了「審美無功利論」的內涵，又抬升了美學的地位。在〈古雅之在美學上之位置〉一文中，王國維在論及「美之普遍性質」時認為，「一言以蔽之，曰：可愛玩而不可利用者是已」，而其「無利用性」，蓋因於「一切之美皆形式之美也。」[3]這裡有著康德形式主義美學觀的影響，但二者僅僅是神似。在〈論哲學家與美術家之天職〉一文中，王國維先是肯定哲學和美術乃是天下「最神聖、最尊貴而無與於當世之用者」，但他馬上轉折，「夫哲學與美術之所志者，真理也。其有發明此真理（哲學家）或以記號表之（美術）者，天下萬世之功績，而非一時之功績也。」[4]可以看到，王國維雖然強調了哲學和美術的無用，卻又指向了「真理」這個更為大用的目標，而美術就是以符號形式將其表現出來。但在康德那裡，審美鑒賞只關乎主觀的愉悅感受，這是二人在審美認識論上的根本差別。

需要注意的是，王國維所謂的「真理」，既非科學真理，也非道德或政治真理，而是以個體生命為旨歸，追求人生意義的開顯。這一點尤為體現在文學批評中，王國維之所以推崇《紅樓夢》，視之為我國文學史上「悲劇中之悲劇」，就在於全書無關教化勸喻，「不過通常之道德，通常之人情，通常之境遇」[5]，卻揭示出人生悲苦無法解脫的真相。這就一改傳統小說、戲曲的大團圓結局，而以徹底的悲劇精神打動人心，這也符合他所提倡的「美術之大有造於人生」。總而言之，王國維對美和藝術的態度，剔除了「形而下」的功利（政治、道德），致力於「形而上」的功利（真理、人生）。他的這一解釋導向，在清末民初的轉折節點上，奠定了中國美學的現代形態。

第二位是蔡元培，自一九一二年始，他先後以南京臨時政府教育總長和北大校長身份來推廣美育，進一步擴大了美學的社會影響，並將文化層面的反思，導向了現實政治的批判。一九一七年，蔡元培在北京神州學會發表了題為〈以美育代宗教說〉的著名講演，而後刊發於激進色彩濃厚的《新青年》雜誌，引起巨大反響。值得注意的是，文章開頭耐人尋味地提及，國內一部分「沿習舊思想者，……以孔子為我國之基督，遂欲組織孔教，奔視呼號，視為今日重要問題。」[6]蔡元培的含蓄所指，正是先前袁世凱欽定

2　如同柄谷行人指出，「aesthetics」最初在鮑姆嘉滕那裡獲得的命名，還是作為「感性學」；而後，康得的認識論路徑，嚴格界定了感性與理性的區別，進一步摒除了感性這類「情感」在其歷史源流中，與亞當·斯密的「同情」（sympathy）、法國大革命時期的「博愛」所共同擁有的「道德情感」質素，並在鑒賞判斷的諸契機中，從「質」上規定了審美的無功利原則。此後，在黑格爾那裡，藝術哲學意義上的美學，被置於「絕對精神」辯證運動的宏大體系中，又處於被揚棄的一環。參看《民族與美學》，薛羽譯：西安：西北大學出版社，2016年版，頁20-21。

3　金雅主編：《中國現代美學名家文叢·王國維卷》杭州：浙江大學出版社，2009年版，頁100。

4　金雅主編：《中國現代美學名家文叢·王國維卷》，頁3。

5　金雅主編：《中國現代美學名家文叢·王國維卷》，頁123。

6　金雅主編：《中國現代美學名家文叢·蔡元培卷》北京：中國文聯出版社，2017年版，頁11。

「孔教」、違逆共和的行為，使他警覺宗教與帝制的緊密關係。為清除封建餘毒，故而迫切主張，「鑒激刺感情之弊，而專尚陶養感情之術，則莫如捨宗教而易以純粹之美育。」[7] 蔡元培認為，美具有普遍價值，可以破除人我之分，去除利害得失，以此陶養性情，則使人純潔高尚。

　　在一九三〇年的另一篇同名文章中，蔡元培進一步肯定，美育是「自由的」「進步的」「普及的」；而宗教是「強制的」、「保守的」、「有界的」[8]。經此優劣比較，更需要美育來啟宗教之蒙。事實上，當時提倡美和藝術對世道人心的教化和淨化作用，還有朱光潛、豐子愷等人，但後者沒有將批判層面導向社會改造[9]。蔡元培卻認為，美育不僅包含「藝術美」，還要將「社會美」（美術館、影劇院、園林和公墓、市鄉的經營佈置等）納入進來，這就已經暗含著「日常生活審美化」的要求。換言之，蔡元培是要以美和藝術開拓出公共空間，重新規畫混亂失序的中國社會。這裡暫且不論該方案在當時條件下的可行性，但他這一努力，從實踐層面啟動了美學的批評效力，具有極強的現實針對性。

　　最後一位是宗白華，他於一九四〇年發表的〈論《世說新語》和晉人的美〉一文，不僅延續了魯迅在〈魏晉風度及文章與藥及酒之關係〉（1927）中對魏晉文人及其這一時代的評價基調，還在開篇處就為魏晉六朝及其前後時代的藝術成就高低下了判詞[10]。客觀來講，宗先生的這一論斷可以商榷，但其出發點或許並不在於嚴密的邏輯推論上，而是結合自己的人生信念來伸張價值判斷。先是積極投身新文化運動，隨後留學德國，深受浮士德精神的影響，追尋不斷進取、克服阻礙的人生態度。宗白華傾慕於魏晉這個獨特時代的審美風貌，魏晉文人的精神選擇及藝術創造，其實是他本人自由心靈的映射；甚至可以說，「魏晉風流」就是現代自由主題的中國版，類似嵇康這樣的「殉道者」[11]，看似不拘禮法，卻是以生命為代價反抗專制。

7　金雅主編：《中國現代美學名家文叢・蔡元培卷》，頁114。

8　金雅主編：《中國現代美學名家文叢・蔡元培卷》，頁131。

9　朱光潛在《談美》中認為，中國社會鬧得如此之糟，不全是制度問題，而是人心太壞；豐子愷主張的「童心說」和「藝術的生活」，也主要是在藝術領域談教育問題。他們二人都強調審美活動超功利性，因而很少直接介入社會改造層面。

10　「漢末魏晉六朝是中國政治上最混亂、社會上最苦痛的時代，然而卻是精神史上極自由、極解放，最富於智慧、最濃於熱情的一個時代。因此也就是最富有藝術精神的一個時代。……這時代以前——漢代——在藝術上過於質樸，在思想上定於一尊，統治於儒教；這時代以後——唐代——在藝術上過於成熟，在思想上又入於儒、佛、道三教的支配。只有這幾百年間是精神上的大解放，人格上思想上的大自由。」參看《美學散步》上海：上海人民出版社，1981年版，頁208。

11　事實上，在中國正史傳統中，並不乏對魏晉文人的負面評價，比如顧炎武就在《日知錄》中批評：「乃其棄經典而尚老莊，蔑禮法而崇放達，視其主之顛危若路人然，即此諸賢為之倡也。」因而，這裡不宜簡單陷入孰對孰錯的二元判斷中，而要將顧、宗二人的觀點，分別置於所處的歷史背景，及其各自的人生觀中來理解。顧炎武的「遺民」身份，強化了他對知識份子積極介入家國政治的態

　　可以看出，宗白華對魏晉美學的解讀，帶有鮮明的「問題意識」。近代中國社會沉痾難癒，自由無異於盜來的「火種」[12]，對於挽救整體失落的國民精神，以及振奮一個處於危亡關頭的民族至關重要。在他看來，中國在抗戰艱難時期，需要這般精神，而在經歷了特殊「十年」之後同樣需要。一九七九年在〈中國美學史中重要問題的初步探索〉一文中，宗白華再一次強調了「學習中國美學史，在方法上要掌握魏晉六朝這一中國美學思想大轉折的關鍵。」[13]聯繫當時的社會背景來看，處於八〇年代初期「美學熱」的整體氛圍下，對人心解凍、思想解放的啟蒙要求，再次烘托了該文的重要性；並且，宗白華對魏晉美學，乃至中國美學研究的獨特思路，至今都產生著重要影響。

　　綜上所述，中國近代史上以啟蒙救亡為終極目的的時代命題，深刻塑造了美學進入中國之後的文化身份，以及所要承擔的社會責任。但也造成了某種固定印象，似乎一談美和藝術，就是與怡情悅性、自由解放、詩意棲居相關。若以此認為就是中國美學史的全貌，則顯然不能完整概括。這是因為，以上這些從歐洲啟蒙運動移植過來的概念，一旦成為了現代學人新的理論武器，沿著「以西格中」的思路，將導致本土性材料在運用中的進退失據。中國近代美學的生成路徑，在於用現代形態的審美話語重構古代史料，可想而知，這必然造成對中國美學史的理解產生諸多錯位。

二　美和藝術與古代「禮樂」文明

　　中國古代美學的發展有所謂「三大高峰」之說，美學史家之所以突顯春秋戰國、魏晉六朝和明朝中晚期的重要性，正是因為當時王綱鬆弛所引發的思想解放，激發了士人對傳統禮教的反叛，進而刺激文學藝術的高度創新。但是，以此三大時段勾勒出的中國美學史，倒像是一部疏離於主流歷史之外的精神自由史。它只是呈現了歷史動盪時期的美學發展，而國家穩定時期所形成的美學創造，則被有意忽視或削弱了。這種以歷史映顯時代課題的美學史寫作方法，並不能如實反映中國美學史的真實樣態。

　　事實上，分析中國美學與古代歷史的治亂關係，「亂」往往會催生出一種充滿自由精神的美學；但在封建王朝政局穩定、國力強盛的時候，美和藝術同樣煥發出豐沛的生機。從歷史進程來看，這一由「治」生發出的美學維度，關鍵性的奠基事件是在西周初

　　度，而宗白華同樣在魏晉士人的「不合作」中，讀出了另一種甚至更決絕的政治姿態。所以，導致他二人在價值判斷上的根本差異，不是說魏晉士人沒有承擔起「救世」的責任，而是更贊同哪一種救世的具體方式。

12　這裡有必要區分，啟蒙思想在文化層面所謂的「個性解放」或人的自由，其實是指擺脫了神學束縛之後，人獨立運用理性的自由，並非文學藝術因無涉利害，而彰顯的審美自由。五四之後接受了西方啟蒙觀念的知識份子，所理解的那種「自由」，更像是十九世紀浪漫主義的精神遺產。何況，就算是宣導美和藝術的自由特性，也並非將此視為最終目的，主要還是作為救亡的手段。

13　宗白華：《美學散步》上海：上海人民出版社，1981年版，頁32。

年，即周公攝政第六年籌畫「制禮作樂」，以「尚文」為特色的禮樂文明揚棄了殷商「事鬼」的習風。「禮樂」作為一種審美化的人文政治，開始塑造中國傳統社會的基本形態。中國美學與國家政治之間的互動，進入到一個深化時期。就周公創制禮樂與美學的關係而言，禮樂是傳統國家頂層設計的核心，美和藝術則構成了這一核心的精髓。二者的關係可以從三個方面來看：

其一，美和藝術高度內含於禮樂制度當中，並為國家制度的建構規畫了方向。「禮樂」作為一個綜合概念，涵蓋了「君臣朝廷尊卑貴賤之序，下及黎庶車輿衣服宮室飲食嫁娶喪祭之分。」(《史記·禮書》)這幾乎就是一個無所不包的體系，大致歸納來看：「禮」包括了「政治體制」(禮制)、「倫理道德」(禮義)、「器物配置」(禮器)、「典禮祭祀」(禮儀)、「行為舉止」(禮容)等等；「樂」又同時包括了「詩、樂、舞」，主要是與國家的文教事業息息相關。以上種種，共同彰顯了「禮樂」已全面展開傳統國家的制度建構。那麼，在此背景之下，很難說有獨立運作、以強調超功利性的文學藝術存在；相反，文學藝術的生存發展，必然是內含於這套制度本身並受其規約。

但要注意的是，就「禮」所達至的客觀要求來看：「禮容」要文雅優美、「禮義」要懲惡揚善、「禮器」要精緻美觀、「禮制」要打造國家治理的範本，無一不含審美因素；就「樂」而言，詩樂舞所追求的藝術美感，燕飧酬酢所形成的歡暢氣氛，審美意味也就更濃。以此觀之，美和藝術的價值體現，雖然並不是現代形態所規畫的那樣，純粹為滿足情感的愉悅，而與官方統治保持疏離，但也並不等於就是國家機器的附庸。相反，是以美的實現作為目標來引導制度安排，使之朝向一種「美治主義」進發。《禮記·少儀》有云：「言語之美，穆穆皇皇；朝廷之美，濟濟翔翔；祭祀之美，齊齊皇皇；車馬之美，匪匪翼翼；鸞和之美，肅肅雍雍。」[14]可以看到由禮樂匯出的國家遠景，既是政治的又是審美的，這恰切說明了美之於國家政治建構的正向力量。

其二，禮樂的詩性特質築就了意識形態的內核，刑法政令僅僅是外在的治理手段。《禮記·樂記》有云：「禮以道其志，樂以和其聲，政以一其行，刑以防其奸。禮樂刑政，其極一也，所以同民心而出治道也。」[15]國家意識形態的建構，離不開「禮樂刑政」四科的配合使用，但這裡仍有根本區別，即「禮樂為本、刑法為用」。然而，對於不諳其中深意的啟蒙思想家，就可能給出有失公允的評價。孟德斯鳩曾批評中國是一個專制帝國，統治原則是「恐怖」[16]。不可否認，禮樂制度在後世的發展嬗變，有一個趨向禮法統治的改造，比如西漢武帝時期，為服務於中央集權的需要，採取「儒表法裡」的治理術，酷吏、訴訟和刑罰由此大興。但政治高壓可以換來一時穩定，卻無法保證國

---

14 李學勤主編：《十三經注疏（標點本）·尚書正義》北京：北京大學出版社，1999年版，頁1027。

15 李學勤主編：《十三經注疏（標點本）·尚書正義》，頁1076。

16 （法）孟德斯鳩：《論法的精神》，張雁深譯，北京：北京商務印書館，1961年版，頁129。

祚的長治久安。因此，「刑政」愈是嚴厲，愈是需要柔性和詩意的東西，來提供道義正當性的支援。

關於這一點，王國維在《殷商制度論》中已經指出，殷周革命不在於改朝換姓，而是新制度、新文化取代舊制度、舊文化。周公確立的萬世之策，包括了立嫡之制、宗法和服喪之制、封建子弟之制等在內的宗法制度。由此來看，以周公之本意及當時客觀條件，顯然不是靠嚴刑峻法就能鞏固新生政權[17]。王國維認為：「其旨則在納上下于道德，而合天子、諸侯、卿、大夫、士、庶民以成一道德之團體。」[18]換言之，以「親親」「尊尊」為道德紐帶，如此更符合人性和人情的方式，既聯繫又約束上至天子貴冑，下至平民百姓。汪德邁（Léon Vandermeersh）曾將中國傳統思想，比喻為「帶有玉匠精神的痕跡」，匠人需要根據玉自身的紋路來打造玉器。國家的意識形態建設也遵循相似的道理，必須基於人性最內在的情感。因此，製作工具（「刑政」）的選擇，是為了更理想地呈現出藝術品自身的精神意涵（「禮樂」）。在此意義上，不妨說禮樂本身就是一種審美意識形態。

其三、美和藝術的理想性、全人類性，為華夏文明的發展提供了精神指引。如果說「黃帝、堯、舜垂衣裳而天下治」，象徵著文明秩序的建立。那麼，周公及西周王朝推行禮樂，便是延續了自唐虞以來的文化命脈。程艾藍（Anne Cheng）在《中國思想史》中指出，商周革鼎雖有政權制度的變更，但從文化層面來看，「如果商周交接以方技—宗教文化向倫理文化的過渡為特徵，周文化則深深保留了商文化的面貌和形式，尤其是禮儀的神聖性」[19]。而這種「神聖性」的體現，與其說是通過對「天」的禮拜，不如說是禮樂所包蘊著美和藝術的精神特質，造就了西周文明、乃至華夏文明所具有的崇高品格。這就在於禮樂的象徵意涵，總是與美好生活（「小康」）、大同社會的文明願景緊密聯繫在一起。

雖然，春秋中後期開始，迅速遭遇了一個「禮崩樂壞」的局面，後世帝王也有試圖再次「制禮作樂」，然而成功者杳杳，但這並不能減損禮樂文明的合理性及精神價值。就拿少數民族政權入主中原來看，大多需要經過一個馬上奪天下，再到漢化改制的過程。這裡固然有著尋求政權合法性的考慮，但也不應忽視了禮樂文明在文章教化上的優越性，所具有的情感號召力和認同作用。甚而言之，「自西周以降，維繫中國文明沒有

---

17 《尚書‧大傳》記載：「周公攝政，一年救亂，二年克殷，三年踐奄，四年建侯衛，五年營成周，六年制作禮樂，七年致政成王。」從這段材料來看，「制禮作樂」之前的五年，歷經數次平叛的周公和西周王朝，顯然看到了僅憑暴力機器，只會加劇新生政權的國力消耗。因此，維護國家的長治久安，則需要更為柔性的統治之道。

18 王國維在〈殷周制度考〉一文中，稱讚為：「其制度文物與其立制之本意，乃出於萬世治安之大計，其心術與規摹，迥非後世帝王所能夢見也。」見《觀堂集林》石家莊：河北教育出版社，2003年版，頁232。

19 （法）程艾藍：《中國思想史》，冬一、戎恆穎譯，鄭州：河南大學出版社，2018年版，頁46。

發生重大斷裂的力量並不是政治的控制，而是具有審美和藝術特質的禮樂教化。」[20]由此可見，以美和藝術為特色標識的制度傳統，因其厚重的精神養分，使得華夏文明的延續，綿長而燦爛。當然，毋庸諱言，禮樂自身也有諸多不符合當代價值觀念的主張，但一方面，既要辯證看待它在當時社會條件下的進步性；另一方面，從美學角度創造性的將其合理所在轉化出來，這對於當代中國社會而言，走向「風雅」和「美麗」，也是有著積極的啟發意義。

　　總而言之，中國美學的禮樂傳統，強調美和藝術以建章立制的方式，介入到國家政治體制的建構中，這決非拉低了美和藝術的精神品格，而是要為中國文明的歷史進程開出一個審美烏托邦的夢想。倘若按照近代啟蒙的文藝自由觀，固執地認為一和官方統治扯上關係，就是美和藝術墮落，這顯然有失偏頗。長此以往，對中國美學的理解將愈發偏激，中國美學史的書寫格局也將愈發狹隘。

三　作為「審美共同體」的天下國家

　　對美學史料的運用，一旦抽離了歷史語境，只會愈發疏離於本來面目，如此另行建構出一部美學史的做法，其實是對「中國」美學史自律性的僭越。換言之，不可能在中國歷史自身之外，再度剝離出一個所謂的中國美學史，中國美學對美和藝術的研究，只能組入到中國歷史自身的脈絡中，才具有合法性。而新時期以來的中國美學史研究，已成功將新石器時代考古和遠古神話，納入到了已有的述史系統中，這就使得美學史與華夏文明史具有了等量齊觀的性質。在此前提之下，美和藝術的發展與民族的歷史形成，以高度的一體性面貌，使得中國早期文明具有了「審美共同體」的性質，闡發這一性質，可以為從美學角度完整認識國家歷史提供可能。

　　從新石器到夏啟立國期間，為數眾多的史前文明，如同「滿天星斗」播散在中華大地。按照蘇秉琦的六大區塊劃分，即以晉陝豫鄰黃河地區的中原、以燕山南北長城地區為重心的北方、以山東為中心的東方、以洞庭湖與四川盆地為中心的西南、以長江下游環太湖為中心的東南、以及以鄱陽湖珠江為中心的南方。大約在西元前六千至兩千年這一時段，新石器時期的不同族群，通過石器、陶器、玉器等生產生活用具的製作，不僅維繫著最基本的繁衍生息；也通過這些被後人直接視為「史前藝術」的人工器物，寄予著最初的審美意識或藝術觀念。不可否認，這些原始器具在當時還兼具日常實用和祭祀性質，因「通神」而具有巫魅色彩，但審美卻是其中不容忽視的重要維度：一方面「美不美實際上潛在地指導著工具的製作」[21]，構成了生產力提高的原動力；另一方面，不

---

20 劉成紀：〈中國美學與傳統國家政治〉，《文學遺產》2016年第5期。

21 陳望衡：《文明前的「文明」——中華史前審美意識研究》北京：人民出版社，2017年版，頁8。

同族群也是在以最精美的器物（比如龍山文化的薄胎高柄黑陶杯、良渚文化的玉琮等），來確立自身文化的優越性。

以仰韶文化廟底溝彩陶上的薔薇紋飾為例，蘇秉琦認為：「花本來是自然界常見的，現在把自然的花賦予了特殊社會概念。『華』是尊稱，選擇玫瑰花作為象徵，以區別於其他族群，是高人一等的，這是以社會發展較快為背景的。」[22]並且，他還推測花紋彩陶很可能就是「華族」（或稱「華夏族」）得名的由來。因此，對「華夏」一詞的釋義，不妨解讀為「花一般美麗的夏」，從這個詩意的稱謂可以看出，華夏民族在起源之初，就是極富有審美意識的民族；並且，是以美作為尺度，來衡量一個族群的文明發達程度。這也意味著，美和藝術也在推動著族群社會的發展，並且構成了共同體凝聚的紐帶。或許這就可以解釋華夏文明宗教基礎薄弱的歷史原因，就在於「美」本身乃是對「巫」的揚棄，華夏民族是將祭祀鬼神的迷狂，轉化為對藝術光暈的追求。愈是在美的呈現上追求極致，愈是證明該族群在文明觀上的進步。

那麼，一個有趣的現象便產生了。如果從整個中華史前地理版圖來看，散居各地的族群無疑是一個個分散的文明中心，他們構成了一張無中心的審美之網；但聚焦到一個個局部（比如黃河中下游）來看，一些文明因為生產力發展較快，便以某種先進器物的製造為典型代表（比如二里頭的青銅器鑄造），在一定的區域形成了工藝中心。它源源不斷地生產出精美的器具，因而也就創造著美、傳播著美，從而在無形中就可能形成了某種文化向心力。換言之，這種向中心或中央之地聚集作用的發生，便是以工藝之美作為特色標誌：從物質上升到精神，將審美熔鑄於政治，以藝術來表徵文明。正是在此意義上，才可以說，華夏民族最終走向統一的過程，不僅是各個族群政體間的融合，還是一個「審美共同體」的凝鑄。雖然不同文明在審美意識上存在差異，藝術表現方式也不一，然而，卻是一個從「各美其美」到「美美與共」的交匯過程。這較之於今天已習慣了唯物史觀從生產力發展的角度，去解釋民族融合的歷史根源，同樣不應忽略了，美和藝術也在以其自身獨特的話語方式，積極參與到民族的歷史形成中，並發揮著不可或缺的作用。

從新石器經過夏商再到西周，一個「形成中的中國」誕生在中華大地上。在此背景之下，中央政權或中原王朝（從最初的炎黃同盟，到建立夏朝，直至西周初年分封天下），作為一個「審美共同體」，也即是要以美和藝術的在場，開啟國家的一體化進程，實現族群共識的統合。最典型的例子，莫過於禹鑄九鼎。《左傳·宣公三年》記載：「昔夏之方有德也，遠方圖物，貢金九牧，鑄鼎象物，百物而為之備，使民知神奸；故民入川澤山林，不逢不若，魑魅魍魎，莫能逢之。用能協於上下，以承天休。」禹打造九鼎，將遠方各地的山川名物、珍禽異獸繪製其上，供民眾觀摩。此時的鼎已是國家重

---

22 蘇秉琦：《中華民族起源新探》北京：生活·讀書·新知三聯書店，1999年，頁126-127。

器，卻沒有採取秘藏保管的方式，而儼然具有了公共雕塑藝術的性質：一方面，借助圖案紋飾的展示，作博物普及工作；另一方面，通過收集各地的象徵物，標誌著中央王權已將其納入勢力範圍。換言之，禹的政治深意，是將九鼎作為國家權柄的視覺等同物，既要在工藝設計上集天下諸美於一身，又要作為九州納入一統的歷史見證。這兩點其實是「二而一」的，所謂「器以藏禮」的道理，後世王朝的傳國玉璽、乃至秦始皇的「十二金人」，依然遵循著相似邏輯。

如果說從「滿天星斗」到九鼎一統，是中國文明從多元走向一元；那麼在聚集之後，還要再次經歷一個向外播散的過程，也即是從京畿輻射天下。這個由內向外逐步擴展的「天下模式」，既是中央王朝的行政控制範圍，也是美和藝術的傳播空間。按照古代「五服」的說法，王畿周邊以五百里為一區域，由近及遠地規畫出甸服、侯服、綏服、要服、荒服諸圈層。這一圈層結構不僅彰顯出政治身份的差序格局，也是對美分有程度的逐步減弱。再以《尚書・益稷》中「十二章紋」的例子來看，一方面，紋飾選用的遞減，是身份等級的下移[23]；另一方面，服飾差異也成為了「文明」與「野蠻」、華夏與四夷的區分標誌。由此可見，中央王朝在與周邊少數民族政權的互動中，仍然是在實踐圖像政治學的策略，借助視覺美觀的程度，來強化中央與地方權力的關係，進而維護國家文明的等級秩序。以至於，諸如「冕服華章曰華，大國曰夏」（《尚書正義》）[24]，或者「中國有禮儀之大，故稱夏；有服章之美，謂之華」（《春秋左傳正義》）[25]，等等說法，一道指向了民族共同體的命名，都來自於服飾的「美麗」。可見對美的信仰，已深深銘刻在華夏民族的發展史上。

自此可見，美學與歷史的內在邏輯，已經通過原始藝術或禮器溝通起來了。這些精神性的產品貫穿在華夏民族整個的歷史進程中，從起源到定型再到擴張，一種美學思維浮現在國家敘事的書寫邏輯中。甚而言之，不是巫術和原始宗教，而是審美意識承擔起了歷史前進的動力源。這一嶄新觀念的突顯，可以釐清美和藝術在中國歷史中所扮演的關鍵角色，這就為重寫一部更具建設性的中國美學史，提供了必要的理論反思。

四　結語

綜上所述，可見美和藝術在中國歷史上，尤其是在先秦時期的本然樣態，與由現代

---

23 「天子服日月而下，諸侯自龍袞而下至黼黻，士服藻火，大夫加粉米。上得兼下，下不得僭上。以五采明施於五色，作尊卑之服，汝明制之。」李學勤主編：《十三經注疏（標點本）・尚書正義》北京：北京大學出版社，1999年版，頁116。

24 李學勤主編：《十三經注疏（標點本）・尚書正義》北京：北京大學出版社，1999年版，頁292。

25 李學勤主編：《十三經注疏（標點本）・春秋左傳正義》北京：北京大學出版社，1999年版，頁1587。

形態的審美話語所界定的本質屬性，以及價值和功能，存在著巨大的差異性。這就意味著，一旦放棄了對中國美學自身特性的堅持，不僅是以犧牲歷史上豐富的美學資源為代價；同時，也喪失了中國美學研究的民族本位。那麼，現在通過反思中國近代美學的缺憾，重要的不是又來全盤否定近代美學家的理論建設，而是持有歷史的溫情，積極校正過去的偏至，將歷史性維度重置於美學史研究的前景中。於此而言，中國美學史研究在獲得歷史的厚重和深邃的同時，也將從常規的文藝審美中突圍，具有家國天下的廣遠視野。

龔德柏首提「持久戰」戰略思想

張雙智
北京師範大學歷史學院

　　抗日「持久戰」是偉大的戰略，實踐證明非常正確。最近幾年，到底是誰首倡「持久戰」？眾說紛紜，網路媒體喜歡討論國民黨人的「持久戰」主張未受毛澤東一九三八年五月發表的《論持久戰》影響，焦點集中在蔣介石、陳誠、白崇禧、蔣百里等人身上，並有大量的轉引和評論，還有誰抄襲了誰的種種說法？不過，首倡者卻未有公論。現以毛澤東《論持久戰》為時間節點，看看之前有哪些人提到了「持久戰」思想呢？

一　有哪些人還提過「持久戰」

　　一九二二年，軍事專家蔣百里曾發表了類似持久作戰的觀點，從內容看，並不是專門針對日本侵華的具體論述。[1]黃道炫稱早在盧溝橋事變前，國民黨方面關於持久抗戰的議論和設想已不鮮見。[2]楊天石提出國民黨持久戰戰略自有獨立來源，徵引了蔣介石一九三二年二月二十五日日記記載：「與倭持久作戰，非如此不足以殺其自大之野心」。並認為陳誠一九三六年就提出了消耗戰、持久戰、以空間換時間等基本決策；白崇禧不是「積小勝為大勝，以空間換時間」的創造者。[3]根據筆者查到的資料看，一九三八年三月十六日，白崇禧對第五戰區抗敵青年團做了《軍事抗戰與政治抗戰》的講話，提到：「我曾經杜撰了一句話，集小勝而大勝」，「我又杜撰了一句話，要以空間換時間」。[4]他說是自己概括了這十二字方針。白崇禧在一九三七年之前是否在國民黨高層中發表或討論過自己的戰略觀點？結合史料分析，一九三六、一九三七年國民黨上層將領基本上達成了對日持久作戰的構想，應是數年來蔣介石、陳誠等眾多人士集思廣益，擇其善而定

1　一九二二年，蔣百里的《帝國主義之衰亡與中國》談道：「《三國志》劉玄德有言：『今與我爭天下者，曹操也。彼以詐，我以仁，必事事與之相反，乃始有事。』我儕對敵人制勝之唯一方法，即是事事與之相反。彼利速戰，我恃之以久，使其疲弊；彼之武力中心在第一線，我儕則置之第二線，使其一時有力無用處。」載《國防論》北京：人民東方出版社，2013年12月，頁113。

2　黃道炫認為一九三七年八月七日，南京最高國防會議《國軍作戰指導計劃》確定了「抗戰到底，全面抗戰」，「採取持久消耗戰略」方針。〈國共兩黨持久戰略思想之比較研究〉，《抗日戰爭史研究》1996年第3期。

3　楊天石：〈國民黨「持久戰」思想其實有獨立來源〉，《南方都市報》2009年7月7日。

4　《白崇禧先生最先言論選集》，廣西建設研究會1939年，頁26-27。

之的結果。

　　以毛澤東為首的共產黨領袖率領紅軍長征到延安後，開始關注抵抗日本侵略的大戰略。一九三五年十二月二十七日，毛澤東在《論反對日本帝國主義的策略》報告中指出：「中國革命戰爭還是持久戰，帝國主義的力量和革命發展的不平衡，規定了這個持久性。」[5]隨後，黨的高級領導人紛紛撰文讚成持久戰作為對日作戰的指導思想。[6]國共高層是智者所見相同。

　　社會上許多愛國人士也支持持久戰戰略。一九三七年十一月十四日，《陳誠將軍持久抗戰論》出版，除了收錄陳誠〈持久抗戰應有的認識〉、〈持久抗戰的幾個重要點〉、〈持久抗戰的戰局談〉三篇文稿外；還輯錄了郭沫若〈持久抗戰的必要條件〉，洛甫〈抗日民族戰爭的持久性〉，史良〈持久抗戰的目的──最後勝利〉等文章。[7]一九三七年十二月二十日，劉孤帆的《持久戰與國民生活》開篇兩章是：「我們為甚麼要作持久戰」、「持久戰幾個必要的條件」，呼籲國人堅持持久抗戰。[8]一九三七年久月，范文瀾發表〈對於持久抗戰的幾個膚淺意見〉。[9]一九三八年一月五日，章漢夫在《後方民眾怎麼幹》中提出：「這次抗戰是持久戰」。[10]《持久抗戰與組織民眾》文集則收錄了民主人士李公樸〈游擊戰與持久戰〉、黃松齡〈游擊戰與鄉村工作〉等文章。[11]上述史料說明很多社會人士認同兩黨抗戰戰略，配合國民政府的抗戰宣傳。一九三七、一九三八年是國內討論抗戰戰略的高潮時期，「持久戰」獲得了廣泛的社會贊同。毛澤東《論持久戰》開篇寫道：「很多人都說持久戰，但是為甚麼是持久戰？怎樣進行持久戰？很多人都說最後勝利，但是為甚麼會有最後勝利？怎樣爭取最後勝利？這些問題，不是每個人都解決了的，甚至是大多數人至今沒有解決的。」[12]他對抗戰以來的經驗「做個總結性的解釋」，特別「著重地研究持久戰的必要」，並清晰、辯證地回答了抗日戰爭為甚麼是持久戰，怎樣進行持久戰兩個問題，全面、具體地批駁了亡國論等論調，是對數年來國內持久戰觀點的總結之作。

5　《毛澤東選集》卷1，北京：人民出版社，1991年，頁152-153。

6　張聞天：〈論抗日民族革命戰爭的持久性〉，《解放》第17期，1937年9月18日。一九三七年十一月二十七日，彭德懷在抗日軍政大學發表〈爭取持久抗戰勝利的幾個先決問題〉，《彭德懷軍事文選》北京：中央文獻出版社，1988年版，頁33-51。周恩來：〈怎樣進行持久抗戰〉，《群眾週刊》第1卷第5期，1938年1月7日。

7　《陳誠將軍持久抗戰論》戰時生活社編行，1937年11月14日。

8　劉孤帆：《持久戰與國民生活》漢口：上海雜誌公司，1937年12月20日。

9　河南省救亡刊物《風雨》週刊第3期，1937年9月26日。

10　章漢夫：《後方民眾怎麼幹》漢口：上海雜誌公司，1938年1月5日，頁2。

11　何秋萍編：《持久抗戰與組織民眾》救亡出版社，1938年1月28日。

12　《毛澤東選集》第2卷，北京：人民出版社，1991年，頁439。

二　龔德柏首倡「持久戰」

　　民國時期著名政論家龔德柏[13]最早系統地提出了「持久戰」戰略思想。他留學日本期間，目睹日人侮華言論充斥坊間，高價購買了甲午戰爭時期日本外相陸奧宗光回憶錄《蹇蹇錄》。《蹇蹇錄》將日本如何處心積慮地利用朝鮮東學黨之亂，製造戰爭的陰謀詭計和盤托出，「用心之辣毒，足可證日本不許中國存在，必滅之而獨吞」。龔德柏曾坦露，看了陸奧宗光的回憶錄，對日警覺，一世不忘，在抗戰勝利以前，「我是絕對的抗戰者，絕不妥協。這本書給我之刺激，是非常大的」。[14]他從日本回國後，在一九二三年翻譯完初稿，因文字斟酌點尚多，朋友王新命建議不出版，故藏之箱中六、七年。[15]一九二八年五月，「濟南慘案」發生。龔德柏非常憤慨，決定公開《蹇蹇錄》，揭露日本侵華的野心；交付商務印書館排印了近一年，改書名為《日本侵略中國外交秘史》，於一九二九年四月初版。龔德柏在五千字序言中提醒中國人民放棄對日妥協和談幻想，「萬不得已而戰，非有委棄十省以上，供敵蹂躪，至少支持三年之決心不可。吾敢斷言，第一年吾敗，第二年相持，第三年敵人全敗乞和。」[16]建議對日戰爭採取長期戰，須犧牲沿海十餘省的地方，俟其精疲力竭。他判斷日本全面侵華三年後講和，未免樂觀了些。出版後，有的書局擬採用該書序言為中學國文課文，遭到國民政府教育部反對。龔德柏說教育部所不許用為教科書材料之文章，六、七年後反被政府作為對日抗戰之根本政策。[17]龔德柏此時對日持久抗戰的觀點還沒有成熟。另外，日本的侵略尚未造成多數國人的緊迫感。只有少數軍政人士關注日本侵華動向。故，龔德柏此時之論未引起很大的社會反響。

　　九一八事變後，日軍侵華氣焰非常囂張。而張學良、蔣介石的不抵抗主義；胡適等文人忍辱求和的主張；還有三日亡國論的喧囂。這些投降論調搞得國內民眾思想非常混亂。龔德柏認為政府、國民大都認為日本太強，中國太弱，中國萬萬不是日本的對手，

---

13 龔德柏（1891年8年-1980年6月），湖南瀘溪縣人，著名報人和政論家。一九〇八年，考入湖南辰州中學，一九一三年考取公費留學日本，一九一五年九月，在日本第一高等學校讀書，組織成立留日學生總會；一九一九年，因山東問題，在東京遊行示威，進行反日活動；終止學業後，被《泰晤士報》聘為駐東京特約通訊員。華盛頓會議後，受聘《國民外交》、《東方日報》、《中美通訊社》等雜誌為編輯，並與成舍我創辦《世界晚報》、《世界日報》；一九二八年任《申報》國際版主編；一九三一年創辦《救國日報》，發表大量時政評論；一九三八年，因蔣介石賞識，受邀任國際問題研究所主任秘書，負責對日情報研究。一九五〇年，因批判臺灣當局，被蔣介石軟禁七年。出獄之後，退隱著書。

14 龔德柏：《龔德柏回憶錄》上冊，臺北：龍文出版社，2001年，頁61。

15 龔德柏：《龔德柏回憶錄》上冊，頁62。

16 陸奧宗光著，龔德柏譯：《日本侵略中國外交秘史》上海：上海商務印書館印行，1929年4月，頁1、7。

17 龔德柏：《龔德柏回憶錄》上冊，臺北：龍文出版社，2001年，頁62。

甘願採取不抵抗主義。這是全體國民一種心理上的大病態。若這種病態不治癒，中國只有永久為日本奴隸。所以，龔德柏決定高唱武力抗日論，以醫治國民心理上的膏肓症。[18]他花了十天的時間，於一九三一年九月二十八日寫成《征倭論》，洋洋灑灑五千餘字，目錄是：第一章倭人歷史上大陸侵略政策；第二章此次倭禍之由來；第三章倭人使滿蒙獨立之陰謀；第四章倭人絕對不能戰勝之原因；第五章征倭之必要；第六章征倭之戰略；第七章美俄與征倭；第八章征倭與對內；第九章倭寇平。前三章揭露了日本處心積慮的侵華陰謀，希望促國人猛醒。後六章從外交、財政、物資、國民生計、國民思想等方面，仔細分析日本必敗，中國必勝的抗日大戰略。第六章包括：第一節割除恐外和苟安心理；第二節放棄海岸線；第三節持久戰與乘隙搗虛；第四節征倭須如北美殖民地抗英；第五節征倭須如俄人抗拿破崙；第六節征倭須如博雅人抗英；第七節征倭須如土耳其抗希；第八節征倭須如曾國藩平洪楊。其主要觀點是：中國人首先要破除恐外與苟安的心理。鑒於敵強我弱，中國要先放棄海岸線，供其占領；抗日要向美國人抗英、俄人抵抗拿破崙等歷史上著名的反侵略戰爭學習，堅持打持久戰，直至取得最後的勝利。並分析了日本必敗的理由：（1）從國際關係上，倭人毫無取勝之道。倭人之真意，係在先並滿蒙，然後借滿蒙之資源，以對美、對俄。美、俄並非愚癡，決不能讓倭人從容吞併滿蒙，遺禍自身，必趁中倭戰爭時，將倭人解決，以去後患無疑。美、蘇兩大強國不會坐視不管。（2）從經濟上看，現在戰爭完全為金錢之戰，日本國內經濟赤字，又不能借外債。戰爭所需要物資如鋼鐵、煤油、棉花、羊毛，倭國內或產量甚少，或全部不生產，一旦經濟封鎖，不能由他國運入。不須半年，倭艦隊、空軍將成廢物。所以，「中國對倭戰爭，其唯一制勝方法，則在將戰局延長即所謂持久戰是也」；「在物資匱乏之國，利在戰期短。而在物資豐富之國，則利在戰期長。此一定不易之理。」倭人之物資、科學知識、財政能力遠不如德國，所持者是準備已久，「俟其現在所有之軍需品完全用盡，既無原材料以為接濟，又無金錢以資購買，則倭之陸海空軍，皆為廢物。而其結果，則唯繳械投降。」[19]雖然他沒有認識到日本侵略中國達十四年之久，中國抗戰的過程如此艱險困難，犧牲如此慘重，但是日本必敗的原因都到了實踐驗證，是正確的。

　　這在恐日病盛行的時代，龔德柏能高倡中國必勝，敢發大膽的「精準」預測，既需要勇氣，更說明他有常人難以企及的洞見。這與他留學日本，時時深受日本人刺激有關。他自述：「我在日本留學時，即研究對日之方案，經多年之研究考慮，認為中國欲制止日本之侵略，須從事長期抗戰，犧牲廣大土地，供日軍蹂躪，使之備多力分，經濟上軍事上均感困難，然後日本方能知難而退。」[20]所以，《征倭論》不僅僅是憑愛國熱

18　龔德柏：《龔德柏回憶錄》上冊，頁310。

19　龔德柏：《征倭論》京印書館，1931年11月20日，第7版，頁29-68。

20　龔德柏：《龔德柏回憶錄》上冊，頁310。

情寫就的，是他近十年來，潛心研究中日關係，洞察日本弱點，縱觀國際大勢得出的深思熟慮的戰略結論，在當時無人出其右。

《騫騫錄》是歷史著作，銷路有限，未能普及一般國民。龔德柏比較得意的是，他為醫治國民恐日心理，特意申明不要《征倭論》版權，歡迎翻印。故各書商競相翻印，銷路亦廣，至少銷數十萬本。[21] 這在當時銷量是非常驚人的，可見影響之大。[22] 國人「爭相傳誦而國論為之一變」。[23]

在《征倭論》出版後，他又將在《救國日報》上發表的關於九一八事變之後，中國對日外交、日本財政狀況等內容的三十一篇時評集結成冊，名《征倭論續集》，於一九三二年十一月出版，分析日本侵華，為國建言，啟蒙國人。[24] 一九三七年淞滬抗戰期間，龔德柏在《救國日報》上，在《中國必勝論》的大題目下，連載了十天文章，共約五千字長文，就政略、戰略、我情、敵情做精確的估計，非常受人歡迎，刊完即發單行本《中國必勝論》，至少發行五十萬本。任各書店自由翻印，故翻印者甚多，影響甚廣，「多少年後，還有軍人與我談及此書。」[25] 他指出中國必勝的要素，中國在政治、統帥、紀律、兵力等四方面占優勢。這幾點理由比較牽強，也可能是他為了支持蔣介石和中國軍隊，鼓舞中國人民的信心所言。他分析了日本必敗的理由，例如：日本經濟的弱點是缺乏資源，所購原料、機械都來自海外；日本每年的財政收入，大約三分之二是付給海外，餘下金錢不足以支持長期戰爭。戰爭爆發後，原材料漲價，日本國內通貨膨脹，物價飛速漲高，人民困苦不堪。日本發動戰爭所需要的煤、鐵、煤油、鋼、鉛、棉花等都不能自給，各國斷其供應後，日本將半身不遂，自招敗亡，沒有作戰的資格。所以，他堅信中國舉國一致必勝；不存僥倖之心必勝；敵人估計錯誤必勝；有友無敵必勝；持久方能獲勝。[26]《中國必勝論》中所持持久戰、日本必敗的基本觀點與《征倭論》同，又充實了一些內容，再次堅定中國人民抗戰必勝、日本必敗的信心，必勝之聲堅如金石。

龔德柏堅決主戰，反對國內「主和派」妥協投降，點名挑戰「恐日」名流，打擊徒有虛名的大角色。胡適曾贊成《塘沽協定》，認為可給中日和平三十年。龔德柏寫文章反對胡適的這種謬論。蔣百里就問過胡適：「你對龔德柏的文章，何以不答覆？」胡適

---

21 龔德柏：《龔德柏回憶錄》上冊，頁311。

22 筆者找到兩個出版社的《征倭論》，北平平化合作社所印封底寫就一九三一年十月一日初版，十月二十五日五版，十二月一日七版。京印書館一九三一年十一月二十日就已經改訂發行了第七版，每冊書的封底印有「歡迎翻印轉載」字樣。三個月內每個出版社印了七次。這在近代史上是非常罕見的銷量，可以龔德柏所言非虛。

23 龔德柏：《征倭論續集》南京：救國日報社，1932年11月，頁1。

24 龔德柏：《征倭論續集》南京：救國日報社，1932年11月。

25 龔德柏：《龔德柏回憶錄》下冊，頁512-513。

26 龔德柏：《中國必勝論》南京：救國日報社，1937年8月，頁23、37-44、50、62。

無法答覆。[27]龔德柏看時事眼光敏銳，斷事又常常比較準確，故引起了國內外一些軍政人士的注意。一九三三年後，蘇聯駐華大使經常宴請龔德柏，多次談話。使館搬到重慶後，仍徵詢他的意見。[28]英國、美國情報人員也經常造訪，向他請教有關日本的問題。[29]一九三三年，蕭贊育向蔣介石舉薦龔德柏。蔣介石在南昌召見了龔德柏。隨後，國民政府聘任他為軍事委員會參議，並給予密碼本，遇有緊要事可直接電委員長。[30]顯然，蔣介石也贊同龔德柏的抗戰主張。

　　抗戰爆發給了龔德柏更多的機會施展特長。如一九四一年十一月二十八日晚，他在重慶郵務工會演講，斷言美國與日本一定開戰，也是中國唯一希望。美國在三數年間方能擊敗日本，獲得最後勝利。一九四四年七月十七日，東京廣播東條英機首相改組內閣，辭去參謀總長。他據此斷定東條英機為下臺做準備，十九日便向蔣介石侍從室提交了報告。二十日上午八時，東京宣佈東條內閣總辭職。[31]一九四五年，他在清華中學演講，時值暑假。他肯定的說對留校的學生說：「下學期開學時，日本當已投降」。[32]由於龔德柏筆風大膽，預測精準，文章銷路奇佳。在重慶「我寄文章去，沒有不登的」，報紙都喜歡刊登他的文章，「任何小地方的雜誌，都願意轉載」。[33]他分析時事屢屢如驗，在軍政界、社會上產生了很大影響。一九三八年，國民黨情報機關——軍事委員會國際問題研究所聘他任主任秘書，負責對日情報研究，直接報送蔣介石。他多次批評中將主任王芃生不懂情報，常常出現判斷錯誤。兩人鬧翻後，他離開了國際問題研究所。蝸居重慶期間，蔣介石特批給他每月五千元研究費，解決其生活困境。[34]日本宣佈投降後，何應欽邀請龔德柏作為高級顧問，赴芷江、南京參加日本投降儀式。[35]一九四五年國慶日，國民政府表彰抗日有功人員，給龔德柏發了勝利勳章，算是一種榮譽和嘉獎。[36]

　　總體來看，持久戰是國共兩黨的共同主張，是宏觀的戰略方針。很多人堅定地擁護持久抗戰，但是對於日本為甚麼必敗，普遍缺乏邏輯嚴密的分析。龔德柏在國內首次深入論述「持久戰」，最大的優點是從日本國力、經濟資源、國際關係方面分析日本必敗的原因，論據合理，有很強的預見性。《論持久戰》更多是對持久抗戰的過程、發展階段、策略的闡述。《征倭論》、《論持久戰》內容側重有所不同，相得益彰，互為補充；

27　龔德柏：《龔德柏回憶錄》下冊，頁480-481。

28　龔德柏：《龔德柏回憶錄》下冊，頁482。

29　龔德柏：《龔德柏回憶錄》下冊，頁616-618。

30　龔德柏：《龔德柏回憶錄》下冊，頁468。

31　龔德柏：《龔德柏回憶錄》下冊，頁605-606。

32　龔德柏：《龔德柏回憶錄》下冊，頁603。

33　龔德柏：《龔德柏回憶錄》下冊，頁587-588。

34　龔德柏：《龔德柏回憶錄》下冊，頁582。

35　龔德柏：《龔德柏回憶錄》下冊，頁639。

36　龔德柏：《龔德柏回憶錄》下冊，頁657-658。

都內容詳實，論證有力，見解深刻，有很強的說服力，故能打動人心。這是它們能超越其他相關文章，在當時廣為流傳的最根本原因。

「逃難」與「通識」
——新亞書院創辦人初來港時的心態與反應

英冠球
香港明愛專上學院

　　一九四九年，錢穆、唐君毅、張丕介等諸先生來港創辦「新亞書院」（嚴格來說，先是新亞書院的前身亞洲文商專科夜校，一九五〇年才改組為新亞書院），新亞精神及其事業在香港發芽扎根。本文以諸位新亞創辦人的文字，集中探討他們來港最初期時的心態和反應。一方面，他們都懷著避難的悲情，哀悼中華民族及其文化之花果飄零；另一方面，他們對香港教育亦付出了認真的貢獻，因應香港的特殊情況，而大力推崇「通識」。「逃難」與「通識」相當貼切地標誌了他們來港的心態與反應。

一　新亞事業的草創

　　新亞書院的成立，有其特殊的時代背景。創校元老之一張丕介先生在其〈新亞書院誕生之前後〉裡曾有過如是回憶[1]：

> 新亞書院之誕生，適逢我國憂患重重的時代。中國大陸在八年抗戰之後，突然陷入一場空前的浩劫。整個國家民族，以及數千年之傳統文化，面臨著存亡的威脅。舉國上下，悽惶不安。文化教育界所謂知識份子，更為徬徨，雖報國有心，而自保無力，只好四散逃竄，抱著復興傳統文化的種子，尋求可以暫時偷生的地方，以期把這種子播到一片乾淨土上，讓它萌芽苗壯，然後開花結果。

　　張先生的話很能代表草創時期一眾新亞師生的處境和想法：一九四九年，一方面是為逃避國共戰爭的炮火，另一方面是不認同於共產主義政權，所以一批批學者文人紛紛避走港臺等地，皆名之曰「流亡」。當時，由於香港早已是英國殖民統治下的自由港，享有相對的自由和穩定，在國人心目中早已屬於「海外」之地，故一時間頗能吸引這批南來文人聚腳。當中便有錢穆和唐君毅兩位先生。錢穆先生在〈新亞書院創辦簡史〉曾

1　張丕介：〈新亞書院誕生之前後〉，《一九六九年新亞書院校慶特刊》。後載劉國強編：《新亞教育》香港：新亞研究所，1981年。

記：「民國三十八年（1949）春假，余與江南大學同事唐君毅，應廣州私立華僑大學聘，由上海赴廣州。」「一日，在街頭，忽遇老友張曉峰（其昀），告余，擬去香港辦一學校，已約謝幼偉、崔書琴，亦不久當來。」「余在僑大識同事趙冰，一見如故，秋季，僑大遷回香港，趙冰夫婦與余偕行[2]。」事後回顧，亂離之中人事變遷本屬平常，各人的去留聚散實在有自身不能完全決定者，亦是無可如何。短時間內，這籌組辦學的班子便經歷了變化，發動者之一張其昀先生因為臺灣國民政府聘請為教育部長而離去，吳文暉先生中途退出，謝幼偉先生得印尼某報聘任為總主筆而離開，崔書琴先生作為國民政府立法委員亦已準備赴臺[3]。在這艱難萬分的時刻，剩下的錢穆先生辦學之志未減，於是商請唐君毅先生，和時任《民主評論》（由徐復觀先生創立的文化刊物）月刊主編的張丕介先生二位加入，「學校定名為亞洲文商專科夜校，為大學程度。因無自備校舍，乃租用佐頓碼頭附近偉晴街一家中學的三間課室，登報招生[4]。」後人常說，新亞書院創立者為錢穆、唐君毅、張丕介三位先生，原因即在於此。說到這幾位新亞創辦人的合作機緣，錢穆先生高弟余英時先生（本人為新亞書院第一屆畢業生）便曾經指出[5]：

> ……僅以外在的形跡而言，錢先生和第二代新儒家（筆者按：余先生指的主要是唐君毅和後來加入的牟宗三兩位先生）之間的關係似乎已緊密到不可分的地步。但是這種外在的關係主要是由兩個因素造成的。第一是偶然的歷史因素。一九四九年中國少數學人流亡到海外（香港和臺灣）之後，由於空間的極端限制，彼此湊泊在一起以從事文教事業的機會大增。新亞書院的創建便是一個明顯的例子。第二是傳統的因素，錢先生和第一代新儒家（筆者按：主要指梁漱溟和熊十力兩位先生）在三十年代北平的交往是基於向中國文化認同這一最低限度的共同綱領。這一傳統一直延續到五十年代的海外，依然構成錢先生和第二代新儒家之間的精神聯繫。

所以說，幾位新亞創辦人之合作，既有歷史上的偶然，因緣際會；亦有思想上的必然，因為他們都以對中國文化的認同作為辦學方針。

亞洲文商專科夜校作為新亞書院的雛型，設備實在簡陋之至，圖書缺乏，空間有限。上課都是大班講演，而且未有嚴格的學系，只是將課程籠統分為文史系（錢先生主持）、哲教系（唐先生主持）、和經濟系（張先生主持）三種而已。為了表示對國家觀念

2　錢穆：〈新亞書院創校簡史〉，載錢穆《新亞遺鐸》臺北：東大圖書公司，1989年9月。

3　參考錢穆：〈新亞書院創校簡史〉，張丕介：〈新亞書院誕生之前後〉，見注1及2。

4　張丕介：〈新亞書院誕生之前後〉，《一九六九年新亞書院校慶特刊》。後載劉國強編：《新亞教育》香港：新亞研究所，1981年。

5　余英時：〈猶記風吹水上鱗〉，收氏著《猶記風吹水上鱗——錢穆與現代中國學術》臺北：三民書局，1991年，頁66-67。

的重視，學校特別選定十月十日為開學和校慶日，張丕介先生在〈武訓精神〉一文中說到開學當時的情況：「一九四九年十月十日下午七時，我應邀參加亞洲文商學院的開學典禮。地點在九龍佐敦道偉晴街華南中學的三樓上。小小的三間教室是向中學租來的臨時校舍……在這一臨時校舍的中間一間，把長條小課桌作成口字形排列，第一屆錄取的新生三十幾人，圍坐在四周。五、六位新聘教授並坐口形的底部長櫈上。……主席是學院創辦人之一的史學大師錢賓四先生，他宣佈學院成立。」說到那幾位教授老師，張先生特別指出「他們都是各大學任教十年到三十年左右的老教育家[6]。」

在這種「手空空，無一物」（錢穆先生後來在一九五三年為新亞校歌所寫的歌辭）的艱苦情況之下，真應了唐君毅先生在其〈我所了解之新亞精神〉中說的：「新亞書院是錢賓四先生與一些手無寸鐵的書生，及若干同情贊助者合力創辦的[7]。」而壯懷激烈的張先生，甚至以行乞興學的武訓故事以說明他們當時孤臣孽子的自處：「所有在座（指開學禮參與者）的都是流亡難民，有國難投，有家難歸，身無長物，而又要辦一所自己理想的學校，除去師生集體行乞之外，還有甚麼辦法[8]！」而創校的精神，最可以錢先生自己的話表示出來[9]：

> 我們的理想，認為中國民族當前之處境，無論如何黑暗與艱苦，在不久之將來，必會有復興之前途；而中國民族之復興，必然將由於中國民族意識之復興，和對於中國民族已往歷史文化傳統之自信心的復興之一基礎上。我們認為，要發揚此一信念，獲得國人之共信，其最重要的工作在教育，所以我們從大陸流亡到這裡，便立刻創辦了這學校。

所以，書院的辦學目的，從一開始即定在對中國文化的承傳和發展上，這個目的直接導生出新亞的辦學理念（新亞精神）和後文所說對「通識」的重視。在那亂離與悽惶的歲月裡，讀書人的一種責任在於痛定思痛，反省故鄉故國種種災難的成因，思索傳統文化社會制度的得失長短，以謀求繼絕存亡、革故生新之道。當然，出於對中國文化的承擔，錢、唐、張三位先生甚至將新亞書院定位在挽救中國文化的最後一道防線，以圖解救瀕臨崩潰的傳統文化。這不單是學者教授們的職志，也是南來求學的年青人的意願。事實上，草創階段的學生也是以流亡青年占絕大多數，他們之求學非為學位前途金錢而來，乃係受這班學者的精神人格力量所感召，有以復興中華、獻身文化教育事業而來的。開學不久，學校聘得羅夢冊（張先生友人）和程兆熊（唐先生友人）任教，雖然

6　張丕介：〈武訓精神〉，《新亞書院校刊》第1期，香港：新亞書院，1952年。

7　唐君毅：〈我所了解之新亞精神〉，《新亞書院校刊》第1期，香港：新亞書院，1952年。

8　張丕介：〈新亞書院誕生之前後〉，《一九六九年新亞書院校慶特刊》。後載劉國強編：《新亞教育》香港：新亞研究所，1981年。

9　錢穆：〈敬告我們這一屆的畢業同學們〉，《新亞書院校刊》第3期，香港：新亞書院，1953年。

後者旋即赴臺工作，卻在臺北代學校招生，自此即有不少學生是來自臺灣者。由於早期學生以流亡者居多，他們經濟多困難，甚至食宿問題也解決不了，使學校出現更嚴重的財政問題。加上香港當時正遇上工人罷工等事件，港九形勢頗為嚴峻，夜校之艱難已到極點[10]。

二　「新亞」名字的意涵與「新亞精神」

幸好，這時有一位來自上海的建築企業家王岳峯先生大力幫助。「適於此時，王岳峯先生挺身而出，先在北角租下海角公寓，暫安頓諸生，並即與錢先生等人徹底討論學校全盤的計劃，決定結束亞洲文商夜校，以之改組為全日上課的新亞書院[11]。」「新亞書院」由錢先生任校長，唐先生任教務長，張丕介先生任總務長，趙冰大律師任法律顧問。王岳峯先生則代為籌謀經費，並租得九龍深水埗桂林街新建三個門牌號碼（即三個單位位置）的三四兩層樓宇（即有六個單位大小，每單位約三百尺左右），以作正式的校舍之用。唐端正先生（這段時期的新亞學生）以「大軍」為筆名的文章〈六年滄桑話新亞〉說：「就這麼一學期以後，亞洲文商學院便改為新亞書院。為了王岳峯先生的幫助，於是都搬到九龍深水埗桂林街來[12]。」一九五〇年三月初正式遷入開學，於是桂林街時期的新亞書院就此展開了。

新亞書院為甚麼要叫做「新亞書院」呢？這要分「新亞」和「書院」兩部分說。先說「新亞」。最初，「新亞」的本意只是取「新的亞洲文商學院」之義而已。但原來亞洲文商學院之以「亞洲」冠名，也有一番道理可說。加上那個「新」字，也有革故生新之意（取〈大學〉「新民」之「新」的意思）。這在唐君毅先生一九五二年所寫〈我所了解之新亞精神〉中，即結合了「新」與「亞」兩字的深義而有所發揮[13]：

> 新亞二字即新亞洲。亞洲之範圍比世界小而比中國大。亞洲之概念可說是世界之概念與中國之概念之一中間的概念。而新亞書院講學的精神，亦正是一方要照顧中國的國情，一方要照顧世界學術文化的潮流。新亞書院的同人，正是要在中國的國情與世界學術文化的潮流之中間，嘗試建立一教育文化的理想而加以實踐。……我們相信只有當最古老的亞洲古老的中國獲得新生，中國得救，亞洲得

---

10 張丕介：〈新亞書院誕生之前後〉，《一九六九年新亞書院校慶特刊》。後載劉國強編：《新亞教育》香港：新亞研究所，1981年。

11 張丕介：〈新亞書院誕生之前後〉，《一九六九年新亞書院校慶特刊》。後載劉國強編：《新亞教育》香港：新亞研究所，1981年。

12 唐端正（筆名「大軍」）：〈六年滄桑話新亞〉，《新亞書院校刊》第6期，香港：新亞書院，1957年。

13 唐君毅：〈我所了解之新亞精神〉，《新亞書院校刊》第1期，香港：新亞書院，1952年。

救，而後世界人類才真能得救。中國文化之一貫精神，是生心動念，皆從全體人類著眼。所以當此國運飄搖之際，我們仍不願只自限我們之精神於自己之一國家。而我們亦許在一時尚談不到有大貢獻於新世界。世界上此時亦唯有包括中國在內之古老的亞洲，最迫切的需要新生。這當是新亞定名的本義。而為新亞師生願與一切中國人，一切亞洲人，共抱之一遙遠的志願之所在。

是故新亞之「新」，是要復興亞洲、讓包括中國在內的亞洲獲得新生之意。而獨標「亞洲」，除了強調當時亞洲飽受之煎熬和漸被遺忘的古老文化貢獻外，則更取調和、兼顧中國國情與世界學術之意，即一方以復興中國文化、重振中華民族生命為目的（即前文所謂繼絕存亡、革故生新），另一方亦以回應世界學術潮流、為人類普遍問題謀出路為職志。兼顧兩者，即不以中國而流於自我設限，亦不以世界而流於寬泛空疏。這番定位清晰的豪言壯語，可說為了新亞，亦為了新亞精神，作了一個最宏闊的定義。而且，當中實亦是承接了五四運動以來關心文運的中國知識份子的壯志：既要實現中國的現代化以與世界接軌，亦同時復興中國文化的精神價值，以盡傳承的責任，以保存亞洲文化的獨特性。

至於說到「書院」，為何不以平常的「學校」、「學院」為名，而冠以「書院」二字？則由於新亞創辦者都嚮往於昔日宋明書院私人講學的制度和精神，故標舉之以區別於純然西方式的大學制度。這點可以清楚見於新亞書院校刊第一期列出的〈本院沿革，旨趣與概況〉中：「一九五○年三月，改組為現在之新亞書院，即改為日間全天上課，課程之組織與教學內容，遂亦漸合於正式大學之水準。」「重新聲請立案與註冊，並得迅速之批准……但以格於香港政府之規定……故依例只能稱為專科……而實更近於宋明時代之書院，即私人講授高級學術之學校。」「上溯宋明書院講學精神，旁採西歐導師制度，以人文主義之教育宗旨，溝通世界中西文化，為人類和平，社會幸福謀前途。」「本院一切課程，主在先重通識，再求專長[14]。」作為浸潤於中國文化有年的大學者，新亞創辦人都憧憬於宋明書院講學的傳統，那種在國家體制以外，以學者的人格魅力吸引學生前來問學，志在傳道授業解惑，學者之間平等論交切磋學問的赤誠之風。例如朱熹在南宋振興白鹿洞書院，為書院撰寫學規（這亦啟發了新亞創辦人之撰寫〈新亞學規〉，見下文），親自講課，又邀請名重士林的學者（朱熹時最為人津津樂道的當然是邀請到另一位想法頗有不同的大儒陸九淵前來講學，聽講者甚至都感動流涕的故事了）前來講學討論，頗為有志於學的士子所慕，希望也能從游其間。這裡值得注意的是，引文中強調新亞書院「先重通識」的立場：新亞之重視「通識」，文獻上以此為開端；而這裡所指「通識」，正是傳統書院教育要造就的文化修養，絕不可簡單與當今大學中的「通識教育」等同。凡此種種，詳見以下第四節討論。

---

14 見〈本院沿革，旨趣與概況〉，載於《新亞書院校刊》第1期，香港：新亞書院，1952年。

受這種書院講學精神所感發，「新亞精神」也就隨之慢慢出現在新亞師生的心中口中。然而「新亞精神」的意義頗不好說。「何謂新亞精神？學校方面，對此並無嚴格一致的解釋。有時稱之為桂林街精神，有時稱之為人文主義精神，亦有時稱之為家庭精神。因為彼此會心，所以也不待進一步分析解釋[15]。」一九五三年錢穆先生為新亞校歌的歌辭填上了「新亞精神」的字樣，但到了一九五四年，他在〈新亞精神〉一文中才正式透露了他心目中新亞精神之作為一套教育文化理想[16]：

> 新亞的經濟，是如此般困乏；設備，是如此般簡陋；規模，是如此般狹小；一切的物質條件，是如此般太不成體統，但我們並不會為這些短了氣。我們卻想憑藉這一切可憐的物質條件來表現出我們對教育文化的一整套理想。這便見是我們新亞的精神了。

這裡所言教育文化的一套理想，最清楚有力的表述其實早在〈新亞學規〉中已經出現了。〈新亞學規〉起稿者有錢、唐、張三位，並加上吳俊升（任教一年後赴臺，但後來又獲邀回新亞擔任副校長一職）先生。是上承宋明書院文化（例如上文提過朱熹所撰白鹿洞書院學規即是原型），列明新亞教學宗旨、教育理念的重要指導文獻，亦充分反映了新亞創辦人之間的共同志趣。學規一開首即謂「凡屬新亞書院的學生，必先深切了解新亞書院之精神[17]」，其實便是明言「新亞精神」的重要性了。學規有二十四條，第一條開宗明義說：「求學與作人，貴能齊頭並進，更貴能融通合一。」學問不是掛空的知識，而是與做人相輔相承的；而做人也不是成就自己便算了，而是要以學問貢獻人類：「愛家庭愛師友愛國家愛民族愛人類，為求學做人之中心基點。對人類文化有了解，對社會事業有貢獻，為求學做人之嚮往目標。」（第三條）這簡直就是宋明儒者「尊德性、道問學」宗旨的現代演繹了，傳統儒者講究學而時習、知行合一並進、修身齊家治國平天下的追求，都在這些學規中找得到呼應，所以說這〈新亞學規〉是繼承宋明書院的精神，實在不是虛言。只是生於今天，要能學以致用的話，我們比傳統文人更要並重「專長」與「通識」：「要求參加人類歷史相傳各種偉大學業偉大事業之行列，必先具備堅定的志趣與廣博的知識。」（第八條）「於博通的知識上再就自己材性所近作專門之進修，你須先求為一通人，再求成為一專家。」（第九條）現代社會重視學術分工和實際技術，學為專家、掌握專長才是一般人對大專教育的期待。但這班新亞創辦人深明「博通的知識」（即學規第十二條強調的「通識」）才是知識份子心靈裝備的根本，所以要奮起對抗時潮，標舉「通識」。這裡所指的「通識」乃係以中國為中心的歷史文化

---

15 張丕介：〈新亞書院誕生之前後〉，《一九六九年新亞書院校慶特刊》。後載劉國強編：《新亞教育》香港：新亞研究所，1981年。

16 錢穆：〈新亞精神〉，《新亞書院校刊》第4期，香港：新亞書院，1954年。

17 〈新亞學規〉，載錢穆《新亞遺鐸》臺北：東大圖書公司，1989年9月，下同。

社會政治的知識修養，我們將於第四節再討論這點。

新亞精神作為教育理念的意義已如上述。當然，說得輕鬆一點，由於一直以來新亞人對於新亞精神的表述都取百花齊放的開放態度，所以〈新亞學規〉亦不過是提出了新亞精神的一個共同思想基礎而已。事實上，新亞精神在早期師生中的意義要更豐富活潑得多。這個草創階段的另一位重要人物趙冰大律師（他是新亞董事會的董事長，亦在學校任教）十年後便在其〈勿忘新亞精神──勉第九屆畢業生〉一文中總結道[18]：

> 由於我校開始的幾年，校址設在桂林街，當時規模極小，人數極少，設備簡陋，而且大多數師生都是歷盡艱險逃亡來港的人士，所以當日的新亞精神中就充滿了憂患之感，和對國家民族歷史文化特別熱切之愛。師生之間，情感交融，儼然是一大家庭。於是我們有時自稱這一精神為「桂林街精神」，以紀念本校那段難忘的歷史。

筆者認為趙先生這段話的確點出了「新亞精神」的另外幾個重點：一是對國家民族的憂患意識、二是對中國文化的熱切之愛、三是師生之間甘苦與共的奮鬥精神。

可以說，錢先生說的教育理念屬於新亞精神的「體」（即教育文化理念的「理」）的方面；而這裡趙先生說的便是新亞精神的「用」（即生活實踐表現的「情」）的方面了。兩者其實互為表裡、體用交融。

三　「逃難」的過客：飄泊的新亞人

本文的目的，在於探討南來興辦新亞書院的學者們，他們初到香港時的心態與反應。由以上歷史整理可以看出，他們從戰火連天的大陸逃難來港，心懷憂患，一方悲懷國家民族的前途，一方又惶恐中華文化的斷絕，所以辦學是他們作為讀書人的救亡方法，難怪他們都有一種「孤臣孽子」的擔負。「逃難」與「通識」相當貼切地標誌了這班新亞創辦人來港的心態與反應。本節將集中討論「逃難」的主題，下節則看看他們如何看待「通識」的內容和意義。

他們初時並不以香港為安居之所，總自視為過客，亦有難民、流亡者的心理。他們都懷著避難的悲情，哀悼中華民族及其文化之花果飄零，總盼望有復興中國文化、人民能重回一個沒有戰亂、政治清明的祖國大地的一天。無庸諱言，一眾新亞創辦人基於共同的文化和政治觀念，都有反共思想。他們之反共，是對於共產主義作文化哲學反省之後的學術判斷，亦反對共產黨對傳統文化的摧毀；卻並非偏狹的黨同伐異的政治鬥爭，

---

18 趙冰：〈勿忘新亞精神──勉第九屆畢業生〉，《新亞生活雙周刊》第3卷第4期，香港：新亞書院，1960年。

所以他們選擇在香港這偏安一隅的殖民地辦學，亦可以顯出其超然的中立性，不願靠攏任何現實政權，也不願受國民政府制肘的意思（事實上，錢穆先生跟國民政府的關係一向不錯，張丕介先生則更曾在國民政府中任要職。）。當然，事實上他們後半生都不能再回到中國大陸去，這是他們南來香港當時所始料不及的。偶然命遇造成之飄泊流離，其無可奈何處，怎不令人常生浩嘆！

　　錢穆先生在〈新亞精神〉一文中說：「再說到同學們，十分之九是在艱苦中流亡，飢餓線上掙扎的[19]。」上文已經指出，草創階段的新亞學生以大陸流亡來港的青年人為主，他們的流亡多是隨著難民隊伍流徙而來，有不少跟家人失散了而未能聯絡上，而大部分人都身無長物、衣衫襤褸，更嚴重的是他們通常身上都沒有錢，又因為長期欠缺食物而營養不良。從調景嶺難民營來求學的人就為數不少，而他們根本無力繳付學費。根據招生章程所載，新亞書院最初的學費每學期為港幣二百四十元，可分期繳交。沒有經濟能力的同學可以申請減費、甚至免費。當然，這些學生多被分派承擔學校的雜務，例如打掃清潔、茶水雜役等，可算是工讀制度，甚至還可以獲得少許津貼。又由於不少學生根本連住所都沒有，而新亞書院裡給學生住宿的空間亦相當有限，因此有些學生要在學校天臺上露宿的，或蜷臥在三、四樓的梯間裡，教員、學生夜歸時需要從睡了的學生身上跨過，相當狼狽。至於若學生身患急病的，學校雖無醫藥設備，但都會出資請醫生治理。飲食方面，幸得王岳峯先生從家裡派來一位廚師負責，總算保證了師生的膳食。另外，也有來自香港本地的學生，但因見學校規模窮陋，應考取錄後多會改讀他校，否則亦隨例請求學費減免。所以，頭兩年間總計全校學生不到百人，而學費收入則僅能達到應有的百分之二十。情況之艱苦，難怪錢先生在校刊第二期〈告新亞同學們〉中要打趣說：「教授拿不到薪水，學生繳不出學費[20]。」

　　桂林街校舍處於深水埗人煙稠密的市井之地，本就不算理想的辦學環境。當日的情況，可以從這時期的學生唐端正先生的文字見一斑：「學校的樓下是紡織工廠，終日機聲軋軋。對面是一座廟會頻頻的三寶佛堂；後面是一間潮州飯店，叫賣之聲，不絕於耳；稍斜是一間絃歌不息的小舞廳。而樓梯的轉角處，亦常有難胞晏睡不起[21]。」根據多位早期畢業生的回憶，當時桂林街校舍四鄰之繁雜和吵鬧、舞廳之類的燈紅酒綠，最是讓人難忘，亦最見一個特殊時代的光怪陸離。

　　奇妙的事情是，正是這種艱苦困窮的處境，使師生之間無不赤誠相見、互愛互助，而新亞對學生的關懷和幫助，使流亡學生能得一宿之地、一簞之食，有重病的甚至還得免費醫藥和照顧，確實造就了一代刻苦堅毅、年輕有為、有擔當有抱負的學者文人，他

19　錢穆：〈新亞精神〉，《新亞書院校刊》第4期，香港：新亞書院，1954年。
20　錢穆：〈告新亞同學們〉，《新亞書院校刊》第2期，香港：新亞書院，1952年。
21　唐端正：〈六年滄桑話新亞〉，《新亞書院校刊》第6期，香港：新亞書院，1957年。

們學成以後無不對這段新亞歲月感激懷念的。為甚麼新亞精神又叫做桂林街精神或家庭精神，正在於桂林街時代的新亞對學生的照顧，儼然就是大家庭一樣，親密無私。另一位同期的學生、歷史學家余英時先生回憶起他初到新亞時，作為第一屆學生所觀察到的情形[2223]：

> ……一九五○年的春天……當時新亞書院初創，學生一共不超過二十人，而且絕大多數是從大陸流亡來的難民子弟，九龍桂林街時代的新亞更談不上是「大學」的規模，校舍簡陋得不成樣子，圖書館則根本不存在。整個學校的辦公室只是一個很小的房間，一張長桌已占滿了全部空間。

> 當時新亞學生很少，而程度則參差不齊。在國學修養方面更是沒有根基，比我還差的也大有人在。因此錢先生教起課來是很吃力的，因為他必須儘量遷就學生的程度。我相信他在新亞教課決不能與當年北大、清華、西南聯大時相提並論。

根據余英時先生的回憶，他正是流亡來港的青年之一，他把留學新亞的日子稱做「流亡生涯[24]」。由於同學是來自五湖四海，難免程度參差，老師亦只能將就學生的水平諄諄善誘。雖然這流亡生涯處處是艱辛、事事見匱乏，研究用的資料圖書一概短缺，但能朝夕親炙於錢穆先生和一眾碩學老師門下，卻是難得的機會，使他打下了為學做人的根基。在他眼中，這時期新亞的老師並未受到應有的重視[25]：

> 說老實話，在五十年代初的香港，錢先生不但無權無勢，連吃飯都有困難，從世俗的標準看，哪裡談得上「權威」兩個字？這和新亞得到美國雅禮協會的幫助以後，特別是新亞加入中文大學以後的情況，完全不同。我們早期的新亞學生和錢先生都是患難之交。

新亞得到美國雅禮協會的幫助事在一九五三年開始，加入中文大學更是在一九六三年，由於本文的主題在探究新亞創辦人初來港時的心態和反應，這後來的發展便不再多作贅述了。可以肯定的是，美國雅禮協會的幫助是新亞發展的轉捩點，此後新亞在財政和規模上總算能一步步穩健成長了。但話說回來，新亞書院在一九五○年剛成立不久，

---

22 余英時：〈猶記風吹水上鱗〉，收氏著《猶記風吹水上鱗——錢穆與現代中國學術》臺北：三民書局，1991年，頁3。

23 余英時：〈猶記風吹水上鱗〉收氏著《猶記風吹水上鱗——錢穆與現代中國學術》臺北：三民書局，1991年，頁4。

24 余英時：〈猶記風吹水上鱗〉，收氏著《猶記風吹水上鱗——錢穆與現代中國學術》臺北：三民書局，1991年，頁13。

25 余英時：〈猶記風吹水上鱗〉，收氏著《猶記風吹水上鱗——錢穆與現代中國學術》臺北：三民書局，1991年，頁6。

資助人王岳峯先生曾經遭遇生意失敗，使新亞財政陷入絕境。四處籌措經費最讓錢、唐、張等先生苦惱，在經濟極端困難情況下，錢穆先生不得不多次赴臺向國民政府申請經濟支援（其中一次在臺演講時意外頭部受重傷，亦是新亞歷史中重要的事件）。而經過同人的努力，頭幾年最慘澹的日子總算慢慢支持過去，這亦為「艱險我奮進」的「新亞精神」寫上了頗值得記念的一頁。

　　由於新亞師生多自視為逃難的過客，他們在新亞也是萍水相逢，亦如走馬燈般進進出出，甚至未必有長期逗留的打算，可見當時流亡者四處飄泊、居無定所的慘況。例如一九五二年入學的黃祖植先生說：「一九四九年前後從國內到港的人士，只當這裡是暫時駐足的地方，而且經濟困難，所以師生的流動性很大[26]。」例如有不少學生，一俟其家在臺定居，即中途離校而去。找到新的工作或落腳地的，也會離港一闖。所以新亞書院第一屆畢業典禮，時在一九五二年七月，在灣仔六國飯店二樓的西餐廳舉行，當時參加的畢業生就只剩下了余英時和張德民兩人了（其實還有一位畢業生，但因故未能出席畢業禮[27]）。至於老師方面的流動性也相當大，除了一些願意長期留守新亞事業的老師外（當然錢、唐、張三位是中堅份子），亦有為數不少的老師只作短期任教的。設想老師們的心態，或許可以後來加入新亞的牟宗三先生為代表，牟先生曾經在八十年代回顧自己生活於港臺兩地的歲月，坦言「三十多年來都在逃難」（可參看牟先生在八十年代接受香港亞洲電視臺訪問的片段[28]），他雖在香港生活多年，但從沒想過置業，一直住在租來的老唐樓，亦沒有學過廣東話，又直指「香港只有文明沒有文化」，對香港經濟掛帥的社會民風不以為然，其寄居和格格不入的心態可謂彰彰甚明。他們之獻身於新亞事業，多是出於傳統學者的風骨和責任感，而並非對香港這土地有何親切感和歸屬感可言。

　　這段「逃難」的歲月，值得說的還有很多。但最關鍵的一點，在於這種「逃難」的艱苦是催生「新亞精神」的土壤，甚至可以說，這段時期的新亞師生，由於特殊的機緣而聚合、相遇相知、甘苦與共的密切生活在一起，距離是最親近的、聲氣是最相投的，其情誼與士氣反倒是後來漸漸成長的新亞卻漸漸失去的，有不少新亞人甚至指這時期的「新亞精神」才是最銳利、最有力量、最感動人的[29]：

> 在那一時期，新亞書院是一所名副其實的流亡學校，由流亡教師與流亡學生共同形成的海外教育事業。凡當日參加新亞的師生，回想起那段艱苦生活，莫不感慨系之，成為終身難忘的一段歷程。也只有那一時期中的師生，才能體會到所謂新

26 黃祖植：《桂林街的新亞書院》香港：容膝齋，2005年，頁16。

27 祖植：《桂林街的新亞書院》，頁19。

28 可到以下網址觀看片段：https://www.youtube.com/watch?v=kE_MPexQINc

29 張丕介：〈新亞書院誕生之前後〉，《一九六九年新亞書院校慶特刊》。後載劉國強編：《新亞教育》香港：新亞研究所，1981年。

亞精神，「手空空無一物，路遙遙無止境」的真正意義。也只有他們能深切了解新亞是一個大家庭，衷心誓言「艱險我奮進，困乏我多情」。

張丕介先生這段話實在不無唏噓，卻反映了新亞書院這段草創時期，或許竟是新亞精神的「黃金時代」：所謂「生於憂患」，艱苦的奮鬥反倒造就出卓絕的情懷和抱負。所以，雖然物質條件缺乏，時局混亂難測，精神士氣反倒是極高的。事隔十年之後，趙冰先生在〈勿忘新亞精神——勉第九屆畢業生〉一文中發出的勸勉，正好暗示了「新亞精神」反倒因為客觀條件有了改善而轉趨淡薄[30]：

> 精神之為物，原是視之無形，聽之無聲的抽象東西，「新亞精神」當然也是如此。假使有人因事過境遷而忽視這一精神的存在，我們應該提醒他們，希望他們重溫一遍代表這一精神之具體內容的「新亞學規」。「桂林街精神」，在身經那段歷史的師生看來，自然是終生不忘的神聖莊嚴的事實。現在學校有了較佳的經濟條件，較大的校舍，較多的人數，較好的設備，而且大多數學生並非流亡青年，當然這都是事實，這都是客觀環境變化的結果。然而我們無論如何，斷不可忘記了時代的憂患，減低了對國家民族歷史文化的熱切之愛，否則不但膚淺得可哀，那簡直是「新亞精神」的罪人了。

一個有趣的現象是，新亞最初十年都在謳歌讚頌的「新亞精神」，慢慢卻變成了需要時時強調的規範、或甚至竟成了感慨緬懷的歷史了。余英時先生後來（1974）寫〈為「新亞精神」進一新解〉，固然強調我們要明白時代變化的現實，必須改造新亞精神以與時俱進，但也慨嘆道：「『安定』和『免於匱乏』自然是正面的價值，但也帶來了副作用：即沖淡了開創時代的憂患意識[31]。」我們可以說，甚至直到今天，仍有不少老師頗能謹守作為教育理念的新亞精神；但當社會環境變化、學生不再是流亡逃難者、師生關係校園生活不再像過去肝膽相照、對中國文化與時局的關注不再壯懷激烈的時候，要求同學們保有對國家民族的憂患意識、對中國文化的熱切之愛、甘苦與共的奮鬥精神這些艱苦卓絕的「新亞精神」，便頗顯得有點不合時宜了。從好處看，大學成長為客觀健全的組織架構當然是好事；但隨著時間而被沖淡了的教訓實在是值得後人好好記取。要復活這教訓，便要回到新亞精神之下的「通識」。

---

30 趙冰：〈勿忘新亞精神——勉第九屆畢業生〉，《新亞生活雙周刊》第3卷第4期，香港：新亞書院，1960年。

31 余英時：〈為「新亞精神」進一新解〉，《新亞生活月刊》第1卷第11期，香港：新亞書院，1974年。

四　新亞精神之下的「通識」

　　新亞書院校刊第一期列出的〈本院沿革，旨趣與概況〉中有：「本院一切課程，主在先重通識，再求專長[32]。」對「通識」的重視一向是新亞書院的招牌特色，是新亞創辦人從開初以來即強調提出的。但不得不辨的是，新亞的「通識」有其獨特的意涵，並不完全等同於當今大學課程都普遍包含的通識教育（General Education）。從時序上看，反倒是新亞書院從一開始即推崇「通識」在先，後來香港中文大學（先於其他院校）受外國大學學制影響而在課程明確加入「通識教育」在後；在內容上看，兩者其實也絕非一事。為論述清晰起見，後文一律稱前者做「通識」，後者則稱為「通識教育」。

　　〈新亞學規〉第九條明言：「於博通的知識上再就自己材性所近作專門之進修，你須先求為一通人，再求成為一專家。」第十二條又說：「理想的通材，必有他自己的專長，只想學得一專長的，必不能具備有通識的希望[33]。」當中的教育理念，在於指出學業必須先成就一個人的「通識」，然後才在「通識」的基礎上成就專業。這裡所講是「通識」是任何一個稱得上「知識份子」者必須具備的「通博見識」，在新亞創辦者心目中，卻絕不是藉著大學裡特別一門「通識課」（事實上，早期新亞書院亦沒有任何一門或一類課冠以「通識」之名的）去講授的，而是在任何一門課程裡、任何一位老師身上都不斷身教言傳的，對中國文化和世界前途的關心和認識。〈新亞學規〉第十四條又有：「中國宋代的書院制度是人物中心的，現代的大學教育是課程中心的，我們的書院精神是以各門課程來完成人物中心的，是以人物中心來傳授各門課程的。[34]」這是明確指出新亞的「通識」來源於宋代書院「以人物為中心」（以人為本）的所謂「人文主義精神」，考慮的並非只是實用知識的灌輸。箇中的意義劉述先先生曾作過說明：「中國自宋代以來……是身心兼顧、知情意並重的通識教育。而中國傳統一向重視通才勝過專技……並且一直到清朝在制度上仍是官吏分途；吏是地方上熟悉實際事務的專才，官則是中央任命肩挑行政責任的通才，需要的是見識、操守與品味。……其制度設計的原則是以通領專則是清楚明白的[35]。」就是這種「以通領專」的教育理想造就了新亞書院「先通識，後專長」的原則。劉先生的話亦反映出新亞的「通識」觀念體現的是中國傳統精英教育的取向，認為最高等的教育追求的是博古通今、能對人類文化、社會政治問題有見識、有抱負的思想和胸襟。這「通識」根本就不是西方思想、西方學制的東西，而是中國傳統讀書人講究的、司馬遷所謂「究天人之際、通古今之變」、或張載「為天

---

32 見〈本院沿革，旨趣與概況〉，載於《新亞書院校刊》第1期，香港：新亞書院，1952年。

33 〈新亞學規〉，載錢穆《新亞遺鐸》臺北：東大圖書公司，1989年9月。

34 〈新亞學規〉，載錢穆《新亞遺鐸》臺北：東大圖書公司，1989年9月。

35 劉述先：〈通識與知情意——對於半個世紀以來通識教育的反省〉，收氏著《儒家思想開拓的嘗試》北京：中國社會科學出版社，2000年，頁173。

地立心，為生民立命，為往聖繼絕學，為萬世開太平」的話所反映出的，知識份子的文化責任和抱負，這就是作為教育理念的「新亞精神」當中最重要的意思。無怪乎第一屆畢業生余英時先生便曾說：「『了解祖國的文化歷史和人類前途』，這是我自己在畢業的時候所認識的『新亞精神』的基本方向[36]。」這裡所指「了解祖國的文化歷史和人類前途」的「新亞精神」就是「通識」，就是中國傳統的教育理想，希望每一個學有所成的人都能對中國文化和世界前途擁有「通博見識」。

很明顯，這種「通識」概念是來自中國讀書人的故有傳統，但新亞創辦人卻要標榜之以解決新的問題、面對新的時代處境。第一，是他們恐懼中國文化會在共產主義政權下受壓抑甚至被消滅，所以他們是以薪火相傳的精神接續中國學問的道統的；第二，身當政局動盪的時代，他們更關心莘莘學子是否能有足夠深厚的文化修養和足夠開闊的視野胸襟去承擔世運，改善國家與人類的狀況；第三，「通識」的提出亦是他們有感於香港社會風氣的庸俗，而希望有以振拔提升的。

有關第三點，上文曾經以牟宗三先生的想法為例，指出新亞早期的老師學者並不以香港為久居之地，而自視為逃難的過客，對香港經濟掛帥的殖民地社會民風不以為然，甚至說「香港只有文明沒有文化」。他們對於香港的本土文化往往是看不起的（例如，雖然不諳粵語的牟宗三先生也喜歡欣賞香港的粵劇，但他還是以隱隱「有古曲之風」為由而喜歡的，而不是因為其香港的特色），對香港殖民地式的教育更是頗有微辭，例如唐君毅先生在一九七〇年的文章〈對香港學生的期望〉中指出，當時香港的殖民地式教育主要考慮的只是政府需要、技術性及商業性，是短視而淺薄的[37]。唐君毅先生提出這批評，其實不是對香港學生的批評，卻是對香港殖民政府的教育政策作出的銳利批評。而當時新亞書院已合併入香港中文大學，唐先生在文章中的論點更可能是已經預感到香港政府要進一步限制新亞書院的辦學主權、抑制其教育理念，而強烈提出的。後來（1974）中文大學當局果然直接廢除中文大學原有的聯邦制而改行聯合制，取消書院的精神獨立，致使一眾新亞創辦人憤然離開，事至傷痛！當然，這就是後話了。

在〈對香港學生的期望〉一文中，唐先生指責香港殖民地教育既不合乎中國傳統教育的理想，其實亦不合乎正統西方教育的理想，只能算是中西文化邊緣地帶的教育（兩不沾邊）。他以為，要為香港教育訂立一種理想，應該是以廣大社會需要（社會前途的關懷）包含政府需要，以人文教育（主要是中國文化的教育，即「通識」）包含技術教育，使教師成為真正的教育家以代替一切教育上的商業觀念[38]。這裡我們可以看到唐先

---

36 余英時：〈為「新亞精神」進一新解〉，《新亞生活月刊》第1卷第11期，香港：新亞書院，1974年。

37 參見唐君毅：〈對香港學生的期望〉，收氏著《中華人文與當今世界補編》臺北：臺灣學生書局，1988年全集初版。

38 參見唐君毅：〈對香港學生的期望〉，收氏著《中華人文與當今世界補編》臺北：臺灣學生書局，1988年全集初版。

生總是嘗試調和、結合理想（新亞精神）和現實（殖民政府的要求）的寬厚胸襟。後來唐先生在一九七三年寫的〈新亞的過去、現在與將來〉中再次重申，新亞書院必須結合教育與生活，必須重視溝通文、史、哲的通識教育[39]，其實也就是把〈新亞學規〉的「為學與做人」和「通博見識」的重點再作提醒而已。所以，新亞之提出「先通識，後專長」的理念，是有其現實機緣的；可以說即是站在中國文化本位的立場上嘗識「批判地」吸納西方學術的結果。而這種辦學方針早於一九五〇年的〈新亞書院招生簡章〉中即清清楚楚列明[40]：

> 惟有人文主義的教育，可以藥救近來教育風氣，專為謀個人職業而求知識，以及博士式學究式的專為知識而求知識之狹義的目標之流弊。

> 本於上述旨趣，本書院一切課程，主在先重通識，再求專長。首先注重文字工具之基本訓練，再及一般的人生文化課目，為學者先立一通博之基礎，然後再各就其才性所近，指導以進而修習各種專門智識與專門技術之途徑與方法。務使學者真切認識自己之專門所長在整個學術整個人生中之地位與意義，以藥近來大學教育嚴格分院分系分科直線上進、各不相關、支離破碎之流弊。

這種教育理想之繼承中國傳統精英教育（宋代書院是一例）之處，已甚顯然。然而，進入了現代，那種美國式的大學教育，由於其效率和影響力，已經席捲世界。根據美國式的制度，大學教育變成了普及教育，進大學的目的是學得一門專業學問，為要在畢業後能憑著一技之長找到良好職業；而學科分工日細，本科課程專門化（specialization）及專業化（professionalization）是大勢所趨。因此，現代的大學教育差不多已經等同了專業教育。但這種現代的大學教育又易造成學生的思想偏狹和過分功利，因為所讀的東西太過專門和狹窄，視野便難免狹隘和淺薄，對學科以外的事情流於無知和冷漠。有見及此，於是乎當代美國大學才發明出「通識教育（General Education）」，以補偏救弊[41]。無論這種「通識教育」內容是甚麼（事實上不同地區、不同院校的實踐有非常巨大的差異）、成效如何，可以想見的是，現代大學教育跟新亞「先通識、後專長」的理念已屬大相逕庭。現代大學的「通識教育」，是服膺於一種「先專長，後通識」的原則，而成為大學教育的「附庸」的：「對於美國高等教育的主流思想來說，專業的訓

---

39 參見唐君毅：〈新亞的過去、現在與未來〉，收氏著《中華人文與當今世界補編》臺北：臺灣學生書局，1988年全集初版。

40 〈招生簡章節錄〉，載錢穆《新亞遺鐸》臺北：東大圖書公司，1989年9月，頁3-4。

41 有關西方「通識教育」的內涵和發展梗概，可參考張燦輝：〈唐君毅與通識教育〉，鄭宗義編：《香港中文大學的當代儒者》香港中文大學新亞書院，2006年。

練是最重要的環節，通識教育只是點綴而已[42]！」

　　由於社會轉型（知識型經濟的出現）的關係，這種「先專長，後通識」的大學教育模式差不多已成了不能逆轉的主流現實。而事實上，新亞的學者雖不能扭轉狂瀾，卻仍然努力以符合「新亞精神」的「通識」觀念去對現代大學的「通識教育」提出批判和修正。這當中的佼佼者，可數牟宗三先生。首先，八十年代有不少大專學府受到美國大學重視 General Education 的影響，紛紛建立起「通識教育」的課程，要所有大專生統一修讀，但對「通識教育」為何物卻存在各種歧解以至誤解。其中一種普遍接受、卻又錯得離譜的誤解，是以為「通識教育」只是在大學科目裡樣樣東西都學習一點：「如果教育當局硬要認為一個理工學院的學生若不修一些文法學院的課便叫做沒有通識，那麼教育當局這種要求也太過分了；就如同叫文科的學生去修幾門數學、物理一樣過分。所以假定要在『這一邊修修那一邊的課，那一邊修修這一邊的課』的觀念上理解『通識』，那麼『通識』一詞的意義根本是樣樣通樣樣稀鬆。我認為通識不是叫一個人懂得許多，自然科懂一點，人文科也懂一點，美術、音樂都懂一點[43]。」真正有價值而又切實可行的「通識教育」，牟先生認為，還是要回溯中國古老的人文教育傳統去尋求啟發[44]：

> 而最切合於這種教育觀念的正是中國古時小學、大學的教育傳統。不管是小學灑掃、應對的兒童教育，還是大學的明德、新民的成人教育，都是要人成其為人的教育，這與專家教育完全兩樣。我們現在可以大略地將教養問題分為兩個層面：一是屬於個人的問題，其中包括從最淺近為人處世到最深刻的終極關懷問題。這是永恆性的問題。人總是人，人總要過生活，就有這些問題。另外，還有屬於時代的問題。時代的問題古今不同，但每個時代必有其迫切的問題，而為當時代人所必需要面對與解決者；能解決它，人便能轉動那時代，不能解決它，便為時代所吞沒⋯⋯這與任何人有切身的關係，不管你學的是甚麼，你都不能逃避，都應多少有所了解。

　　牟先生在這裡說的通識教育，儼然就是新亞書院草創時期，同學們既負責灑掃雜役，亦學習有關中國文化哲學思想和世界前途的、新亞老師們的身教言傳了。而牟先生並不以自己的想法為新亞一家之言，亦不認為這只屬中國傳統教育的理想，卻指出，西方的通識教育若要發揮價值，亦必須是如此，因為這就是造就真正「知識份子」的不二

---

42 劉述先：〈通識與知情意──對於半個世紀以來通識教育的反省〉，收氏著《儒家思想開拓的嘗試》北京：中國社會科學出版社，2000年，頁176。

43 牟宗三：〈人文教養和現代教育〉，《中國時報》，1986年7月16日。收氏著《時代與感受續編》臺北：聯經出版事業公司，2003年全集初版，頁319。

44 牟宗三：〈人文教養和現代教育〉，《中國時報》，1986年7月16日。收氏著《時代與感受續編》臺北：聯經出版事業公司，2003年全集初版，頁321-322。

法門[45]：

> 因為知識份子（intellectuals）與專家（specialists）是不一樣的，一個專精電腦的專家不一定是個真正的知識份子。只有當他對人類本身的生命問題、時代特性有真切的了解時，他才是個名副其實的 intellectuals。像羅素、愛因斯坦不但在其專門領域是個專家，他們同時也對世道、人心、道德、宗教、時代的問題提出看法。

　　若上文所言不誤，這種「知識份子」的理想並非現代大學「通識教育」的目的。美國式的「通識教育」只是為要抗衡大學生在知識和視野上「過分偏食」的問題而已。「知識份子」，卻是新亞精神之下的「通識」所要造就的人：〈新亞學規〉所說的「通材」和「活的完整的人」（第十六條[46]）。進一步來說，這是作為教育理想的「新亞精神」的普世意義！當然，若我們細心閱讀考究牟先生在這篇寫於八十年代的文章的命意，我們會發現他已暗地裡把原來新亞「通識」的「先通識，後專長」的原則，與現代大學教育「先專長，後通識」的「通識教育」做了一個妥協和平衡。牟宗三先生進一步說[47]：

> 這種教育本來就和學校方式相衝突，我們既一面必須維持學校教育的特性和功能，一面又要另外講通識教育，在這兩種既獨立又相需的情況下要付諸實行是很難的。大略而言，其難有二：一是師資難，二是教材難。

　　這裡所謂「學校方式」是指美國式重視專業知識傳授的大學體制而言。在接受了這種「學校方式」的主體地位，明白到其重要性和無可避免之餘，牟先生更希望大學能做到「專業、通識並重」，他強調兩者「既獨立又相需」，其在現實之上謀求理想、為大學教育爭取文化教養的一席之地，用心可謂良苦了。牟先生接著說，要在大學體制內教養出知識份子，有人格魅力有通識眼界的師資，和編排有理有節成系統有視野有關懷的教材，才是至為重要的關鍵。在此，我們實在不得不深深懷念昔日新亞創辦人和一眾老師，他們任何一個都是「新亞精神」和「通識」的化身，是當之無愧的知識份子；我們亦可以從他們身上看到，通識的「師資」恐怕有比「教材」更為重要之處。（而筆者相信，香港中文大學一直以來的「通識教育」傳統，是努力要照顧到新亞的遺產的）走筆至此，本文亦已到尾聲，相信讀者都能從新亞創辦人初到香港時的心態與反應（所謂「逃難」與「通識」），看出新亞精神及其事業的價值和貢獻了。我們實在不應遺忘這段

45　牟宗三：〈通識教育的意義〉，《聯合報》，1985年12月13日。收氏著《時代與感受續編》臺北：聯經，2003年全集初版，頁310-311。

46　〈新亞學規〉，載錢穆《新亞遺鐸》臺北：東大圖書公司，1989年9月。

47　牟宗三：〈人文教養和現代教育〉，同注38，頁326。

歷史的真義，否則我們都要成為「新亞精神」的罪人了。最後，我想以余英時先生一段紀念其師錢穆先生的文字作結[48]：

> 先生講學六十餘年於茲，其中最為艱苦亦最著精神之一段，厥為在香港創辦新亞書院之時代（1949-1965），此則今日海內外學人所盡知而共仰者也。新亞書院成立於中國學術不絕如縷之際，故先生講學特倡通博與專精互濟、溫故與開新相扶；雖單言隻語，莫不能豁人明照，使聽受者皆奮然而有以挺拔於流俗。

參考書目

新亞書院　〈新亞學規〉　1950 年　載錢穆《新亞遺鐸》　臺北　東大圖書公司 1989 年 9 月

新亞書院　〈本院沿革，旨趣與概況〉　《新亞書院校刊》第 1 期　1952 年

錢　穆　〈告新亞同學們〉　《新亞書院校刊》第 2 期　1952 年

錢　穆　〈敬告我們這一屆的畢業同學們〉　《新亞書院校刊》第 3 期　1953 年

錢　穆　〈新亞精神〉　《新亞書院校刊》第 4 期　1954 年

錢　穆　〈新亞書院創校簡史〉　載錢穆《新亞遺鐸》　臺北　東大圖書公司　1989 年 9 月

張丕介　〈新亞書院誕生之前後〉　《一九六九年新亞書院校慶特刊》　1969 年　後載劉國強編《新亞教育》　香港　新亞研究所　1981 年

張丕介　〈武訓精神〉　《新亞書院校刊》第 1 期　1952 年

唐君毅　〈我所了解之新亞精神〉　《新亞書院校刊》第 1 期　1952 年

唐君毅　〈新亞的過去、現在與未來〉　收氏著《中華人文與當今世界補編》　臺北臺灣學生書局　1988 年全集初版

唐君毅　〈對香港學生的期望〉　收氏著《中華人文與當今世界補編》　臺北　臺灣學生書局　1988 年全集初版

趙　冰　〈勿忘新亞精神──勉第九屆畢業生〉　《新亞生活雙周刊》第 3 卷第 4 期 1960 年

牟宗三　〈通識教育的意義〉　《聯合報》　1985 年 12 月 13 日　收氏著《時代與感受續編》　臺北　聯經出版事業公司　2003 年全集初版

---

48 余英時〈《錢穆先生八十歲紀念論文集》弁言〉，收氏著《猶記風吹水上鱗──錢穆與現代中國學術》臺北：三民書局，1991 年，頁243。

牟宗三　〈人文教養和現代教育〉　《中國時報》　1986 年 7 月 16 日　收氏著《時代與感受續編》　臺北　聯經出版事業公司　2003 年全集初版

唐端正（筆名「大軍」）〈六年滄桑話新亞〉　《新亞書院校刊》第 6 期　1957 年

劉述先　〈通識與知情意──對於半個世紀以來通識教育的反省〉　收氏著《儒家思想開拓的嘗識》　北京　中國社會科學出版社　2000 年

余英時　〈為「新亞精神」進一新解〉　《新亞生活月刊》第 1 卷第 11 期　1974 年

余英時　〈猶記風吹水上鱗〉　收氏著《猶記風吹水上鱗──錢穆與現代中國學術》　臺北　三民書局　1991 年

余英時　〈《錢穆先生八十歲紀念論文集》弁言〉　收氏著《猶記風吹水上鱗──錢穆與現代中國學術》　臺北　三民書局　1991 年

黃祖植　《桂林街的新亞書院》　香港　容膝齋　2005 年

張燦輝　〈唐君毅與通識教育〉　鄭宗義編　《香港中文大學的當代儒者》　香港中文大學新亞書院　2006 年

「終極實在」於唐君毅人文宗教思想的特質

鄭祖基

澳門大學教育學院

　　本文的主皆在於探究「終極實在」於唐君毅先生人文宗教思想中的特質。唐先生在論及中國從古至今的思想家所重視的天人合一、天人合德或天人不二時，便明確指出中國文化裡所謂的天人合一或天人不二，是「一方使天由上徹下以內在於人，一方亦使人由下升上而通於天。」此上下迴向顯示人的道德實踐，是包含宗教性的超越感情。傳統儒家倫理是著重天命的內在性，及人能由天賦人的內在德性以上溯於天和對天道的宗教性信仰。[1]唐氏認為儒家是一宗教或包含一宗教。他說：

> 儒家之教，是一信天人合德之人道教人格教或人文教。[2]

他甚至以儒家的天人合德與基督宗教之神人合一，是可相通的。可見，在唐先生看來，儒家天命的內在性，並不相反基督宗教上帝的超越性。當然，唐氏亦指出儒家的超越存有之特質是內在於人的道德生活，當人踐德時便明朗起來。而其他宗教的超越存有則是多與人的罪惡與業相對照才明朗起來。[3]對唐氏而言，天命之謂性，知性知天的思想，就是天志與人志相貫通。因天賦吾人以道德律，而超越的天亦道德人格化內存於吾人。於此，人對天的關係較不重祈禱，而轉重修德和感恩，以致天對人的超越意識，易同化為人的道德意識。[4]其中尤以對天的感恩意識是使天內在於吾人之關鍵。這是由於人對上天恩賜於己而圖回報時，人便較少看自己的罪，卻是以吾人之敬愛精神與天相遇。此報天之敬愛不是為求天之賞賜與避免天之懲罰，而是一種純粹無欲望之報天之愛的道德意識。又因吾人直以天之愛為所報，故在吾人的意識中，天便漸成純粹之精神而無形相。終使超越外在的天神信仰，被轉化為內在的天道觀念，或把超越外在的天神轉化成在內心者。所以，唐氏以感恩意識為宗教意識中最純粹之道德意識，亦是天內在化於吾心的轉捩點。[5]唐先生說：

1　唐君毅：《說中華民族之花果飄零》臺北：三民書局，1982年4版，頁143-144。

2　唐君毅：《青年與學問》臺北：三民書局，1980年版，頁88-89。

3　唐君毅：《哲學論集》臺北：臺灣學生書局，1990年全集校訂版，頁384。

4　唐君毅：《中華人文與當今世界補編（上）》臺北：臺灣學生書局，1988年5月全集初版，頁105-112。

5　唐君毅：《中華人文與當今世界補編（上）》臺北：臺灣學生書局，1988年5月全集初版，頁161-163。

> 性之本源是天命，亦上通於天心。然宗教精神者，由下而上達；道德精神者，由
> 上而下達。超形以事天，宗教精神；踐形以盡性，道德精神。[6]

天命下貫而內在於吾之生命精神自身，昭顯為吾人內心之普遍大公之理想的實踐。在吾人實踐此大公之理想時，天命便流行於吾身之中而顯呈出來。人在實踐此大公之理想時，便能知天和等於事天。可以說，宗教性的事天要求道德的盡心全性，而道德的盡心全性亦要求宗教性的事天。宗教與道德明顯是互為相輔的。道德的天人合一，不單不排除宗教，更是需要與宗教有必要的聯繫才能滿全。

不過，我們仍需詳細釐清唐先生所指的「天」的確切意涵究竟是甚麼？天與天命或天理的關係是怎樣？怎能確定人從道德實踐中所體認的理便是天命？天命內在於人是否意謂人與天具同一性，抑或人只是繼承了天之某些部分，人與天仍是有一定之相異處的呢？此些問題之梳理，能助吾人看清唐先生的人文宗教思想的勝義與限制在哪裡。再者，天既賦人以性，則此天究有否意志和目的。若天是有心志的話，則其與人的合一是怎樣的一種合一。唐先生常說的「即人即天」的「即」又是何所指。又若天只是一性理之天，則此天又如何與人合一。天與人有否區別，抑或天與人是同一性的，所謂天人合德，究其實就是人人合德；天只是一被架空的概念而已。進而言之，絕大部分宗教的發生和發展過程皆可歸納為：宗教觀念、宗教經驗、宗教行為和宗教體制四部分。而宗教觀念中神靈觀念與神聖觀念，更被視是一切宗教成立的邏輯出發點。[7]所以，唐氏對「天」的理解究竟是如何，便構成其人文宗教的基礎是否穩固的房角石。另外，學者周克勤指出當代新儒家對天人合一的「天」之理解可有三種不同的取向，而這三種不同的取向可大大影響到他們所主張的宗教之真偽成分。這三種取向：

> 一是認為性理之天化掉人格神的天，故主張性理之天出現，人格神的天即被淘汰。二是認為性理之天與人格神的天可以並行不悖，但不承認性理之天來自人格神的天，不以人格神的天為本源及主宰。三是肯定性理的天及人格神的天，同時認為性理之天來自人格神的天，或人格神的天是性理之天的本源及主宰。[8]

周氏認為第三種才是真正宗教的元素。究竟唐氏對天如何理解，茲深入探討如下。

一　唐君毅對天的闡釋

第一，唐先生認為「天」雖是至高的終極實在，但不能理解為西方傳統哲學意義下

6　唐君毅：《中華人文與當今世界（下）》臺北：臺灣學生書局，1980年3版，頁622。

7　呂大吉：《宗教學通論新編》北京：中國社會科學出版社，1998年12月，頁84。

8　周克勤：《道德觀要義——中冊》臺北：臺灣商務印書館，頁232-233。

的實在或實體 substance。從亞里士多德開始，實體便被理解為是一個獨立自存，固定不變的東西。若以此實體觀來理解整個宇宙與上帝時，宇宙的整體便是自存、自足和自動的。而上帝亦被理解為終極的實在，是自存、自足與恆常不變的。[9]唐先生認為終極實在亦即天地根源。此天地根源若縱觀其在一切生命存在之上時，則可名為上帝。[10]然此上帝不是西方傳統神學的實體觀上帝；一個獨立、自足、自存、恆常不變，可完全脫離宇宙與人類而自立的存有。唐氏的終極根源雖在其本身之未顯一面而言，是可謂超越於人心，甚至是自本自根的。但唐先生明確指出：

> 神必顯於人之成聖，而亦為後於人之成聖，方是自足自成之神。[11]

所以，終極實在的上帝若只超越而不內在於人，是不完美的。更且，上帝之自足性不單在於其自身，也在於與人之成聖的同步成長中，方為上帝之自足自成。唐氏十分推崇過程哲學家懷特海（Whitehead）的上帝觀。這就是上帝除根本性外，尚有後得性。其意為上帝雖可以其根本性統攝世間萬物和生起世間萬物，但若無世界之現實事物為其所統攝，則上帝尚未臻至其現實之完滿性。唐氏說：

> 上帝欲全成就其自身之現實，正須待於現實世界之現實事物之存在，此即上帝對世界之依賴。[12]

同樣，人依賴上帝成全，上帝也賴人得以成全。人神的關係乃是一種交互相攝，互相需要的關係。而所謂上帝的後得性是異於傳統西方基督宗教的上帝觀。後者之上帝是不動之至善者，祂完美、全知、全能、全在。萬有是藉祂而立，萬有的成毀是無損於祂的完滿，而前者則意謂上帝的屬性是隨著事件的改變而改變及成長，故上帝不是永恆不變的。[13]

　　第二，此終極根源有否意志和人格性呢？眾所周知，西方基督宗教的上帝明顯是具備人格性的，無論舊約的耶和華與新約的耶穌；前者具備鮮明的正義與公正的性格，後者則滿有仁義與憐憫品性，以致信徒對上帝的信仰、崇拜與契合，皆是有其對象性的，是與另一至高的位格性主體相遇。然而，在唐先生眼中，天之是否具人格性，是不礙人有事天之禮的。首先，他認為西方之所以視終極實在為人格神，是可溯源於希臘哲學中，把自然物看為由原子組成，以致社會亦以個人為獨立自足的個體。至中古神學家們

9 　余達心：〈實體與生命存在——西方文化危機的反省〉載於霍韜晦主編：《唐君毅思想國際論文集（IV）—傳統與現代》香港：法住出版社，1991年，頁91-95。

10 唐君毅：《生命存在與心靈境界（下）》臺北：臺灣學生書局，1986年5月全集校訂版，頁212。

11 唐君毅：《生命存在與心靈境界（下）》臺北：臺灣學生書局，1986年5月全集校訂版，頁291-292。

12 唐君毅：《哲學概論（下）》臺北：臺灣學生書局，1982年全集校訂版，頁956-957。

13 楊牧谷主編：《當代神學辭典（下）》臺北：校園書房出版社，1997年4月，頁921。

便以上帝為絕對完全、恆常不變、獨立自足的超越之人格神。此「超越的人格神如一超越的個體，以使人自超越其個人之個體之觀念，於其一己之外，而知有他人與上天之存在。」所以，把終極實在視為人格神是有特殊的西方文化背景的。再者，在唐氏所認同的儒家傳統思想中，根本沒有把個人視為一自足獨立，並封閉於己身之內的單子。相反的，個我的存在是定位於人倫關係和天地萬物的關係中。人絕不是封閉於己身的無窗戶之單子主體，卻是能與他人和他物相感通；能通於外並涵外於其內的超個體的個體。故此，在傳統中國思想中，終極實在的天不必被理解為絕對超越之人格神，但卻不礙人對天有感通；有事天之禮和對天之仁。天人關係的關鍵在於人對天的真實感通，若天只是一超越而封閉的人格神，則人更難與之交感，事天只徒具形式。[14]更且，唐氏認為終極實在的天必會發育流行，永在自身彰顯的過程中內在於人物。所以，人能在與天所生之人物的感通中，與天相遇，而不需別求與天之神祕感通相遇。

不過，唐先生雖不以西方基督宗教之人格神的實體性、獨立自足性與不變性來理解終極實在的天，但這並不代表唐氏所指的天是無某些人格的特徵。他指出終極實在的天或中國先哲所謂的天地，絕不是一物質的自然，而是指宇宙的生命精神，只是此生命精神可直接表現於物質的自然而已。故人不能以物質的自然為天地，以致誤以天地是無生命精神。卻需從物質的自然，透視宇宙的生命精神。[15]

另外，唐先生認為亦可以從人之精神所表現的人文世界的無限成就中，看出其必根於一無限的生命精神。可以說，人文世界的文化活動乃依一精神理想而生，是不受自然的本能欲望決定的。從此精神理想能反顯出一超越精神自我存在，此即一「超越吾人個體自我，而涵蓋他人自我及一切生物或物體之超越的精神自我或本心之存在。」[16]從不絕的文化活動中，人文世界有無限量之發展，其動力的根源亦必為無限的精神。以致唐先生認定若人類有心和生命，則為人類根源的天地，便絕不能是無心和無生命的。更且，人也能從自身生命心靈與德行德性的相續不斷之呈現中，肯定超越的根源也有其生命心靈與德性，流行於人的心靈生命中，以成就人之無盡德性實踐。[17]簡言之，若人有心，則終極實在不得無心。人有生命，則終極實在不能無生命。

最後，唐先生以終極實在或全宇宙之主宰，必須是個大心靈，是精神實體之上帝。因人類心靈與精神之本性，即是統一，貫通和綜攝的。這與物質的本質為分散與雜多是不同的。所以，若宇宙是一統一的宇宙，則宇宙便必有精神性的統一。這精神性的統一原理之所寄託者，可名為基督徒的上帝、回教徒的阿拉、中國先哲的天心、印度教徒的

---

14 唐君毅：《中國哲學原論——原道篇（一）》臺北：臺灣學生書局，1984年5版，頁132-133。

15 唐君毅：《人文精神之重建》臺北：臺灣學生書局，1980年5版，頁510-511。

16 唐君毅：《文化意識與道德理性（下）》臺北：臺灣學生書局，1980年4版，頁347。

17 唐君毅：《生命存在與心靈境界（下）》臺北：臺灣學生書局，1986年5月全集校訂版，頁210-211，頁447。

梵天或佛教徒的佛心也無不可。[18]

　　總的而言，唐氏以終極實在不等同於西方基督宗教的人格神。因人格神之觀念含有希臘哲學的實體觀，導致人格神只是一超越的、封閉的、獨立自足的和恆久不變的超越存有。而唐先生認可的終極實在是有心、有生命、有精神、能與人感通、不封閉、與人互為內在具德性的存有。唐氏的終極實在或天，絕不是物質的自然或某種統攝的原理，而是有心和有道德的生命精神。於此，吾人可以發問若以唐先生對生命精神的定義，則生命精神是否也含有頗多的人格性呢？筆者認為唐先生所反對的只是從希臘哲學的實體觀所理解之封閉與超絕的人格性；因此人格性如上所述是難於與人感通和只是超越於人的。相反，唐先生所承認的終極實在之生命精神，是有仁德與慈愛，能與人互為感通的存有。

　　跟著，我們繼續探究唐氏的天有否超越性，若有的話則它與內在性的關係為何？若超越不離內在，則超越的特質會否湮沒？其內在性又以甚麼方式呈現出來？我們先分析唐氏的天究竟有否超越性。此超越性又是存有論的超越性，抑或是境界論的價值意味之超越性？不過在探究之前，我們要界定清楚究竟超越性何所指？中西方對超越性的義理有何區別？這才能更清楚闡釋唐先生所云的天之超越性與內在性的特質之理據何在？

　　西方 Religion 最原始的意義是指一再嚮往，小心翼翼地關切有價值的事。而此值得人們嚮往與關切的事就是重新與「第一根源及最終目的相連繫」[19]由於人對第一根源及最終目的之看法不同，因此就有不同之神學系統出現，大概可分為一神論，多神論和泛神論三大類。一神論強調終極者的超越性，但此超越性不一定與其內在性對立。以一神論為宗的基督宗教新約聖經中的以弗所書便這樣描述上帝：「一上帝，就是眾人的父，超乎眾人之上，貫乎眾人之中，也住在眾人之內。」[20]明顯可見其所描述的上帝乃是一個既超越又內在的存有。泛神論則更強調神的內在性，把神的內在性與超越性對立起來。不過，無論如何，神的超越性在西方宗教的討論是至為重要的。例如施萊馬赫所強調的宗教情感，就是源於信徒對自身以外更大的力量所產生之「絕對依賴感」（feeling of absolute dependence）。奧托在其《神聖者的觀念》一書中，強調信徒在宗教中經驗到的是一客觀和外在於自我的更權威力量的「在場」之神聖經驗。從而產生「受造感」。這「受造感」令信徒在神聖者面前產生虛無、卑微和不配的感覺。[21]可見，終極實在的超越性在一神論的宗教傳統中，是極為重要的。

　　再者，西語「超越」一詞，是源自拉丁語動詞 transcandere，意謂「跨過」和「超

---

18 唐君毅：《人文精神之重建》臺北：臺灣學生書局，1980年5版，頁314-315。

19 布魯格編著：《西洋哲學辭典》臺北：先知出版社，1976年，頁353。

20 新約聖經，以弗所書四章六節。

21 黎志添：《宗教研究與詮釋學——宗教學建立的思考》香港：中文大學出版社，2003年，頁15-16。

出」某個界限。[22]在認識論中，超越可謂對象超越認識而獨立，而非認識行為所施設出來。超越也可指超感覺的事物或超出有形世界之物。超越也可謂高於一切，其無限性不僅超越有限，而且超越一切有限之物，[23]在漢語中「超越」一詞也有「跨過」和「越出」的意思，學者耿開君指出「超越」一詞的現代用法是有「走出」和「跨過」某種本質的、終極的與境界的對象。不過他又隨即指出在中國文化中，人與超越界之間是通達的，與超越界的相遇，是自然而然的過程，不存在「跨越」的問題。[24]蒙培元先生在論及境界型的哲學時，認為此種型態的哲學是重視人的心靈存在狀態。而所謂境界，只是「心靈超越所達到的存在狀態」，是生命的一種最根本的體驗。[25]所以，若單以境界哲學處理中國文化時，則人與超越界無疑是通達的，最少亦可說是沒有不可踰越的鴻溝。究竟我們能否單從境界論的哲學進路來理解唐氏人文宗教思想中的天人關係呢？

首先，唐氏以宗教精神的必需條件是承認一個超個人精神的「客觀精神」或「人格」精神。在宗教中客觀精神為各個人精神之統攝者，而各個人之精神亦被視為聯繫於客觀的精神；被客觀精神所凝注。各人的主觀精神與超個人精神的客觀精神間，是存在一種主客對待的緊張關係或具一定程度之張力。此主客對待之張力亦是宗教精神的必需條件。雖然唐氏以終極實在是統攝主客的，但此終極實在若要成為宗教信仰之對象，便要重新強調其在信仰者中的相對客觀性。事實上，唐先生沒有反對終極實在有一定的客觀性。[26]他指出宗教的本質在於藉人對超越上帝的祈望，從而引出人類的愛與正義。所以，宗教的要求更是出於人類超越的動機與公心；此為求保存客觀的有價值之人格，因而肯定一超個體宇宙精神生命之存在，以維持人格價值與福祐國家社會。可見，在具體的社會文化層次上，終極實在的根源性、客觀性與超越性，是必要設定的。[27]

其次，唐先生亦認定天道必有根於隱。天道雖不斷的呈顯於吾人心靈，但天道總有某些部分是未顯明的。因天道若已全顯於人心，則不必繼續地呈顯出來。換言之，天道未顯之部分不能是無，卻必然是有，因其仍在不斷呈顯。故唐先生認為天道的隱處必為超自覺者和形而上者。更且，此超自覺者能「對我有所命令而有不容我不遵從之力。」[28]所以，對人來說超自覺者又是實實在在的；在人依天命而行的踐履中，人便能確認此超自覺者的存有。另外，此「超自覺的形而上者」亦會顯於自然萬物中，吾人能從中窺見

22 耿開君：《中國文化的「外在超越之路」——論臺灣新士林哲學》北京：當代中國出版社，1999年，頁29。

23 布魯格編著：《西洋哲學辭典》臺北：先知出版社，1976年，頁436。

24 耿開君：《中國文化的「外在超越之路」——論臺灣新士林哲學》北京：當代中國出版社，1999年，頁36-42。

25 蒙培元：《情感與理性》北京：中國社會科學出版社，2002年，頁3。

26 唐君毅：《中華文化與當今世界補編（上）》臺北：臺灣學生書局，1988年5月全集初版，頁90-91。

27 唐君毅：《中國文化之精神價值》臺北：正中書局，1981年3版，頁445-447。

28 唐君毅：《中國文化之精神價值》臺北：正中書局，1981年3版，頁168。

超自覺的形上實在之真實。若就此形上實在的超越於每一個體的顯現處而說，則「為超越而客觀之聖境，而此即是神心神境。」[29]總而言之，唐先生肯定形上實在或天，是有其外在性與客觀性的。進而言之，上述肯定的關鍵乃是在人的無限量本心的性情。唐氏認為最完備的宗教精神必需包括對吾人之無限心量的體察，從而生出一無私的對天地及祖先聖賢和鬼神之祭祀。所以說，無限心量涵蓋於一切自然物之上，也可通於造化之源與幽明之際。吾人從無限心量的內容中，體察到天理流行；惻忍之至情至性。更體悟到無限心量必有其超越根源，而對之作一超越的感通。[30]故此，雖可理解終極實在是由個人超越自我之客觀化與非我化而成，以致終極實在似只在吾心意識之內，是意識所造的有限概念。但唐先生以為當人真正接觸此無限的存在時，是不會以任何屬人的性質與欲望規限之，以使之屬於個人或個人的概念。再者，人能從理性推敲中，知他人也能接觸終極實在，從而確認其為各人皆能接觸的大公存在。所以，終極實在必然是客觀的，才能讓眾人普遍地接觸。[31]

　　總的而言，唐氏認為終極實在雖從人的主體心靈發出，但其不因此便成為主觀的概念或主觀心靈所至的存在境界，因為人所發出的活動之為客觀或主觀，應當以此活動有否普遍性和合理性為衡量。終極實在的客觀存在能保存一切善良的價值不斷滅，而善良價值的實現與永存，乃是人至情至性的追求。唐先生進而認為從人的心靈出發所肯定的客觀事物，不單有宗教世界中客觀的神聖，也有科學知識世界中客觀的真理、藝術世界裡客觀的審美和道德世界中客觀的善。[32]另外，當人從本心的至性至情出發實踐理想，而與他人他物有所感通時，更能體悟到自家生命與其所感通之人物，是相互貫通的。若追溯此感通與理想生活的根源，便可察見一既內在又超越的「形上之實在或存在」之真實。[33]然而，人為何必要肯定此形上根源或絕對真實之根源；無論此絕對根源為包含現實世界抑或與現實世界相對。唐先生以為是由於「人之好善惡惡之惻怛性情」的不容已之尋覓。[34]最後，唐氏認為若要完全證實神之存在，是十分困難的。他指出人若離開罪之承認與懺悔，便不易有內心的謙卑而涵容他人。人際間彼此情流不能相互感通，便不能與超越者感通。相反，人若承認自身下意識之盲目生命驅力與生命中的權力意志是難於駕馭，它們會隨時出現並吞噬自我時，人在此中若能自感無力勝過，才更易與超越而內在的上帝相遇，確認祂的真實臨在。故此，理性的推敲在謙卑悔罪的信仰者面前，明

29 唐君毅：《書簡》臺北：學生書局，1990年4月全集校訂版，頁351-352。

30 唐君毅：《中華人文與當今世界（下）》臺北：臺灣學生書局，1980年3版，頁476。

31 唐君毅：《文化意識與道德理性（下）》臺北：臺灣學生書局，1980年4版，頁178-180。

32 唐君毅：《中國人文精神之發展》臺北：學生書局，1983年6版，頁346-347。

33 唐君毅：《生命存在與心靈境界（下）》臺北：臺灣學生書局，1986年5月全集校訂版，頁447。

34 唐君毅：《生命存在與心靈境界（下）》臺北：臺灣學生書局，1986年5月全集校訂版，頁510。

顯不是使他們確信上帝存在的最有力證據。[35]唐先生說：

> 除非人相信自己的自性本心即是神，最高的人格即是神，相信盡心知性則知天，
> 相信聖而不可知之謂神，相信至誠如神，相信人可以成佛，人絕不應當反對相信
> 有客觀之神之宗教。然而人縱然相信人即可成聖、成神、成佛，他人對於此聖神
> 佛之崇拜，仍可是一種宗教。[36]

可見，唐氏贊成宗教相信客觀的神；相信客觀的神是構成宗教的重要原素。然而，唐氏
的人文宗教觀念中是否如他自己所說，是相信本心即神和人可至誠如神，以致人文宗教
不是一種唐氏自己所描述的完整宗教呢？下節我們嘗試從人與神的關係對比中，分析唐
先生對神的內在性的看法如何，並探究此內在性有否約化其外在性之傾向。至使既超越
又內在的神被架空為一空洞的終極設準，或神被內在化為吾人內裡的道德主體，以致人
與神的感通，只是與自己的深心處感通。進而導致人與天的張力消失，人天實際上是同
一性，而所謂天人合一的實質只是人人合一的變形而已。

二　終極實在的內在性

　　本節擬探討終極實在怎樣內在於人，此內在性的內容是甚麼，其與人之關係怎樣？
又終極實在的內在性與超越性怎麼區別？如何保證內化於本心之天道不是一種虛妄的價
值？

　　內在性（immanence）的字源自拉丁文 immanere，字面的意思是「留在裡面」（to
inhabit）。內在性作為哲學術語正好是超越（transcendere）「跨過界限」的相反。若從英
哲休謨的經驗主義和德哲康德的批判哲學的認識論中看，內在性是指吾人的認識領域只
限於經驗範圍內。人的認識力是無法超越經驗範圍和超感覺的領域。以康德的批判哲學
來說，人的認識力只能及至現象界，而絕不能達到超越的本體界。若從形上學的意義而
言，內在性是指絕對者在世界或有限事物之內。其中泛神論把絕對者的內在性與超越性
對立，甚至把絕對者的超越性去除。而有神論雖也承認世界內在於神，神也內在於世
界，但絕對者的內在性沒有取消其超越性。所以，超越的絕對者若單在萬物以外，祂自
己就不能算是無限；絕對者在萬物之內，正顯其圓滿的無限性。[37]對唐先生而言，天道
貫注於人而為人的性時，這時的天道是既超越又內在的。他說：

> 在中國思想中於天德開出地德，而天地並稱，實表示一極高之形上學與宗教的智

---

35 唐君毅：《人文精神之重建》臺北：臺灣學生書局，1980年5版，頁35-36。

36 唐君毅：《人文精神之重建》臺北：臺灣學生書局，1980年5版，頁54。

37 布魯格編著：《西洋哲學辭典》臺北：先知出版社，1976年，頁167-168。

慧。蓋此並非使天失其統一性，而使宇宙為二元。而唯是由一本之天之開出地，以包舉自然界而已。天包舉自然界，因而亦包舉生於自然界之人，與人在自然界所創造之一切人文。此所謂包舉，乃既包而覆之，亦舉而升之。夫然，故天一方不失其超越性，在人與萬物之上；一方亦內在人與萬物之中，而宛在人與萬物之左右或之下。[38]

然而，這超越與內在的意義，在唐先生的宗教思想脈絡中應作怎樣的理解呢？是一種經心靈的自我轉化與自我超升的精神境界，抑或是一種具存有論向度的終極實在之特質。[39]換句話說，唐先生所言的既超越又內在於人的終極實在，是從境界論抑或是存有論的意義說的呢？以下筆者試從唐先生的原文中找出上述問題的答案。

首先，唐先生以儒家形上道體之觀念，是由原始的天神信仰之直接化身而成。所謂化身是淘汰天神信仰中不合理之部分；把其未通過自覺之理性而盲從妄信的內容去除。而保留其為萬物之根源，兼且遍在於萬物，永恆，至善至仁和啟示吾人道德命令的成份。唐氏亦具體指出天神與天道有四處不同之地方。第一是天神為擬人性格，其為能動作、言語與發施命令之人格神。第二是天神雖可與吾人溝通，但終究是超越於吾人心靈的。第三是人對天神有各種慾望的祈求，甚至對之作交易式祭祀。第四是以人之貧賤富貴皆源於天神之賞罰。唐先生認此上述四點為天神信仰所含之不合理處。他以高級宗教中的天神信仰是能超越上述的不合理處的。高級宗教中天神的人格為超越吾人人格的一種無形人格。再者，在高級信仰中，人神關係是排除交易式的慾望，而轉為人對神的感恩與虔敬。另外，天神的賞罰，不必在於現世，更多的是在於來生。所以，唐氏以終極實在或純粹形上實在與高級宗教的天神，是甚為相似的。然而，終極實在於人的自覺中為天道或是高級宗教中的天神，其關鍵是當人陷溺於罪苦中而不能自拔時，人便易於仰望此形上實在之美善，進而對之禱告與求赦，此時的形上實在對人而言便無異於高級宗教中的天神。相反，若吾人自覺直接承擔此形上實在之美善，而徹之而下；視其為內在於吾人心靈，啟吾以道德命令與行為方向，則此便是天道。[40]唐先生繼而指出由天神觀念轉化至天道觀念的關鍵乃在人的報恩意識。當人感神對己之恩德而圖報時，人恆是直接以神之愛為所報。是時神便超越於一切交易式的祭祀及一切外在的象徵。更且，在吾人意識中神便漸成純粹之無形相的精神。又當人以敬愛精神報神之愛而與神相遇時，神便更內在於人，與人為一。[41]另外，在論述中國古代之天帝與西方基督宗教的上帝時，

38 唐君毅：《中國文化之精神價值》臺北：正中書局，1974年，頁338。

39 馮耀明：《超越內在的迷思——從分析哲學觀點看當代新儒學》香港：中文大學出版社，2003年，頁235。

40 唐君毅：《中華人文與當今世界補編（上）》臺北：臺灣學生書局，1988年5月全集初版，頁160-161。

41 唐君毅：《中華人文與當今世界補編（上）》臺北：臺灣學生書局，1988年5月全集初版，頁162-163。

他亦以之為同一之道體。不過前者著重內在性，後者偏重超越性，中國人以誠敬、存養、報恩之態度對此道體，使道體內化成天命，而天命即人性。人以其本性贊天化育，一切率性而行，便是知天事天，與天合德，此「即內在的天人合一之性命之實現。」然而，西方基督宗教的信徒則以信仰祈求之態度對此道體，把其推而上之，使道體更具超越性與人格化，從而把道體轉化為一絕對之精神人格，進而構想人的精神人格為神所造，以致人需在神前謙卑求恩，才能成就完滿的生命。[42]可見，唐氏認為若過分強調終極實在的外在性是會貶壓人內在的道德精神人格，因中國人著重的道德修養皆是以自求、自得、自誠、自明和自作主宰為首，而不是先自認罪惡乃己力不能勝，以祈禱上蒼，援以外力，才能勝過罪過為末。但是人在求神去罪時也有兩種可能的走向，第一是若人之求神去罪是意謂求一比自己精神更大的力量助吾支配自己、改造自己的話，則天神最初雖為超越的客觀存在，但透過吾之精神與此超越的精神合作，能顯其交互為一的作用，以致神力顯於自力，進而神力之觀念同化於自力之觀念，最後導至「天神對我所示之道德命令，即視為我自己所加於自己之道德命令。我所加於我自己之道德命令出自我之性，則天之所命亦被視為出自我之性。」[43]至此，客觀的天命全內在於吾之性命。吾之性命之所示即天命之所示。故天神之意識全顯為天道的意識。相反，若人自覺罪孽深重至道德能力無從勝過時，祈禱外在超越的精神力量以助吾去惡之天神觀念復甦，天道復化歸天神。總的而言，終極實在之以超越天神抑或以內在天道的方式呈顯，關鍵全在人的道德實踐中的「自覺」為基準。在唐先生眼中「自覺」為宗教信仰與道德實踐的最重要原素。在宗教信仰中，自覺其所信之為何物、自覺信仰之屬於自己、自覺自己的心靈與超越的存在感通，便是真實的信仰。同樣，在道德實踐中，自覺於當下生活的盡性立命、自覺必須面對當下境遇，以見此境如對我有所命，而率性回應，便是真實的道德生活。所以，無論道德或宗教生活，人必要保持「心靈之自覺」在其所對之境上。[44]

　　總括而言，筆者認為超越天神與內在天道的互轉，某程度可說是存有論與工夫論或境界論的互轉。從存有論的角度看，終極實在是整個宇宙人生的客觀基礎，是使萬物得以化生的本源。但在唐氏眼中，明顯地終極實在又不單只作為一存有論的對象，人還是要從內心中體道，在當下的自覺道德生活中體現天命流行，讓終極實在內在於心性中成為人的本心本性，而這便要靠道德踐履的工夫所達的境界。至於這種互轉會否造成境界論意義上的超越與存有論意義上的超越之間的混淆，是需要小心釐清的。[45]

---

42 唐君毅：《人文精神之重建》臺北：臺灣學生書局，1980年5版，頁93-94。

43 唐君毅：《人文精神之重建》臺北：臺灣學生書局，1980年5版，頁167。

44 唐君毅：《生命存在與心靈境界（下）》臺北：臺灣學生書局，1986年5月全集校訂版，頁167。

45 鄭家棟：《斷裂中的傳統——信念與理性之間》北京：中國社會科學出版社，2001年4月，頁227。

「物極必反」親近型不可靠敘事[*]

——論余華《第七天》的控訴與撫慰

孫海燕

北京師範大學文學院

　　小說《第七天》封面題詞是「比《活著》更絕望，比《兄弟》更荒誕」，余華在此中致力寫出一種「荒誕」、「絕望」的景觀。系列新聞事件的改寫似乎最大程度上契合了所謂「真實」，那些驚心動魄的景象源自社會症候的描摹，在描摹黑暗之後，敘述者又動情地勾勒了一個「美麗新世界」（即「死無葬身之地」）。問題是這些看似真實的控訴，溫情脈脈的撫慰真的可靠嗎？它在何種程度上迎合了讀者期待，又在何種層面游離於現實之外，導致迅速崩塌？筆者試圖通過探討敘述者可靠與否，剝離親近帶來的貼合，拆解固定視角，重新打開關注現實的方式。同時通過對「親近型不可靠敘事」[1]的思考，借助敘事特徵的把握與探析，討論小說主題和藝術的得失。

一　在「親近」中生成的不可靠

　　《第七天》敘述者出場頗為奇異：「濃霧瀰漫之時，我走出了出租屋，在空虛混沌的城市裡孑孑而行。我要去的地方名叫殯儀館，這是它現在的名字，它過去的名字叫火

---

* 　基金項目：北京師範大學青年教師基金項目「論新時期文學中的不可靠敘事」（310422121）；北京市社會科學基金青年項目「講述中國故事的方式：從京味小說到新世紀北京書寫」（18WXC013）。

1 　「不可靠的敘述者」由布斯在《小說修辭學》（1961）中首次提出，布斯認為：任何閱讀體驗中都具有作者、敘述者、其他人物、讀者四者之間含蓄的對話。上述四者中，每一類人就其與其他三者中每一者的關係而言，都在價值的、道德的、認知的、審美的甚至是身體的軸心上，從同一到完全對立而變化不一。布斯是在作者、敘述者、其他人物、讀者之間的動態關係中分析他們之間的距離變化，基於敘述者的距離變化，提出不可信（不可靠）的敘述者這一概念：由於缺少更好的術語，當敘述者為作品的思想規範（亦即隱含的作者的思想規範）辯護或接近這一準則行動時，我把這樣的敘述者稱之為可信的，反之，我稱之為不可信的。在〈疏遠型不可靠性、契約型不可靠性及《洛麗塔》的倫理〉一文中，費倫根據「不可靠敘述」的修辭效果，即「不可靠敘述」對敘述者和「作者的讀者」之間的敘述距離所產生的影響，又把「不可靠敘述」釐訂為兩種形式：「疏離型不可靠性」（estranging unreliability）和「親近型不可靠性」（boning unreliability），前者指強調或拉大敘述者和「作者的讀者」之間距離的不可靠性；後者指縮小敘述者和「作者的讀者」之間距離的不可靠性。

葬場。」[2]敘述者是一個走向火葬場的亡靈，在生死兩端徘徊，用回憶勾連起生前與死後。通過這一奇異的敘述者，隱含作者將目光投向「被侮辱與被損害」的人群，講述那些被壓抑、被塵封的故事。讀者最初許會對鬼魂敘述生疑，但在敘述者的講述中，包含了太多讀者認同的信息。首先，敘述者講述的事件大多有其藍本，是對系列真實案件的深度改編，「在《第七天》中，被植入的重大新聞事件至少有四起，杭州賣腎車間案；楊佳襲警案；濟寧丟棄死嬰事件；佘祥林殺妻冤案。」[3]其次，敘述者講述的細節豐滿充實：「裂開的傷口塗滿塵土，裡面有碎石子和木刺」，傷口上的痕跡，將災難「落到實處」；殯儀館幾次三番的電話催促，口吻裡的不耐煩撲面而來。細節的豐盈帶來可觸摸感，營造了真實感。最後，敘述者的語調悲切低沉，身為弱者，對同類的悲憫總能在某一時刻觸動讀者內心的柔軟。這一切都使得真實的讀者向敘述者慢慢靠攏，在靠攏過程中某些不和諧的音符會浮現，但總體上讀者依然會被敘述者引導，向其靠攏。不過在親近感達到頂點時，因為敘述者泡沫式的撫慰，質疑迅速顯形，親近型可靠性向親近型不可靠性轉變。

在親近型不可靠敘述中，儘管「作者的讀者」能夠意識到敘述者的不可靠，但那種不可靠性包含了隱含作者和「作者的讀者」認同的某些信息[4]，認同使彼此拉近。《第七天》楊飛死亡之後，游走於生死邊境線，通過死無葬身之地「後來者」的講述讓前世一點點浮出水面。隱含作者余華通過這樣的怪誕控訴人世的種種黑暗，通過建造一個充滿愛與溫存的亡靈世界，對他們在人世間的種種艱難困苦進行撫慰，讀者會在這樣的控訴和撫慰中，向敘述者靠攏，變得親近，縱然懷疑暗暗生長。

相反，在疏離型不可靠敘述中，敘事者與「作者的讀者」在事件報導、闡釋或評價方面的差距使此交流雙方相互遠離，亦即「疏離」。換言之，在疏離型不可靠性中，「作者的讀者」意識到，採納敘事者的視角將意味著遠離隱含作者的視角，從而極大地損害作者──讀者之間的關係。[5]閻連科《堅硬如水》高愛軍是典型的疏離型不可靠敘述者，如果採用高愛軍的視角就意味著將隱含作者閻連科顯而易見的反諷棄之不顧，忽略了高愛軍背後所隱藏的另一個故事。其實，《堅硬如水》有兩個故事：一個是高愛軍講述自己如何充滿革命激情，想要做出千古傳誦的偉業以及與夏紅梅偉大的革命愛情；另一個故事恰恰相反，讀者看到的是高愛軍權欲膨脹，為了掌控權力，不惜逼死妻子，逼瘋岳父，砍死情敵，炸死假想敵，最終被以「反革命通姦罪」處決的故事。「作者的讀

2　余華：《第七天》北京：新星出版社，2013年6月，頁3。
3　張定浩：〈《第七天》：匆匆忙忙地代表著中國〉，《上海文化》2013年第9期。
4　詹姆斯·費倫：〈《洛麗塔》》中的疏離型不可靠性、親近型不可靠性及其倫理〉，肖向陽譯，《敘事》第1輯，廣州：暨南大學出版社，2008年12月，頁6。
5　詹姆斯·費倫：〈《洛麗塔》》中的疏離型不可靠性、親近型不可靠性及其倫理〉，肖向陽譯，《敘事》第1輯，廣州：暨南大學出版社，2008年12月，頁6。

者」會在敘述者話語的裂縫中看見隱含作者「處心積慮」的提醒，一點一點遠離敘述者的倫理規範。

《第七天》鬼魂楊飛對於現實的憤慨之語，則與時下的情感結構高度吻合。隱含作者余華讓敘述者以鬼魂的樣貌出現，讓其知曉前世今生，藉以拓展敘事的疆域，是對傳統的復活。中國向有悠久的鬼神志怪傳統，上古神話是其源頭，在隨後的朝代各有其演變方式：「中國本信巫，秦漢以來，神仙之說盛行，漢末又大暢巫風，而鬼道愈熾；會小乘佛教亦入中土，漸見流傳。凡此，皆張惶鬼神，稱道靈異，故自晉迄隋，特多鬼神志怪之書。其書有出於文人者，有出於教徒者。文人之作，雖非如釋道二家，意在自神其教，然亦非有意為小說，蓋當時以為幽明雖殊途，而人鬼乃皆實有，故其敘述異事，與記載人間常事，自視固無誠妄之別矣。」[6]這種對鬼神異事和人間常事不加區別的態度，自五四以來隨著「科學」日盛，逐漸消弭。新中國成立以來，對於「無神論」的宣揚，使得神仙鬼怪在人們的意識深處日漸失其根基，並常被貶為「迷信」。但余華匠心獨運，借鬼魂言人事。因為與人間已沒有切己相關，鬼魂可以坦言一切。

對鬼魂的書寫，似乎與五四以來傾向形成的生命樂觀主義背道而馳，但對鬼魂世界的推崇，一定意義上折射出另一藍圖，以彼岸世界寄託「烏托邦」理想。以彼岸的視角觀照此岸，這是鬼魂視角一大便利，但是對於這種便利的過分依賴，很容易走入另一個誤區，以彼岸的書寫完成對此岸的「否定」。鬼魂的「明徹」與「超然」蘊含的是對人世居高臨下的俯視和洞徹一切的虛無，在虛無中建構的控訴與撫慰一點點變得與人世隔絕，與此岸無涉的控訴與撫慰是如此輕飄，很容易隨風而散。

二　果如其然的控訴

小說開篇敘述者楊飛接到火葬場電話，來到候燒大廳，縱然「死去原知萬事空」，但這裡塵俗氣息依然濃重，貧富差異依舊明顯。死者談論的都是壽衣和骨灰盒，攀比的是彼此的墓地、墓碑。心酸的是墓地價格昂貴，窮人「死無葬身之地」。楊飛只好離開殯儀館，重新在人世間遊蕩，一系列的時代症候湧入眼簾：暴力拆遷，夫妻因強拆被掩埋在廢墟之中；警察和暴徒勾結，刻意製造事端，藉以平息抗議；新聞發言人謊話連篇，阿諛奉承；飯店老闆譚家鑫被公安、消防、衛生、工商、稅務部門層層盤剝，入不敷出；精神病妻子離家出走，無辜丈夫被警察屈打成招，釀成冤假錯案。作為鬼魂，楊飛可以肆意揭開種種偽裝，揭露人類是如何歪曲和隱瞞事實的。他所講述的系列案件都沒有超出人們的想像，甚至特別合乎讀者期待。這就使讀者對敘述者楊飛產生親近感，覺得他的敘述是可靠的，但細究下去，過於合乎讀者的想像是否也會形成遮蔽？一切真

6　魯迅：《中國小說史略》北京：人民文學出版社，1973年，頁29。

的這麼簡單嗎？暫且存疑。

其實最讓筆者困惑的是出租屋裡的「苦命鴛鴦」，這一對癡情的男女伍超，鼠妹（劉梅），表達感情的方式就是「作」。在髮廊打工，鼠妹與同事爭風吃醋，無端猜忌毀掉男友的前途；在餐館打工，鼠妹被客人欺負，伍超大打出手，再次自毀前途；奇怪的是，經歷兩次挫折，兩個年輕人心高氣傲，餓得奄奄一息，寧願乞討，也不肯出去工作；後來窮途末路，鼠妹想要去夜總會坐檯，伍超激烈反對。縱然日子艱辛至此，鼠妹念念不忘的卻是蘋果手機。伍超為了表達愛意，送了一款山寨 iPhone4S，鼠妹覺得男友騙了自己，以死相逼，要他給自己一個交代。她上網求助，線民提供了關於如何自殺五花八門的意見，但她不想死，只是以跳樓要脅男友出面解釋。在警察的勸慰下，鼠妹想通了，卻不小心失足墜樓。來到「死無葬身之地」後，鼠妹才知曉，伍超的消失是因為父親病重，匆忙趕回去照顧；為了給她買塊墓地，伍超毅然選擇賣腎，因術後感染斷送生命。他們的故事成為社會熱點，成為 iPhone4S 的軟文廣告。

或許這對青年男女的遭遇令人唏噓，但是這個故事的邏輯實在詭異。是甚麼造成了他們的悲劇？女孩物質嗎？她如此深愛她的窮男友。男孩好吃懶做嗎？他原本是很有上進心、企圖心的青年。他們太驕傲了嗎？女孩想去坐檯，可以當眾乞討。社會的迫害嗎？兩次辭職都有他們自己任性負氣的成分。他們自身條件太差嗎？女孩美麗動人，男孩聰明上進。他們不夠愛彼此嗎？他們如此深愛對方，願以性命相博。這是一個過於擰巴的故事，擰巴程度超越了俗世卑微男女的日常生活，不管是他們的自作自受，還是社會的不公作祟，隱含作者沒有給他們留下一絲生機。「《第七天》的作者也許一直以為自己是在為被侮辱和被損害者立言，但事實上，通過空洞無明的臆想，通過對群氓想像力的迎合，他只是把新的侮辱和損害施加給那些生活裡的卑微者。」[7]

正是以這種空洞無明的臆想，余華在控訴中進行迎合，完成了與大眾意識的共舞，使得敘述者的可靠性打了折扣，質疑在暗處滋長。或者，原本敘述者就「棲居於可靠性與不可靠性之間的一個寬闊地帶」，鼠妹的故事不論是從事實報導軸線，還是倫理評價軸線都過於擰巴，敘述者以不斷的意外推進故事，但是種種意外的疊加，使得故事根基飄搖，同時推進故事發展的邏輯又過於匪夷所思。余華讓所有倒楣的事情發生在這對小情侶身上，但是這些不幸缺乏內在邏輯，更像是隱含作者臨時起意的惡作劇，人物缺乏穩定的性格內核。太多意外的疊加，使得讀者對故事的走向缺乏認同；而隱含作者居高臨下的悲憫，在疊床架屋的巧合中迷失，更在將主人公命運玩弄於鼓掌之間的肆意中消解。

7　參見張定浩：〈《第七天》：匆匆忙忙地代表著中國〉，《上海文化》2013年第9期。

三　無界的愛與寬恕

　　《第七天》楊飛在控訴黑暗的同時，也以溫情的語調回溯了自己的愛情故事。美女李青置各路精英於不顧，偏偏愛上窮小子楊飛，婚後卻受到海歸博士的誘惑，離婚再嫁。二婚遇人不淑，被現任老公感染性病；博士老公捲入高官腐敗案，臨陣脫逃，李青割腕自殺。李青死前醒悟，平平淡淡才是真，明白前夫才是真愛。生前天各一方，死後重新找尋舊愛。這個故事看似深情款款，其實充滿惡意，對於離開窮小子，梅開二度的李青完成了想像中的復仇，而且這樣的復仇非常拙劣，它類似赤裸裸的恐嚇，不安分的女人染上性病，成為棄婦，詮釋了見異思遷者的下場。在講述李青的同時，楊飛完成了自我癡情、忠厚形象的塑造，他是因為看到前妻死亡消息過於震驚，才錯過了逃生良機，在飯店爆炸中喪生。

　　殯儀館的候燒大廳寬敞敞深遠，「我進去時一個身穿破舊藍色衣服戴著破舊白手套的骨瘦如柴的人迎面走來，我覺得他的臉上只有骨頭，沒有皮肉。他看著我五官轉移之後的臉輕聲說：您來了。」[8]這一幕看似平淡，細思卻觸目驚心。楊飛苦苦找尋自己的父親，但因父親的臉上已無皮肉，自己在火災中被重物所砸，五官移位，「縱使相逢應不識」成為父子間的真切寫照。之後經由李青的手，楊飛五官一點點復位，為鼠妹送行，再次來到候燒大廳，「他空洞的眼睛突然看到了我，驚喜和恐懼在裡面此起彼伏。」[9]異樣的父子重逢，為見到兒子而驚喜，亦為見到兒子而恐懼，縱然日夜思念兒子，但父親哪裡願意在候燒大廳見到兒子，他不斷哀傷地重複：「你這麼快就來了。」思念一個人，但卻恐懼見到他，這是最深切的父愛。父子情感的溫馨與苦澀，與余華《許三觀賣血記》、《活著》等小說一脈相承，是混濁世間最後的避風港，父子重逢使得淒涼的候燒大廳有了別樣的溫馨。其實在《第七天》中死亡是不斷的重逢，在生與死的邊境，前塵往事已經是過眼雲煙，但父子真情難以磨滅，唯有愛是永存的。愛是如此充沛豐盈，情不自禁四處瀰漫。

　　人間大型商場起火，關於火災謊言氾濫，死亡人數撲朔迷離。在「死無葬身之地」，人數終於確證，一共是三十八人，是特別重大事故，人間的系列報導裡面充滿了瞞和騙。運用不可靠敘述者的目的的確是想以某種詼諧的方式展現表相與現實之間的差距，揭露人類是如何歪曲或隱瞞事實的。[10]此處借用鬼魂來到另一個世界，終於查明真相，但此舉亦是徒勞，他們對此岸世界無計可施，這一世界的困擾對於他們也已經微不足道。這三十八人到了「死無葬身之地」，變成一個大家庭，相親相愛，對於另一個世

8　余華：《第七天》北京：新星出版社，2013年6月，頁8。

9　余華：《第七天》北京：新星出版社，2013年6月，頁208。

10　（英）大衛・洛奇王峻岩等譯：《小說的藝術》北京：作家出版社，1998年2月，頁170。

界毫無怨言。很難想像曾經尖峭冷峻的余華在此刻變得過度溫情乃至濫情，面對生命中突如其來的災難，在火災中煎熬致死，三十八個冤魂無一尋根究柢，無一試圖報復；面對親屬為了封口費，使自己的死亡成為黑暗秘密，三十八個冤魂無一充滿怨恨，他們選擇了最徹底的寬恕，忘記他們，享受彼岸世界的溫暖。這一故事昭示甚麼？弱者唯一擁有的武器是寬恕？只有寬恕才能真正得到救贖？如此寬恕是否也意味著對於罪惡的變相縱容？這一切從反面昭示了隱含作者余華與弱者的隔膜，所有的苦難已是不切己的存在，寬恕才來得如此隨意與輕飄。

　　下棋的「骨骼」引出另外的故事，員警張剛審訊偽賣淫女——李姓男子，在審訊過程中衝動地將其踢殘。從此李姓男子開始對張剛窮追不捨，在多年追索無效的情況下，李姓男子到公安局行凶，殺死張剛，自身也被執行死刑。生前不共戴天的兩個人到了「死無葬身之地」卻化解了戾氣，相逢一笑泯恩仇。「十多年前，他們兩個相隔半年來到這裡，他們之間的仇恨沒有越過生與死的邊境線，仇恨被阻擋在了那個離去的世界裡。」[11]敘述者告訴讀者，因為這是一個沒有仇恨的世界，一切都將煙消雲散。如果死亡就意味著可以原諒一切，那是否還有正義和邪惡？愛與寬恕是基督教義，但小說人物現實而理性，並不具備強烈的宗教信仰。缺乏信仰根基，「愛與寬恕」顯得虛幻而輕飄。輕飄飄的原諒對於此岸世界的罪惡沒有絲毫震懾，如此變相的撫慰恐怕適得其反。

四　美麗新世界

　　寬恕了此岸世界的罪惡煙塵，所有的亡靈傾心建立自己的「美麗新世界」。在這裡，所有的動作都只是虛擬動作，類似古代戲曲的舞臺動作，他們坐在想像中的桌椅旁邊，用想像的棋子下棋，品嚐想像中的盛宴，一切動作都只是自我或彼此配合的想像。說到底，亡靈不過是在「扮演」，所有的滿足依賴於自我的想像力。余華在此處將小說家的特權輻射傳遞，亡靈憑藉想像建立了自己的樂園。這一樂園究竟如何立足？純粹靠想像力和「演技」：亡靈屏蔽掉了此岸世界的毒食品，吃上了想像中的美食；屏蔽掉了此岸的爾虞我詐，彼此間和睦相處；屏蔽掉了工商稅務的盤剝，誠信經營；屏蔽掉了員警的刑訊逼供，擁有了內心的安寧。不客氣地講，如果這一切只建立在亡靈的幻象中，那麼在人世間，只要想像力夠強大，這一切亦可瞬間實現，建立這一「新世界」意義何在？敘述者把它作為此岸世界的反面，其實這是敘述者將他所認為此岸世界的匱乏，以一種臆想的方式，在彼岸重新安置，補充。他構建的「美麗新世界」不過是想像力的隨意馳騁，缺乏精神的輝光。現代中國，宗教傳統缺乏，小說在某種意義上不得不承擔了提供精神出口的重負，遺憾的是通過虛擬動作、虛擬表情建立的虛擬樂園，未能提供任何

11　余華：《第七天》北京：新星出版社，2013年6月，頁143。

新的慰藉和希望；這一世界看似溫情脈脈，其實蒼白無力，處於離散狀態，余華想要借助這一「烏有之地」實現對傷痛人間的撫慰，層出不窮的批評宣告了這一努力的失敗。

借由想像中的樂園，敘述者展開一場對話：

> 我說出了思緒裡突然出現的念頭，「我怎麼覺得死後反而是永生。」
> ……
> 我說：「為甚麼死後要去安息之地？」
> 他似乎笑了，他說：「不知道。」
> 我說：「我不明白為甚麼要把自己燒成一小盒灰？」
> 他說：「這個是規矩。」
> 我問他：「有墓地的得到安息，沒墓地的得到永生，你說哪個更好？」
> 他回答：「不知道」。[12]

跋涉於生死兩域的死者將其知覺觸角延伸到了人與物、人與人、人與自我的關係之中，闡釋了生死相悖又融通的辯證過程。這遠比直接進入安息之地的死者要獲致更多關於生命景致，這也是楊飛的思緒裡為甚麼會反覆出現「我怎麼覺得死後反而是永生」念頭的原因。[13]正如對話者曖昧的回答「不知道」，楊飛的困惑是沒有答案的，因為所有一切都建立在臆想之上，在「幻影裡造閣樓，在虛幻中求擁有」。缺乏宗教基礎，沒有精神光芒，又遠離了現實生活的邏輯規約，真實的讀者很難認同「死後反而是永生」的判斷。這一判斷過於高蹈出塵，對於現實人生，缺乏有效性。如果活著真的喪失了意義，人往何處去？[14]如果「死無葬身之地」根基是「無地」，小說堵住了所有的出口，人只能徘徊於無地？只能在虛擬中尋求安慰？

自我悼念者聚集之地的景觀：

> 戴著黑紗的陸續坐了下來，彷彿是聲音陸續降落到安靜裡。我們圍坐在篝火旁，寬廣的沉默裡暗暗湧動千言萬語，那是很多的卑微人生在自我訴說。每一個在那個離去的世界裡都有著不願回首的辛酸事，每一個都是那裡的孤苦伶仃者。我們自己悼念自己聚集到一起，可是當我們圍坐在綠色的篝火四周之時，我們不再孤苦伶仃。沒有說話，沒有動作，只有無聲的相視而笑。我們坐在靜默裡，不是為了別的甚麼，只是為了感受我們不是一個，而是一群。[15]

---

12 余華：《第七天》北京：新星出版社，2013年6月，頁154-155。

13 吳翔宇：〈《第七天》空間衍射的生成與消歇〉，《小說評論》2013年第5期。

14 參見梁振華在〈余華長篇小說《第七天》學術研討會紀要〉上的發言，《當代作家評論》2013年第6期，頁107。

15 余華：《第七天》北京：新星出版社，2013年6月，頁164。

　　關於另一世界的記憶全是貧困、艱辛、屈辱與卑微，只有在自我悼念者之地，原本「孤苦伶仃」者達到奇異的結合，成為一個新的集體，沒有親疏之分，抱團取暖，自我悼念。余華是想通過這種方式撫慰傷痛，但在寬廣的沉默裡，這種撫慰很難說有效，失效源自敘述者和隱含作者的絕望和無力：「我覺得余華是很形象地把一個正常人在當代社會裡的那種無力感、那種無可奈何感，表達出來了，他把這種感受寫成了一個死人，表達出來的那個絕望是很痛切的。一個亡靈，或者一個影子，他在這個現實當中不占有任何具體的實際的空間，他也沒有能力去占有這個實際的空間，你在這個現實裡面不占有具體的空間，就沒有辦法對這個社會現實發生作用。」[16]所有的撫慰只能停留在愛與寬恕，停留在自我幻想層面，與人世隔絕，對在艱難時世中苦苦掙扎的小人物而言，不過是畫餅充饑。

　　敘述者穿越生死邊境線，用系列奇聞連綴死後與生前的種種糾葛，以彼岸世界的真相對此岸的種種流言進行「糾偏」，並對兩個世界進行評判。顯然敘述者傾心於「死無葬身之地」的美好：

> 水在流淌，青草遍地，樹木茂盛，樹枝上結滿了有核的果子，樹葉都是心臟的模樣，它們抖動時也是心臟跳動的節奏。很多的人，很多隻剩下骨骼的人，還有一些有肉體的人，在那裡走來走去……
>
> 我對他說，走過去吧，那裡樹葉會向你招手，石頭會向你微笑，河水會向你問候。那裡沒有貧賤也沒有富貴，沒有悲傷也沒有疼痛，沒有仇也沒有恨……那裡人人死而平等。他問：「那是甚麼地方？」我說：「死無葬身之地。」[17]

　　這一世界橫空出現，不知來處，不問去路。敘述者將「死無葬身之地」描繪得如此溫馨美好，借此傳達對「黑暗人間」的痛恨和憤慨，表達對於溫暖、善意、平等的渴求。「死無葬身之地」投射的是一種「烏托邦」想像，只有「死無葬身之地」才能擁有「屬人」的待遇，才能知曉真相，獲得永生。上述渴求從倫理角度而言，並無不妥，也能夠喚起「作者的讀者」的共鳴，拉近敘述者——讀者之間倫理、情感的距離，但是將此渴求投射到「死無葬身之地」過於偏狹。讀者可能在情感層面被這種溫情脈脈打動，但理智上卻不能停止質疑。人間真的如此荒誕絕望？我們在何種意義上認同「鬼魂」的講述？此岸世界真的不可救藥，只能靠著彼岸一個虛妄的新世界進行撫慰？莫非真的活著本身一籌莫展，只能靜等死後空洞的控訴和撫慰？這樣的絕望、控訴、撫慰是否消解了現實改造的意義？將幸福渴望投射在彼岸世界，在傳達憤慨的同時是否也陷入了「虛

16　參見張新穎在〈余華長篇小說《第七天》學術研討會紀要〉上的發言，《當代作家評論》2013年第6期，頁94。

17　余華：《第七天》北京：新星出版社，2013年6月，頁225。

無」？如果說所有的答案都是不確定的，那麼《第七天》亡者的控訴縱然沉痛但卻無力，所提供的撫慰雖然溫暖但卻無效。

五　結論——在可靠與不可靠之間

當然，敘述者存在不可靠敘述行為，並非意味著他所有的敘述都是不可靠的。楊飛作為親近型不可靠敘述者，始終在「親近」和「不可靠」間遊走：「不可靠」與鬼魂的設置有關，他在生死邊境線中穿梭，是隱含作者賦予他的神奇能力，這樣的神奇超出常規。楊飛帶領讀者擊穿瞞和騙，去發掘真相，在事實報導軸線上呈現的殘酷真相，因與系列新聞事件的貼合，語調的克制、冷靜贏得信任，講述中他的迫切、無奈與焦灼，最大程度與讀者情感吻合，無盡的隱痛引發讀者共鳴。這樣的控訴營造了真實感、情境感，敘述者與讀者距離縮短，獲得了讀者的認同和親近，質疑卻在暗處生長。讀者隨著敘述者的講述時而憤慨、時而絕望，之後敘述者輕飄飄的寬恕，過於高蹈則與讀者拉開距離；彼岸世界的溫情脈脈，雖在某一時刻撫慰了讀者的焦灼，但當敘述者急切地想要通過「死無葬身之地」來彌合裂縫時，他所描述的盛景只是一種無關痛癢的撫慰。因為所謂「新世界」本身不過是縹緲的存在，對於此岸的傷痛焦灼，彼岸世界只能袖手旁觀，在一片平靜中無奈，「無界的愛與溫情」，不過是隔靴搔癢。敘述者的彌合是無力的，當讀者發現了他的無力之後，不可靠迅速顯形。

楊飛這一親近型不可靠敘述者的奇異在於，不可靠性是在親近感臨近巔峰狀態時滋生，而一旦滋生，變成燎原之勢，使得之前的講述被重新熔煉。甚至，不可靠性某種意義上與親近感成正比，之前的認同度越高，之後質疑的強度越大。這可作為親近型不可靠敘述的一種新的類型，稱之為「物極必反」親近型不可靠。當親近臨近頂點崩塌，不可靠滋生，之後讀者與敘述者產生疏離，與「月滿則虧」、「物極必反」的傳統哲學一脈相通。

敘述者和讀者的關係交織著作家和現實的關係，讀者和現實的關係，作家與讀者的關係。余華始終不乏直面慘澹的勇氣，也敢於正視怪誕的現實，但是書寫現實的焦慮和急切，使得余華並未沉潛下去，「余華像收藏家一樣搜集案例和事件，但他沒有明白，這些案例和事件其實只是大海表面的泡沫和漂浮物，它們的壯觀、瘋狂和奇異，是由寧靜深沉的海洋作為底子的。」[18]同時，對於弱者情感上的日漸隔膜，使得寬恕來得如此輕易，而「新世界」的建立更是虛幻縹緲。讀者因對敘述者的控訴產生認同，緊密貼合，將敘述者視為自我的代言人，產生過高的閱讀期待，但是鬼魂的寬恕對於在世間艱難輾轉的人類而言，過於超脫，而「美麗新世界」的建立更是因其隔絕虛幻與人世無

18　參見張定浩：〈《第七天》：匆匆忙忙地代表著中國〉，《上海文化》2013年第9期。

涉。在此過程中，讀者會有「撲空感」，和敘述者之間距離拉開，形成疏離。

親近型不可靠敘事與隱含作者放棄抵抗與反思，始終處於大眾意識內部，在一個舒適區域裡「妙筆生花」，迎合接受語境密切相關。當人人都以鬥士自居的時刻，控訴的姿態何嘗不是一種媚俗。「余華對現世的看法，對中國當下現實的複雜性的看法，在這部小說中得到了壓縮和簡化。我隱約感到，余華對現世的貼近，使得他對中國當下現實的總體把握，反而具有一種媒體意識形態般的急迫和碎片性質……當一個文學家主要從報紙雜誌、從博客微博微信這樣的自媒體吸取現實，了解現實，定義現實，我很擔心文學本身被媒體意識形態綁架。」[19]系列新聞事件的改編與網民的捕風捉影，並不陌生，是平庸日常對離奇案件的窺探，是心有怨念借事件之酒杯澆自我之塊壘。只不過在這裡讀者是隨著敘述者楊飛的視角去窺探，在窺探過程中親密貼合，在間離形成的陌生感中體味別樣的親切。

當然，余華並未止步於窺探，他不滿足於做時代傷痕的記錄者，他心急地想要完成想像中的解決，意圖以「創世」撫平傷痕。余華自述：「我寫《第七天》的時候，有一種很強烈的感覺，把現實世界作為倒影來寫的，其實我的重點不在現實世界，是在死亡的世界。我前面已經說過了，現實世界裡的事件只是小說的背景，死無葬身之地才是小說的敘述支撐……所有的敘述理由都來自於死無葬身之地。」「如果有人問我《第七天》文學的意義在甚麼地方，我說就在這裡，在死無葬身之地這裡。」[20]遺憾的是，「死無葬身之地」這一意象因其基礎的薄弱，內蘊的缺乏，非常單薄，並不能支撐起小說的意義。而對現實世界的走馬觀花滿足了讀者的窺探欲，卻未能提供精神引領力量，或許這正是小說不盡如人意的地方。

---

19 參見歐陽江河在〈余華長篇小說《第七天》學術研討會紀要〉上的發言，《當代作家評論》2013年第6期，頁108-109。
20 參見余華在〈余華長篇小說《第七天》學術研討會紀要〉上的發言，《當代作家評論》2013年第6期，頁114。

《新亞論叢》文章體例

一、每篇論文需包括如下各項：

（一）題目（正副標題）

（二）作者姓名、服務單位、職務簡介

（三）正文

（四）註腳

二、各級標題按「一、」、「（一）」、「1.」、「（1）」順序表示，儘量不超過四級標題.

三、標點

1.書名號用《》，篇名號用〈〉，書名和篇名連用時，省略篇名號，如《莊子・逍遙遊》。

2.中文引文用「」，引文內引文用『』；英文引文用“ ”，引文內引文用‘ ’。

3.正文或引文中的內加說明，用全型括弧（）。

　　例：哥白尼的大體模型與第谷大體模型只是同一現象模型用不同的（動態）坐標系統的表示，兩者之間根本毫無衝突，無須爭執。

四、所有標題為新細明體、黑體、12號；正文新細明體、12號、2倍行高；引文為標楷體、12

五、漢譯外國人名、書名、篇名後須附外文名。書名斜體；英文論文篇名加引號“ ”，所有英文字體用 Times New Roman。

　　例：此一圖式是根據亞伯拉姆斯（M. H. Abrams）在《鏡與燈》（*The Mirror and The Lamps*）一書中所設計的四個要素。

六、註解採腳註（footnote）方式。

1.如為對整句的引用或說明，註解符號用阿拉伯數字上標標示，寫在標點符號後。如屬獨立引文，整段縮排三個字位；若需特別引用之外文，也依中文方式處理。

七、註腳體例

（一）中文註腳

1.專書、譯著

　　例：莫洛亞著，張愛珠、樹君譯：《生活的智慧》北京：西苑出版社，2004年，頁106。

2.期刊論文

　　例：陳小紅：〈汕頭大學學生通識教育的調查及分析〉，《汕頭大學學報（人文社會科學版）》，2005年第4期，頁20。

3. 論文集論文

例（1）：唐君毅：〈人之學問與人之存在〉，收入《中華人文與當今世界》台北：學
生書局，1975年，頁65-109。

4. 再次引用

（1）緊接上註，用「同上註」，或「同上註，頁4」。

（2）如非緊接上註，則舉作者名、書名或篇名和頁碼，無需再列出版資料。

例：唐君毅：〈人之學問與人之存在〉，頁80。

5. 徵引資料來自網頁者，需加註網址以及所引資料的瀏覽日期。網址用〈 〉括起。

例：〈www.cuhk.edu.hk/oge/rcge〉，瀏覽日期：2007年5月14日。

（二）英文註腳

所有英文人名，只需姓氏全拼，其他簡寫為名字 Initial 的大寫字母。如多於一位作
者，按代表名字的字母排序。

1. 專書

例（1）：J. S. Stark and L. R. Lattuca, *Shaping the College Curriculum: Academic Plans in
Action* (Boston: Allyn and Bacon, 1997), 194-195.

例（2）：R. C. Reardon, J. G. Lenz, J. P. Sampon, J. S. Jonston, and G. L. Kramer, *The
"Demand Side" of General Education—A Review of the Literature: Technical
Report Number 11* (Education Resources InformationCentre, 1990),www.
career.fsu. edu/documents/technicalreports.

2. 會議文章

例：J. M. Petrosko, "Measuring First-Year College Students on Attitudes towards General
Education Outcomes," paper presented at the annual meeting of the Mid-South
Educational Research Association, Knoxville, TN, 1992.

3. 期刊論文

例：D. A. Nickles, "The Impact of Explicit Instruction about the Nature of Personal
Learning Style on First-Year Students' Perceptions 259 of Successful Learning," *The
Journal of General Education* 52.2 (2003): 108-144.

4. 論文集文章

例：G. Gorer, "The Pornography of Death," in Death: Current Perspective, 4th ed., eds. J. B.
Williamson and E. S. Shneidman (Palo Alto: Mayfield, 1995), 18-22.

5. 再次引用

（1）緊接上註，用「同上註」，或「同上註，頁4」。

（2）舉作者名、書名或篇名和頁碼，無需再列出版資料。

例：G. Gorer, "The Pornography of Death," 23.

大學叢書·新亞論叢　1703005

新亞論叢　第十九期

主　　　編	香港新亞文商書院	
責任編輯	楊家瑜	
發 行 人	陳滿銘	
總 經 理	梁錦興	
總 編 輯	陳滿銘	
副總編輯	張晏瑞	
編 輯 所	萬卷樓圖書股份有限公司	
排　　版	林曉敏	
印　　刷	維中科技有限公司	
封面設計	斐類設計工作室	
發　　行	萬卷樓圖書股份有限公司	
	地址　臺北市羅斯福路二段 41 號 6 樓之 3	
	電話　(02)23216565	
	傳真　(02)23218698	
	電郵　SERVICE@WANJUAN.COM.TW	
大陸經銷	廈門外圖臺灣書店有限公司	
	電郵　JKB188@188.COM	
香港經銷	香港聯合書刊物流有限公司	
	電話　(852)21502100	
	傳真　(852)23560735	

ISBN 978-986-478-274-1（臺灣發行）

ISSN 1682-3494（香港發行）

2018 年 12 月初版一刷

定價：新臺幣 740 元

如何購買本書：

1. 劃撥購書，請透過以下郵政劃撥帳號：
   帳號：15624015
   戶名：萬卷樓圖書股份有限公司

2. 轉帳購書，請透過以下帳戶
   合作金庫銀行　古亭分行
   戶名：萬卷樓圖書股份有限公司
   帳號：0877717092596

3. 網路購書，請透過萬卷樓網站
   網址　WWW.WANJUAN.COM.TW

大量購書，請直接聯繫我們，將有專人為您服務。客服：(02)23216565　分機 610

如有缺頁、破損或裝訂錯誤，請寄回更換

國家圖書館出版品預行編目資料

新亞論叢. 第十九期 / 香港新亞文商書院主
編. -- 初版. -- 臺北市：萬卷樓, 2018.12
　面 ；　公分. -- (大學叢書)
年刊
ISBN 978-986-478-274-1(平裝)
1.期刊

051　　　　　　　　　　　　108001686